구문독해 BOOK 1

204

구문 독해 2O4 BOOK 1

지은이 김상근
펴낸이 임상진
펴낸곳 (주)넥서스

출판신고 1992년 4월 3일 제311-2002-2호 ③-②
10880 경기도 파주시 지목로 5
Tel (02)330-5500 Fax (02)330-5555
ISBN 979-11-6683-361-8 (54740)
      979-11-6683-363-2 (SET)

www.nexusbook.com

구문을 알면 독해가 저절로!

구문 독해 204

김상근 지음

BOOK

1

NEXUS Edu

머리말

우리나라에서 영어를 잘하는 것은 쉬운 일이 아닙니다. 특히나 긴 글을 단숨에 읽어나가는 건 더더욱 어려운 일입니다. 그래서 영어의 기본기를 다지는 것이 중요합니다. 그 기본기를 다지기에 가장 효과적인 방법은 영어 문장을 분석하고, 그 구조를 파악하는 것입니다.

물론 이러한 구조 파악에는 영어 문법과 구문 분석이 가장 기본이 됨은 말할 것도 없습니다. 영어 문법과 구문에 대한 기본기가 없다면 영어 문장의 구조 파악은 불가능합니다. 그래서 학교에서 학생들이 어려워하고, 특히 학교 내신시험에 나오면 대부분 틀리는 문법을 정리했고, 그러한 문법이 사용된 문장을 사용하여 구문 해석 연습을 위해 204개의 구문 분석으로 엮었습니다. 특히 문장이 길어서 해석이 어려운 것, 주어와 동사 사이에 긴 삽입구가 들어가 해석이 어려운 것, 문장의 주요 성분(주어, 동사, 목적어, 목적격 보어)을 수식해 주는 군더더기가 많아서 해석이 어려운 것 등을 추려 냈습니다.

내신 성적 향상의 핵심인 영어 문법의 기본을 쌓고, 구문 분석을 꾸준히 하면 전반적인 영어 실력까지 향상시킬 수 있습니다. 독해를 잘하지 못하는 학생들의 대부분은 주어와 동사를 잘 찾지 못하고 헤매는 경우가 많습니다. 이러한 현상은 어떤 것이 수식어구인지, 어떤 것이 삽입구인지를 제대로 파악하지 못하기 때문에 일어나는 현상입니다.

영어 문장을 분석하고, 그 구조를 파악하는 연습을 충분히 하고 나면, 나중에는 굳이 문장을 분석하려고 하지 않아도 머릿속에서 저절로 주어, 동사를 파악하고 문장을 이해할 수 있게 됩니다. 이것이 우리가 흔히 말하는 직독직해입니다.

직독직해에 있어서 가장 중요한 것은 주어와 동사를 파악하는 것입니다. 문장의 주요 요소에 포함되는 목적어, 목적격 보어까지 파악하고 나면, 나머지는 그저 문장의 주요 요소를 꾸며주는 수식구들에 불과할 뿐입니다.

「구문독해 204」는 주어, 동사를 찾는 구문 풀이의 기본에 충실하면서도 수식어구까지 파악할 수 있도록 자세한 설명을 달았습니다. 「구문독해 204」를 끝내고 나면 어느새 영어 문장의 원리를 모두 파악하고 있는 자신을 발견할 수 있도록 충분한 연습문제를 수록했습니다.

또한 시험에 잘 나오는 〈필수 어법 공식 76〉과 평가원에서 출제된 어법 문제들만 모은 〈종합 기출 문제 26〉을 부록 자료로 추가하였습니다. 본책의 시리즈와 함께 활용하시면 큰 도움이 될 것이라 생각합니다.

「구문독해 204」를 공부하면 영어 문법은 물론 직독직해에 자신감이 생기리라 자신 있게 말씀드릴 수 있습니다.

저자 김상근

구성과 특징

Key Sentence

14년간 시험 기출 통계 자료를 통해 엄선된 핵심 구문을 수록했습니다.
문장 구조를 분석해 주는 친절한 해설은
직독직해가 쉬워지는 비결을 제시합니다.

Grammar Point

핵심 구문에서 뽑은 시험에 자주 나오는 문법을 선별하여 정리했습니다.

Check-up

Grammar Point에서 학습한 문법을 간단히 확인할 수 있는
문제를 제공합니다.

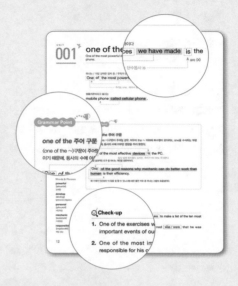

EXERCISE

Key Sentence와 Grammar Point에서 익힌 내용을
점검할 수 있는 연습 문제입니다. 스스로 문장 구조를
파악하며 직독직해를 연습하면 효과는 두 배가 됩니다.

ACTUAL TEST

지문 속에 숨어 있는 어법 문제를 통해 독해와 어법을
동시에 점검할 수 있습니다. EXERCISE에서는 단문을
연습했다면 이를 장문에 적용하여 독해력과 어법 실력을
동시에 향상시킬 수 있습니다.

REVIEW TEST

해당 챕터에서 배운 문법 사항을 점검할 수 있는 심화 어법
문제를 수록했습니다. EXERCISE와는 다른 다양한 유형
의 문제를 학습함으로써 문장 구조 파악에 자신감을 가질
수 있도록 구성했습니다.

FINAL CHECK

실제 시험 유형의 장문 어법 문제를 수록했습니다. 실전
독해 장문 문제 풀이를 통해 글 속에 숨어 있는 오류를 찾
아내고, 본격적인 직독직해 연습을 해볼 수 있습니다.

새롭게 추가된 구성

BOOK 1 부록

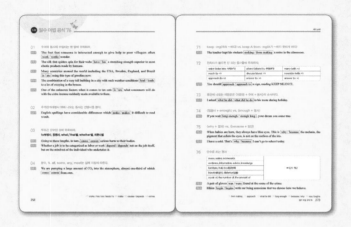

필수 어법 공식 76

빠르고 정확한 독해를 위한 꼭 필요한 문법 포인트를 새롭게 수록!
76가지의 핵심 문법 포인트가 머릿속에 정리가 되어있으면 더 이
상 헤매지 않고 술술 문장과 글의 핵심을 뽑아낼 수 있습니다.

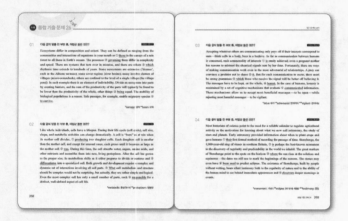

BOOK 2 부록

종합 기출 문제 26

최근 출제된 수능과 모의고사의 어법 문제로 자신의 문법 수준을
최종 점검할 수 있습니다. 실제 문제가 너무 어렵게 느껴진다면
본 교재를 다시 처음부터 꼼꼼하게 복습할 것을 권장합니다.

추가 제공 자료

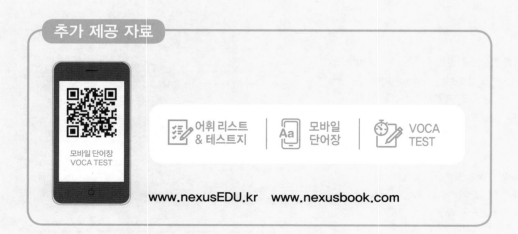

모바일 단어장
VOCA TEST

어휘 리스트 & 테스트지 | 모바일 단어장 | VOCA TEST

www.nexusEDU.kr   www.nexusbook.com

목차

💡 2권 목차

Subjects
and
Verbs 1

주어와 동사 1

one of the 주어 구문

One of the most powerful devices we have made is the cellular phone that we can carry with us and use in any place.

우리가 만든 가장 강력한 장치 중 하나는 가지고 다니며 어떤 장소에서든 사용할 수 있는 휴대 전화이다.

하나는 / 가장 강력한 장치 중 // 우리가 만든 // 이다 /
One of the most powerful devices we have made is
are (X)
─ 주어는 one, 따라서 동사는 단수 동사 is ─

휴대 전화 // 우리가 가지고 다닐 수 있고 / 어떤 장소에서든 사용할 수 있는
the cellular phone that we can carry with us and use in any place.

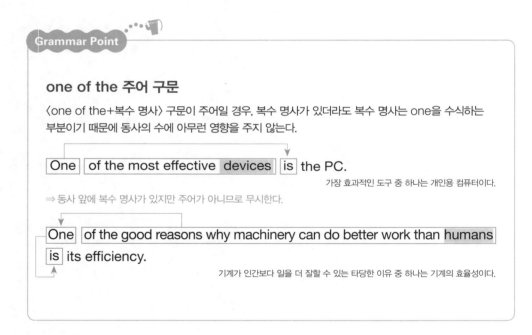

Grammar Point

one of the 주어 구문

〈one of the+복수 명사〉 구문이 주어일 경우, 복수 명사가 있더라도 복수 명사는 one을 수식하는 부분이기 때문에 동사의 수에 아무런 영향을 주지 않는다.

One of the most effective devices is the PC.

가장 효과적인 도구 중 하나는 개인용 컴퓨터이다.

⇒ 동사 앞에 복수 명사가 있지만 주어가 아니므로 무시한다.

One of the good reasons why machinery can do better work than humans is its efficiency.

기계가 인간보다 일을 더 잘할 수 있는 타당한 이유 중 하나는 기계의 효율성이다.

Words & Phrases

powerful
[páuərfəl]
강력한

device
[diváis]
장치

carry with
〜을 가지고 다니다

effective
[iféktiv]
효과적인

machinery
[məʃíːnəri]
기계(류)

efficiency
[ifíʃənsi]
효율성

be responsible for
〜에 책임이 있다

Check-up

정답 및 해설 p.02

1. One of the exercises we were given was / were to make a list of the ten most important events in our lives.

2. One of the most important things he learned was / were that he was responsible for his own moods.

002

the number of vs. a number of

The number of women shown in stress studies has increased dramatically.

스트레스 연구에 나타난 여성의 수가 급격히 증가했다.

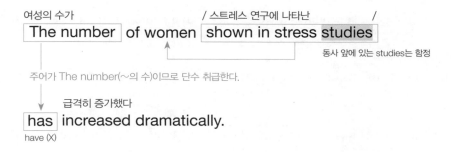

여성의 수가 / 스트레스 연구에 나타난 /

The number of women shown in stress studies

동사 앞에 있는 studies는 함정

주어가 The number(~의 수)이므로 단수 취급한다.

급격히 증가했다

has increased dramatically.

have (X)

Grammar Point

the number of vs. a number of

- **the number of+복수 명사+단수 동사 (is / was / 동사+(e)s)**
  The number of girls is dropping sharply by 50%.

  여자아이의 수가 50% 정도로 급격하게 줄어들고 있다.

  ⇒ 〈The number of+복수 명사〉 구문의 주어는 The number이고, '~의 수'라고 해석한다.

- **a number of+복수 명사+복수 동사 (are / were / 동사)**
  A number of supporters were arrested.

  많은 지지자들이 체포되었다.

  ⇒ 〈A number of+복수 명사〉 구문의 주어는 복수 명사이고, '많은 ~'이라고 해석한다.

cf.) the amount of ~의 양 / an amount of 상당한 (양의)

Words & Phrases

dramatically
[drəmǽtikəli]
급격히

drop
[drɔp]
떨어지다

sharply
[ʃɑ́ːrpli]
갑자기; 격렬하게

arrest
[ərést]
~을 체포하다

participate in
~에 참가하다

conference
[kánfərəns]
회의

be satisfied with
~에 만족하다

treat
[triːt]
대접, 환대

✓ Check-up

정답 및 해설 p.02

1. The number of / A number of babies dying while sleeping has been increasing recently.

2. The number of / A number of people who participated in the last conference were satisfied with the treat from the host.

EXERCISE

[01-10] 다음 중 어법상 가장 적절한 표현을 고르시오.

01 One of the newest products always │ has / have │ both advantages and disadvantages.

02 The number of customers who visit outlets │ is / are │ going to increase 8.5 percent.

03 The number of electors │ is / are │ equal to the total number of representatives and senators.

04 Though │ a number of / the number of │ union members has been declining, unions remain important in the U.S.

05 One of the first men to realize that one can make friends by following certain rules │ is / are │ Benjamin Franklin.

06 Back in the Ice Ages, there │ was / were │ a number of considerably large lakes in what is now northwestern America.

07 An increasing number of young people │ is / are │ likely to set up shops in New York, advertising themselves as fashionable stores.

08 Within that community, all of the ants have │ a number of / the number of │ special functions that help to guarantee survival.

09 │ A number of / The number of │ animal law classes is skyrocketing, and the first animal law casebook is now in publication.

10 One of the easiest ways to destroy the unity of a passage │ is / are │ to skip from subject to subject.

01
기출응용

다음 글의 밑줄 친 부분 중, 어법상 틀린 것은?

In the past twenty years, the number of practicing doctors in America ① has nearly doubled. So you would think, with all those new doctors ② running around, that Americans would be consulting their medical professionals at every opportunity. They're not. In fact, the biggest trend in American health care is DIYDs—Do-It-Yourself Doctors. These are people ③ who research their own symptoms, diagnose their own illnesses, and ④ administer their own cures. If they have to call on doctors at all, they either treat them like ATM machines for prescriptions they already "knew" they need, ⑤ and they show up in their offices with full-color descriptions of their conditions, self-diagnosed on medical websites.

02

(A), (B), (C)의 각 네모 안에서 어법에 맞는 표현으로 가장 적절한 것은?

One of the greatest misconceptions about coins (A) is / are to determine their value. If someone gets non-collectors to choose between a 2,000-year-old Roman coin and $20 gold piece, they will pick the former rather than the latter, (B) if / even if the coin is worth $50 compared to $700 for the $20 gold piece. To non-collectors, time appears to be an essential factor. They usually think that the older a coin is, the more valuable it must be. Thus, a 2,000-year-old coin must be worth a million dollars to them! Some factors such as age, rarity, demand and supply, and condition have an impact on the value of a coin. Just one of these factors can be significant by itself. For instance, a coin with a low grade may be common, which means a low rarity, but the same coin with a high grade may be very rare, making it (C) that / what is known as a condition rarity. Then, there is a huge jump in price.

	(A)		(B)		(C)
①	is	-	if	-	that
②	are	-	if	-	that
③	is	-	even if	-	what
④	are	-	even if	-	what
⑤	is	-	even if	-	that

what절 주어

What makes us angry and depressed in several situations is the unbearable lightness of existence.

다양한 상황에서 우리를 화나고 우울하게 만드는 것은 참을 수 없는 존재의 가벼움이다.

우리를 화나고 우울하게 만드는 것은 / 다양한 상황에서 / 이다 /

What makes us angry and depressed in several situations   is

동사 앞에 있는 situations는 함정

are (X)

주어인 what절과 단수 동사

참을 수 없는 존재의 가벼움

the unbearable lightness of existence.

Grammar Point

what절 주어

1. what절이 주어로 사용될 때, 주어는 단수 취급한다. 따라서 동사는 〈is / was / 일반동사+(e)s〉가 사용된다.

 What is shown on TV   is a measure to get a sense of current fashion.

TV에서 보여지는 것은 현재 유행하는 패션 감각을 이해하는 기준이다.

cf.) 구어체에서는 보어가 길고 복수인 경우 what절을 복수로 받기도 한다.
   What we need most of all are some really creative ideas.
   무엇보다도 우리가 필요한 것은 정말 창의적인 생각이다.

2. what으로 시작하는 문장은 동사의 수 일치 문제 외에도 that과의 비교 문제로 출제된다.

[What / That] I regret the most is the break-up with her three years ago.

내가 가장 후회하는 일은 3년 전 그녀와의 이별이다.

⇒ 뒤에 오는 문장(I regret the most)이 regret의 목적어가 없는 불완전한 문장이므로 what이 옳다.

Words & Phrases

depressed
[diprést]
우울한, 내려앉은

unbearable
[ʌnbɛ́(:)ərəbl]
참을 수 없는

existence
[igzístəns]
존재

measure
[méʒər]
(판단, 측정의) 척도[기준]

organism
[ɔ́:rgənizm]
유기체

compose
[kəmpóuz]
구성하다

organization
[ɔ̀:rgənizéiʃən]
체계성; 구성

Check-up

정답 및 해설 p.02

1. What makes organisms different from the materials that compose them
    is / are their level of organization. 기출응용

2. What is most important for our plans is / are to enjoy what we are doing now.

004
that절 주어

That she couldn't write such a sentence in English is not surprising at all because she has never learned it.

그녀는 한 번도 그것을 배운 적이 없기 때문에 그녀가 영어로 그런 문장을 쓸 수 없었다는 것은 전혀 놀랍지 않다.

그녀가 영어로 그런 문장을 쓸 수가 없었다는 것은　　　　　　　　//

That she couldn't write such a sentence in English

that절 주어와 단수 동사 관계이다.

전혀 놀랍지 않다　　　　　// 왜냐하면 그녀는 한 번도 그것을 배운 적이 없기 때문이다

is not surprising at all because she has never learned it.
are (X)

Grammar Point

that절 주어

1. that절이 주어로 사용될 때, 주어는 단수 취급 한다. 따라서 동사는 〈is / was / 일반동사+(e)s〉가 온다.

That the President will visit Quincy High School is going to be announced this afternoon.

대통령이 퀸시 고등학교를 방문할 거라는 사실이 오늘 오후에 발표될 것이다.

2. 목적어절을 이끄는 that은 생략할 수 있지만, 주절을 이끄는 that은 생략할 수 없다.

That I remember giving her the ring is very important.

내가 그녀에게 반지를 준 것을 기억하는 일은 매우 중요하다.

I think (that) he remembered giving her the ring.

나는 그가 그녀에게 반지를 준 일을 기억한다고 생각해.

Words & Phrases

announce
[ənàuns]
~을 발표[고지]하다

pull on
~을 끌어당기다

defeat
[difíːt]
패배시키다

election
[ilékʃən]
선거

established fact
기정 사실

Check-up
정답 및 해설 p.02

1. That / What a scientist discovered was that one pulls on others through a force we cannot notice.

2. That / What the government would be defeated at the general election is an established fact.

[01-10] 다음 중 어법상 가장 적절한 표현을 고르시오.

01   What excuses can do for us ⌐is / are⌐ to offer the opportunity to gain time for preparing another plan.

02   ⌐What / That⌐ all humans are equal is a proposition to which few individuals have ever given their assent.

03 기출응용   What disturbs you ⌐is / are⌐ the idea that good behavior must be reinforced with incentives.

04   What made the Model T so cheap to produce for many Americans ⌐was / were⌐ the interchangeability of its parts.

05   What always waited for me in these new places ⌐was / were⌐ their hospitality.

06   Although Jason is finally meeting his fiancé Molly, what is in front of his eyes ⌐make / makes⌐ him change his decision.

07   What the experts apparently ignored ⌐was / were⌐ a fact known to all homemakers: Their lives weren't simple to begin with.

08   That he was arrested on suspicion of being a spy in front of his family and friends ⌐was / were⌐ likely to make people feel resentful.

09   What she ended up with, in 11 Antarctic months, ⌐was / were⌐ a near-death experience, international celebrity status, and a new outlook on life.

10   That ELC Co. and TTL Group will complete the final contract by the end of this year—at least to me, it is really surprising news— ⌐doesn't / don't⌐ influence the stock price of ELC Co.

ACTUAL TEST

01 다음 글의 밑줄 친 부분 중, 어법상 <u>틀린</u> 것은?

Society tends to think of as truth the roles of classification that ① <u>produce</u> the desired results, while science accepts as truth the facts that it can prove. Due to these tendencies, the results society desires can be irrational and humane, but those science ② <u>does</u> can be reasonable and predictable. That is, through systems of classification we can acquire truth. For example, lightning was classified as evidence of God's anger, and what people could do to avoid being struck by lightning ③ <u>were</u> just to pray. However, since Benjamin Franklin classified it as electricity, lightning could ④ <u>be prevented</u> with the lightning rod. Similarly, mental disease ⑤ <u>to have been</u> classified as possessed by an evil spirit was overcome by being classified as a disorder.

02

(A), (B), (C)의 각 네모 안에서 어법에 맞는 표현으로 가장 적절한 것은?

By the 1960s, the "buy now, pay later" concept of buying on credit had been part of the American culture for many years. (A) Buy / Buying on credit meant that people could spend more money than they actually had. In 1950, Frank MacNamara and Ralph Schneider introduced the first credit card. At that time, what was revolutionary about MacNamara and Schneider's idea (B) was / were that it allowed people to use one credit card in many different locations without carrying a lot of cash and then (C) pay / paying later at one time. Because of this convenience, the idea caught on quickly, and the credit card business attracted more and more customers. Today, 80 percent of all Americans have at least one credit card.

	(A)		(B)		(C)
①	Buy	-	was	-	pay
②	Buy	-	were	-	pay
③	Buying	-	was	-	pay
④	Buy	-	were	-	paying
⑤	Buying	-	was	-	paying

whether절 주어

Whether a job is to be categorized as heavy work or pleasant activities depends, not on the job itself, but on the mind-set of the individual who undertakes it.

직업이 중노동으로 분류될 것인지 유쾌한 활동으로 분류될 것인지는 그 직업 자체가 아니라 그 일의 책임을 맡는 개인의 마음가짐에 달려 있다.

직업이 중노동으로 분류될 것인지 유쾌한 활동으로 분류될 것인지는 //

Whether a job is to be categorized as heavy work or pleasant activities

whether절이 주어이므로 단수 취급한다.

달려 있다 / 그 직업 자체가 아니라 / 개인의 마음가짐에 //

depends , not on the job itself, but on the mind-set of the individual
depend (X)

그것의 책임을 맡는

who undertakes it.

Grammar Point

whether절 주어

whether절이 주어로 사용될 때, 주어는 단수 취급한다. 따라서 동사는 ⟨is / was / 일반동사+(e)s⟩가 온다.

동사 앞에 있는 humans는 함정

Whether this expectation for rational action is limited to humans
depends on this survey.

합리적인 행동에 대한 이런 기대가 인간에게 제한된 것인지 여부는 이 조사에 달려 있다.

⇒ whether절 외에도 that절, what절, 의문사절(how, where, when), to부정사, 동명사도 주어로 사용될 경우 단수 취급한다.

Words & Phrases

categorize
[kǽtəgəràiz]
분류하다

depend on
~에 달려 있다

individual
[ìndəvídʒuəl]
개개인의

undertake
[ʌndərtéik]
맡다; 착수하다

expectation
[èkspektéiʃən]
기대

rational
[rǽʃənl]
합리적인, 이성적인

controversial
[kànrtəvə́:rʃəl]
논란이 많은

✓Check-up

정답 및 해설 p.03

1. Whether I will invest one million dollars in business or spend it on shopping
   is / are a very difficult question.

2. Whether children should grow up in big cities or in small ones is / are
   controversial.

UNIT 006

의문사절 주어

Why acupuncture is not widely appreciated is that it does not demonstrate direct healing effects.

침술이 널리 진가를 인정받지 못하고 있는 이유는 그것이 직접적인 치료 효과를 입증하지 않기 때문이다.

왜 침술이 널리 진가를 인정받지 못하고 있느냐 하면 　　　　 // 이다 //

Why acupuncture is not widely appreciated │ is │ that

are (X)

└─── 의문사절이 주어이므로 단수 동사 is가 온다 ───┘

그것이 / 입증하지 않는다 　　　　　　　 / 직접적인 치료 효과를

it does not demonstrate direct healing effects.

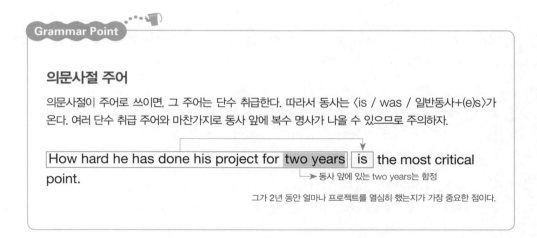

Grammar Point

의문사절 주어

의문사절이 주어로 쓰이면, 그 주어는 단수 취급한다. 따라서 동사는 〈is / was / 일반동사+(e)s〉가 온다. 여러 단수 취급 주어와 마찬가지로 동사 앞에 복수 명사가 나올 수 있으므로 주의하자.

How hard he has done his project for │two years│ │ is │ the most critical point.

→ 동사 앞에 있는 two years는 함정

그가 2년 동안 얼마나 프로젝트를 열심히 했는지가 가장 중요한 점이다.

Words & Phrases

acupuncture
[ǽkjupʌŋktʃər]
침술, 침술 요법

demonstrate
[démənstrèit]
설명하다; 시위하다

healing
[híliŋ]
치료의; 치유

critical
[krítikəl]
중요한, 비판적인

✓ Check-up

정답 및 해설 p.03

1. How beautiful women are 　[depend / depends]　 on their mind, not on their looks.

2. What time he will come here with his family and friends 　[is / are]　 a mystery to me.

EXERCISE

[01-10] 다음 중 어법상 가장 적절한 표현을 고르시오.

01 What country will host the 2022 World Cup ⏐ is / are ⏐ to be decided next week in Zurich, Switzerland.

02 Who is elected as the new Secretary-General of the United Nations ⏐ was / were ⏐ our greatest concern.

03 Whether he would resign not only as vice president but also as a member of the board ⏐ is / are ⏐ dealt with in the new board.

04 How we pronounce words, phrases, and sentences ⏐ communicate / communicates ⏐ considerable information about who we are to other people.

05 Whether people who wish to eat animals like dogs or cats can buy the meat freely in the market ⏐ depend / depends ⏐ on the National Assembly.

06 Where the case related to them took place ⏐ determine / determines ⏐ whether he is innocent or guilty.

07 Whom the consultative committee recommends for the president of ENC Group ⏐ become / becomes ⏐ a burning issue for the group employees.

08 According to Steven Martino, the psychologist who led these researches, how parents address their children in childhood ⏐ is / are ⏐ very important for their future mental state.

09 Where I found the books which Mr. Paolo bought me as both birthday and wedding presents ⏐ is / are ⏐ a secret.

10 When we can turn in the final report as to the project to the National Assembly and the Committee ⏐ depend / depends ⏐ on your ability to collect materials.

01 다음 글의 밑줄 친 부분 중, 어법상 틀린 것은?

Boys and girls have definite physical and psychological differences. Where is the reason for this disparity between them? Scientists have looked for the answers in the brain structure and function. Boys have larger brains ① <u>than</u> girls from birth through old age. This story, however, cannot exactly explain ② <u>why</u> boys are more active than girls. Brain differences are ③ <u>obviously</u> biological, but they are not necessarily stark. Some call this shaping plasticity, and it is the basis of all learning and children's mental development. How they see their surroundings ④ <u>depend</u> on normal visual experience in early life, ⑤ <u>without which</u> a baby's visual brain fails to wire up properly and his or her vision is permanently impaired.

*plasticity: 가소성(외력에 의해 변한 물체가 외력이 없어져도 돌아오지 않는 성질)

02 (A), (B), (C)의 각 네모 안에서 어법에 맞는 표현으로 가장 적절한 것은?

기출응용

Recently, some officials in India started a program designed to clean up and revive rivers using carnivorous turtles. According to them, the turtles happily eat both animal and human corpses. This is significant because among some religious groups, disposing of bodies in rivers (A) | is / are | a common practice. In addition to their willingness to consume flesh, turtles also loosen the earth along the river banks, (B) | making easier / making it easier | for plants to survive at the water's edge. The plants, in turn, help fight erosion at the bank, and some plants actually contribute to (C) | purify / purifying | the water. If the turtle experiment succeeds in a few states, it will be implemented throughout India.

(A)		(B)		(C)
① is	-	making easier	-	purify
② is	-	making it easier	-	purifying
③ is	-	making it easier	-	purify
④ are	-	making it easier	-	purifying
⑤ are	-	making easier	-	purify

007

to부정사 주어

To solve this question by myself in 5 minutes is impossible under those severe conditions.

그렇게 혹독한 조건에서 나 혼자 5분 안에 이 문제를 해결하는 것은 불가능하다.

이 문제를 해결하는 것은   / 나 혼자   / 5분 안에   / 불가능하다   /

To solve this question by myself in **5 minutes** is impossible

동사 앞에 있는 5 minutes는 함정   are (X)

└─To solve가 이끄는 to부정사구가 주어이다.

그렇게 혹독한 조건 하에서

under those severe conditions.

Grammar Point

to부정사(구) 주어

to부정사가 주어로 쓰이면, 그 주어는 단수 취급한다. 따라서 동사는 〈is / was / 일반동사+(e)s〉가 온다. 여러 단수 취급 주어와 마찬가지로 동사 앞에 복수 명사가 나올 수 있으므로 주의하자.

To take care of pet animals [help / helps] the old not to feel lonely.

애완동물을 돌보는 일은 노인들이 외로움을 느끼지 않도록 도와준다.

⇒ 동사 앞에 pet animals라는 복수 명사가 있지만, 이 문장의 주어는 To take ~이므로 단수 동사인 helps를 써야 한다.

Words & Phrases

by oneself
혼자, 스스로

severe
[sivíər]
엄한, 엄격한, 심한

under ~ condition
~의 조건 하에

take care of
돌보다

exclude
[iksklú:d]
배제하다, 몰아내다

isolate
[áisəlit]
고립시키다

require
[rikwáiər]
요구하다

✓ Check-up

정답 및 해설 p.04

1. To exclude those from voting who are already socially isolated | destroy / destroys | our democracy, as it creates a caste system. 기출응용

2. To lose weight in a few days | require / requires | dieters to exercise regularly and go on a diet.

UNIT 008

동명사 주어

Helping others to support their family members makes our mind relaxed and pleased.

다른 사람들이 가족을 부양하도록 돕는 일은 우리의 마음을 편안하고 기쁘게 만든다.

다른 사람들이 자신의 가족 구성원들을 부양하도록 돕는 일은   / 만든다   / 우리 마음을 /

Helping others to support **their family members** | makes | our mind

동사 앞에 있는 their family members는 함정   make (X)

Helping이 이끄는
동명사구가 주어이다.

편안하고 기쁘게
relaxed and pleased.

Words & Phrases

support
[səpɔ́ːrt]
후원하다, 지지하다; 유지하다

cram
[kræm]
벼락치기 공부를 하다

strategy
[strǽtədʒi]
전략, 전술

measure up
(기대, 기준에) 미치다

lofty
[lɔ́ːfti]
아주 높은

standard
[stǽndərd]
기준

merely
[míərli]
단지

Grammar Point

동명사(구) 주어

동명사(-ing)가 주어로 쓰이면 그 주어는 단수 취급한다. 따라서 동사는 〈is / was / 일반동사+(e)s〉가
온다. 여러 단수 취급 주어와 마찬가지로 동사 앞에 복수 명사가 나올 수 있으므로 주의하자.

Cramming for tests [is / are] not a good study strategy.

벼락치기는 좋은 공부 전략이 아니다.

⇒ 동사 앞에 tests라는 복수 명사가 있지만, 문장의 주어는 Cramming이므로 단수 동사인 is를 써야 한다.

✅ Check-up
정답 및 해설 p.04

1. Measuring up to such lofty standards ⏐ seems / seem ⏐ impossible, so many
   people give up their dreams of publishing something great.

2. Not so long ago, most of us came to understand that just providing the patient
   with the best treatment ⏐ is / are ⏐ not enough.

EXERCISE

[01-10] 다음 중 어법상 가장 적절한 표현을 고르시오.

01 Limiting the paragraph and the sentences │ is / are │ something like taking a snapshot with a small camera.

02 Realizing those details │ is / are │ necessary in your passage, you may still wonder how many details are needed.

03 기출응용 Banning children from carrying cell phones │ take / takes │ away these problems from ordinary families.

04 To understand the effects of these hormones on the brain │ is / are │ the only way to make sure that every depressed patient gets the proper treatment.

05 For depressed men and women, seeing a doctor sooner rather than later │ mean / means │ the difference between life and death.

06 To reinforce these results │ is / are │ the finding that women respond differently to antidepressants at different times of life.

07 Grading coins in theory and in the classroom │ differ / differs │ greatly from grading coins on the road.

08 기출응용 To err or to make mistakes │ is / are │ indeed a part of being human, but it seems that most people don't want to accept the responsibility for having made a mistake.

09 Having an excellent command of English │ provide / provides │ a great advantage to someone, particularly in Korea.

10 기출응용 Taking frequent showers in fact │ cause / causes │ skin problems and other infections.

22

01 다음 글의 밑줄 친 부분 중, 어법상 틀린 것은?

To see our culture as "one of the best things" ① <u>are</u> not necessarily dangerous. What is harmful in this statement is when we consider an emotional attitude as a logical one. If there is a rugby game between Oxford and Cambridge, students from both universities show the behavior of yelling and pounding their chests, ② <u>which</u> reflects a belief that they are the best, ③ <u>called</u> ethnocentrism. The problem is that the emotional attitude "We're the best" can be changed into cognitive thought. In other words, if one is the best, ④ <u>the other</u> must be inferior to it. The most prominent example of this is Adolf Hitler's Nazi. He ignored other people's whole aspects because he thought they are the best. Of course, this is the just worst example. Fortunately, we are human beings with sound reasoning. We know we can be proud of our culture, and be ⑤ <u>open</u> to and appreciative of other cultures at the same time.

02 (A), (B), (C)의 각 네모 안에서 어법에 맞는 표현으로 가장 적절한 것은?

The view of the power of identity is one to which anyone (A) | surveys / surveying | the rapid increase of social movements based on gender, religion, ethnicity and nationality might easily agree. So, realizing the meaningful cultural sources of opposition to the power of globalization (B) | go / goes | a long way towards gaining this power in perspective. As a result, the impact of globalization becomes a matter of the interaction of an institutional-technological driving force towards globalization with counterbalanced localizing forces. This drive towards globalization combines capitalism with communications technologies and media, (C) | which / what | have a great influence on people.

	(A)		(B)		(C)
①	surveys	-	go	-	which
②	surveying	-	goes	-	which
③	surveys	-	goes	-	which
④	surveying	-	goes	-	what
⑤	surveys	-	go	-	what

UNIT 009

전치사구의 수식을 받는 주어

The fragile materials at the back of the container need to be moved to another place before we get a new order tomorrow.

내일 우리가 새로운 주문을 받기 전에 컨테이너 뒤편에 있는 깨지기 쉬운 물건들을 다른 곳으로 옮겨야 한다.

깨지기 쉬운 물건들은 　　　/ 컨테이너 뒤편에 있는 　　　　　/ 필요가 있다 /

The fragile materials **at the back of** the container **need**

→ the container는 함정 　needs (X)

전치사구의 수식을 받은 주어와 동사

다른 곳으로 옮겨져야 할 　　　　　　// 내일 우리가 새로운 주문을 받기 전에

to be moved to another place before we get a new order tomorrow.

Words & Phrases

fragile
[frǽdʒəl]
부서지기 쉬운; 덧없는

order
[ɔ́rdər]
주문; 순서

stain
[stein]
얼룩

evolution
[èvəlú:ʃən]
진화

reveal
[rivíːl]
드러내다

turtle
[tə́ːrtl]
거북이

constantly
[kánstəntli]
계속해서, 끊임없이

Grammar Point

전치사구의 수식을 받는 주어 〈주어+전치사구+동사〉

전치사구의 수식을 받는 주어는 동사 바로 앞에 있는 명사의 수와 주어의 수가 다를 수 있으므로 동사의 수 일치에 주의한다.

수 일치를 시킨다.

The red stains on the carpet in the living room need to be removed.

전치사구의 주어 수식 　　　　　아무런 영향을 주지 않는다.

거실에 있는 카펫의 붉은 얼룩들은 제거되어야 한다.

✓ Check-up
정답 및 해설 p.05

1. A lot of studies of the evolution of humans [has / have] revealed what people really want to know about themselves.

2. The relationship between turtles and rabbits [is / are] decided by how constantly they run to the goal.

24

관계사절의 수식을 받는 주어

The country which they were discussing in many conferences is in trouble, and neither of them knows why.

많은 회의에서 그들이 논의하고 있던 그 나라는 곤경에 빠져 있는데, 그들 중 어느 누구도 이유를 모른다.

그 나라는   // 그들이 논의하고 있었던   / 많은 회의에서   //

The country which they were discussing in many conferences

관계사절 안에 있는 복수 명사는 주어의 수에 영향을
주지 않는다. 주어는 The country이다.

동사 앞에 있는
many conferences는 함정

곤경에 빠져 있다 // 그리고 그들 중 어느 누구도 이유를 모른다

is in trouble, and neither of them knows why.

are (X)

Grammar Point

관계사절의 수식을 받는 주어 〈주어+관계사절+동사〉

동사 앞에 있는 관계사절 안의 명사는 주어의 수에 영향을 주지 않는다. 따라서 주어가 관계사절의
수식을 받는 경우, 주어와 동사에 표시하여 수 일치에 혼동이 되지 않도록 하자.

Prospect of banks that have been supported by the government handing
large bonuses to executives [has / have] provoked anger from people.

임원에게 많은 보너스를 제공하는 정부가 지원하는 은행에 대한 전망이 사람들에게 분노를 유발했다.

⇒ that have ~ to executives가 앞의 Prospect of banks를 수식하는 관계사절이고, 괄호 안의 동사는
주어 Prospect의 본동사이므로 단수인 has가 옳다.

Words & Phrases

in trouble
곤란한 상황인

prospect
[práspekt]
전망; 예상, 기대

executive
[igzékjutiv]
경영 간부(진); (정부의) 행정부

provoke
[prəvóuk]
성나게 하다, 분개시키다

retain
[ritéin]
보유하다

agreeable
[əgríːəbl]
상냥한

Check-up

정답 및 해설 p.05

1. Scientists found that volunteers whose brains produced more of a chemical
called dopamine was / were able to retain information.

2. A person who has what are considered feminine facial characteristics
give / gives the impression that he or she is agreeable and kind.

[01-10] 다음 중 어법상 가장 적절한 표현을 고르시오.

01 Rapid growth of communication technologies [have / has] changed language education and language use.

02 The best way to store fresh bunches [is / are] to refrigerate them in an open plastic bag in the vegetable compartment.

03 The most famous Native American friend of the European-American settlers [was / were] a young princess named Pocahontas.

04 According to him, the huge disparity in income between the United States and Somalia [is / are] explained entirely as a disparity in trust.

05 The countries with the poorest record for having women in positions of power or influence [has / have] the worst figures for girls' education.

06 Without adequate trust, the cost of transactions [rise / rises] and there are even times when mutually beneficial transactions cannot be realized.

07 Events that occur within the financial system [is / are] central to understanding growth in the overall economy.

08 Of all the categories, the amount of money for CLOTHES [was / were] largest.

09 El Sistema, which is known as one of the most successful social inclusion projects, [is / are] a national network of youth orchestras and music centers in Venezuela.

10 The humiliation which is given by cold, and sometimes cruel friends, [destroy / destroys] his ego.

01 다음 글의 밑줄 친 부분 중, 어법상 틀린 것은?

If I were to tell you that something you do ① annoy me, I would not be so arrogant with thinking that your action would annoy anyone. I do not even mean that your action is in any way wrong or offensive. I simply mean that here and now I'm experiencing annoyance. Perhaps it is my headache or indigestion or the fact that I did not get much sleep last night. I really do not know. All that I know ② is this, that I am trying to tell you that I am experiencing annoyance at this moment. It would probably be helpful in most cases to preface our gut-level communication with some kind of disclaimer to assure the other that there is no judgment ③ implied. I might begin by saying, "I don't know the reason ④ why this bothers me, but it does... I guess that I am just hypersensitive, and I really don't mean ⑤ to imply that it is your fault, but I do feel hurt by what you are saying."

02 (A), (B), (C)의 각 네모 안에서 어법에 맞는 표현으로 가장 적절한 것은?

Anyone who has covered their computer or refrigerator with self-stick notes (A) know / knows the value of these handy bits of paper. However, few know how their favorite sticky scratch pad came to be. Actually, it was the result of an accident. When Spencer Silver and Art Fry were working, Silver discovered an adhesive but discarded it because it was not very strong. Fry remembered his colleague's discovery on Sunday after he (B) has / had marked songs in his choir book with scraps of paper. As frequently happened, the scraps fell out while Fry was singing, which (C) was / were annoying. When Fry returned to work on Monday, he himself began using Silver's adhesive to develop a temporary bookmark.

	(A)		(B)		(C)
①	know	-	has	-	was
②	know	-	had	-	were
③	knows	-	has	-	were
④	knows	-	had	-	were
⑤	knows	-	had	-	was

UNIT 011

동격절 동반 주어

The belief that the Earth is the center of the universe has been one of the most outstanding principles in human history.

지구가 우주의 중심이라는 믿음은 인류 역사상 가장 중요한 원리 중 하나였다.

믿음은　　　　　// 지구가　　　　　/ 우주의 중심이라는　　　　　// 였다　　　/

| The belief | that the Earth is the center of the universe | has | been

└─── 동격(=) ───┘

▲ have (X)

└─── 주어는 The belief, 따라서 동사는 단수 동사 has ───┘

가장 중요한 원리 중 하나　　　　　　　　　　/ 인류 역사상

one of the most outstanding principles in human history.

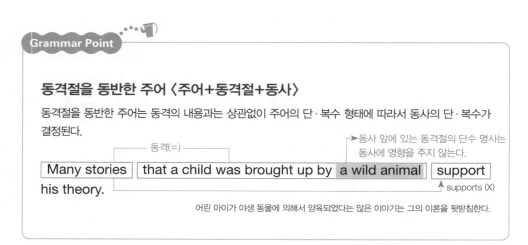

Grammar Point

동격절을 동반한 주어 〈주어+동격절+동사〉

동격절을 동반한 주어는 동격의 내용과는 상관없이 주어의 단·복수 형태에 따라서 동사의 단·복수가 결정된다.

└─── 동격(=) ───┘　　　　　　　　▶동사 앞에 있는 동격절의 단수 명사는 동사에 영향을 주지 않는다.

| Many stories | that a child was brought up by a wild animal | support | his theory.

▲ supports (X)

어린 아이가 야생 동물에 의해서 양육되었다는 많은 이야기는 그의 이론을 뒷받침한다.

☑Check-up

정답 및 해설 p.06

1. His advice that I should try to study several subjects helps / help raise my scores in the mid-term.

2. The evidence that his niece forced Jim to do those things was / were not found before the trial.

Words & Phrases

outstanding
[àutstǽndiŋ]
두드러진, 현저한, 중요한
= strike, impressive, notable

principle
[prínsəpl]
원리; 신념, 주의

bring up
~를 기르다, 양육하다

evidence
[évədəns]
증거, 근거

force
[fɔːrs]
강요하다, 억지로 시키다

trial
[tràiəl]
재판, 심리, 공판

28

012

삽입구/절이 있는 주어

The famous scholar from Oxford University, together with a group of leading businessmen, is going to establish a new international economic organization in Paris.

선도적인 기업인들과 함께 옥스퍼드 대학교에서 온 유명한 학자는 파리에서 국제적인 경제 조직을 신설할 것이다.

유명한 학자는 / 옥스퍼드 대학교에서 온 / 함께 /

| The famous scholar | from Oxford University | , | together with | /

동사 앞에 복수 명사가 있지만, 삽입구 안에 있기 때문에 주어의 수에 영향을 주지 않는다.

명사 수식 전치사구와 삽입구

선도적인 기업가 집단과 / 설립하려고 한다 /

| a group of leading businessmen | , | is going to establish

are (X)

새로운 국제 경제 조직을 / 파리에서

a new international economic organization in Paris.

Words & Phrases

scholar
[skálər]
학자

establish
[istǽbliʃ]
설립하다, 확립하다

economic
[ì:kənámik]
경제의

proposal
[prəpóuzəl]
제안

corporation
[kɔ̀:rpəréiʃən]
회사

debt
[det]
빚

surplus
[sə́rplʌs]
과잉, 잉여; 흑자

Grammar Point

삽입구/절의 수식을 받는 주어 〈주어+삽입구/절+동사〉

동사 앞에 있는 삽입구나 절 안의 명사는 주어의 수에 영향을 주지 않는다. 따라서 주어와 동사 사이에 삽입구나 절이 있을 경우, 주어와 동사에 표시하여 수 일치를 혼동하지 않도록 주의하자.

삽입구 안의 명사이므로 동사에 영향을 주지 않는다.

| Chihuahua | , one of the largest Mexican states, | is | divided into two regions, a mountainous area in the west and a desert basin in the north and east.

멕시코의 가장 큰 도시 중 하나인 치와와는 서쪽의 산악 지역과 북쪽과 동쪽의 사막이라는 두 지역으로 나누어진다.

✓Check-up

정답 및 해설 p.06

1. The most recent budget proposal, which the board thought could help pull the corporation out of debt, | was / were | refused by the creditors.

2. A few other problems, such as inventory surplus, | make / makes | the situation worse in this season.

[01-10] 다음 중 어법상 가장 적절한 표현을 고르시오.

01   Capacity, often in the form of employees, │ is / are │ critical for service providers.

02   This opera singer seated on a log in the tiniest pub │ has / have │ silenced the most drunken crowd.

03   A person marking such milestones │ is / are │ insisting: "No big parties, no presents. I just want to take a break."

04   Manufacturers previously having produced only a large expensive car │ is / are │ required to make a smaller model.

05   Put differently, the income enjoyed by the American people │ is / are │ 0.5 percent the result of hard work and 99.5 percent the result of trust.

06   The belief that every individual knows what is best for himself and must take responsibility for his decisions │ is / are │ the basic economic concept in America.

07   White mica, which has the simplest composition, │ is / are │ colorless to silvery white with shiny surfaces.

08   Quinzen, a polyester resin created from soybeans, │ is / are │ being used to make a various range of products like hoods and covers for tractors.

09   The greatest winnings I have made, in happiness, in money or in content, │ has / have │ been accomplished amid almost universal scorn.

10   Sex hormones—in particular, a relative abundance of testosterone— │ appear / appears │ to trigger boys' excitement. That's why boys are more aggressive than girls.

01   다음 글의 밑줄 친 부분 중, 어법상 <u>틀린</u> 것은?

It does not make sense that the research of new seed products ① <u>is</u> forbidden. Especially, it makes me so sad that scientists are prevented from ② <u>researching</u> the seed products for the purpose of public welfare. As you know, scientists are qualified to test and analyze the seed products. But if they are stopped from doing researches, seed products, which can cause dangerous problems to public health, ③ <u>spreads</u> all over the country. I agree that those products deserve ④ <u>to be</u> protected by intellectual property right, but I also believe that food safety and environment protection should be a high priority. Therefore, I strongly urge that the restriction on researching the seed products should ⑤ <u>be immediately removed</u>.

02   (A), (B), (C)의 각 네모 안에서 어법에 맞는 표현으로 가장 적절한 것은?

Unlearned behavior, such as involuntary eye wink, knee-jerk reflex, skin flush and so on, (A) is / are fairly physiological and not cultural. However, shaking hands and shaving are cultural. To stress learning is important. We, homo sapiens, don't have enough instincts. In contrast to other species of animals, humans have to learn how to do most of the things they do. There is no instinct or other biological talent that teaches us to make a desk, design a wonderful dress, read a novel, and (B) do / does many other things that we do every day without thinking. All of these simple things have to (C) learn / be learned . They are all a part of culture.

	(A)		(B)		(C)
①	is	-	do	-	learn
②	is	-	does	-	be learned
③	is	-	do	-	be learned
④	are	-	does	-	learn
⑤	are	-	do	-	be learned

[01-05] 다음 문장에서 어법상 **틀린** 부분을 고쳐 쓰시오.

01 It turns out that telling formulaic jokes are only one of many ways to be funny, and men are much more likely to tell jokes than women are.

02 The spending habits of 400 million Chinese aged 19 to 30 is seen as crucial to boosting the world's recovery from recession.

03 The inferences a good technical expert can create about the internal condition of a motor by listening to it is sometimes surprisingly accurate.

04 All I want to know are whether I am right to believe the love we share is too special to die.

05 When the subjects watched the same pictures in the morning, those that had been taken away from dream-filled REM sleep was less emotionally affected than those deprived of other sleep phases.

[06-10] 다음 주어진 단어를 알맞은 형태로 바꿔 문장을 완성하시오. [현재 시제]

06 How the brain encodes and keeps memories _____ one of the central mysteries in the medical field. (be)

07 Damage to this region and nearby areas _____ profound and permanent amnesia. (cause)

08 Where we look and stare in any time _____ memories we cannot consciously access. (reveal)

09 What is not clear from these researches _____ whether nightmares play a causal role in anxiety or are only an expression of a fundamental problem. (be)

10 Genetic analysis of the three kinds of pigs _____ that they will have lower-than-normal levels of activity in a gene. (show)

01   **다음 글의 밑줄 친 부분 중, 어법상 틀린 것은?**

It is not necessary that adults come to feel ① <u>insulted</u> when they are offered something for children—books. What these books offer students ② <u>are</u> quite various. Some books are selected because they just give something delightful to the world of children. ③ <u>Others</u> can be considered as literature or windows on other cultures. Some handle the story for all ages, which puts prejudice in them. Teachers should determine ④ <u>which</u> books are proper to the level of their students. Unless they have enough abilities to do that, they need to ask for help from experts about reading. They can present a tool for ⑤ <u>how</u> to evaluate the appropriateness of each book to the students.

02   **(A), (B), (C)의 각 네모 안에서 어법에 맞는 표현으로 가장 적절한 것은?**

Younger workers tend to have more general skills and are less certain about where their skills might be put to their best uses. Hence, they tend to move between jobs on a regular basis. But when (A) leaving / left their old job, they have little trouble finding a new one. Older workers, in contrast, more often have skills that are quite specific to the industry or firm (B) which / in which they are currently employed. They already know their best employment option and are not inclined to move around between jobs. When they do leave work, however, finding a position that matches well with their precise skills (C) is / are often difficult and time-consuming. Thus, unemployment that is a nuisance for a younger worker can be a damaging and financially draining experience for a mature worker.

	(A)		(B)		(C)
①	left	-	which	-	is
②	left	-	which	-	are
③	left	-	in which	-	is
④	leaving	-	in which	-	is
⑤	leaving	-	in which	-	are

03 다음 글의 밑줄 친 부분 중, 어법상 틀린 것은?

Sarah came running in. "Look what I found," she said. Over the top of the paper I was reading ① <u>came a crispy long object</u> that caused me to jump. It was a snake skin that ② <u>had been shed by</u> one of our many garden snakes. "Isn't it beautiful?" asked my wide-eyed seven-year-old. I stared at the skin and thought to myself that it really wasn't that beautiful, but I have learned never to exaggerate what you see. Everything children see for the first time ③ <u>are</u> elementary to their sense of beauty and creativity; they see only merit and excellence in the world until they ④ <u>are educated</u> otherwise. "Beautiful overalls! Now we have ⑤ <u>a naked snake</u> in our garden," I answered.

04 (A), (B), (C)의 각 네모 안에서 어법에 맞는 표현으로 가장 적절한 것은?

In history class, we have heard as to Mesopotamia, the "land between two rivers"—the Tigris and Euphrates—(A) which / where the earliest civilization came out. The land has a desert, but (B) near / nearly the rivers you can have fruitful farmland, especially if you make irrigation canals. Neolithic people had already begun to build large towns as religious centers. Several excavations showed dense settlements of rectangular houses and larger buildings with mud bricks, built on top of the ruins of the next, until they formed large mounds of mud and clay called "tells." The thousands of tells across southwest Asia (C) contain / contains thousands of years of the garbage of everyday life. Archaeologists also found hundreds of miles of irrigation canals dug by the ancients to expand their crop yields to feed more and more people.

*tell: 고대 건축의 잔존물이 누적되어 생긴 언덕

	(A)		(B)		(C)
①	which	-	near	-	contain
②	where	-	near	-	contain
③	which	-	nearly	-	contain
④	where	-	nearly	-	contains
⑤	which	-	near	-	contains

05 다음 글의 밑줄 친 부분 중, 어법상 틀린 것은?

Leading doctors are calling on the government to ban man-made trans fats from food products. These fats, which have no nutritional value, ① <u>is</u> added to products such as biscuits, chips and ready meals to ② <u>bulk them up</u> and extend their shelf life. But they also boost levels of bad cholesterol in consumers, ③ <u>raising</u> their risk of suffering a heart attack. Artificial trans fats have already been outlawed in Denmark, California and Switzerland, and the case is now overwhelming for Britain to do the same, according to the Faculty of Public Health, ④ <u>which</u> represents 3,000 doctors and public-health specialists. In 2007, a state-sponsored study concluded there was no need to ban the substances as people don't consume ⑤ <u>them</u> at a dangerous level. But according to FPH, trans fats have no known safe level.

06 (A), (B), (C)의 각 네모 안에서 어법에 맞는 표현으로 가장 적절한 것은?
기출응용

In the 1950s, agricultural scientists around the world started a campaign (A) ⌐knowing / known⌐ as the green revolution. It was an attempt to increase available food sources worldwide. The green revolution helped prevent famine in Asia and (B) ⌐increase / increased⌐ crop yields in many different parts of the world. However, the green revolution had its negative side, too. Fertilizers and pesticides are dangerous chemicals that cause cancer and pollute the environment. Also, the cost of the chemicals and the equipment to harvest more crops (C) ⌐was / were⌐ far too expensive for an average peasant farmer. Consequently, owners of small farms received little benefit from the advances in agriculture. In some cases, farmers were forced off the land by larger agricultural businesses.

	(A)		(B)		(C)
①	knowing	-	increase	-	was
②	known	-	increase	-	was
③	known	-	increase	-	were
④	known	-	increased	-	was
⑤	knowing	-	increased	-	were

Subjects
and
Verbs 2

주어와 동사 2

013

분사구문의 수식을 받는 주어

Acupuncture techniques used in China as daily remedies for a long history have now become widely available to the general public both in China and around the world.

오랫동안 중국에서 일상적인 치료법으로 사용돼 온 침술이 이제는 중국과 전 세계적으로 더 널리 대중에게 이용되고 있다.

침술이   / 중국에서 사용돼 온   / 일상의 치료법으로써   /

| Acupuncture techniques | used in China as daily remedies |

주어 수식 분사구문

분사구문(used ~ history)이
주어(Acupuncture techniques)를 수식

오랫동안   / 이제는 더 널리 이용되고 있다   /

| for a long history | have now become widely available

has (X)

동사 앞에 단수 명사가 있지만, 분사구문 안에 있으므로
주어의 수에 영향을 주지 않는다.

대중에게   / 중국과 전 세계적으로 모두

to the general public both in China and around the world.

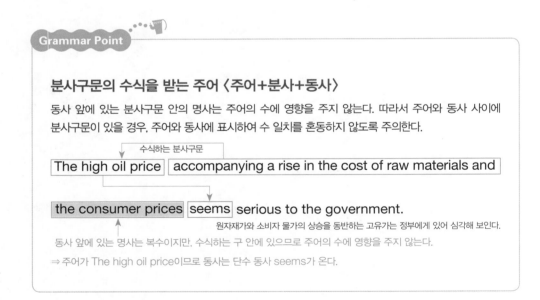

Grammar Point

분사구문의 수식을 받는 주어 〈주어+분사+동사〉

동사 앞에 있는 분사구문 안의 명사는 주어의 수에 영향을 주지 않는다. 따라서 주어와 동사 사이에 분사구문이 있을 경우, 주어와 동사에 표시하여 수 일치를 혼동하지 않도록 주의한다.

수식하는 분사구문

The high oil price | accompanying a rise in the cost of raw materials and

the consumer prices | seems serious to the government.

원자재와 소비자 물가의 상승을 동반하는 고유가는 정부에게 있어 심각해 보인다.

동사 앞에 있는 명사는 복수이지만, 수식하는 구 안에 있으므로 주어의 수에 영향을 주지 않는다.

⇒ 주어가 The high oil price이므로 동사는 단수 동사 seems가 온다.

Words & Phrases

remedy
[rémidi]
치료법, 치료약; 치료하다

general public
대중, 일반 대중

bruise
[bruːz]
멍

qualified
[kwáləfàid]
능력이 있는

Check-up

정답 및 해설 p.08

1. The sprinter suffering from scratches and bruises <u>is / are</u> enjoying his win.

2. Employees working for this lab <u>was / were</u> highly qualified engineers.

014 all/most/some/분수/%+of+명사 주어

Most of the time at Eastern High School has a huge impact on my life.

이스턴 고등학교에서 보내는 대부분의 시간은 내 인생에 엄청난 영향을 주고 있다.

대부분의 시간은　　　　　/ 이스턴 고등학교에서의　　　　/ 엄청난 영향을 주고 있다　　　/

Most | of the time | at Eastern High School | has | a huge impact

↑ have (X)

most가 주어이나 실제 지칭하는 것이
불가산 명사(the time)이므로 주어는 단수 취급한다.

내 인생에

on my life.

Grammar Point

〈most/all/some/분수/%+of+명사〉 주어의 수 일치

주어로 〈most/all/some/분수/%+of〉 구문이 오게 될 경우 무조건 복수 취급하면 안 된다. 부정 대명사가 주어일 때는 실제 지칭하는 것에 따라 수가 결정되므로, 뒤에 오는 명사가 가산 명사인지, 불가산 명사인지 확인하자.

실제 주어는 단수(the furniture)이다.

Some | of the furniture | in my office | is second-hand, so we can save much money for remodeling.

동사 바로 앞의 my office가 단수이지만, 수식구 안에 있으므로 주어의 수에 영향을 주지 않는다.

우리는 리모델링에 많은 돈을 아낄 수 있도록 사무실 가구의 일부는 중고이다.

Words & Phrases

have an impact on
~에 영향을 주다

second-hand
중고품의, 중고의

consist of
~로 구성되다

nitrogen
[náitrədʒən]
질소

oxygen
[ɑ́ksidʒən]
산소

Check-up

정답 및 해설 p.08

1. Half of the books on my bookshelf | is / are | going to be thrown away.

2. 78% of air | consist / consists | of nitrogen, and others are oxygen, argon, CO_2, and so on.

[01-10] 다음 중 어법상 가장 적절한 표현을 고르시오.

01 Most of the paragraph is / are spent on introducing the subject.

02 All this concern about ethnic diversity seems / seem like so much fuss.

03 The particular order or sequence needed depends / depend on the subject.

04 기출응용 We are often led to believe that most of our body heat is / are lost through our heads.

05 All of the junk people make hurts / hurt plants, animals, and even the people themselves.

06 In America, over 80% of women with boys or girls under 18 has / have another role besides that of mother and housewife.

07 It is significant to note that more than 90% of all Internet web content is / are written in English.

08 Most of our conquering the external world such as in engineering, in chemistry, and in medicine, is / are owing to our use of mechanical devices of one kind or another to multiply the capacity of our nervous systems.

09 Nearly 96% of passengers in U.S. plane crashes survives / survive thanks to improved aviation safety standards.

10 About two-thirds of all e-mail come / comes from the U.S., and it is estimated that the number of e-mail messages sent from the U.S. exceeds the number of letters delivered by the U.S. Postal Service.

01 다음 글의 밑줄 친 부분 중, 어법상 **틀린** 것은?

Plants that sit on the water surface with no need of pot or soil ① <u>is</u> called floating water plants. Floaters are extremely easy to grow and some even flower, with bright blue blooms that start when the weather warms and continue until fall. All they need ② <u>is</u> a container that holds water, and they will grow right on the deck or patio. Their roots dangle down in the water, ③ <u>drawing</u> nutrients that could otherwise cause an algae bloom. Among the least expensive of all water plants, they are usually bought fresh each year by most water gardeners. In the winter, simply add them to the compost pile or use them to cover their roots around perennials—④ <u>because of</u> their high nitrogen content, they add nutrients to the soil even ⑤ <u>after being removed</u> from the pond.

*perennial: 다년생 식물

02 (A), (B), (C)의 각 네모 안에서 어법에 맞는 표현으로 가장 적절한 것은?

Ages ago, all you needed to discern fake coins (A) | was / were | a good magnifying glass and a familiarity with the various coin design types. At that time, you could detect a counterfeit very easily only if you knew how a real coin looked. Today, you need to know how to perform specific gravity tests and have access to electron microscopes, and other complicated equipment and techniques. As an alternative, you can send your coins to a certification service, (B) | which / where | several experts are familiar with fake detection and have the equipment to analyze it through the proper process. Or, even better, you can take the time to find out how to discern fake and (C) | alter / altered | coins on your own.

	(A)		(B)		(C)
①	was	-	which	-	altered
②	were	-	which	-	alter
③	were	-	which	-	altered
④	was	-	where	-	alter
⑤	was	-	where	-	altered

015

시간, 거리, 가격, 중량의 주어

My five years at the helm of the company has been among the most interesting and challenging times of my career.

회사를 이끌어 나갔던 5년이라는 시간은 내 경력에서 가장 흥미롭고 도전적인 시간 중 하나였다.

5년이라는 시간은 　　　/ 실권을 쥐고 있던 / 회사의 　　　　　　 / 하나였다 　　/

| My five years | at the helm of the company | has | been

years가 복수형이기는 하나, 시간 주어일 경우 5년이라는　　　 have (X)
시간을 하나의 단위로 보아 단수 취급한다.

가장 흥미롭고 도전적인 시간들 중　　　　　　　　　　　　　　 / 내 경력의

among the most interesting and challenging times of my career.

Grammar Point

시간, 가격, 거리, 중량의 주어 – 단수 취급

주어로 〈시간, 가격, 거리, 중량〉이 나올 경우, 그 형태가 복수형이더라도 대부분 하나의 덩어리를 의미하기 때문에 단수 취급한다.

| Five years | in prison | has | made him thirst for revenge against the company.

5년이라는 감옥에서의 시간은 그를 회사에 대한 복수심으로 목마르게 만들었다.

⇒ Five years 자체는 복수형이나 단위의 시간을 지칭할 경우 단수 취급한다.

Words & Phrases

at the helm
책임지고 있는

challenging
[tʃǽlindʒiŋ]
도전적인, 도발적인

revenge
[rivéndʒ]
복수

annual
[ǽnjuəl]
연간

satisfactory
[sæ̀tisfǽktəri]
만족스러운, 충분한

suggestion
[səgdʒéstʃən]
제안

Check-up

정답 및 해설 p.09

1. $150,000 as an annual salary | is / are | satisfactory suggestion for moving the company to MS from Apple.

2. 15.2 km for jogging | was / were | too long to take exercise in the morning.

016

주의해야 할 명사 주어

A pair of birds is sitting among full-blossomed flowers to shelter from sudden rainfall.

새 한 쌍이 갑작스러운 폭우를 피하기 위해 만개한 꽃 사이에 앉아 있다.

새 한 쌍이   / 앉아 있다   / 만개한 꽃 가운데   /

A pair of | birds | is sitting | among full-blossomed flowers

are (X)

갑작스런 폭우를 피하기 위해서

to shelter from sudden rainfall.

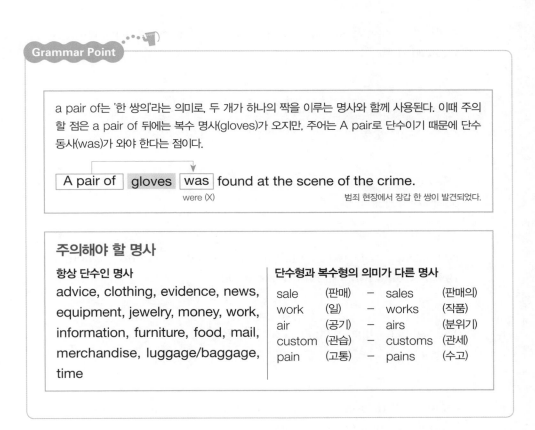

Grammar Point

a pair of는 '한 쌍의'라는 의미로, 두 개가 하나의 짝을 이루는 명사와 함께 사용된다. 이때 주의할 점은 a pair of 뒤에는 복수 명사(gloves)가 오지만, 주어는 A pair로 단수이기 때문에 단수 동사(was)가 와야 한다는 점이다.

A pair of | gloves | was | found at the scene of the crime.

were (X)   범죄 현장에서 장갑 한 쌍이 발견되었다.

주의해야 할 명사

항상 단수인 명사

advice, clothing, evidence, news, equipment, jewelry, money, work, information, furniture, food, mail, merchandise, luggage/baggage, time

단수형과 복수형의 의미가 다른 명사

sale	(판매) –	sales	(판매의)
work	(일) –	works	(작품)
air	(공기) –	airs	(분위기)
custom	(관습) –	customs	(관세)
pain	(고통) –	pains	(수고)

Words & Phrases

shelter
[ʃéltər]
(비, 바람을) 피하다; 안식처

rainfall
[réinfɔ:l]
폭우

saying
[séiiŋ]
속담, 격언

Check-up

정답 및 해설 p.09

1. I bought a pair of glasses yesterday. It was / They were made in Italy.

2. No news is / are good news. That is a Korean saying.

[01-10] 다음 중 어법상 가장 적절한 표현을 고르시오.

01   The new drama series | is / are | going to be selected as the most popular soap drama.

02   There | is / are | a lot of evidence that late children often have problems that other kids do not face.

03   The three miles she and her husband walked every morning together | was / were | sure to help her lose weight.

04   4,000 feet above sea level | sit / sits | the Thompson Ranch, a 1,400-acre spread on the western slope of Haleakala.

05   Economics | teaches / teach | us that it is hard to make money with a basically free commodity, such as ice in the arctic or sand in the desert.

06   The aim is to induce immunity to measles earlier, which | has / have | led many children in poor countries to death.

07   HD Group suggested $50 million as the bid to acquire the company, which | was / were | a 10% discount from $55 million offered last year.

08   The winner's final weight is 60 kilograms, which | is / are | one of the best records in this program.

09   As a result of consulting the plan for the festival, we concluded that ten days | is / are | required to complete that work.

10   The bad news about the country | is / are | that the regime continues to suppress freedom of speech and religion.

01 다음 글의 밑줄 친 부분 중, 어법상 틀린 것은?

Rangers in Kenya have outfitted elephants with cellphone- and GPS-equipped collars that send warning messages when the pachyderms are about ① to raid farms. In 2006, the rangers tested the collars on a repeat offender named Kimani, who had broken through electric fences 20 nights in a row which ② are one of the longest periods in Kenya and caused thousands of dollars in damage to crops and farm equipment. Most farmers had no idea ③ that their fields were being raided until the damage was done. Now Kimani's collar texts his hourly position to a server in Nairobi, ④ where software compares the animal's location with a database of virtual borders ⑤ established around villages and farms. If Kimani strays across one of those borders, the system alerts researchers and rangers in the area so they can coax him away from trouble.

*pachyderm: (코끼리 · 하마 등) 후피동물

02 (A), (B), (C)의 각 네모 안에서 어법에 맞는 표현으로 가장 적절한 것은?

As you're trying to teach your children (A) how / what the real world functions, it's not a good idea to pay them for doing what they should be doing anyway. First, they will be very (B) discouraged / discouraging when they grow up to realize that money doesn't fall into their pocket whenever they wash the dishes or clean their room. Second, $2 for washing-up (C) plays / play down their attitude to you as they get older: you wash the dishes for nothing but they get paid for it. How fair is that? No, it's wrong. You're a family. House chores are not for mother but for every member of the family. It is natural that your children help you for free, not $2.

	(A)		(B)		(C)
①	how	-	discouraged	-	plays
②	what	-	discouraged	-	play
③	how	-	discouraging	-	play
④	what	-	discouraging	-	play
⑤	how	-	discouraging	-	plays

017 관계대명사절 안의 동사의 수 일치 (1)

Muhammad's teachings were the sources of the Koran, the sacred text of the Muslims, which is still accepted by Muslims as the final authority on all spiritual matters.

무하마드의 가르침은 이슬람 인의 신성한 글인 코란의 원천이었으며,
코란은 이슬람 인에 의해 여전히 모든 종교적 문제에 대한 마지막 권위로 여겨진다.

무하마드의 가르침은 / 이었다 / 원천 / 코란의 //
Muhammad's teachings were the sources of the Koran,

주어

신성한 글인 / 이슬람 인들의 // 그것은 / 여전히 받아들여진다 /
선행사가 아님
the sacred text of the Muslims, which is still accepted
are (X)

이슬람 인들에 의해 / 마지막 권위로서 / 모든 종교적인 문제에 대한
by Muslims as the final authority on all spiritual matters.

Grammar Point

관계대명사절 안의 동사의 수 일치 〈선행사+관계사+동사〉

주격계대명사절이 선행사를 뒤에서 수식하거나 구·절 등이 삽입되는 경우, 관계대명사절 안에서 동사의 수 일치에 주의하자. 꼭 해석을 통해서 선행사를 구별해야 한다.

~ the sources of the Koran, the sacred text of the Muslims, which is ~
(O)
(X)
~ which are (X) → ~ which is (O)

⇒ the Koran이 the sacred text of the Muslims와 동격이고, which의 선행사가 된다.

Words & Phrases

sacred
[séikrid]
신성한; 바친

authority
[əθɔ́:rəti]
권위, 권한, 당국, 권위자

spiritual
[spíritʃuəl]
종교적인; 정신적인

identify
[aidéntəfài]
식별하다

warehouse
[wέərhàus]
창고

Check-up

정답 및 해설 p.10

1. They are supposed to identify all areas in the warehouse that [need / needs] attention.

2. The kind girl gave a ride to a boy and his dog that [was / were] traveling without money.

UNIT 018

관계대명사절 안의 동사의 수 일치 (2)

Prime Minister Gordon Brown's government has launched two rounds of bank bailouts worth hundreds of billions of pounds which has suffered from low supporting rating.

낮은 지지율을 겪고 있는 고든 브라운 수상의 정부는 수천억 파운드 규모의 은행 금융 지원을 두 차례에 걸쳐 착수했다.

고든 브라운 수상의 정부는   / 시작했다   /
Prime Minister Gordon Brown's government | has launched

두 차례의 은행 금융 지원을   / 수천억 파운드의 가치를 지닌   //
two rounds of bank bailouts worth hundreds of billions of pounds

낮은 지지율을 겪고 있는
which has suffered from low supporting rating .

have (X) ─── 문장의 뒤에 왔지만, 관계사절의 주어는 Prime ~ government이다.
따라서 단수 동사인 has가 와야 한다.

Grammar Point

후치 된 관계대명사절 내에 있는 동사의 수 일치

관계대명사절이 문장의 맨 뒤로 온 경우, 관계대명사절 안에 있는 동사의 수 일치에 주의하자. 이 경우 문장의 주어가 선행사인 경우가 많다.

The atmosphere | is the comforting music and the bright wallpaper
that | helps | a two-year-old child sleep .

두 살짜리 아이가 잠들도록 도와준 환경은 편안한 음악과 밝은 벽지이다.

⇒ 바로 앞에 나온 단어가 아니라 주어 The atmosphere가 선행사이므로 단수 동사 helps가 와야 한다.

Words & Phrases

launch
[lɔːntʃ]
시작하다, 진수시키다, 내보내다, 쏘다

bailout
[béilàut]
비상 구제, 긴급 융자

suffer
[sʌ́fər]
고생하다, 겪다

incurable
[inkjú(ː)ərəbl]
치료 불가능한

suburb
[sʌ́bəːrb]
교외

✅ Check-up

정답 및 해설 p.10

1. Talent is a natural ability to do things well, which is / are called the gift from God.

2. A hospice is the place treating patients suffering from incurable diseases, which is / are usually located in the suburbs.

EXERCISE

[01-10] 다음 중 어법상 가장 적절한 표현을 고르시오.

01 기출응용
It's the ideas that you're deeply in love with that ⌈ is / are ⌉ throwing everything else out of balance.

02
It makes a reference to those who ⌈ claim / claims ⌉ to be competent at a number of tasks but cannot perform a single one of them well.

03
There is a deep cavern on the island, containing the bones of the Indians, who, it is supposed, ⌈ was / were ⌉ buried there.

04
It has the remarkable characteristics of peeling into thin sheets which not only can be bent but also ⌈ is / are ⌉ elastic if they have not been carelessly broken.

05 기출응용
That is because underground insects emit chemical signals via the leaves of the plant, which ⌈ warn / warns ⌉ the aboveground insects about their presence.

06 기출응용
The high price of crude oil has driven up the cost of petroleum-based products which, in turn, ⌈ is / are ⌉ inspiring manufacturers to look for alternatives such as soybeans.

07
The guests from Hawaii, who ⌈ visit / visits ⌉ our museum, can take a picture of many exhibitions including paintings, china, statues, etc.

08
The news will change the political landscape after the following general election that ⌈ has / have ⌉ thrown us into panic.

09
Things were nice until we started hanging out with some students at the University of California who ⌈ live / lives ⌉ next door to us.

10
My son is a twenty-year-old college student who ⌈ teach / teaches ⌉ music and volunteers at our children's hospital.

01 다음 글의 밑줄 친 부분 중, 어법상 틀린 것은?

Florida is known to have beautiful scenery and various animals, one of ① which is a big cockroach. As you know, it is a disgusting insect and damages Florida's image. For this reason, people in Florida came up with a sound idea ② that they changed the name of it and started to call it the "palmetto bug." Because this name sounded cute and harmless, people could solve the problem. For instance, when a lady ③ entered a dress shop in Florida and screamed ④ on seeing an insect the size of a palm, a clerk said, "Don't worry! It's just a palmetto bug!" And then they had a big laugh because they knew there's nothing to worry about. Floridians used one of the marketing strategies, called "Name changing," which ⑤ mean if you call something by a different name, people will believe it is a different thing.

02 (A), (B), (C)의 각 네모 안에서 어법에 맞는 표현으로 가장 적절한 것은?

Every writer is starting from a different point and is bound for a different destination. Yet many writers are paralyzed by the thought that they are competing with everybody else who (A) is / are trying to write and presumably doing it better. This can often happen in a writing class. Inexperienced students are chilled to find themselves in the same class with students (B) that / whose articles have appeared in the college newspaper. But writing for the college paper is no great credit; I have often found that the hares who write for the paper are overtaken by the tortoises who move studiously toward the goal of mastering the craft. The same fear hangs around freelance writers, who see the work of other writers (C) appearing / appeared in magazines while their own keeps returning in the mail. Forget the competition and go at your own pace.

	(A)		(B)		(C)
①	is	-	that	-	appearing
②	are	-	that	-	appeared
③	are	-	whose	-	appeared
④	are	-	whose	-	appearing
⑤	is	-	whose	-	appearing

each, every

The fact that illiterate women give birth to more babies than educated women means that each extra year of school they attend reduces the birthrate.

교육 받지 못한 여성이 교육 받은 여성보다 더 많은 아이를 낳는다는 사실은 그들이 받는 교육의 추가적인
각각의 해가 출생률을 줄여준다는 점(학교에 오래 다닐수록 출생률이 줄어든다는 것)을 의미한다.

사실은 // 교육 받지 못한 여성이 / 더 많은 아이를 낳는다는 / 보다 /
| The fact | that illiterate women give birth to more babies than |

동격

교육 받은 여성 / 의미한다 // 각각의 추가적인 해가 / 학교의 // 그들이 출석하는
| educated women | means that | each extra year | of school they attend

— each는 단수 취급하므로 동사는 reduces가 된다. —

출생률을 줄여준다
| reduces | the birthrate.

reduce (X)

Grammar Point

each, every – 단수 취급

each와 every의 수식을 받는 명사는 단수 취급한다. 따라서 만약 주어로 each나 every가 쓰이면, 본동사는 단수 동사(is, was, 일반 동사+(e)s)로 써야 한다.

Each division in the military [run / runs] its own boot camp to supply recruits to subordinate camps.

군대의 모든 부서는 하위 훈련소에 인원을 공급하는 자체 훈련소를 운영한다.

⇒ 주어로 Each가 쓰였으므로 division의 형태도 단수이고, 본동사 역시 단수 동사인 runs가 되어야 한다.

Words & Phrases

illiterate
[ilítərət]
문맹의

give birth
출산하다

birthrate
[bə́:rθrèit]
출생률

subordinate
[səbɔ́:rdənət]
하위의

range
[reindʒ]
범위

✓ Check-up

정답 및 해설 p.11

1. To animals except humans, an experience itself disappears as soon as it occurs and each action they do | remain / remains | alone.

2. Everything that | is / are | in the range of human power | come / comes | from humans.

UNIT 020

부사구 도치 - 수 일치

Among its chief findings is that for the first time since 1982, when the bureau began collecting such data, the proportion of adults who read novels has risen.

1982년 이후 처음으로 관청이 그런 자료를 수집하기 시작했는데, 소설을 읽는 성인의 비율이 증가했다는 점이 주요 발견 중 하나이다.

그것의 주요한 발견 중 / 하나다 // 1982년 이후 처음으로 /

| Among its chief findings | is | that | for the first time since | 1982 |,

부사구의 도치 → 주어가 아니다.　　are (X)　　that절 이하가 주어

관청이 그런 자료를 수집하기 시작했던 //

when the bureau began collecting such data ,

계속적 용법의 관계부사절. 선행사인 '1982'년에 추가적인 정보를 제공

성인의 비율이 　　　　// 소설을 읽는 　　// 증가했다

the proportion of adults who read novels has risen.

the proportion이 주어

Grammar Point

부사구의 도치로 인한 주어와 동사의 수 일치

동사의 주어는 among its chief findings가 아니라 뒤에 나오는 that절이다. that절은 단수 취급하기 때문에 동사 is가 온다. 이처럼 부사구가 앞으로 나올 경우, 주어와 동사가 도치되므로 동사의 수 일치에 주의해야 한다.

On the southern shore of Lake Erie [lie / lies] many skylines built in the 1900s.

이리 호수의 서쪽 강가에 1900년대에 지어진 많은 고층 건물로 스카이라인이 펼쳐져 있다.

⇒ 앞의 Lake Erie는 부사구에 걸리는 것이므로 동사에는 영향을 미치지 않는다. 주어는 뒤에 나오는 many skylines이므로 lie가 정답이다.

Words & Phrases

cheif
[tʃi:f]
주요한

bureau
[bjú(:)ərou]
국, 사무소, 관청

proportion
[prəpɔ́:rʃən]
비율, 크기; 균형; 부분; 균형잡히게 하다; 할당하다

run short of
~이 부족하다

enormous
[inɔ́:rməs]
거대한

Check-up

정답 및 해설 p.11

1. Among our associates　was / were　one who runs short of the quality known as common sense, so he was not allowed to talk.

2. At the back of the room　is / are　two small aquariums and an enormous terrarium.

[01-10] 다음 중 어법상 가장 적절한 표현을 고르시오.

01 Each of the current students who are running for president ⬚ has / have ⬚ completed an application for it.

02 Each one ⬚ is / are ⬚ a pair of chemical bases which has accumulated for the 4 billion years that life has existed on earth.

03 Old age brings a lot of physical woes with it, and among common aging symptoms ⬚ is / are ⬚ hearing loss.

04 Among the collection of photographs ⬚ is / are ⬚ only one taken in New York in 2012.

05 기출응용 Only during the final stages of the compositional process ⬚ does / do ⬚ the most characteristic and expressive features of music come together.

06 Within the few years of our life, each of us ⬚ has / have ⬚ to become aware of this strange planet and its place in the universe.

07 Every inch of the campus including its facilities ⬚ is / are ⬚ so overcrowded that it looks more like a bargain basement than a place for higher learning.

08 Each extra inch of waistline of middle-aged people ⬚ raises / raise ⬚ cancer risk.

09 Among the programs offered by the Center for Online Addiction in Boston, founded in 1994 by Dr. Kimberly, ⬚ is / are ⬚ the cyberwidow support group for the spouses of those having online affairs.

10 기출응용 With India, a source of every possible ⬚ spice / spices ⬚ from ginger to arrowroot, King Manuel knew he could feed the European appetite for spices and make a fortune in the process.

01 다음 글의 밑줄 친 부분 중, 어법상 틀린 것은?

Larry King, the virtuoso in the TV interview business, has announced he will retire from hosting his talk show in CNN. King, 76, posted his plan for retirement on Twitter. In it, he made a reference to it: "It's time that I ① ended my nightly show." He needs more time with his family and will do his last show this fall, he said. In his blog, he looked back on the first interview with New York Governor Mario Cuomo 25 years ago. Since then he has talked to more than 50,000 people, which made him ② hold the record for the most of interviews ever conducted, in the Guinness Book of World Records. Among the interviewees ③ were Nelson Mandela who he thought is one of the most extraordinary people on the planet. King showed what is the secret to his success in his autobiography. He wrote, "All I do is ④ ask questions. Short, simple questions." The issue is now about ⑤ who will be his replacement. Mr. King himself said, "I'm sure there are tons of people who could do it."

02 (A), (B), (C)의 각 네모 안에서 어법에 맞는 표현으로 가장 적절한 것은?

A blind spot is not the same as a simple lack of knowledge. A blind spot emerges from a resistance to (A) | learn / learning | in a particular area. At the root of many of our blind spots (B) | is / are | a number of emotions or attitudes—fear being the most obvious, but also pride, self-satisfaction, and anxiety. A manager, for example, might have unsurpassed knowledge in the financial field, but her understanding of people management might be limited. Her people find her cold and aloof, and want her to become more consultative and involved with the team. She, however, is not willing to accept feedback about her management style and refuses (C) | even considering / to even consider | the prospect of changing her management style.

*aloof: 냉담한

	(A)		(B)		(C)
①	learn	-	is	-	even considering
②	learn	-	are	-	even considering
③	learning	-	are	-	even considering
④	learning	-	are	-	to even consider
⑤	learning	-	is	-	to even consider

021

상관접속사의 수 일치 (1)

Persistent efforts as well as strong desire are necessary for every step of advance whether the motive is purely the pursuit of natural knowledge or profitable advantage.

그 동기가 순수하게 자연에 대한 지식의 추구이든 유익한 이점의 추구이든 간에
모든 진보의 단계에 있어서 강력한 바람뿐만 아니라 지속적인 노력도 필요하다.

지속적인 노력이　　　　　　　　 / 강력한 욕망뿐만 아니라　　　　 / 필요하다　　　　　　　 /

| Persistent efforts | as well as strong desire | are | necessary for

└── B as well as A 구문이므로 수 일치는 B에 따른다. ──┘　↑ is (X)

모든 진보의 단계에　　　　　　　 // 그 동기가 순수하게

every step of advance whether the motive is purely

자연에 대한 지식의 추구이든　　　　　　　 / 아니면 유익한 이점의 추구이든 간에

the pursuit of natural knowledge or profitable advantage.

Grammar Point

상관접속사의 수 일치 – 앞부분에 일치

주어가 상관접속사로 이루어졌을 경우, 다음은 B의 수에 동사의 수를 맞춘다.

B as well as A ┐

B together with A ├── B의 수에 동사의 수를 일치시킨다.

B along with A ┘

Words & Phrases

persistent
[pərsístənt]
완고한, 고집 센, 영속하는

purely
[pjúərli]
순수하게

pursuit
[pərsjúːt]
추구

profitable
[práfitəbl]
이익이 나는, 유익한

advantage
[ædvǽntidʒ]
유리한 점; 이익, 편의

previous
[príːviəs]
이전의

arrange
[əréindʒ]
배열하다

✅ Check-up
정답 및 해설 p.12

1. This year the heating bill as well as other basic household utilities
   | becomes / become | lower than in the previous year.

2. Many boxes together with a ribbon | lie / lies | on the desk arranged for the birthday party.

022

상관접속사의 수 일치 (2)

Not only the accountant but also my lawyers have to be responsible for this case related to Thomson Electric.

회계사뿐만 아니라 나의 변호사들도 톰슨 전기와 관련된 이 사건에 책임을 져야 한다.

회계사뿐만 아니라   / 내 변호사들도   /

Not only the accountant but also my lawyers

not only A but also B 구문이기 때문에
my lawyers의 수에 동사의 수를 일치시킨다.

책임을 져야 한다   / 이 사건에   / 톰슨 전기와 관련된

have **to be responsible for this case related to Thomson Electric.**

has (X)

Grammar Point

상관접속사의 수 일치 – 뒷부분에 일치

주어가 상관접속사로 이루어졌을 경우, 다음은 B의 수에 동사의 수를 맞추도록 한다.

neither A nor B

either A or B

not A but B   B의 수에 동사의 수를 일치시킨다.

not only A but also B

Words & Phrases

accountant
[əkáuntənt]
회계사

lawyer
[lɔ́ːjər]
변호사

responsible for
~에 책임이 있는

case
[keis]
사건, 경우

related to
~와 관련된

politics
[pálitiks]
정치학

✅ Check-up

정답 및 해설 p.12

1. Neither knowledge nor understanding of politics is / are necessary to us right now.

2. Not only I but also all of my family members am / are satisfied with the presents you gave us.

[01-10] 다음 중 어법상 가장 적절한 표현을 고르시오.

01   Not only my parents but also my brother is / are against my opinion.

02   The CD as well as the printed copies was / were not delivered to us until the meeting started.

03   Either you or your brother has / have to hand out the final report related to this patent.

04   Both Jack and Jill has / have conducted the research, which shows there are errors in more than 500 areas.

05   Normally, neither the government nor the central bank announce / announces if they plan to intervene on the market.

06   Neither the sales department head nor I is / am responsible for another marketing plan and sales strategy.

07   While he told us everything about the story, both my brother and I was / were crying loudly, which made him embarrassed.

08   Trade protection for rice farmers as well as subsidiaries is / are to be offered by the government, said the officer.

09   기출응용
Either side of the street was / were full of beautiful wild flowers and ankle-high grasses.

10   Not one member but all members of the team receive / receives the grand prize in the field of film appreciation.

01 다음 글의 밑줄 친 부분 중, 어법상 틀린 것은?

Though the number of union members has been dropping, unions are still critical groups in America. Collective agreements between labor and companies ① has an effect on nonunion members in unionized sectors. Not only the salary plan but also working conditions ② are included in these agreements. Furthermore, labor unions try to exercise their political influence. Of course, they don't have their own political party as in some other countries. However, they influence legislation and government policy by ③ lobbying. It is especially in election years ④ that many of the candidates from each party want the support of organized labor. Therefore, political groups usually show their concerns about the needs and interests of unions. Unions encourage their members to donate to the politicians they consider pro-labor and ⑤ to vote for those who protect and advocate workers' rights and interests.

02   (A), (B), (C)의 각 네모 안에서 어법에 맞는 표현으로 가장 적절한 것은?

(A) ⃞Most / Almost⃞ all insects will flee if threatened. Many insects, however, have more specialized means of defense. Cockroaches, for example, secrete foul-smelling chemicals that drive aggressors away. Bees, wasps, and some ants have poisonous stings that can kill smaller predators and cause pain for larger ones. Some insects with no defenses of their own mimic the appearance of stinging or foul-smelling insects. They know that the mimic as well as the insects with the unpleasant taste or sting (B) ⃞is / are⃞ able to avoid predators. Other insects use their ability to blend into surroundings. They have distinctive color markings that make them (C) ⃞difficult / difficultly⃞ to see. Predators have trouble locating them because they blend in with the background.

	(A)		(B)		(C)
①	Most	-	is	-	difficult
②	Most	-	are	-	difficultly
③	Almost	-	are	-	difficultly
④	Almost	-	are	-	difficult
⑤	Almost	-	is	-	difficult

[01-05] 다음 문장 중 어법상 <u>틀린</u> 부분을 고쳐 쓰시오.

01 More than one seventh of the expenditure go to students who are repeating grades: a surprising 20% of those graduating from secondary school are over 25.

02 More than one-fourth of regular gym-goers shows indications of exercise dependence, continuing to exercise even when sick or injured.

03 Researchers found that people spent eight fewer milliseconds observing the words, which indicate that their brains deal with the dual-language words more rapidly than their native language.

04 Among their papers were an unsigned agreement of sale of the plane from the owner to Nick Holden.

05 Most of the evidence we have about early humans come from the findings he unearthed in Turkey.

[06-10] 다음 주어진 단어를 알맞은 형태로 바꿔 문장을 완성하시오. [현재 시제]

06 In the center of the city _____ two huge palaces which have a great bell. (stand)

07 More than 30 years of study _____ that expressing rage actually enlarges aggression. (reveal)

08 Peterson has been doing his homework, he says, and each of the scraps _____ one of the words he was supposed to learn. (contain)

09 All we have to do _____ construct a set of models and begin to play with a variety of objects. (be)

10 Beside the dolls _____ a small box, made of ivory, containing a mirror and a golden pin. (be)

FINAL CHECK

정답 및 해설 p.13

01 다음 글의 밑줄 친 부분 중, 어법상 **틀린** 것은?

기출응용

Greg had always loved sports that he could play on his own. When he was 14, he went to a camp for skiers. One of the best ways to stay in shape, he was told there, ① <u>was</u> cycling. At that time, his dad was trying to lose weight, and 20 miles every day with his son ② <u>were</u> required for it. Soon Greg got interested in cycling, entered races for 14- and 15-year-olds, and won almost every race. He became unbeatable in the U.S. However, ③ <u>being</u> number one in the U.S. didn't count for much ④ <u>because</u> all the top cyclists raced in Europe. When he was 16, Greg started racing and winning in Europe. And when he was 25, he became the first non-European ⑤ <u>to win</u> the Tour de France, the top cycling competition in the world.

02 (A), (B), (C)의 각 네모 안에서 어법에 맞는 표현으로 가장 적절한 것은?

For the part of the massage, position your baby on her belly with her feet closest to you. If she gets used to (A) <u>sleep / sleeping</u> on her back or side, you can find she may not like to lie on her belly, but encourage her to do so. I'm sure it will make a contribution to her gross motor development. To massage her back can be a good way to familiarize her with this position. Remember that she may endure a shorter time on her belly than you think. You should perform as much of the back routine as she tolerates and (B) <u>build up it / build it up</u> slowly. Since she will not be able to see you, you need to talk to her. A reassuring sound made from you (C) <u>make / makes</u> her comfortable while you are massaging her.

	(A)		(B)		(C)
①	sleep	-	build up it	-	make
②	sleeping	-	build it up	-	make
③	sleep	-	build it up	-	make
④	sleeping	-	build it up	-	makes
⑤	sleeping	-	build up it	-	makes

03 다음 글의 밑줄 친 부분 중, 어법상 틀린 것은?

Gas stations are a good example of an impersonal attitude. At many stations, attendants have even stopped ① pumping gas. Motorists pull up to a gas station ② where an attendant is enclosed in a glass booth with a tray for taking money. The driver must get out of the car, pump the gas, and ③ walk over to the booth to pay. And customers with engine trouble or a non-functioning heater ④ are usually out of luck. Why? Many gas stations have gotten rid of on-duty mechanics. The skillful mechanic has been replaced by teenagers in a uniform that ⑤ doesn't know anything about cars and couldn't care less.

04 (A), (B), (C)의 각 네모 안에서 어법에 맞는 표현으로 가장 적절한 것은?

Online shopping is a computer-based instruction for conversation class. It consists of topics for discussion, a matching game, a listening and comprehension check-up, two kinds of reading activities, a video clip and gap-filling, etc. The aim of the exercises conducted in a lot of classes (A) is / are to give students inspiration for searching Internet websites written in English so that they can make a contact to western culture and life through real task solving. The exercises are focused on reading since (B) it is / they are the most useful skill for Internet users, but speaking, listening, and writing practices are also considered (C) important / importantly . The exercises will be done through individual, pair, and group works. Computers for at least every two students are required to make instruction easier.

	(A)		(B)		(C)
①	is	-	it is	-	important
②	are	-	it is	-	important
③	is	-	they are	-	importantly
④	are	-	they are	-	importantly
⑤	is	-	they are	-	important

05 다음 글의 밑줄 친 부분 중, 어법상 틀린 것은?

The Civil War began on April 12, 1861 with Confederate forces ① <u>firing</u> on the United States army. We'll start a sesquicentennial ceremony that will last for the next three years. Among the commemorations ② <u>are</u> the new postal event of the conflict. The beginning of war brought dramatic changes to the nation, some of ③ <u>which</u> profoundly affected our stamp collecting hobby, which was in its infancy at the time. New stamps and stamped envelopes ④ <u>were issued</u> for use in the northern states, while the Confederacy scrambled to make its own postal system. United States postage had stopped ⑤ <u>being</u> valid in the rebel states when the Confederate postal service took charge on June 1, but few southern postmasters had returned their supplies of U.S. stamps to Washington.

*sesquicentennial: 150주년의

06

(A), (B), (C)의 각 네모 안에서 어법에 맞는 표현으로 가장 적절한 것은?

Welcome and thank you for joining the dining club. Our club offers a unique dining experience. You will be trying food from all over the world, but more (A) ⎡important / importantly⎤, you will have the chance to experience each country's dining traditions and customs. In India, for example, they use their hands to eat. If you are used to (B) ⎡use / using⎤ forks and knives, you may find this challenging. In France, dinners have many courses, so make sure to schedule enough time for the French meal. In Japan, they don't eat their soup with a spoon, so you have to drink directly from the bowl. These are some of (C) ⎡which / what⎤ you will experience every Saturday evening until the end of August. We hope you will enjoy your dining adventure.

	(A)		(B)		(C)
①	importantly	-	use	-	what
②	important	-	use	-	which
③	important	-	using	-	which
④	important	-	using	-	what
⑤	importantly	-	using	-	what

Pronouns

대명사

재귀대명사

According to a recent study, men are more likely to consider themselves happier than women by the time they are middle aged.

최근의 연구에 따르면, 남자들은 중년이 될 때 쯤 여자들보다 스스로 더 행복하다고 여기는 것 같다.

최근 연구에 따르면 / 남자들은 / 더욱 여기는 것 같다 /

According to a recent study, | men | are more likely to consider

주어인 men을 받으므로
재귀대명사 themselves가 온다.

스스로를 / 여자들보다 더 행복하다고 // 그들이 중년이 될 때 쯤

| themselves | happier than women by the time they are middle aged.

them (X)

Words & Phrases

according to
~에 따르면

recent
[rí:sənt]
최근의

be likely to
~할 것 같다

consider
[kənsídər]
여기다, 간주하다

protect
[prətékt]
보호하다

irritate
[íritèit]
짜증나게 하다, 자극하다

nod off
깜빡 졸다

lecture
[léktʃər]
강의

Grammar Point

재귀대명사

한 문장 내에서 주어와 목적어가 동일한 대상을 지칭할 경우, 목적어로 재귀대명사(-self, -selves)를 사용한다. 즉, 동사의 주체와 대상이 같을 경우, 재귀대명사를 사용한다.

They dressed alike in mechanics' clothes, and jokingly compared [them / themselves] to the Wright brothers. 기출응용

그들은 똑같이 정비공 옷을 입었고, 장난으로 라이트 형제와 자신들을 비교했다.

⇒ 목적어가 주어와 동일한 인물이기 때문에 재귀대명사 themselves가 적절하다.

Check-up

정답 및 해설 p.14

1. One reason is that the eyes are protecting | them / themselves | from something that is irritating them.

2. I found | me / myself | nodding off after listening to 40 minutes of a boring lecture.

024

them vs. themselves

Various animals have shells that keep them from growing beyond a certain size. 기출응용

다양한 동물은 일정한 크기 이상으로 자라는 것을 막아 주는 껍데기가 있다.

다양한 동물은 / 껍데기를 가지고 있다 // 그들이 자라는 것을 막는 /

Various animals have shells that keep them from growing

themselves (X)

them이 가리키는 것은 various animals이지만,
keep의 주어는 선행사인 shells이므로 주어와
목적어가 동일하지 않다.

일정 크기 이상으로

beyond a certain size .

Grammar Point

them vs. themselves

한 문장 안에서 주어와 목적어가 동일한 대상을 가리키면 목적어로 재귀대명사를 사용한다. 하지만, 한 문장 안에 여러 개의 절이 존재할 경우, 주어와 목적어의 관계를 잘 살펴보아야 한다.

SE's retrenchment policies have driven [it / itself] to reduce welfare benefits, which include providing expenses for travel during business trips.

SE사의 경비 절감 정책은 회사가 복지 혜택을 삭감하도록 이끌었는데, 그것은 출장 동안 여행 경비를 제공하던 것을 포함한다.

⇒ 위 문장의 주어는 SE's retrenchment policies이다. [It / itself]가 가리키는 것은 SE이므로 주어와 목적어가 같지 않다. 따라서 it이 정답이다.

various
[vέ(:)əriəs]
다양한

keep A from B
A가 B하는 것을 막다

beyond
[bijánd]
~을 넘어서, 지나서

welfare benefit
복지 혜택, 복리 후생

enable
[inéibl]
가능하게 하다

detect
[ditékt]
발견하다

electronic
[ilektránik]
전자의

✓ Check-up

정답 및 해설 p.14

1. Bats have a kind of radar system that enables ｜ them / themselves ｜ to detect everything around them.

2. Our information technology staff had to develop a model policy for electronic record by ｜ them / themselves ｜.

[01-10] 다음 중 어법상 가장 적절한 표현을 고르시오.

01 Most of the town's families have sheep and cattle, and support them / themselves by selling the sheep's wool and the cattle's flesh.

02 People thought that the spiders could kill them / themselves with their poison which was dangerous to humans.

03 When Sim Chong listened to her father's hope, she decided to sell her / herself to some sailors for the three hundred bags of rice.

04 They have to consider them / themselves wiser and more attractive than their low self-confidence mates.

05 Some of those who constantly travel around the country on business often ask them / themselves why they choose to live such a lifestyle.

06 The goal of superiority pulls people forward toward mastery and enables them / themselves to overcome obstacles, thus contributing to the development of the human community.

07 As the neighbors complained of the noise, my wife spent weeks training her dog, Matthew, to press his paw on the latch to let him / himself in.

08 After a brief moment of surprise, in order to preserve the myth of their guest's perfection and keep him / himself from any embarrassment, all the villagers at the banquet began to fling tofu into each other's laps.

09 When a severe ankle injury forced her / herself to abandon her publishing in 1926, Margaret Mitchell started to write her novel, *Gone with the Wind*.

10 Mistry's talent in mathematics enabled her / herself to solve the famous mathematics problem, Fibonacci sequence.

01 다음 글의 밑줄 친 부분 중, 어법상 <u>틀린</u> 것은?

I am getting ① <u>annoying</u> phone calls about the expiration of my car's warranty. I don't even own a car. I am on the government's Do Not Call list. I tried pressing 2 to remove myself from the company's list. That didn't work. I spoke to a live operator and asked her to remove ② <u>myself</u> from the list. That didn't work, ③ <u>either</u>! I searched the name of the company through the Internet. The top ten hits were all complaints about ④ <u>how</u> these guys ignore the Do Not Call list. They have so many different phone numbers that it is impractical to block them all. I called the phone company to find out ⑤ <u>whether</u> the harassing calls might be coming from the same number all the time. The phone company replied that it would not give me that information without a court order.

02 (A), (B), (C)의 각 네모 안에서 어법에 맞는 표현으로 가장 적절한 것은?

The tragic heroes in Shakespeare's plays have free will. They possess their own defects of character that bring their downfalls. Macbeth is ambitious but weak; Othello is jealous; Hamlet cannot make up his mind, but all three might have made (A) them / themselves into better human beings. Nothing outside themselves prevents them from taking the right path as opposed to the wrong, or tragic path. On the other hand, for the heroes in Greek tragedies (B) which / where fate embodied in the oracles prevails, there is no free will. The gods control a man's destiny, and one cannot fight the gods. Regardless of their strength or wisdom, the heroes cannot control their own future. That is why the hero in Greek tragedies (C) is / are compared to fish in the net.

*oracle: 신탁(神託)

	(A)		(B)		(C)
①	them	-	which	-	is
②	themselves	-	which	-	are
③	themselves	-	where	-	is
④	themselves	-	where	-	are
⑤	them	-	which	-	is

other

Little did I expect to find that in other parts of the world mothers were teaching their sons and daughters something different.

나는 세계의 다른 지역에서 어머니들이 자신의 아들과 딸에게 무언가 색다른 것을 가르치고 있다는 것을 발견하리라 거의 기대하지 않았다.

나는 발견할 거라고 거의 기대하지 않았다   // 세계의 다른 지역에서   / 어머니들이 /

Little did I expect to find that in **other parts** of the world mothers

other part (X) ─── other 뒤에 가산 명사가 올 경우 복수 명사가 온다.
따라서 other parts가 옳다.

가르치고 있다는 것을   / 자신의 아들들과 딸들에게   / 무언가 색다른 것을

were teaching their sons and daughters something different.

부정 부사어인 little이 앞에 와서 주어와 동사가 도치되었는데,
expected가 일반 동사이므로 expected 대신 did가 주어 앞으
로 나와서 〈did+주어+동사원형〉 어순이 되었다.

Grammar Point

other의 특징

other는 one, another, the other와 달리 형용사이기 때문에 명사 없이 단독으로 쓰지 않는다. 또한 뒤에 오는 가산 명사는 복수형으로 써야 한다.

1. other+복수 명사 vs. another+단수 명사
cf.) than any other+단수 명사

2. other vs. another, others
단독 사용 불가   단독 사용 가능

Words & Phrases

daughter
[dɔ́:tər]
딸

reptile
[réptil]
파충류

cold-blooded
[kould-bládid]
냉혈의

temperature
[témpərətʃər]
온도

run away with
~을 가지고 도망가다

Check-up
정답 및 해설 p.15

1. Like another / other reptiles, they are cold-blooded, and their temperatures change with the environment.

2. The movie begins with a scene in which her husband ran away with another / other woman.

one, another, the other

At times when I'm flying from one lecture to another, I find myself sitting next to a couple who are very talkative.

나는 때때로 한 강좌에서 다른 강좌로 비행기를 타고 갈 때 아주 수다스러운 커플 옆에 앉아 있는 나 자신을 발견한다.

때때로 　　　/ 내가 비행기를 타고 갈 때 / 한 강좌에서 다른 강좌로 　　　　　　//
At times when I'm flying from ⬚one⬚ lecture to ⬚another⬚,

처음 나오므로 one이고,
마지막이 아닌 다음 강의를 의미하므로 another가 온다.

나는 나 자신을 발견한다 / 커플 옆에 앉아 있는 　　　　// 굉장히 수다스러운
I find myself sitting next to a couple ⬚who are very talkative⬚.

Grammar Point

one, another, the other

one은 첫 번째를, the other는 마지막 하나를, 처음과 마지막이 아닌 다른 하나를 지칭할 때는 another를 사용한다. another 대신에 순서에 따라서 the second, the third를 사용할 수 있다. 마지막 남은 것이 복수라면 the others를 사용한다.

Nora has three sons; one is a doctor at General Hospital, another is a teacher at St. Louis High School, and the other is a student at Mido High School.

노라는 아들이 세 명 있다. 한 명은 종합병원의 의사이고,
다른 한 명은 세이트 루이스 고등학교의 교사이며, 나머지 한 명은 미도 고등학교의 학생이다.

Words & Phrases

at times
때때로

lecture
[léktʃər]
강의, 강연; 강의하다

next to
~옆에

talkative
[tɔ́ːkətiv]
말 많은, 수다스러운

consist of
~로 구성되다

✓ Check-up

정답 및 해설 p.15

1. The team consists of 7 students; one is Jack, and ⬚the other / the others⬚ are his friends.

2. Mr. Kim has three cars. One is blue, ⬚another / the other⬚ is black, and the third is white.

EXERCISE

[01-10] 다음 중 어법상 가장 적절한 표현을 고르시오.

01 After a malicious rumor went around, victims began to distrust the motives of other / others .

02 If one of the twins bite his or her nail, another / the other is likely to do so.

03 In the discussion, participants should show proper respect for another / other opinions and points of view.

04 These schools teach the same subjects as all other Russian public school / schools .

05 I became depressed as one dream after another / the other faded from me.

06 He intended to cheer up his teammates on the one hand and irritate the Milwaukee batters on another / the other .

07 Two kids were in trouble. Michael saved one boy and dived into the chilly water seven times, looking for the other / another boy but had no luck.

08 Three of you will get this hands-free device as a prize, and the others / others can be offered a gift card for as much as 50,000 won.

09 She works twenty hours a week, and her major requires that she have class for another / the other thirty hours. Moreover, she should attend an extra ten-hour class.

10 Unlike many another / others , China has been systematically preventing its own yuan from strengthening against the U.S. dollar.

01 다음 글의 밑줄 친 부분 중, 어법상 <u>틀린</u> 것은?

Have you heard the words "venomous" and "poisonous" in reference to insects and animals? Black widow spiders are venomous insects while some frogs are poisonous. You can easily distinguish them if you understand ① <u>how</u> they use the toxins. Venomous animals store toxins internally and release them through biting or stinging, ② <u>disabling</u> whatever organism they bite or sting. Poisonous animals usually secrete toxins through their skin so that whatever creature bites or touches them ③ <u>is</u> poisoned. The toxins have different uses. Venomous animals use toxins to help them capture prey. Poisonous insects and animals use toxins to defend ④ <u>themselves</u>. The one uses toxins to make dinner while ⑤ <u>another</u> uses toxins not to be dinner.

02 (A), (B), (C)의 각 네모 안에서 어법에 맞는 표현으로 가장 적절한 것은?

Robert Louis Stevenson remembered (A) having / to have nightmares as a child. Later he started to have pleasing dreams. Then he started to dream whole stories. That is, he did not always complete a whole dream at once. The story of a dream might be continued as a series of several dreams from night to night. He thought he led a kind of double life. One life was what occurred to him when he was awake, and (B) another / the other was what occurred to him during a dream. Soon, he came up with the plot related to his double life. This became a popular story about a male doctor (C) who / which changed into a scary murderer. This is, as we already know, *Jekyll & Hyde*.

	(A)		(B)		(C)
①	having	-	another	-	who
②	having	-	the other	-	which
③	having	-	the other	-	who
④	to have	-	the other	-	which
⑤	to have	-	another	-	which

both vs. either

Dozens of wild flowers of countless varieties cover the ground on either side of the path. 기출응용

셀 수 없을 만큼 다양한 수십 송이의 야생화가 길의 양쪽을 덮고 있다.

수십 송이의 야생화가 / 셀 수 없을 만큼 다양한 / 땅을 덮고 있다 /

Dozens of wild flowers of countless varieties cover the ground

양쪽 편에 / 길의

on either side of the path.

either sides (X)

either 뒤에는 단수 명사가,
both 뒤에는 복수 명사가 온다.
(=both sides)

Grammar Point

both vs. either

both와 either는 각각 both A and B '둘 모두'와 either A or B '둘 중 하나'라는 의미로 쓴다.
하지만 〈both+명사〉, 〈either+명사〉로 쓸 경우, 그 의미는 '양쪽'으로 동일하다.
both 뒤에는 복수 명사가, either 뒤에는 단수 명사가 온다는 데 차이점이 있다.

both	+ 복수 명사 + and	either	+ 단수 명사 + or

Words & Phrases

dozens of
수십 개의

countless
[káuntlis]
셀 수 없는

variety
[vəráiəti]
다양성

cover
[kʌ́vər]
덮다

either side
양쪽

Check-up

정답 및 해설 p.16

1. On either / both side of the mountain was a large town. 기출응용

2. Either / Both my parents are from Seoul, so they know where the building is located.

UNIT 028 either vs. neither

Neither a man nor a crowd nor a nation can be trusted to act humanely or to think sanely under the influence of great fear.

어떤 개인이나 군중, 나라도 엄청난 공포의 영향 아래에서 인간적으로 행동하거나 정상적으로 생각할 거라고 기대되지 않는다.

개인이나 군중이나 나라도 / 기대되지 않는다 /

Neither a man nor a crowd **nor** a nation can be trusted

either (X) or (X)
neither와 nor는 한 쌍이다. 따라서
neither 뒤에는 nor가 와야 한다.

인간적으로 행동하거나 / 정상적으로 생각하리라고 / 엄청난 공포의 영향 아래에서

to act humanely or to think sanely under the influence of great fear.

Words & Phrases

crowd
[kraud]
군중, 다수; 군집하다, 붐비다

trust
[trʌst]
기대하다, (~이라면 좋겠다고)
생각하다; 신뢰하다

sanely
[séinli]
제정신으로

influence
[ínfluəns]
영향력, 세력; 영향을 주다

encounter
[inkáuntər]
직면하다

villain
[vílən]
악당

assess
[əsés]
(세금을) 매기다

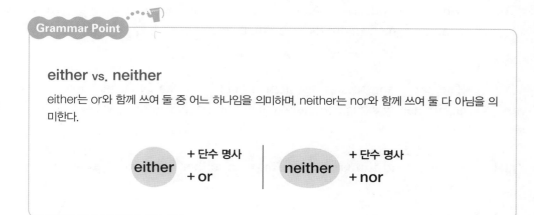

Grammar Point

either vs. neither

either는 or와 함께 쓰여 둘 중 어느 하나임을 의미하며, neither는 nor와 함께 쓰여 둘 다 아님을 의미한다.

either + 단수 명사 + or | **neither** + 단수 명사 + nor

✓ Check-up

정답 및 해설 p.16

1. What we encounter in the play is Macbeth as an ordinary person,
   either / neither a villain nor a hero.

2. A fee in the amount of $5 will be assessed without either direct deposit
   or / nor minimum balance of $1,000.

EXERCISE

[01-10] 다음 중 어법상 가장 적절한 표현을 고르시오.

01 This effect was worse for the students who sat on | both / either | side of them.
기출응용

02 The walls on | either / both | side of the front window are lined with pictures from her
기출응용 father's job.

03 Unlike most other members of the Commission, Mrs. Roosevelt was | either / neither | a scholar nor an expert on international law.

04 As long as | neither / either | our brain nor our ears are damaged, hearing is involuntary.

05 Many states require older motorists either to renew their licenses more frequently | and / or | to renew them in person rather than by mail.

06 Most were suffering | either / both | from ailments clearly linked to the illness or from conditions made more likely by diabetes.

07 The paragraph should be | neither / both | so short that its subject is underdeveloped and insufficiently explained, nor so long that it tends to break down into too many subtopics.

08 Tommy said to his students that he neither knows anything | and / nor | cares to know anything.

09 In the first year of broadcasting service, Star TV plans to cast over 30 percent of its programs | either / both | in foreign languages or with foreign-language subtitles.

10 Eventually, the Nazis accused Jews of being the secret force behind | either / both | capitalism and communism.

01 다음 글의 밑줄 친 부분 중, 어법상 틀린 것은?

The most common reason for not reporting our emotions is that we do not want to accept them for one reason or ① <u>another</u>. We fear that others might not think well of us, or actually reject us, or punish us in some way for our emotional innocence. We have been created ② <u>not to accept</u> certain emotions as part of us. We are sometimes ashamed of them. Now we can justify and say that we cannot express these emotions because they would not ③ <u>be understood</u> or that reporting them would hurt a peaceful relationship or evoke an emotionally stormy reaction from the other; but all of our reasons are based on essentially fraudulent relationships. Anyone who builds a relationship on less than openness and honesty ④ <u>is</u> building on sand. Such a relationship will never stand the test of time, and ⑤ <u>either</u> party to the relationship will draw from it any noticeable benefits.

02 (A), (B), (C)의 각 네모 안에서 어법에 맞는 표현으로 가장 적절한 것은?

기출응용

Language translation was an early goal of computer science, but there is still a long way to go. The reason is simple: It doesn't always work. Translation errors (A) | occur / is occurred | due to the complex features of computers, languages and minds. Even with an excellent dictionary and complete grammar knowledge of (B) | both / either | language, machine translation is often inaccurate. The meaning of a sentence is not often fully contained in its words. There is something else, called context, that a speaker and a listener (or a writer and a reader) bring to language to get (C) | its / their | exact meaning. Without the context, accurate computer translation is often not possible.

	(A)		(B)		(C)
①	occur	-	both	-	its
②	occur	-	either	-	its
③	occur	-	either	-	their
④	is occurred	-	both	-	their
⑤	is occurred	-	either	-	their

what vs. how (1)

Guests can fill out this form to let us know what they think of our facilities and service here at Galaxy Cruise.

손님들은 이곳 갤럭시 크루즈의 시설과 서비스를 어떻게 생각하시는지 저희에게 알려 주기 위해 이 양식을 작성하실 수 있습니다.

손님들은 / 이 양식을 작성할 수 있다 / 알려주기 위해서 // 그들이 어떻게 생각하는지 /
Guests can fill out this form to let us know what they think of
how (X)

무엇이라고 생각하는지 의견을 묻는 것이므로 what이 와야 한다.
정도나 방법을 묻는 how가 오면 안 된다.

우리 시설과 서비스를 / 여기 / 갤럭시 크루즈에서
our facilities and service here at Galaxy Cruise.

Grammar Point

what vs. how

보통 what은 우리말로 '무엇', how는 '어떻게'로 해석된다. 하지만 우리말로 '어떻게'라고 해석이 되어도 what을 써야 하는 경우가 있다. 일반적으로 동사 think, consider가 쓰이는 경우와 like로 끝나는 의문문의 경우가 그렇다.

What is the weather going to be like tomorrow?
내일 날씨는 어때요?

What do you think about Korea's economic situation?
한국 경제 상황에 대해서 어떻게 생각하세요?

⇒ 두 문장 모두 '어떻게'라고 해석되지만 what이 쓰였다. 첫 번째 문장은 like의 목적어를, 두 번째 문장은 어떻게 생각하는지 의견(your opinion)을 묻는 것이므로 what이 온다. how는 방법이나 정도를 묻는 의문사이다.

Words & Phrases

fill out
채워 넣다

form
[fɔːrm]
양식, 모양; 구성하다

facility
[fəsíləti]
시설, 설비, 편의

cruise
[kruːz]
유람선

financial
[finǽnʃəl]
재정적인

crisis
[kràisis]
위기

Check-up
정답 및 해설 p.17

1. " What / How does your sister look like?" "Tall and dark, pretty looking."

2. What / How did you do that, when your company was in financial crisis?

what vs. how (2)

What we're not so good at is predicting what our feelings will be like in the future and how long we'll have those feelings.

우리가 그렇게 잘 하지 못하는 것은 우리의 감정이 앞으로 어떻게 될 것이며 얼마나 오랫동안 그 감정을 갖게 될지 예측하는 것이다.

우리가 그렇게 잘하지 못하는 것은 　　　/ 예상하는 것이다 　　// 우리의 감정이 어떻게 　　/
What we're not so good at is predicting | what | | our feelings |

뒤 문장이 like의 목적어가 없는
불완전한 문장이다.

될 것 같은지 　　/ 미래에 　　// 그리고 / 얼마나 오랫동안 / 우리가 그 감정을 갖게 될지
| will be like in the future | and | how long | we'll have those feelings |.

〈how+형용사〉 구조이고,
뒤에 완전한 문장이 왔다.

Grammar Point

what vs. how

what과 how를 고르는 문제는 간단하다. 뒤에 나오는 문장의 완전성으로 파악하면 된다. 문장이 불완전하다면 what을, 완전하다면 how를 선택한다. 왜냐하면 what은 명사나 대명사를 받고, how는 형용사나 부사를 받는데, 전자는 주로 필수 성분이고, 후자는 대개 수식어이기 때문이다.

what +명사 / +불완전한 문장 　　｜　　 **how** +형용사 / 부사 / +완전한 문장

We don't know | how | he managed to finish the project by himself .

우리는 그가 어떻게 그 프로젝트를 혼자 끝낼 수 있었는지 모르겠다.

⇒ 뒤에 완전한 문장이 왔으므로 how가 왔다.

A researcher tried to find | what | policy Republicans want to propose .

조사원은 공화당원들이 어떤 정책을 제안하고자 하는지 알아내려고 했다.

⇒ 〈what+명사〉 구조이고 뒤에 propose의 목적어가 없는 불완전한 문장이 왔다.

Words & Phrases

be good at
~에 능숙하다

predict
[pridíkt]
예견하다, 예상하다

republican
[ripúblikən]
공화당원

accept
[əksépt]
받아들이다

labyrinth
[læbərinθ]
미로

✅Check-up

정답 및 해설 p.17

1. If you can accept NO for an answer, you can ask for | how / what | you need.

2. He eagerly explained | how / what | he managed to go through a labyrinth.

EXERCISE

정답 및 해설 p.17

[01-10] 다음 중 어법상 가장 적절한 표현을 고르시오.

01
기출응용

If advertising is on a bulletin board, the location will affect how / what many people see the ad.

02
The idea of skimming is to get an overview of how / what the writer is presenting the material and to form a general idea of the main point of the text.

03
Jamie sat upstairs alone in her room, which is how / what she usually enjoyed her time, by herself.

04
I'm determined to go camping with you this summer no matter how / what my parents say.

05
기출응용

Think about how / what you know the size of your car well enough to park it in a small space or pull it into your garage without hitting anything.

06
We will be able to design your book more accurately if we know exactly what / how type of audience you are trying to reach.

07
Everybody knows what / how most search results look like: a list of links to web pages where you may be able to find the information.

08
They find out how / what other folks live, do things they can't experience at home, and see other kinds of landscapes and famous buildings.

09
Jenny is recovering from treatment for how / what doctors diagnosed as level-3 chest cancer.

10
I am greatly interested in how / what we can make a convincing argument for these environmental issues.

01 다음 글의 밑줄 친 부분 중, 어법상 틀린 것은?

James Joyce, a famous novelist, poet, and playwright, was born and educated in Ireland, and spent ① <u>most</u> of his life in continental Europe, mainly in France, Italy and Switzerland. His first short stories, ② <u>published</u> as *Dubliners*, are realistic on the surface but also carry a deeper meaning; "*The Dead*," ③ <u>in which</u> a husband is shocked out of his self-satisfaction by finding his wife's love for a dead man she knew for many years, is the most remarkable. ④ <u>Another</u> famous novel, *A Portrait of the Artist as a Young Man*, presents Joyce himself as a young man in the character of his hero who is formed by the powerful forces of Irish national, political and religious feelings, and shows ⑤ <u>what</u> he gradually frees himself from the influence of these forces to follow his own nature and his own fate.

02
기출응용

(A), (B), (C)의 각 네모 안에서 어법에 맞는 표현으로 가장 적절한 것은?

To help us experience more joy in school and in the workplace, we can cognitively redefine our experiences by ridding (A) ⎡ us / ourselves ⎤ of the prejudice we have against work. A study run by Donald Hebb back in 1930 can help us understand (B) ⎡ how / what ⎤ this reformation can take place. Six hundred students between the ages of six and fifteen were told that they no longer needed to do any schoolwork. If they misbehaved in class, their punishment was to go out and play; if they behaved, their reward was getting to do more work. Hebb reports, "In these circumstances, all of the pupils discovered within a day or two that they preferred work to no work." If we can reframe our work as a privilege rather than as a duty and do the same for our children, we will ultimately be (C) ⎡ much / more ⎤ better off.

	(A)		(B)		(C)
①	us	-	how	-	much
②	us	-	what	-	more
③	ourselves	-	what	-	more
④	ourselves	-	how	-	more
⑤	ourselves	-	how	-	much

031

what vs. whatever

Whatever goal you might set, you have to start doing something about your children.

당신이 세운 목표가 무엇이든지 간에 당신의 아이들에 대한 무엇인가를 하기 시작해야 한다.

당신이 세운 목표가 무엇이든지 간에 // 당신은 / 하기 시작해야 한다 /

Whatever goal you might set , **you have** to start doing

What (X)
뒤에 문장이 왔으므로 접속사 기능을
하는 whatever가 와야 한다.

무엇인가를 / 당신의 아이들에 대한

something about your children.

Grammar Point

what vs. whatever

what은 관계대명사나 의문대명사 역할을 해서 뒤에 오는 문장을 명사화시킨다. 따라서 what이 이끄는 문장은 주어나 목적어 역할을 한다. 반면, whatever는 복합관계대명사의 역할도 하지만, '아무리 ~하더라도'라는 의미의 양보절을 이끄는 접속사의 역할도 한다.

what	+ 명사 + 불완전한 문장	**whatever**	+ 명사 + 불완전한 문장
	주어, 목적어 역할 부사절을 이끄는 접속사 역할을 하지 못함		주어, 목적어 역할 부사절을 이끄는 접속사 역할

✓ Check-up

정답 및 해설 p.18

1. To secure additional funds should be the first thing to do for our team, in order to support   whatever / however   measures the president required.

2.   Whatever / What   these unique habitats are now facing from accelerating development, the local government tries to preserve the forest.

it vs. they

To slow down global warming, environmental groups are asking the world to control its emissions of CO$_2$.

지구 온난화를 늦추기 위해 환경 단체들은 세계에 이산화탄소 배출량을 조절할 것을 요청하고 있다.

지구 온난화를 늦추기 위하여   / 환경 단체들은   /
To slow down global warming, environmental groups

요구하고 있다   / 세계에   / 조절하라고   / 세계의 이산화탄소 배출량을
are asking the world to control its emissions of CO$_2$.

their (X)

its가 the world를 가리키므로
their가 오면 안 된다.

Grammar Point

it vs. they (them)

대명사와 관련하여 출제가 잘 되는 부분이 대명사의 단·복수 문제이다. 이 부분은 순수한 문법 문제라기 보다 정확한 해석과 내용의 이해가 필요한 항목이다. 따라서 it 또는 they와 관련된 문제가 나오면, 해석을 정확하게 해야 한다.

Students from nearly 100 countries met in Connecticut recently to learn about the environment and discuss ways to protect [it / them]. 기출응용

최근에 거의 백여 개국에서 온 학생들이 환경에 대해서 배우고 환경을 보호할 방법을 토론하기 위해서 코네티컷에 모였다.

⇒ the environment를 지칭하는 말이므로 it이 적절하다.

Words & Phrases

global warming
지구 온난화

emission
[imíʃən]
방출

deadly
[dédli]
치명적인

tend to
~하는 경향이 있다

skip
[skip]
지나치다

Check-up

정답 및 해설 p.18

1. Despite its / their close location to these countries, England had remained free of the deadly disease. 기출응용

2. Tom and Jerry often tend to skip their breakfast to lose weight. But it / they won't work well.

[01-10] 다음 중 어법상 가장 적절한 표현을 고르시오.

01 Gather all essential financial data and put it / them in chronological order.

02 Popular culture makes few intellectual demands on its / their consumers.

03 Eton College has produced so many prime ministers since its / their foundation in 1440.

04 But in more recent times, the government has met with a great deal of resistance to its / their draft laws.

05 기출응용 No matter how we shake or tap the bottle of ketchup, some of it / them refuses to come out.

06 They use the television time to reveal their talents, wishing to gain a big opportunity that will carry it / them to stardom.

07 While small and large companies alike are trying to survive, a number of small stores are desperately struggling to keep its / their doors open to the public.

08 My mentor thinks that the wealth distribution for all members of the community must be given not as free charity but rather as a support for its / their own members.

09 However / Whatever they call me, I will continue to investigate the sinking incident, which happened last month.

10 Whatever / However the owner might have said at the meeting, recruiting is the issue that should receive immediate attention.

 01 다음 글의 밑줄 친 부분 중, 어법상 틀린 것은?

Before the vacuum cleaner became popular, small carpets were often cleaned by hanging ① it on a line and using a carpet beater. This technique relied on the fact that vibration caused by beating the carpet ② removed most of the dirt and dust. The same principle is used today in ultrasonic cleaning. The article to be cleaned is placed in a cleaning vessel ③ called an ultrasonic chamber. This chamber also contains an ultrasonic transmitter and a suitable solvent. This is not water but a liquid similar to the cleaning fluid used at the dry cleaner's. The ultrasonic transmitter produces vibrations in the liquid. These vibrations are passed on to the article ④ being cleaned. When the article begins to vibrate, dirt and other unwanted materials are shaken off. Thus, the ultrasonic transmitter acts just ⑤ like the carpet beater.

02 (A), (B), (C)의 각 네모 안에서 어법에 맞는 표현으로 가장 적절한 것은?

By the 1960s, it was getting clear that environmental problems did not respect borders. Water flows to the sea, carrying sewage and other wastes with it. Birds migrate, carrying with them (A) however / whatever toxins they have absorbed with their food. Some researchers have shown that the rise and fall of the Roman Empire can be tracked to Greenland, where glaciers preserve lead-containing dust (B) depositing / deposited over the millennia—the amount rises as Rome flourished, falls with the Dark Ages, and rises again with the Renaissance and Industrial Revolution. In 1972, other researchers were also able to report that most of the acid rain falling on Sweden came from other countries. Today we know that pesticides and other chemicals can show up in places (C) which / where they have never been used.

	(A)		(B)		(C)
①	however	-	depositing	-	which
②	however	-	deposited	-	where
③	whatever	-	depositing	-	which
④	whatever	-	deposited	-	where
⑤	whatever	-	deposited	-	which

UNIT

033

that vs. those

The tune used for the song was that of a popular opera, which could support my theory on modern pop music.

그 노래에 사용된 곡조는 인기 있는 오페라의 곡조였는데, 그것이 현대 대중 음악에 관한 내 이론을 뒷받침 할 수 있었다.

곡조는   / 그 노래에 사용된   / 였는데 / 인기 있는 오페라의 곡조   //

<u>The tune</u> used for the song was <u>that</u> of a popular opera,

└ 비교 대상은 the song의 the tune과 opera의
tune이므로, tune을 받는 단수 대명사 that이 적절하다.

그것이   / 뒷받침할 수 있었다   / 내 이론을   / 현대 대중 음악에 관한

which could support my theory on modern pop music.

Grammar Point

that vs. those

한 문장 내에서 앞에 나온 명사를 받는 대명사 중 다른 말의 수식을 받는 것은 that과 those뿐이다. 단수일 경우 that을, 복수일 경우에는 those를 사용한다.

The evolution of humans differs from [that / those] of other species.

인간의 진화는 다른 종의 진화와는 다르다.

⇒ 위 문장에서 대명사 [that / those]가 받는 명사는 evolution이다. evolution은 단수이므로 that이 정답이다.

Words & Phrases

tune
[tʃuːn]
곡조, 음색; 조화; 조율하다, 조정
하다

theory
[θí(ː)əri]
이론, 학설

evolution
[èvəlúːʃən]
진화

differ from
~와 다르다

species
[spíːʃiːz]
종

night shift
야간 근무

Check-up

정답 및 해설 p.19

1. Workers on the day shift may use any gate, but [that / those] on the night shift should use Gate A.

2. Baby's clothing sales in July were less than [that / those] in March.

84

UNIT 034

it vs. there

There remain three other issues concerning purchasing agreements that need to be settled.

구매 조건과 관련하여 해결돼야 하는 세 가지의 다른 쟁점이 남아 있다.

남아 있다 / 세 가지 다른 쟁점이 / 관한 /
There | **remain** | **three other issues** | concerning

it, that, they (X)
remain은 형용사 보어를 취하므로 유도부사인 there
가 왔다. remain 다음에 온 명사가 주어이다.

구매 조건에 // 해결될 필요가 있는
purchasing agreements | **that need to be settled** .

수식어구가
뒤에 있다.

Grammar Point

there vs. it

대명사 it과 유도부사 there는 자주 비교된다. 같이 쓰는 동사가 서로 비슷하므로, 꼭 해석으로 쓰임을
이해하도록 하자. it은 가주어, 강조 용법, 비인칭주어로 많이 쓰며, there는 '～이 있다/없다'로 쓴다.

There +동사+명사

It +동사+ 형용사 / 명사 / 전치사구 / 종속접속사+문장

Words & Phrases

remain
[riméin]
남아있다, 여전히 ～이다

concerning
[kənsə́:rniŋ]
～에 관한

purchase
[pə́:rtʃəs]
구매하다

run into danger
위험에 처하다

get stung by
독침에 쏘이다

allergic
[ələ́:rdʒik]
알레르기의

✓ Check-up

정답 및 해설 p.19

1. Most people don't run into danger if they get stung by a bee, but ⬚ **it / there** have been a couple of cases of allergic deaths from a honeybee sting.

2. ⬚ **It / There** was five degrees below zero this morning.

EXERCISE

정답 및 해설 p.19

[01-10] 다음 중 어법상 가장 적절한 표현을 고르시오.

01 It / There was while he was studying in New York that I met him for the first time.

02 It / There never arose any problem between you and me until he came to our house.

03 It / There is irresponsible to talk about people on a TV show who are starving and suffering.

04 It / There doesn't seem that it will fully replace paper books because of the following reasons.

05 It / There is possible to make satisfactory progress for thirty years, but only if that job continuously provides new challenges.

06 기출 In urban areas, the percentage of male childern with asthma in the 2011-2010 period was lower than that / those of male children with asthma in the 2008-2009 period.

07 It / There is through these conferences that leading people become distinguished in the first place.

08 The stems of water plants are sometimes similar to that / those of terrestrial plants, although they depend on the water to support them.

09 A course in English may be a useful supplement to an English-language course, since the American academic system can be very different from other countries / that of other countries .

10 According to the report, local firms' research and development budgets turned out to be much lower than that / those of the global leading market companies.

01   다음 글의 밑줄 친 부분 중, 어법상 <u>틀린</u> 것은?

What do you like to drink when you get thirsty? Since the 1980s, the popularity of different types of soft drinks in Korea has changed considerably. During the late 80s, carbonated drinks of all sorts were the leaders in popularity, ① <u>followed by</u> fruit juices and coffee-based drinks. By 2004, however, those drinks ② <u>had lost</u> their lead to the newest entry into this market: tea-based drinks of all types. Tea drinks, which include green teas, took the lead over both carbonated drinks and coffee-based drinks. The total production of tea-based drinks was nearly double ③ <u>the nearest competitors</u>: carbonated drinks and coffee drinks. Fruit juices had fallen to fourth in popularity with a drop in production of nearly one-fourth since their highest levels in the late 80s. Fifth place ④ <u>was held</u> by sports drinks, the new type drinks. At about the same time ⑤ <u>that</u> green tea became a packaged product, vegetable juice also began to appear on the market.

02   (A), (B), (C)의 각 네모 안에서 어법에 맞는 표현으로 가장 적절한 것은?

Women have been taught to take it for granted that it is their responsibility to keep everything "good" even when the person they are with is impolite and offensive. When they talk with men, (A) │ it / there │ is women who start to question and lead the conversation, while men typically say no more than "Hmm." (B) │ Where / Wherever │ women go, they're constantly smiling, one of their culture's rituals of obedience. They're trained to feel embarrassed if they're admired, but if they see a criticism heading to (C) │ them / themselves │, they try to understand why. And when women feel aggressive or upset, they put on their smiles. In short, they spend a great deal of time acting as if they were timid.

	(A)		(B)		(C)
①	it	-	Wherever	-	them
②	it	-	Where	-	themselves
③	it	-	Wherever	-	themselves
④	there	-	Where	-	themselves
⑤	there	-	Wherever	-	them

ones vs. some

Despite the disapproval of animal lovers, they commune with nature by hunting small animals or large ones such as deer and bears.

그들은 동물 애호가들의 비난에도 불구하고 사슴, 곰과 같은 작은 동물이나 큰 동물을 사냥함으로써 자연을 즐긴다.

동물 애호가들의 비난에도 불구하고   // 그들은 자연을 즐긴다   /
Despite the disapproval of animal lovers, they commune with nature

사냥함으로써   / 작은 동물이나 큰 동물을   / 사슴, 곰과 같은
by hunting small animals or large ones **such as deer and bears.**

some (X)

형용사의 수식을 받으므로
ones가 옳다.

ones vs. some

부정대명사 ones와 some은 모두 복수 명사를 대신한다. 단, 형용사의 수식을 받을 경우 ones를 사용하고, 그렇지 않을 경우 some을 사용한다.

Although he was told to bring an unfamiliar thing, Jack picked out the book from a group of familiar [ones / some].

잭은 익숙하지 않은 물건을 가져오라는 말을 들었지만, 익숙한 물건 중에서 그 책을 집어 들었다.

⇒ 형용사 familiar의 수식을 받고 있으므로 ones가 온다.

Words & Phrases

despite
[dispáit]
~에도 불구하고

disapproval
[disəprúːvəl]
불승인, 불찬성, 비난, 반감, 못마
땅함

commune with nature
자연을 가까이하다[즐기다]

pick out
~을 고르다

Check-up

정답 및 해설 p.19

1. Use this coupon at our store for a 5% discount on new ones / some .

2. "Those were my old shoes," Jimmy says. "My new ones / some are better."

036

one vs. it

Thomson wrote a check for $20, but when he wrote it, he knew he didn't have enough money in the bank to cover it.

톰슨은 20달러짜리 수표를 썼지만, 그 수표를 썼을 때 자신이 은행에 그것을 감당할 만할 충분한 돈을 가지고 있지 않다는 것을 알았다.

톰슨은 / 썼다 / 20달러짜리 수표를 // 하지만 / 그가 그 수표를 썼을 때, //

Thomson wrote a check for $20 , but when he wrote it ,

one (X)

앞에서 언급된 20달러짜리 수표를
지칭하므로 it이 온다.

그는 알았다 //그가 충분한 돈을 가지고 있지 않다는 것을 / 은행에 / 그것을 감당할 만한

he knew he didn't have enough money in the bank to cover it .

one (X)

Grammar Point

one vs. **it**

one과 it 모두 앞에서 언급된 명사를 받는 대명사이다. 하지만, one은 같은 종류의 불특정한 일반 명사(a(n)+명사)를 받고, it은 앞에 언급된 바로 그 특정 명사(the+명사)를 받는다.

He presented a watch to me, but I lost it ; I've decided to buy a new one .

그가 나에게 시계를 주었지만, 나는 그것을 잃어버려서 새 시계를 사기로 결심했다.

⇒ 위 문장에서 it이 받는 것은 특정한 명사인 '그가 준 시계'이고, one이 지칭하는 것은 막연한 '시계'이다.

Words & Phrases

check
[tʃek]
수표

cover
[kʌvər]
(비용을) 감당하다

innocently
[inəsəntli]
순수하게

✔Check-up

정답 및 해설 p.19

1. Jade innocently responded, "But Mom, I've already read the book. Judy hasn't read it / one yet."

2. Every employee who wants a ticket to the concert will be able to get it / one .

EXERCISE

[01-10] 다음 중 어법상 가장 적절한 표현을 고르시오.

01 He doesn't have a nice car, so he is going to buy it / one .

02 기출응용 The wrapping of Christmas presents arose at the turn of the 20th century, during a period when hand-made presents were giving way to machine-made, store-bought ones / some .

03 Jack knows you have a number of interesting games. Perhaps he will borrow ones / some of them.

04 Jennifer has drawn a fantastic picture, and one / it will be exhibited in our gallery.

05 The small shells appear to be 80mm and the large ones / some are over 120mm.

06 There are so many movies on show at DGV Theater. We are going to watch one / it tonight.

07 Peterson bought a pair of shirt and pants, but one of them didn't suit him. So he wanted to get a refund for it / one .

08 Thomson bought me a CD player, and in return I bought him one / it .

09 Jenny had a variety of exotic bags and hats from Paris and London, but she threw away the old ones / some .

10 In Africa, there are many wild animals such as lions, zebras, elephants, hippos, and so on. I have seen some / ones once at the Safari Tour.

ACTUAL TEST

01 다음 글의 밑줄 친 부분 중, 어법상 틀린 것은?

For pianists and guitarists, small fingers are a curse. But a study by led Prof. Patrick Jameson of New York University suggests that a small finger ① <u>does</u> give an advantage: it is more sensitive. He reports that sensory receptors named Merkel cells, which distinguish the structure and texture of materials ② <u>pressed</u> against the fingertip, ③ <u>are</u> more closely packed on small fingers compared with large ④ <u>some</u>. As women tend to have smaller fingers than men, they can distinguish the appearance of the things they feel better than men. Indeed compared with the men, the women from this study were able to more easily discern the shape of thin grooves in a piece of plastic that ⑤ <u>had been</u> pressed against their fingers.

02 (A), (B), (C)의 각 네모 안에서 어법에 맞는 표현으로 가장 적절한 것은?

By 6 months, infants are quite good at distinguishing among human faces. Pascalis, de Haan and Nelson first presented infants with pairs of identical faces and then presented pairs that included the face from the preceding pair and a new one. Infants looked longer at the novel face in the second pair, (A) indicating / indicated that they perceived the difference between the novel face and the original one. Remarkably, when monkey faces were used instead of human (B) ones / some, six-month-olds still preferred the novel face. Thus, at six months, infants could distinguish between different monkey faces. However, this ability declined with age: at nine months, infants distinguished between the human faces but not those of the monkeys, and this same pattern held for adults. This finding suggests that early face-perception abilities (C) are / be 'tuned' by experience.

	(A)		(B)		(C)
①	indicating	-	ones	-	are
②	indicating	-	ones	-	be
③	indicating	-	some	-	are
④	indicated	-	ones	-	be
⑤	indicated	-	some	-	are

[01-05] 다음 문장 중 어법상 <u>틀린</u> 부분을 고쳐 쓰시오.

01
기출응용
Until the 1920's, there were only three competitive swimming strokes—freestyle, backstroke, and breaststroke—and each had specific rules that described what it was to be performed.

02
When we learn of our impending death, we first tell us it is not happening, then become angry at the realization.

03
Jordan found a red umbrella on the subway and gave one to his daughter, making her pleased.

04
As those feelings identified with their future selves make financial decisions with long-term prospect, stimulating people to dream their future could help themselves save more.

05
After the patients gain this hormone injection, their performance resembled people without the disease.

[06-10] 다음 보기에서 알맞은 단어를 골라 문장을 완성하시오.

보기	what	how	those	another	yourself

06
기출응용
The arms and legs of chairs, the heads and feet of beds, just like _____ of the people that they serve, cannot be expected to be strong without limit.

07
When Jade went on board, she found that _____ passenger was to share the cabin with her.

08
기출응용
Promise _____ that no matter how much work you have, you will always relax during one full evening.

09
The senior researchers have developed two opposing theories to explain _____ one could get addicted to exercise.

10
If I become a paid member, _____ advantage can I get from your company?

01 다음 글의 밑줄 친 부분 중, 어법상 틀린 것은?

기출응용

When we interact, we behave like actors by following scripts that we have learned from ① others. These scripts essentially tell us how to behave in accordance with our statuses and roles. But this stage analogy has limitations. On stage, the actors have a detailed script that allows ② themselves to rehearse exactly what they will say and do. In real life, however, our scripts are ③ far more general and ambiguous. They cannot tell us precisely how we are going to act or how the other person is going to act. In fact, as we gain new experiences every day, we constantly revise our scripts. ④ It is therefore much more difficult to be well rehearsed. This means ⑤ that we have to improvise a great deal, saying and doing many things that have not crossed our minds before that very moment.

02 (A), (B), (C)의 각 네모 안에서 어법에 맞는 표현으로 가장 적절한 것은?

The divide of race has been America's constant curse. And each new wave of immigrants (A) give / gives new targets to old prejudices. Prejudice and contempt cloaked in the pretense of religious or political conviction are not different. These forces have nearly destroyed our nation in the past. They plague us still. They fuel the fanaticism of terror. And they torment the lives of millions in (B) fracturing / fractured nations all around the world. These obsessions cripple both those who hate and, of course, those who are hated, robbing both of (C) what / how they might become. We cannot, we will not, succumb to the dark impulses that lurk in the far regions of the soul everywhere. We shall overcome them. And we shall replace them with the generous spirit of a people who feel at home with one another.

[클린턴 대통령의 취임 연설 중]

	(A)		(B)		(C)
①	give	-	fracturing	-	what
②	give	-	fractured	-	how
③	gives	-	fracturing	-	how
④	gives	-	fractured	-	what
⑤	gives	-	fracturing	-	what

03 다음 글의 밑줄 친 부분 중, 어법상 틀린 것은?

While you were growing up, maybe your mother or father told you ① <u>to sit</u> up straight, because good posture helps you look confident and ② <u>make</u> a good impression. And now it shows that to sit up straight can also make you feel better about yourself, according to a research by the *American Journal of Social Psychology*. Researchers required subjects to rate ③ <u>them</u> on how good they would be as job candidates and employees. Those ④ <u>told</u> to sit up straight with their chests out gave themselves higher ratings than those instructed to slouch ⑤ <u>while</u> filling out the rating form. In other words, your parents were absolutely right.

*slouch: 구부정하게 앉다

04 (A), (B), (C)의 각 네모 안에서 어법에 맞는 표현으로 가장 적절한 것은?

True freedom is found in doing the things that scare us the most. Take a leap and you will find life, not lose it. Don't (A) make fear / make it fear a permanent part of your life: letting it go, or at least living in spite of fear, surprisingly and paradoxically, takes you to a place of safety. You can learn to love without hesitation, to speak without caution, and to care without self-defensiveness. Once we are on (B) another / the other side of our fears, we find new life. As Helen Keller said, "Life is either a daring adventure (C) or / nor it's nothing." If we can learn this lesson, we can lead a life of awe and wonder.

(A)		(B)		(C)
① make fear	-	another	-	nor
② make fear	-	the other	-	or
③ make fear	-	the other	-	nor
④ make it fear	-	another	-	nor
⑤ make it fear	-	the other	-	or

05 다음 글의 밑줄 친 부분 중, 어법상 틀린 것은?

A study discovered that children don't prefer the library corners as the place for their free play. Those spots are usually composed of a bookshelf with books placed in disorder. It is even hard for adults to find ① what they want. Moreover, they are located in an inaccessible place or difficult to find. ② When found, these spots are not attractive. Making an accessible and attractive library corner filled with the newest children's books ③ is worthy of trying. It must result in increasing the children's interest in reading. When children are in the classrooms stocked with a variety of books, they can use ④ themselves 50% more than in the classrooms with few books. In short, ⑤ there is a large correlation between the frequency and the place of library corners.

06 (A), (B), (C)의 각 네모 안에서 어법에 맞는 표현으로 가장 적절한 것은?
기출응용

E-commerce is to the information revolution (A) that / what the railroad was to the industrial revolution. While the railroad mastered distance, e-commerce eliminates it. The Internet provides enterprises with the ability to link one activity to another and to make real-time data widely (B) available / availably . It strengthens the move to break up the big corporations of today. But the greatest strength of e-commerce is that it provides the consumer with a whole range of products, whoever makes them. E-commerce separates, for the first time, selling and producing. Selling is no longer tied to production but to distribution. There is absolutely no reason why any e-commerce enterprises should limit (C) them / themselves to marketing and selling one maker's products.

	(A)		(B)		(C)
①	that	-	available	-	them
②	that	-	availably	-	them
③	what	-	available	-	themselves
④	what	-	availably	-	themselves
⑤	that	-	available	-	themselves

Nouns

Chapter

04

명사

037

가산 명사

We can launch your business with a bank account to accept all major credit cards at the lowest cost.

저희는 최저가로 모든 주요 신용 카드 거래를 할 수 있는 예금 계좌를 갖춘 사업을 시작하게 해 드릴 수 있습니다.

우리는 / 시작할 수 있다 / 여러분의 사업을 / 예금 계좌와 함께 /
We can launch your business with a bank account

모든 주요한 신용 카드를 받는 / 최저가로
to accept | all | major | credit cards | at the lowest cost.

credit card (X)

credit card는 가산 명사이므로 all 때문에 복수형이 와야 한다.

Grammar Point

가산 명사

셀 수 있는 명사는 단수일 경우 반드시 한정사(a, the, 소유격, this 등)가 붙거나 복수형으로 써야 한다. 복수 관련 한정사나 수량 형용사(many, a lot of, a number of, some, few)가 나올 경우에도 복수형으로 써야 한다.

insect는 가산 명사이며, some으로 인해 복수형이 온다.

Some insects that feed on human blood also | carry | infections and

주어가 가산 명사의 복수형이므로 동사는 carry가 온다.

even fatal diseases.

인간의 피를 먹고 사는 일부 곤충은 전염병이나 심지어 치명적인 질병을 옮긴다.

Words & Phrases

launch
[lɔːntʃ]
시작하다

account
[əkáunt]
계좌

infection
[infékʃən]
감염, 전염병

fatal
[féitl]
치명적인, 죽음을 가져오는

grain
[grein]
곡식

factor
[fǽktər]
요인, 요소

a variety of
다양한

Check-up

정답 및 해설 p.22

1. There are more | star / stars | in the sky than there are grains of rice on all the fields of the earth.

2. Not only psychological factors but also physical ones may lead to a variety of mental | disease / diseases |.

038

군집 명사

Cattle, colloquially referred to as cows, are domesticated and raised as livestock for meat, dairy products, leather and as draft animals.

구어로는 소라고 불리는 축우는 고기와 유제품, 가죽을 얻기 위한 가축과 짐을 끄는 가축으로 길들여지고 사육된다.

축우 // 구어로는 소라고 불리는 / 길들여지고 사육된다 /

Cattle , colloquially referred to as cows, are domesticated and raised

cattles (X) | cattle은 군집 명사로 복수 취급한다. | is (X)
따로 -s를 붙여 복수형을 만들지 않지만,
cattle 뒤에는 항상 복수 동사가 온다.

가축으로 / 고기와 유제품, 가죽을 얻기 위한 / 그리고 짐을 끄는 가축으로

as livestock for meat, dairy products, leather and as draft animals.

Words & Phrases

colloquially
[kəlóukwiəli]
구어체로

domesticate
[dəméstəkèit]
길들이다

livestock
[láivstὰk]
가축

dairy
[dέ(:)əri]
낙농업; 우유; 유제품의

draft
[dræft]
짐을 끄는

clergy
[klə́:rdʒi]
성직자들

peasantry
[péznrti]
소작농

poultry
[póultri]
가금류

vermin
[və́:rmin]
해로운 동물, 해충

enforce
[infɔ́:rs]
(법률을) 시행하다

Grammar Point

군집 명사

다음의 명사는 무리를 의미하는 말로 항상 복수 취급한다. 그 자체가 복수를 의미하므로 복수형 -s가 붙지 않는다.

police, people, cattle, clergy, peasantry, poultry, vermin, livestock

cf.) the peoples of Europe 유럽의 여러 국민

✓ Check-up

정답 및 해설 p.22

1. Poultry is / are one of the most common livestock in this planet.

2. Police is / are agents or agencies that have the power to enforce the law and to maintain public and social order by using legitimate means.

EXERCISE

[01-10] 다음 중 어법상 가장 적절한 표현을 고르시오.

01   The police at the crime scene was / were attacked by armed robbers.

02   There is no evidence that imported cattle was / were not involved in the latest mad cow cases.

03   They typically begin a session by saying a few / a little facts while carefully viewing the client's reactions, such as eye movements or changes in facial expression.

04   More than 100 relatives of American travelers called the ministry hot line seeking some information / informations on loved ones.

05   The surplus would mean that more money flow / flows in than out, which in turn can help strengthen our currency.

06   If you make more attempt / attempts to pass this test, at least you'll realize the worth for your perspiration.

07   Greek Orthodox clergy has / have started arriving at the archbishop's office since his death was announced to the public.

08   A variety of furniture is / are furnished to this house, so that the rent would be higher than any other.

09   There is / are a lot of e-mails in my mailbox, which could interrupt my ability to concentrate on the work.

10   Jennifer is in need of some advice / advices for her wedding plan, so I will introduce her to a good wedding planner.

01 다음 글의 밑줄 친 부분 중, 어법상 틀린 것은?

Now I'm working to develop a way of improving competency and self-reliance for women, but I think the admiration of professional women ① goes too far. Home is as real as the professional world. The role of mothers at home may be more "real" than ② that of doctors or lawyers. How can reading a balance sheet compare with calming a crying three-year-old who holds her dead dog and ③ wants to know why she has to lose the things she loves? Certainly there is value when we raise daughters to be self-supporting, but there is not ④ many wisdom when we teach a daughter ⑤ that she must have professional success.

02 (A), (B), (C)의 각 네모 안에서 어법에 맞는 표현으로 가장 적절한 것은?

If you are the owner of a digital camera and have kids, you should be taking pictures of them at (A) least / most a couple of times a month while they're young. The first advantage of doing this is that if you constantly take pictures of your children, they will surely feel loved and adored by you, their parents. They might even end up doing the same for their kids. Secondly, if at any point in the future you feel like (B) to look / looking back at things that happened, having photos of your kids will definitely help remind you of those times. Lastly, if ever in life there is an emergency such as a lost child or you for some reason need pictures of your kids, then you will have (C) many / much available if you start to take pictures of them now.

	(A)		(B)		(C)
①	least	-	to look	-	much
②	least	-	looking	-	many
③	least	-	looking	-	much
④	most	-	looking	-	many
⑤	most	-	to look	-	much

-s 형태지만 단수 취급하는 명사

More positive news for conservation is that technologies already exist that are able to significantly reduce energy consumption and greenhouse gas emissions.

자연 보호를 위해서 보다 좋은 소식은 에너지 소비와 온실가스 배출을 상당히 줄일 수 있는 기술이 이미 존재한다는 것이다.

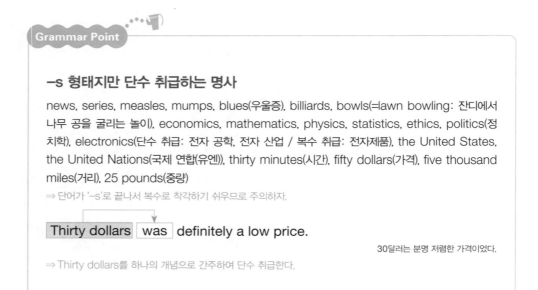

보다 긍정적인 소식은 / 자연 보호를 위한 // 기술은 이미 /

More positive news for conservation is that technologies already

news는 복수형이 아니라 셀 수 없는 명사로, 단수 취급하므로 is가 온다.

are (X)

technologies를 선행사로 받는 주격 관계대명사 that이 이끄는 절이 후치 된 문장이다.

존재한다 // 상당히 줄일 수 있는 / 에너지 소비와 /

exist that are able to significantly reduce energy consumption

온실가스 배출을

and greenhouse gas emissions.

Grammar Point

-s 형태지만 단수 취급하는 명사

news, series, measles, mumps, blues(우울증), billiards, bowls(=lawn bowling: 잔디에서 나무 공을 굴리는 놀이), economics, mathematics, physics, statistics, ethics, politics(정치학), electronics(단수 취급: 전자 공학, 전자 산업 / 복수 취급: 전자제품), the United States, the United Nations(국제 연합(유엔)), thirty minutes(시간), fifty dollars(가격), five thousand miles(거리), 25 pounds(중량)

⇒ 단어가 '-s'로 끝나서 복수로 착각하기 쉬우므로 주의하자.

Thirty dollars was definitely a low price.

30달러는 분명 저렴한 가격이었다.

⇒ Thirty dollars를 하나의 개념으로 간주하여 단수 취급한다.

Words & Phrases

conservation
[kɑ̀nsərvéiʃən]
보호, 보존, 자연 보호 구역

exist
[igzíst]
존재하다

emission
[imíʃən]
배출

be emblematic of
~의 상징이다

Check-up

정답 및 해설 p.23

1. Japanese electronics [is / are] emblematic of the problems worsening the country's business.

2. News [is / are] the various information about a situation which has occurred recently.

040

불가산 명사

Stimulus money is pouring out of Seoul and Busan, and some of it is already set up for research and technology to help the oil industry produce cleaner fuels.

서울과 부산에서 부양 자금이 쏟아져 나오고 있으며, 그 중 일부는 이미 석유 사업이 더 깨끗한 연료를 생산할 수 있도록 돕는 연구와 기술에 책정되었다.

부양 자금이   / 서울과 부산에서 쏟아져 나오고 있다   //

 Stimulus money is pouring out of Seoul and Busan,

are (X)

money는 불가산 명사이므로 단수 취급한다.
따라서 동사는 is, 대명사는 it으로 받는다.

그리고 / 그 중 일부는   / 이미 책정되었다   / 연구와 기술에   /

and some of it is already set up for research and technology

them (X)

석유 산업이 더 깨끗한 연료를 생산하도록 돕는

to help the oil industry produce cleaner fuels.

help는 목적격 보어로 (to) 동사원형을 취하므로
produce가 왔다.

Grammar Point

불가산 명사 – 단수 취급하는 명사

다음의 명사는 셀 수 없는 명사로 단수 취급한다.

baggage / luggage, clothing, poetry, furniture, merchandise, equipment, mail, money, jewelry, garbage	비슷한 물건의 집합체
steam, air, ice, bread, gold, milk, water, rice, sand	기체, 액체, 고체
beauty, advice, information, news, evidence, homework, knowledge, importance	추상 명사
mathematics, economics, literature, ethics, electronics	과목명

Words & Phrases

stimulus
[stímjələs]
자극, 자극제

industry
[índəstri]
산업

cosmetics
[kɑzmétiks]
화장품

luggage
[lʌ́giʤ]
화물, 짐

overcome
[òuvərkʌ́m]
극복하다

✓ Check-up

정답 및 해설 p.23

1. Isabel took three suitcases, a shoulder bag, and a cosmetics case. In other words, she took a lot of luggage / luggages on her trip.

2. Nadia gave me some good advice, and it / they helped me overcome those difficulties.

EXERCISE

[01-10] 다음 중 어법상 가장 적절한 표현을 고르시오.

01   The United States is / are going through an identity crisis.

02   In fact, the most common desert plant, the cactus, contains many / much good water.

03   What lies ahead will be a thousand time / times more impressive than anything we've seen so far.

04   The good news is / are that researchers have discovered an animal group that could thrive as global temperatures rise.

05   There is / are a lot of medical evidence to confirm that people over the age of 65 are either infirm or incapable.

06   Only a few decades ago, it must have seemed that genetics was / were a trivial field of science.

07   Computers can be programmed to control heaters, lights, and other equipment / equipments in response to the information they receive.

08   The police was / were unable to respond because they had no idea where she was when she made the call.

09   Leo's several abstract work / works have always fascinated most people who visit this gallery.

10   There is / are a variety of business obstacles faced by companies, one of which is high prices for raw materials.

01 다음 글의 밑줄 친 부분 중, 어법상 틀린 것은?

Individual learning is another point, and some researchers have found that some of the most common advice on study-habits ① are totally wrong. For example, a number of study-skills courses suggest that students ② should discover a specific space, such as a study room or a quiet corner of the library, to take their work. The study shows just the opposite. In another experiment, psychologists found ③ that college students studying a list of 50 vocabulary words in two different rooms—one windowless and cluttered, ④ the other modern, with a view on a courtyard—⑤ did much better on a test than students studying the words twice in the same room. Later researches have confirmed the finding for a number of topics.

02 (A), (B), (C)의 각 네모 안에서 어법에 맞는 표현으로 가장 적절한 것은?

There (A) $\boxed{\text{is / are}}$ plenty of evidence that second-hand smoke—breathed when you are in the same room as someone smoking—can be harmful, particularly to children, and some parents adopt a strategy of (B) $\boxed{\text{smoking not / not smoking}}$ in their child's presence. According to a researcher, however, this would not offer complete protection because there can be second-hand smoke. Toxic particles in cigarette smoke can remain on nearby surfaces, as well as the hair and clothing of the smoker, long after the cigarette has been put out, and small children are easily influenced because they are likely to breathe in close proximity, or even lick and suck them. Therefore, it is vital that people (C) $\boxed{\text{make / are made}}$ aware of the possible risks associated with smoking on the health of children.

	(A)		(B)		(C)
①	is	-	smoking not	-	make
②	are	-	smoking not	-	make
③	is	-	not smoking	-	make
④	is	-	not smoking	-	are made
⑤	are	-	not smoking	-	are made

[01-05] 다음 문장 중 어법상 <u>틀린</u> 부분을 고쳐 쓰시오.

01 The good news are that if you belong to a stereotyped group or see how people think about you, you can try changing your image into something better.

02 Biomechanics technically defined are the field of the structure and function of biological systems via the methods of mechanics.

03 Most of this information are accurate and practical, but a number of popular psychology books and articles can be full of what we call psychomythology.

04 The Singapore-based company will install its explosives-detection system at three major airports to automatically screen five baggages at a time.

05 Since a lot of information available as to Gobekli Tebe was found at the site, some of them started to be recognized as critical evidence in human history.

[06-10] 다음 보기에서 알맞은 단어를 골라 문장을 완성하시오. (단, 필요하면 형태를 바꾸시오.)

보기	many	refer	cattle	be	much

06 The government plans to expand the system to more farms raising a lot of _____ next year.

07 Economics _____ to the study of how a society constructs its money, trade and industry.

08 To master how to use this machine, they gave us just two days, which _____ not enough time for it.

09 _____ publishing houses are now willing to put out his not-so-impressive novel.

10 We only have half as _____ money as you have, so we can't make a bit on the project.

01 다음 글의 밑줄 친 부분 중, 어법상 틀린 것은?

기출응용

Everyone knows what is supposed to happen when two Englishmen who ① have never met before come face to face in a railway compartment; they start talking about the weather. ② By talking to the other person about some neutral topic like the weather, it is possible to strike up a relationship with him easily. Conversations of this kind are the sort of important social function that is often ③ fulfilled by language. Language is not simply ④ a means of communicating information—about the weather or any other subject. It is also a very important tool for establishing and maintaining relationships with other people. Probably the most important thing about the conversation between the two Englishmen ⑤ are not the words they are using, but the fact that they are talking each other.

02 (A), (B), (C)의 각 네모 안에서 어법에 맞는 표현으로 가장 적절한 것은?

Recently, a scientific study has been conducted to prove that global warming has a profound impact on people's health. From (A) many / much information scientists gathered through research, the study showed that climate change was adding to the number of people suffering from diseases or early death. The World Health Organization also estimates that climate change can be blamed for 150,000 individual deaths around the world in the year 2000. As global warming's effects have worsened since that time, that number has probably (B) risen / raised . Climate change will have a dramatic impact on some of the health (C) issue / issues in both positive and negative ways. However, the bad impacts on health will greatly surpass the good.

	(A)		(B)		(C)
①	many	-	risen	-	issues
②	many	-	raised	-	issue
③	much	-	risen	-	issues
④	much	-	raised	-	issues
⑤	many	-	risen	-	issue

03 다음 글의 밑줄 친 부분 중, 어법상 틀린 것은?

Students should be free to select ① <u>what</u> they want to wear in school. Of course, there may be some shirts that have offensive writing on ② <u>it</u> but the majority of messages ③ <u>are</u> not offensive. Most messages do not negatively affect their learning and attention in class. If we have a dress code at all, it should say that students cannot wear clothes with insulting words. But that is all. I'm sure that whether there is a dress code or not, my students will wear what they think ④ <u>is fine</u> and appropriate in school. Teachers should believe in them to be able to determine ⑤ <u>whether</u> or not their clothes are appropriate to wear.

04 (A), (B), (C)의 각 네모 안에서 어법에 맞는 표현으로 가장 적절한 것은?

Conspiracy theory can be a kind of consolation to those who truly believe it, because it gets rid of the uncertainty of randomness from the universe. For some, conspiracies themselves can be (A) | like / likely | an extension of religious belief. In fact, many such people are very strongly linked to a belief in the coming of the end of the world. After a significant series of world events (B) | happen / happens |, they believe that those events are meant to announce Armageddon, the final battle between good and evil on earth. Something else related to conspiracy is the secret society. In fact, most of the conspiracy theories known well to us are not as (C) | new / newly | as you think.

	(A)		(B)		(C)
①	like	-	happen	-	new
②	like	-	happens	-	new
③	like	-	happen	-	newly
④	likely	-	happens	-	new
⑤	likely	-	happen	-	new

Chapter IV

05 다음 글의 밑줄 친 부분 중, 어법상 틀린 것은?

Imagine that you see somebody to whom a pair of cards ① <u>are</u> shown. On one card, there is a line, and on ② <u>the other</u>, there are three lines. Of these three lines, one is certainly longer than the line on the first card, another is shorter, and the last is the same length. The person who is watching these two cards ③ <u>is asked</u> to point to the line on the second card which is the same length as the one on the first. Surprisingly, he picks one of the ④ <u>clearly</u> wrong lines. You might wonder whether he suffers from disoriented vision or something. However, if several people pick the same wrong line, then you might choose the same wrong line when you're asked, even though you don't agree with them. This is the Asch Conformity experiment. This happens because, by a fairly simple process, normal and ordinary people like you can be induced to deny the plain evidence of their senses and are willing to accept other people's opinions—not always, ⑤ <u>but often</u>.

06 (A), (B), (C)의 각 네모 안에서 어법에 맞는 표현으로 가장 적절한 것은?

기출응용

College textbook publishers have been struggling with a significant problem. The subject matter that comprises a particular field, such as management, chemistry, or history, (A) continue / continues to increase in size, scope, and complexity. Thus, authors feel compelled to add more and more (B) information / informations to new editions of their textbooks. Publishers have also sought to increase the visual sophistication of their texts by adding more color and photographs. At the same time, some instructors (C) find difficult / find it difficult to cover the material in longer textbooks. Moreover, longer and more attractive textbooks cost more money to produce, resulting in higher selling prices to students.

	(A)		(B)		(C)
①	continues	-	information	-	find difficult
②	continue	-	information	-	find difficult
③	continues	-	information	-	find it difficult
④	continue	-	informations	-	find it difficult
⑤	continues	-	informations	-	find difficult

동사

UNIT

041

감정 동사

Tom was surprised when you told him about his winning, and so were his colleagues except James, his boss.

톰은 당신이 그의 우승에 대해 말했을 때 놀랐고, 그의 상사인 제임스를 제외한 그의 동료들도 놀랐다.

톰은 / 놀랐다   // 당신이 그에게 말했을 때   / 그의 우승에 대해서   //

Tom was | surprised | when you | told him | about his winning,
surprising (X)   told to him (X)

그리고 / 그의 동료도 그랬다   / 제임스를 제외하고   / 그의 상사인

and so were his colleagues except James, his boss.

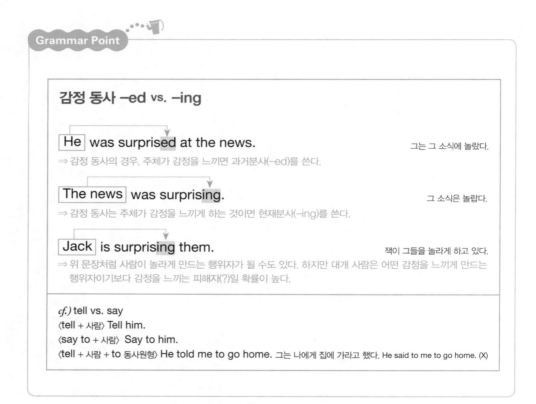

Grammar Point

감정 동사 –ed vs. –ing

| He | was surprised at the news.   그는 그 소식에 놀랐다.

⇒ 감정 동사의 경우, 주체가 감정을 느끼면 과거분사(–ed)를 쓴다.

| The news | was surprising.   그 소식은 놀랍다.

⇒ 감정 동사는 주체가 감정을 느끼게 하는 것이면 현재분사(–ing)를 쓴다.

| Jack | is surprising them.   잭이 그들을 놀라게 하고 있다.

⇒ 위 문장처럼 사람이 놀라게 만드는 행위자가 될 수도 있다. 하지만 대개 사람은 어떤 감정을 느끼게 만드는 행위자이기보다 감정을 느끼는 피해자(?)일 확률이 높다.

cf.) tell vs. say
⟨tell + 사람⟩ Tell him.
⟨say to + 사람⟩ Say to him.
⟨tell + 사람 + to 동사원형⟩ He told me to go home. 그는 나에게 집에 가라고 했다. He said to me to go home. (X)

Words & Phrases

colleague
[káli:g]
동료, 친구

except
[iksépt]
~을 제외한

appoint
[əpɔ́int]
임명하다, 약속하다

convince
[kənvíns]
확신시키다

modern
[mádərn]
현대적인

✓ Check-up

정답 및 해설 p.25

1. Steve Jobs was open-minded enough to appoint the woman to the important position as he was | convincing / convinced | of her ability as the department head.

2. His partners worry that Clinton will follow in the modern tradition of presidents who have faced | disappointing / disappointed | second terms.

042

2문형 동사 + 형용사

It is crucial for many high-tech companies to gain tax benefits in order to prosper and remain competitive.

많은 첨단 기술 기업에게 있어서 번영하고 경쟁력 있게 남기 위해 세제 혜택을 얻는 것은 중요하다.

중요하다 / 많은 첨단 기술 기업에게 있어서 /

| It | is crucial for many high-tech companies

⟨It ~ to부정사⟩ 구문으로, It은 가주어,
to gain ~ remain competitive가 진주어이다.

세제 혜택을 얻는 것이 / 번영하고 경쟁력 있게 남아 있기 위해

to gain tax benefits in order to prosper and remain competitive .

remain competitively (X)

우리말로는 '경쟁력 있게'라는 부사가 되지만,
remain이 2문형 동사이므로 보어 자리에는
형용사인 competitive가 온다.

Grammar Point

2문형 동사 + 형용사

2문형 동사 다음에 오는 형용사나 부사를 고르는 문제는 해석으로 푸는 것이 아니라 문장 구조를 파악한 후 풀어야 한다. 우리말로는 분명히 부사처럼 '~하게'로 해석되지만, 실제로는 주어를 보충 설명하므로 형용사가 와야 한다.

be 동사류 : ~ 이다	감각 동사	become 류 : ~ 되다	keep 류 : ~ 유지되다	live 류
be, seem, appear	look, sound, smell, taste, feel	become, turn, grow, get, go	keep, lie, remain, continue	live, die, marry

정답 및 해설 p.25

✓ Check-up

1. Jacob looked very bad / badly after a lung-cancer operation, making us worried.

2. To ensure the continued success of our project, we asked salespersons to take more time to become familiar / familiarly with our products.

Words & Phrases

crucial
[krúːʃəl]
중요한, 결정적인

gain
[gein]
얻다, 수익

benefit
[bénəfit]
혜택

prosper
[práspər]
번영하다

competitive
[kəmpétitiv]
경쟁력 있는

badly
[bǽdli]
심하게

EXERCISE

[01-10] 다음 중 어법상 가장 적절한 표현을 고르시오.

01 It soon became ┃ evident / evidently ┃ that their knowledge was limited and of no practical value.

02 The feature on the downtown in New York ┃ looked / looked like ┃ a little different from that in Seoul.

03 You may find this exercise ┃ frustrating / frustrated ┃ at first, especially if your result is not good.

04 To promote their new product, they put brilliant displays on ┃ surprising / surprised ┃ places to attract the customers' attention.

05 If matter ┃ looks / looks like ┃ solid to us, it does so only because its motion is too rapid or too minute to be felt.

06 ┃ Inadequate / Inadequately ┃ as our senses are, with the help of instruments, they tell us a great deal.

07 That ┃ sounds / sounds like ┃ a reasonable excuse but, in fact, this practice can lead to an undesirable situation.

08 When Lyman Frank Baum created *The Wonderful Wizard of Oz* back in 1899, he probably didn't know that it would become as ┃ popular / popularly ┃ as it did.

09 With about 30 other travelers, he was ┃ exciting / excited ┃ about sailing on the Pacific Ocean, but within half an hour, he felt faint and nauseated.

10 If the truth is revealed to the public, the UFO's existence will become ┃ evident / evidently ┃ to everyone—even the people who haven't believed it.

114

01 다음 글의 밑줄 친 부분 중, 어법상 틀린 것은?

When the volcano in Iceland erupted for the first time in more than 200 years, many people were ① surprised. The volcanic ash, after blasting high into the atmosphere, presented a risk to the engines of airplanes. Even after the eruption ② had died down, the ash still remained in the sky. According to many experts at that time, a satellite using laser technology could determine the concentration of the ash. They also added ③ what they would be able to figure out how much of a risk the ash would be for aircraft engines. ④ By shooting beams of light at the ash clouds, the satellite could catch the light that was bounced back. From this, they believed they would be able to determine how concentrated the ash was and, thus, how dangerous it could be ⑤ for aircraft to fly through.

02 (A), (B), (C)의 각 네모 안에서 어법에 맞는 표현으로 가장 적절한 것은?

When we listen to casual, not formal, everyday conversation, (A) it / there is possible to recognize a lot of ways that people follow the point of a joke. In other words, they deviate happily from their usual linguistic lives, but that is restricted within very familiar linguistic areas. In general, only one kind of deviation occurs at a time. If we are playing with sound effects, our grammar and vocabulary are likely to stay (B) stable / stably . If we play with vocabulary or grammatical structure, we leave pronunciation intact. Such constraints are important, because without them the language could break down on the brink of being beyond understanding, and the whole point of the game would (C) lose / be lost .

	(A)		(B)		(C)
①	it	-	stable	-	lose
②	it	-	stable	-	be lost
③	it	-	stably	-	lose
④	there	-	stably	-	be lost
⑤	there	-	stable	-	lose

043

rise vs. raise

At the same time, health care costs are rising, and there is considerable discussion between health professionals and government.

의료 비용이 오르고 있으며 동시에 의료 전문가와 정부 사이에 상당한 논의가 있다.

동시에　　　　　　　　　/ 의료 비용이　　　　/ 오르고 있으며　　　//
At the same time, health care costs are | rising |, and
raising (X)
뒤에 목적어가 없으므로 타동사
raising이 올 수 없다.

상당한 논의가 있다　　　　　　　　　　　　　　/ 의료 전문가와
there is considerable discussion between health professionals
cf.) considerate 배려하는

정부 사이에
and government.

> **Grammar Point**
>
> ### rise vs. raise
>
> rise는 '오르다'라는 뜻의 자동사이며, raise는 '올리다, 기르다'라는 뜻의 타동사이다.
> 자동사와 타동사는 목적어의 유무와 수동태의 가능 여부로 구분한다.
>
> **rise**　　오르다, 상승하다
> 　　　　　rise–rose–risen
> 　　　　　수동태 불가 be risen (X)
>
> **raise**　　~을 올리다, 키우다
> 　　　　　raise–raised–raised
> 　　　　　수동태 가능 be raised (O)
>
> * arise 발생하다, 일어나다 (수동태 불가)
> * arouse ~을 깨우다, 자극하다 (수동태 가능)

Words & Phrases

at the same time
동시에

considerable
[kənsídərəbl]
엄청난, 상당한

faith
[feiθ]
신념

exemplify
[igzémpləfài]
예시하다

bachelor's degree
학사 학위

organ
[ɔ́ːrgən]
기관, 장기

steadily
[stédili]
일정하게

✅ Check-up

정답 및 해설 p.26

1. Americans' faith in the value of education is exemplified by the | rising / raising | number of Americans who have at least a bachelor's degree.

2. Since then the number of people on waiting lists to receive an organ has | risen / raised | steadily, and now, about 3,000 individuals die every year.

UNIT

044

lie vs. lay

The mirage arises through the phenomenon that cold layers of air lie above hot ones.

신기루는 차가운 공기층이 뜨거운 공기층의 위에 있는 현상을 통해 발생한다.

신기루는 / 현상을 통해서 발생한다 // 차가운 공기층이 /

The mirage arises through the | phenomenon | | that cold layers of air |

동격절

뜨거운 공기층 위에 있는

| lie above hot ones |.

lay (X) 뒤에 목적어가 없으므로
타동사 lay가 오면 안 된다.

Grammar Point

lie vs. lay

lie는 '~에 누워 있다, ~에 놓여 있다'라는 뜻의 자동사이다.
lay는 '~을 놓다, 눕히다; (알을) 낳다'라는 뜻의 타동사이다.

lie
lie – lay – lain
+ 장소 부사어구
~에 누워 있다, 놓여 있다
수동태 불가능 be lain (X)

lay
lay – laid – laid
+ 목적어
~을 눕히다, ~을 놓다
수동태 가능 be laid (O)

They found the body of a man | laying / lying | on the ice.

그들은 얼음 위에 놓여 있는 사람의 시체를 발견했다.

⇒ 뒤에 목적어가 없으므로 '~에 누워 있다'라는 뜻의 자동사 lie의 현재분사인 lying이 정답이다.

Words & Phrases

phenomenon
[finàmənàn]
현상

layer
[léiər]
층, 배열

lie
[lai]
놓여있다, 거짓말하다
(lie—lied—lied)

sheet
[ʃiːt]
종이

stare
[steər]
~을 응시하다

✓ Check-up

정답 및 해설 p.26

1. Peel and dice the potatoes and | lie / lay | them on a baking sheet.

2. James turned off the light and | lay / laid | on the bed, staring into the darkness.

[01-10] 다음 중 어법상 가장 적절한 표현을 고르시오.

01 She met Wayne Want and became convinced that the industrial future ⌐laid / lay⌐ in steel.

02 Matilda had taught herself to read by studying newspapers and magazines that ⌐lay / laid⌐ around the house.

03 He was charged with ⌐lying / laying⌐ on his passport application and received a four-month prison sentence.

04 Clark lived for 112 days after the surgery, and his survival ⌐rose / raised⌐ hopes for the future success of artificial hearts.

05 Nature ⌐lies / lays⌐ outside the urban and agricultural realms, in regions of Earth where natural processes are unhindered.

06 Imagine ⌐lying / laying⌐ in an operating room and just before the anesthesia takes effect hearing the surgeon talk to a nurse.

07 Although space does not permit an exhaustive research review, we focus on the key issues ⌐arising / arisen⌐ from the recent technology-related literature.

08 Families in Egypt mourned the death of a cat and had the body of the dead animal wrapped in cloth before it was finally ⌐laid / lain⌐ to rest.

09 This suggested that if a cuckoo ⌐lay / laid⌐ an egg in the nest, the weaver bird would be able to spot the foreign egg almost immediately.

10 The survey demonstrated that overall illegal drug use among both girls and women ⌐rose / raised⌐ from 6.2 to 7.5 percent between 2008 and 2009.

01 다음 글의 밑줄 친 부분 중, 어법상 틀린 것은?

기출응용

In 2003, there was one car line that sold more ① <u>than any other</u> in the U.S. Ironically, it had previously proven itself to be an ineffective profit-maker for the manufacturer. Why did its sales skyrocket all of a sudden? It couldn't ② <u>have been</u> driven by advertising. Nor ③ <u>was there</u> any price change to account for the unexpected popularity. The reason for its success was paradoxical: Its manufacturer had decided to discontinue the line due to poor sales. In response to the announcement ④ <u>that</u> the car line would soon no longer be available, sales jumped like never before. Why? The answer ⑤ <u>is lain</u> in the scarcity principle: People show a greater desire for an object when they learn that it is unique, available in limited quantities, or obtainable for only a limited time.

02 (A), (B), (C)의 각 네모 안에서 어법에 맞는 표현으로 가장 적절한 것은?

Scientists recognize that they have only agreed on the criteria they will take advantage of their system—evolutionary kinship. When sufficient data is available, lines of evolutionary development can be traced, and the common characteristics of species, families, orders, and so on, (A) serve / serves as workable criteria for ordering our knowledge. Scientific systems sometimes show the facts about classified objects; they tell us how they may relate (the same species can mate, different ones cannot—but this is not always the case); it says to us (B) who / that might have been the forebear of some animal or plant; it sometimes tells us about the physiology of the object such as mammals, bony fishes, vertebrates, etc. Such information (C) lays / lies in the tag we have selected to use for the common features we have chosen for categorizing. In other words, no animal belongs to "vertebrate" until we put it in that "vertebrate" class.

	(A)		(B)		(C)
①	serve	-	who	-	lays
②	serves	-	that	-	lies
③	serve	-	who	-	lies
④	serves	-	that	-	lays
⑤	serve	-	that	-	lies

045 사역동사 have, make, let

His method of teaching was to pose questions that made his students examine and question their beliefs.

그의 교수법은 학생들이 자신의 믿음을 시험하고 (믿음에) 의문을 품게 하는 질문을 하는 것이었다.

그의 교수법은 　　　　　　／ 문제를 제기하는 것이었다
His method of teaching was to pose questions that

questions를 선행사로 받는 주격 관계대명사 that이 이끄는 절

만드는 　　／ 그의 학생들이 　　／ 그들의 믿음을 시험하고 의심하도록
made his students examine and question their beliefs.

동사 made는 사역동사이고 his students와 examine,
question의 관계가 능동이므로 동사원형이 온다.

Words & Phrases

method
[méθəd]
방법, 순서

pose
[pouz]
(문제 등을) 제기하다

examine
[igzǽmin]
조사하다, 시험하다

belief
[bilí:f]
믿음, 신념

trivial
[tríviəl]
사소한

definition
[dèfəníʃən]
정의

harmless
[há:rmlis]
위험 없는

surgeon
[sə́:rdʒən]
외과의사

reattach
[rí:ətǽtʃ]
다시 달다, 재장착하다

Grammar Point

사역동사 have, make, let

사역동사는 '~에게 …를 하게 하다, 시키다'라는 의미를 지닌 동사이다.
의미에 따라서 목적격 보어 자리에 동사원형 또는 과거분사(p.p.)가 온다.

have, make, let+목적어+ ┌ 동사원형 → 능동의 의미 (목적어가 ~하다)
　　　　　　　　　　　　└ 과거분사 → 수동의 의미 (목적어가 ~당하다)

He had his brother clean the room.
⇒ He had the room cleaned by his brother.

그는 동생에게 방을 청소하게 했다.

Check-up

정답 및 해설 p.27

1. Gossip is a trivial rumor of a personal nature, but this definition makes gossip
   sound / sounded harmless when it is really not.

2. When four-year-old Dali had his right ear bite / bitten off by a dog, surgeons
   reattached it in a 18-hour operation.

046

사역동사 get

I have to get my hair done and my dress shirt ironed for an interview with the personnel director tomorrow.

나는 내일 있을 인사 부장과의 면접을 위해 머리카락을 손질하고 셔츠를 다려야 한다.

나는 / 시켜야 한다   / 내 머리카락이 손질되고   /셔츠가 다려지도록   /
I have to get my hair done and my dress shirt ironed

get이 사역동사이고, my hair와 my dress shirt는
do와 iron이라는 행위를 당하는 것이므로 수동이다.

면접을 위해서   / 인사 부장과의   / 내일
for an interview with the personnel director tomorrow.

Grammar Point

사역동사 get

1. 사역동사 get은 have, let, make와는 달리 능동을 의미할 때는 to부정사, 수동을 의미할 때는 과거분사를 사용한다.

> get + 목적어 + ┌ to부정사 → 능동의 의미 (목적어가 ~하다)
> └ 과거분사 → 수동의 의미 (목적어가 ~당하다)

He got his brother to wash his car.
⇒ He had his car washed by his brother.   그는 동생에게 자신의 차를 세차시켰다.

2. 다음의 문장도 get류 사역동사가 쓰인 것이다.

Hunger drives one to steal something.   굶주림은 사람으로 하여금 무언가를 훔치게 한다.

The rain caused the river to overflow.   비로 강이 범람했다.

Words & Phrases

iron
[áiərn]
다림질하다

interview
[íntərvjùː]
면접, 인터뷰

personnel
[pə̀ːrsənél]
인사부[과]

overflow
[óuvərflòu]
범람하다

professional
[prəféʃənəl]
전문적인

✅ **Check-up**   정답 및 해설 p.27

1. We got a professional photographer take / to take pictures of everyone who attended our meeting.

2. Tommy had a hard time finding someone to do it, but he finally got the wall to paint / painted .

[01-10] 다음 중 어법상 가장 적절한 표현을 고르시오.

01 기출응용
They're making their brothers and sisters | wash / to wash | their hands, too.

02
If you want to see it in more detail, I suggest that you have that portion of the picture | enlarge / enlarged |.

03
You get your readers | reflecting / to reflect | on your main point stated in the introduction.

04
That moment made her | feel / to feel | more self-confident and lessened her anger toward her colleagues.

05
It tends to sensationalize those events by making them | look / looked | even more dramatic than they actually were.

06
Groups march with signs, singing and chanting, to let their government | know / known | what they favor or oppose.

07
A Seoul-based company called "You the Man" has launched a game that lets people | hunt / to hunt | each other using their phones.

08
What if a specialized hospital offered its services to anyone who wanted to have their bodies | examine / examined | for free?

09
I will let you | known / be known | to all the fashion people of the town within a month.

10 기출응용
Students interested in the position will talk to their classmates and make posters to let them | know / to know | they are running for office.

ACTUAL TEST

01 다음 글의 밑줄 친 부분 중, 어법상 틀린 것은?

You may think that ① <u>to produce</u> food would give people more leisure time to develop other areas of culture. But in reality, it took more time to grow food than ② <u>to gather</u> it in the wild. So where did farming cultures find the time to build monuments and develop their beautiful crafts and art? The key is specialization and social differentiation. Hardly ③ <u>had some people</u> become more important than they didn't have to produce their own food. Craft specialists, political leaders (like chiefs), and religious specialists (like priests—sometimes the same as the political or economic leaders) could get others ④ <u>produce</u> their food and other necessities so they could devote time to their specialized work. So food production ends up ⑤ <u>meaning</u> more work for the masses and more time to engage in creativity for just a few of the special folks.

02 (A), (B), (C)의 각 네모 안에서 어법에 맞는 표현으로 가장 적절한 것은?

(A) ⟨Either / Neither⟩ the teacher nor students should worry much about grammatical mistakes in language class. If a student asks the question "You want collect our books?" he should be corrected by the teacher. But first and more important, he should also be praised—"Good, well done. Yes, I want to collect your books. You ask the question again so everyone can hear it—Listen. 'Do you want to collect our books?' Now you ask. Good." In this way, the form of the questions (B) ⟨has / have⟩ been corrected but the student has been given full credit for making himself (C) ⟨understand / understood⟩. This method will increase your students' motivation, and they will now be eager to try again and not be nervous about making mistakes.

	(A)		(B)		(C)
①	Either	-	has	-	understand
②	Either	-	have	-	understood
③	Neither	-	has	-	understood
④	Neither	-	have	-	understand
⑤	Neither	-	has	-	understand

UNIT 047 동사 help의 쓰임

This program provides templates to help share thoughts and information, using pictures, images, words, and multimedia.

이 프로그램은 사진과 그림, 글자와 멀티미디어를 사용해서 생각과 정보를 공유하도록 돕는 템플릿을 제공한다.

이 프로그램은　　/ 제공한다　/ 템플릿을　　/ 공유하도록 돕는　　/ 생각과　　/
This program provides templates to help share thoughts
　　　　　　　　　　　　　　　　　　　　　　sharing (X)

help뒤에는 to부정사나 동사원형이 온다.

정보를　　　　　　　　/ 사진과 그림, 단어와 멀티미디어를 사용해서
and information, using pictures, images, words, and multimedia.

Grammar Point

동사 help의 쓰임

help는 준사역동사로 뒤에 to부정사나 동사원형이 올 수 있다.
〈help+(to) 동사원형〉, 〈help+목적어+(to) 동사원형〉의 형태로 사용된다.

This activity helps (to) show how characters, setting, themes, and conflicts are connected in a story.

이 활동은 배역, 배경, 주제, 갈등이 이야기 속에서 어떻게 연결되는 지를 보여 준다.

cf.) cannot help -ing (=cannot but+동사원형) : '~하지 않을 수 없다'
We cannot help speaking about what we have watched and heard.
우리는 우리가 듣고 보는 것에 대해서 말할 수밖에 없다.

Words & Phrases

provide
[prəváid]
제공하다

conflict
[kɑ́nflíkt]
갈등

collection
[kəlékʃən]
소장품, 수집

affection
[əfékʃən]
애정, 애착

intense
[inténs]
집중적인

devotion
[divóuʃən]
공헌, 헌신

✅Check-up

정답 및 해설 p.27

1. He helped customers　read / reading　books by opening a library with a collection of 500 books inside his barbershop in 1990.

2. We cannot help　feel / feeling　the affection and intense devotion she had for her husband as well as for her family.

124

지각동사

There was so much movement that no one noticed a small boy stealing a bunch of bananas from an old man's stand and dashing into the crowd.

너무 많은 움직임 때문에 어느 누구도 어린 소년이 노인의 가판에서 바나나 한 다발을 훔치고 군중 속으로 뛰어들어 가는 것을 알아차리지 못했다.

너무 많은 움직임이 있었다   // 어느 누구도 알아채지 못했다 /
There was so much movement that no one | noticed |

지각동사 notice의 목적격 보어로 쓰이고 있으므로
steal이나 stealing, dash나 dashing이 온다.

어린 소년이   / 바나나 한 다발을 훔치는 것을   / 노인의 가판에서   /
a small boy | stealing | **a bunch of bananas from an old man's stand**
to steal, stolen (X)

그리고 군중 속으로 뛰어들어 가는 것을
and | dashing | **into the crowd.**
to dash, dashed (X)

Grammar Point

지각동사

지각동사의 목적격 보어로 동사가 올 경우 의미에 따라서 능동이면 동사원형이나 -ing, 수동이면 -ed의 형태로 쓴다. to부정사는 지각동사의 목적격 보어로 올 수 없다.

hear, listen to look at watch observe	+ 목적어	── 동사원형 / -ing → 능동의 의미 (목적어가 ~하다) ── 과거분사 → 수동의 의미 (목적어가 ~당하다)

Words & Phrases

movement
[múːvmənt]
움직임

notice
[nóutis]
알아차리다

steal
[stiːl]
훔치다

stand
[stænd]
가판; 서다; 견디다

giraffe
[dʒəræf]
기린

swing
[swiŋ]
흔들다

glitter
[glítər]
빛나다

✅Check-up

정답 및 해설 p.27

1. He saw the male giraffes | battling / to battle | for mates by swinging their powerful necks. 기출응용

2. Many visitors and lovers can see the N-Tower | glittering / glittered | with thousands of electric bulbs on Christmas.

[01-10] 다음 중 어법상 가장 적절한 표현을 고르시오.

01   I couldn't help | feel / feeling | excited when I read *Diamond in the Rough*.

02   I watched a man on the metro | try / tried | to get off the train and fail.
기출응용

03   Besides, there was too much light, and Old Ranger could see me | take / taken | aim.

04   Vitamin D, the sunshine vitamin, helps | keeping / to keep | bones and teeth strong.

05   I can't help | read / reading | her comments and think, "Are we talking about the same Great Goat?"

06   I can see the moon | climb / climbed | up the sky behind the larches and fly softly across the heavens.

07   Researchers say that art can help | relieve / relieving | stress as well as help students accomplish higher levels of concentration in all subjects.

08   Geothermal heat, generated inside the Earth, helps | keep / keeping | the temperature of the ground at a depth of several meters at a nearly constant temperature of about 10 to 20°C.
기출응용

09   We had seen the window safely | locking / locked | before going out. However, we came here only to find the window broken.

10   Jackson and his brother observed them | entering / to enter | the house and soon called the police.

01 다음 글의 밑줄 친 부분 중, 어법상 틀린 것은?

Many people believe that it is critical to share similar, if not identical, beliefs and values with someone with ① <u>whom</u> they have a relationship. While this may seem preferable, it is far from mandatory. Individuals from extremely diverse backgrounds have learned to overlook their differences and live harmonious, ② <u>loving</u> lives together. I've seen people from opposite ends of the spectrum economically and politically that ended up in happy, lasting marriages. I've seen couples from different ethnic groups ③ <u>to merge</u> into harmonious relationships. Furthermore, many good friends have ④ <u>little</u> in common except a warm loving feeling of respect and rapport. That's the only ⑤ <u>essential thing</u>.

02 (A), (B), (C)의 각 네모 안에서 어법에 맞는 표현으로 가장 적절한 것은?

The view that fish can remember for only three seconds (A) | is / are | total rubbish. An Australian researcher has discovered that carp that have been hooked and returned to the water will avoid hooks for up to twelve months. Dr. Kevin Warburton has also observed fish (B) | modifying / to modify | their behavior to maximize their chances of getting food. "For example, in reef environments, cleaner fish that eat parasites off 'client' fish try to behave better when they spot a larger patron," he says, "What's (C) | fascinating / fascinated | is that they co-operate more with clients when they are being observed by other potential clients. This improves their 'image' and their chances of attracting clients."

	(A)		(B)		(C)
①	is	-	modifying	-	fascinating
②	are	-	to modify	-	fascinated
③	is	-	modifying	-	fascinated
④	are	-	to modify	-	fascinating
⑤	is	-	to modify	-	fascinating

사역동사와 지각동사의 수동태

He was made to tell everything related to this case to prove his innocence and eventually did it.

그는 자신의 무죄를 증명하기 위하여 이 사건과 관련된 모든 것을 진술하게 되었고, 결국 자신의 무죄를 입증했다.

그는 / 만들어졌다 / 말하도록 / 모든 것을 / 이 사건과 관련된 /
He   was made to tell everything related to this case
                tell (X)

└─ 사역동사 make가 수동태이므로 동사원형이 아닌 to부정사가 와야 한다.

그의 무죄를 증명하기 위하여 / 그리고 결국 그것을 해냈다
to prove his innocence and eventually did it.

Grammar Point

사역동사와 지각동사의 수동태

1. 사역동사나 지각동사의 수동태 문장을 만들 때, 능동태 문장의 목적격 보어가 동사원형이면 to부정사를 사용한다. 단, 지각동사의 경우 주로 현재진행형을 사용한다.

I made him go at once.
→ He was made to go at once by me. (O)
→ He was made go at once by me. (X)

나는 즉시 그를 가게 했다.

2. 사역동사 make만 수동태가 가능하고, have와 let은 수동태가 불가능하다.

He was asked to buy the item. (O) → He was had to buy the item. (X)

그는 그 물건의 구매를 요청 받았다.

Jenny was allowed to go out at once. (O) → Jenny was let go out at once. (X)

Jenny는 즉시 나가도 된다는 허락을 받았다.

Words & Phrases

related to
~와 관련 있는

prove
[pru:v]
증명하다

innocence
[ínəsəns]
무죄

eventually
[ivéntʃuəli]
결국

confess
[kənfés]
고백하다

ignorant
[ígnərənt]
무지한

architecture
[ά:rkitèktʃər]
건축물

✓ Check-up

정답 및 해설 p.28

1. Those whose clothes were not in good condition were pulled off the line and made fix / to fix them themselves.

2. The professor was heard confess / to confess himself completely ignorant of modern architecture by everyone in the classroom.

050

사역동사 vs. 지각동사 vs. 3문형 동사

Travelers watched some stars to know where to go in the dark, and farmers did so to see when to plant their crops.

여행자들은 어둠 속에서 어디로 가는지 알기 위해 어떤 별들을 주시했고, 농부들도 언제 농작물을 심을지 알아보려고 그렇게 했다.

여행자들은 / 어떤 별들을 보았다 / 어둠 속에서 어디로 가는지 알기 위하여 //

Travelers [watched] some stars [to know] where to go in the dark,

knowing (X)

내용상 별이 장소를 아는 것이 아니기 때문에 know는 목적격 보어로 쓸 수 없다.
따라서 knowing이 아닌 to know가 적절하다.

그리고 농부들도 / 그렇게 했다 / 농작물을 언제 심을지 알아보려고

and farmers did so to see when to plant their crops.

Grammar Point

사역동사, 지각동사, 3문형 동사의 혼동

사역동사나 지각동사 뒤에는 to부정사가 오지 않는다. 하지만 사역이나 지각의 의미가 아니라 다른 의미의 3문형 동사로 쓰인 경우 to부정사가 올 수도 있으므로 해석을 통해 확인해야 한다. 목적격 보어는 목적어의 행동을 나타내거나 상태를 보충 설명하는 역할을 한다.

영향을 주지 않는다.

He [watched] the movie [to see] if it was educational or not.

그는 영화가 교육적인지 그렇지 않은지 알아보기 위해 관람했다.

⇒ watch가 지각동사이지만, 영화(the movie)가 알아보는 행동(see)을 하는 것이 아니므로 to see ~ or not 부분이 the movie의 목적격 보어가 아니고 to부정사의 부사적 역할 중 목적을 의미하여 to see가 온 것이다.

Words & Phrases

plant
[plænt]
심다

crop
[krɑp]
작물

spot
[spɑt]
점, 얼룩, 뾰루지

erase
[iréis]
지우다

Check-up

정답 및 해설 p.28

1. They watched the river [catching / to catch] fish all night.

2. I didn't know whether there was a spot on my face. So I looked at myself [erase / to erase] the spot.

EXERCISE

[01-10] 다음 중 어법상 가장 적절한 표현을 고르시오.

01 Jackson was at a hospital when he watched two men `to argue / arguing` over a parking place.

02 Charlie got the restraining order and couldn't meet his family, but he was seen `meeting / meet` his daughter last Sunday.

03 We need to motivate ourselves as there is no one to make us `do / to do` our assignment, set our schedule, or get to class on time.

04 Alice and Tom made a fire `escape / to escape` from the island where their light plane made an emergency landing two months earlier.

05 The fatal incident was seen `prompt / to prompt` the union to accept the negotiation from the company.

06 The president tried to make the policy `eliminated / to eliminate` the overcentralization in the capital.

07 Most of the students watched the teacher `get / to get` the hint related to the final term.

08 Institutional changes can be made `solve / to solve` these problems which are caused by rising housing prices.

09 Kent stayed in the empty house and was heard `talk / to talk` to himself, "After all, I made it!"

10 How can you make the man you are talking to on the phone `feel / to feel` better when you cannot pat his shoulder or hug him?

01 다음 글의 밑줄 친 부분 중, 어법상 틀린 것은?

Many companies push their employees to work ① underline{effectively}. They think the key to ② underline{motivating} employees is to offer rewards such as a cash bonus or a vacation. But these trials are not always successful. A research found that intrinsic motivation leads to better performance than extrinsic motivation. In an experiment, 30 people were made ③ underline{to sell} the books for children. The research team divided ④ underline{them} into two groups—one was offered cash as an incentive, the other a gift card for charity. Surprisingly, the latter group showed a better result. In short, those ⑤ underline{giving} cash as an incentive focused on the reward, which interfered with their ability to concentrate on dealing with actual performance.

02 (A), (B), (C)의 각 네모 안에서 어법에 맞는 표현으로 가장 적절한 것은?

Have you ever wondered what (A) | do shoes mean / shoes mean | at certain times in history? Shoes could help tell the social status, authority, and political philosophies of the wearer. In ancient Greece, slaves and free citizens were recognized by their shoes. Slaves (B) | didn't allow / weren't allowed | to wear shoes at that time. Louis XIV of France wore specially made shoes with 5-inch heels (C) | show / to show | himself as a big ruler. Thomas Jefferson was the first U.S. president to wear lace-up shoes called "Oxfords." He considered Oxfords as democratic because the French wore them during the French Revolution. Oxfords of today are seen as dress or business shoes for men and sometimes even for women.

	(A)		(B)		(C)
①	do shoes mean	-	didn't allow	-	show
②	do shoes mean	-	weren't allowed	-	to show
③	shoes mean	-	weren't allowed	-	show
④	shoes mean	-	didn't allow	-	show
⑤	shoes mean	-	weren't allowed	-	to show

keep -ing vs. keep from -ing, cause A to 부정사

The sensors are important because they keep the shuttle's main engines from running in a dangerous situation that could cause the engines to tear apart.

감지 장치는 중요한데, 왜냐하면 엔진 분해를 유발할 수 있는 위험한 상황에서 우주선의 주요 엔진들이 작동하는 것을 막기 때문이다.

감지 장치들은 / 중요하다 // 왜냐하면 그것들은 막는다 / 우주선의 주요 엔진들이

The sensors are important because they keep the shuttle's main

/ 작동하는 것을 / 위험한 상황에서 /

engines from running in a dangerous situation

running (X)

주격 관계대명사 that이 이끄는 절의 수식을 받는다.

유발할 수 있다 / 엔진 분해를

that could cause the engines to tear apart .

tear, tearing (X)

Grammar Point

keep –ing vs. keep from –ing

keep의 기본 의미는 '유지하다'이지만 뒤에 오는 전치사에 따라 그 의미가 달라진다. on이 오면 계속의 의미를, from이 오면 중단의 의미를 나타낸다. on의 경우 생략하는 경향이 짙다. keep A (on) -ing는 'A가 ~을 계속하게 하다'라는 뜻이고, keep A from -ing는 'A가 ~하는 것을 막다, 방해하다' 라는 뜻이다.

〈동사+목적어+to부정사〉 형태로 쓰는 동사

allow, expect, promise, cause, enable, force, get, want, wish, pretend, choose, refuse, require, request, ask

The committee allowed us to attend the ceremony.

attend, attending (X)   위원회는 우리가 그 행사에 참여하는 것을 허락했다.

Words & Phrases

sensor
[sénsər]
감지 장치, 센서

shuttle
[ʃʌ́tl]
우주선

situation
[sìtʃuéiʃən]
상황

tear apart
떼어 놓다

ceremony
[sérəmóuni]
의식, 식

material
[mətíəriəl]
재료; 원료; 직물

Check-up

정답 및 해설 p.29

1. In cold weather, the materials on the roof keep the heat within the building
getting / from getting out.

2. Coffee, including caffeine, can help keep you and your staff sleeping /
from sleeping so you can write your articles at midnight.

spend + 시간 + -ing vs. it takes + 시간 + to부정사

The U.S.A. and Canada have spent little time over the last ten years discussing what they might do together to fight against global warming and protect the environment.

미국과 캐나다는 지난 10년 동안 지구 온난화에 맞서 싸우고 환경을 보호하기 위해
함께 무슨 일을 할 수 있을 것인가에 대해 논의하는 데에 시간을 거의 할애하지 않았다.

미국과 캐나다는   / 시간을 거의 쓰지 않았다   / 지난 10년에 걸쳐   /

The U.S.A. and Canada have | spent little time | over the last ten years

〈spend+시간+-ing〉 구문이므로
discussing이 옳다.

논의하는 데   // 그들이 함께 할 수 있는 것을   / 지구 온난화에 대항하고   /

| discussing | what they might do together to fight against global warming

to discuss (X)

환경을 보호하기 위해

and protect the environment.

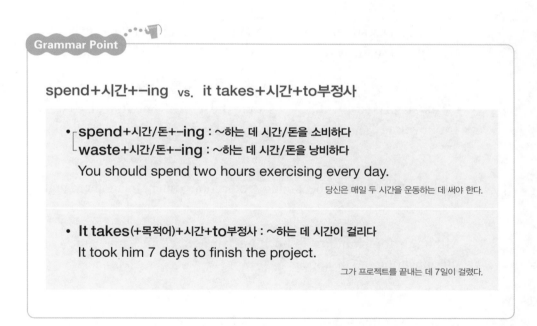

Grammar Point

spend+시간+-ing   vs.   it takes+시간+to부정사

- spend+시간/돈+-ing : ~하는 데 시간/돈을 소비하다
- waste+시간/돈+-ing : ~하는 데 시간/돈을 낭비하다

You should spend two hours exercising every day.

당신은 매일 두 시간을 운동하는 데 써야 한다.

- It takes(+목적어)+시간+to부정사 : ~하는 데 시간이 걸리다

It took him 7 days to finish the project.

그가 프로젝트를 끝내는 데 7일이 걸렸다.

Words & Phrases

discuss
[diskʌ́s]
토론하다

protect
[prətékt]
보호하다

environment
[inváiərənmənt]
환경

set up
~을 계획하다, 마련하다

face-to-face
대면하여

✓ Check-up

정답 및 해설 p.29

1. It takes too much time and money | to set / setting | up a face-to-face meeting.

2. All I want to do is to spend the rest of my life | to read / reading | the books Jane wrote.

[01-10] 다음 중 어법상 가장 적절한 표현을 고르시오.

01 The sudden storm kept the plane │ taking off / from taking off │ on time.

02 Most Korean farmers who kept cows │ discovered / discovering │ the cause of this disease from ancient documents.

03 My sister had spent several days │ sew / sewing │ the proper clothing while I prepared to leave New York.

04 The Three Gorge Dam, which took 5 years │ constructing / to construct │, was considered the symbol of the history at that time.

05 기출응용 A man spends an hour every morning │ verify / verifying │ that all the doors and windows are shut before he leaves for work.

06 I was surprised by the news that those with mental disease can be kept │ voting / from voting │ and lose their right to vote.

07 It takes 10,000 hours │ becoming / to become │ fluent in another language.

08 Although foot binding is no longer practiced in China, the custom took a long time │ disappearing / to disappear │.

09 Parents are often led to throw up their hands by children who, given the chance, spend half the day in bed and the other half │ get / getting │ dressed, but it doesn't last forever.

10 The government had tried to stop the march by members of the Christian organization, but it was unable to keep them │ on gathering / from gathering │ in the spot.

01 다음 글의 밑줄 친 부분 중, 어법상 틀린 것은?

기출응용

We push down our feelings because most of us have ① been brought up to believe that some feelings are unacceptable. Some of us learned that all emotions are unacceptable, while others learned that specific emotions such as anger or crying ② are unacceptable. In fact, there is ③ absolutely nothing wrong with any kind of feeling. When someone tells you not to feel sad or angry, he or she is ④ asked the impossible. You can deny the feelings you are having but you cannot keep them from ⑤ coming. All that feelings need, in order to pass, is to be acknowledged and accepted. Just saying to yourself, or someone else, "I feel angry" (or sad, or frightened) is a great start. Let yourself respect the feelings, good or bad.

02 (A), (B), (C)의 각 네모 안에서 어법에 맞는 표현으로 가장 적절한 것은?

Religious art had existed as (A) ⌈ most / almost ⌉ the only type of art for hundreds of years in Europe. Much of the architecture such as churches and other religious buildings were filled with paintings that described people and stories from the Bible. Although not able to read it, most people did understand holy stories in the pictures on the church walls. Unlike Europe, one of the main characteristics of art in the Middle East (B) ⌈ was / were ⌉ its absence of human and animal images. This showed the Islamic belief that statues are unholy. Islamic law has kept artists (C) ⌈ copying / from copying ⌉ human or animal figures except small items for daily use. Therefore, artists in Islamic countries have created unique decoration of great beauty with images of flowers and geometric forms on buildings.

	(A)		(B)		(C)
①	most	-	were	-	copying
②	almost	-	was	-	from copying
③	almost	-	were	-	copying
④	almost	-	were	-	from copying
⑤	most	-	was	-	from copying

전치사가 붙지 않는 동사

Once again, Betty and her top employees discussed the company's expenses and dwindling revenue.

다시 한번 베티와 가장 우수한 직원들은 회사의 경비와 줄어드는 수입에 대해 논의했다.

다시 한번   / 베티와 그녀의 가장 우수한 직원들은   /

Once again, Betty and her top employees

~에 대해 논의했다 / 회사의 경비와 줄어드는 수입에 대해

discussed the company's expenses and dwindling revenue .

discussed about company's ~ (X)

discuss는 '~에 대해 논의하다'라는 뜻으로 쓸 때
전치사 about을 쓰지 않는 타동사이다.

Grammar Point

전치사가 붙지 않는 동사

다음은 전치사가 붙지 않는 동사이다. 암기하도록 하자.

marry Jack	(O)	marry with Jack	(X)
reach Seoul	(O)	reach to Seoul	(X)
discuss the book	(O)	discuss about the book	(X)
enter the room	(O)	enter into the room	(X)
approach Seoul	(O)	approach to Seoul	(X)
attend a wedding	(O)	attend to a wedding	(X)
resemble my dad	(O)	resemble with my dad	(X)
access information	(O)	access to information	(X)

Words & Phrases

expense
[ikspéns]
경비, 비용

dwindle
[dwíndl]
줄어들다

revenue
[révənjùː]
수입

upright
[ʌ́práit]
똑바로 선

lotus flower
연꽃

fix
[fiks]
고치다

Check-up

정답 및 해설 p.30

1. The shape of fire | resembles / resembles with | three upright tongues or a lotus flower. 기출응용

2. After waiting an hour for the heating to be fixed, we were able to | enter / enter into | the room to | discuss / discuss about | the problem.

136

전치사가 붙지 않는 동사 - 예외

Ancient people thought that it was deficient to have access to doctors on whose medical knowledge they could depend.

고대 사람들은 자신들이 의존할 수 있는 의학 지식을 가진 의사와의 만남이 부족하다고 생각했다.

고대 사람들은 　　　　　／ 생각했다　 // 부족하다고 　　　　　／
Ancient people thought that it was deficient

의사에 대한 접근이 　　　　　　　// 의학 지식을 지닌 　　　　　　//
to have access to doctors on whose medical knowledge

access doctors (X)
여기서 access는 동사가 아닌
명사이므로 전치사 to가 사용된다.

그들이　／ 의존할 수 있는
they could depend.

Grammar Point

전치사가 붙지 않는 동사 - 예외

전치사가 붙지 않는 동사도 품사가 변하거나 의미가 달라지면 전치사가 붙는다.

get married to Jack (O)	→ get married to ~와 결혼하다
discuss with Jameson (O)	→ discuss with ~와 논의하다
enter into the project (O)	→ enter into ~을 시작하다
attend on the Queen (O)	→ attend on ~을 섬기다, 시중들다
attend to this part (O)	→ attend to ~에 주의[전념]하다, 처리하다, ~을 돌보다, 간호하다
have the access to information (O)	
have the answer to the question (O)	→ 명사로 사용될 경우 to를 붙임
have the approach to this solution (O)	

Words & Phrases

deficient
[difíʃənt]
부족한

access
[ǽksès]
접근

knowledge
[nàlidʒ]
전문 지식

caretaker
[kέərtèikər]
관리인

usual
[júːʒuəl]
보통의

duty
[djúːti]
의무

dubious
[djúːbiəs]
의심스러운

✓ Check-up

정답 및 해설 p.30

1. However, a caretaker may also be appointed if the regular manager is ill or unable to ☐ attend / attend to ☐ his usual duties.

2. In an attempt to find an ☐ answer / answer to ☐ those questions, I gradually became more and more dubious.

EXERCISE

정답 및 해설 p.30

[01-10] 다음 중 어법상 가장 적절한 표현을 고르시오.

01   I have an answer ⸢ that question / to that question ⸥ you asked me last week.

02   Dr. Denma and several nurses tried to ⸢ attend / attend to ⸥ the sick and the old day and night.

03   Most American parents want their children to ⸢ attend school / attend to school ⸥ before the age of 5.

04   These include Insider Locations, where the hotel provides exclusive ⸢ access / access to ⸥ offsite event venues.

05   Hotel teams can organize locally inspired experiences for delegates who ⸢ attend / attend to ⸥ meetings and events at the hotel.

06   Astronomers ⸢ reached / reached to ⸥ this conclusion after finding how important Saturn is to our own solar system.

07   Some people believe that if a single woman sleeps with a piece of cake under her pillow she will dream of the man she is going to ⸢ marry / marry with ⸥.

08   If Britain does not ⸢ enter / enter into ⸥ earnest negotiations to end restrictions on competition by U.S. carriers, the United States will take appropriate actions.

09   The Holden case ⸢ resembles / resembles with ⸥ another case from 2000, which involved seventeen-year-old Ellen Cater, a young girl diagnosed with a lethal form of leukemia.

10   About four times a week, a group of 100 teachers checks in to a phone network and uses it to ⸢ discuss / discuss with ⸥ their students.

01 다음 글의 밑줄 친 부분 중, 어법상 틀린 것은?

Patchwork is just taking a variety of pieces of fabric from geometric shapes and ① stitching them together to construct more complex patterns. It's a bit like putting a simple children's puzzle together, with each piece ② placed in its designated spot. In the case of patchwork, fabric composes the puzzle pieces. Sounds ③ simple enough, right? Just a small number of shapes are required for basic, traditional patchwork patterns such as triangles, squares, rectangles, and long strips. Of course, curved shapes such as the Double Wedding Ring are also possible, but because you're probably a novice to quilting, we're going to ④ discuss about the most basic design elements in this course. The form available with patchwork ranges from simple diagrams to incredibly complex patterns like Picasso art. This diversity of quilt form with its practicality and eco-friendliness in recycling scraps of fabric into useful treasures, ⑤ has made patchwork the most elegant form of quilting.

02 (A), (B), (C)의 각 네모 안에서 어법에 맞는 표현으로 가장 적절한 것은?

Paris Business School's mission is to advance knowledge and nurture talent in a multicultural learning environment for positive impact on the way (A) that / which the world does business. The school is ranked number one in the world for the full-time MBA program and is at the top among international business schools for Executive Education. The school also holds a higher average research score than any other French academic institution. Executives-to-be design, market and deliver a portfolio of more than 20 open program, as well as custom program (B) designing / designed specifically for corporate clients to support their learning and professional development strategy. Annually, more than 9,000 participants (C) attend / attend to executive program that are led by many of the world's leading business thinkers.

	(A)		(B)		(C)
①	that	-	designing	-	attend
②	that	-	designed	-	attend
③	that	-	designed	-	attend to
④	which	-	designing	-	attend to
⑤	which	-	designing	-	attend

REVIEW TEST

[01-05] 다음 문장 중 어법상 <u>틀린</u> 부분을 고쳐 쓰시오.

01   I spent last winter in his hometown, attending to classes at a local university and working part-time.

02   The lesson from Billups laid below the surface, but when I began to write, it rose like flowers and bloomed into words and stories and books, and me.

기출응용

03   Research indicates that tactual activities such as playing with blocks like Block Doctor help children improving everything from their math abilities to their thinking skills.

04   Kim, 30, concedes that discounts get him consuming more than he would otherwise.

05   One huge piece of limestone looked very familiar, and it resembled with the T-shaped head of pillars I had observed in Cairo.

[06-10] 다음 주어진 단어를 알맞은 형태로 바꿔 문장을 완성하시오.

06   The market is so filled with brand names that a small discount makes a great difference helping the brand _____ with their target consumers. (stand out)

07   Clearly the vividness of the film did help the students _____ more definite memories of the thing. (create)

08   Each parent has observed its baby _____ the body's limits, kicking legs and extending arms. (test)

09   Teachers can feel _____ to lead students to pursue academic work, away from athletic ones. (pressure)

10   The police said that because the thief wasn't noticed _____ the room by anyone, it would take a long time to solve this case. (enter)

01 다음 글의 밑줄 친 부분 중, 어법상 틀린 것은?

A number of drivers have a hard time avoiding collisions, and traffic-safety experts continue to find ways to make driving safer. After an emphasis on improving the functions of cars and roads in recent years, the auto-safety focus now is reverting to what ① <u>was used to</u> be called "the nut behind the wheel." But it isn't easy to change the fixed behavior of drivers, ② <u>which</u> some analysts blame for most traffic accidents. The problem is that it is not clear to see which drivers are to blame for crashes, why accidents happen and how we can stop them. The largest part of the traffic-accident problems ③ <u>has</u> been shown to include errors by normal drivers rather than ④ <u>those</u> by just a few problem cases. Changing driving habits is difficult partly because people just don't take driving ⑤ <u>seriously</u>.

02 (A), (B), (C)의 각 네모 안에서 어법에 맞는 표현으로 가장 적절한 것은?

The only thing (A) ⎡ misses / missing ⎤ from the government's plan to pump water out of the Yazoo Basin is the scary music that accompanies the return of the monster in the movie. Wetlands reduce flood peaks. Draining them to prevent floods (B) ⎡ is / are ⎤ like eating ice cream to lose weight. Moreover, the plan would be an endless burden on taxpayers: nearly $200 million to build drain pumps and millions more every year thereafter for their operation and maintenance. The flooding problem can (C) ⎡ address / be addressed ⎤ with minor flood-control measures to protect houses and roads and reforestation of wetter areas, not with the giant pumps that drain our precious wetlands.

	(A)		(B)		(C)
①	misses	-	is	-	be addressed
②	misses	-	are	-	address
③	missing	-	are	-	be addressed
④	missing	-	are	-	address
⑤	missing	-	is	-	be addressed

03 다음 글의 밑줄 친 부분 중, 어법상 틀린 것은?

Acupuncture has long ① been tried against all sorts of illnesses, from pains to infertility. However, the Western world treats the procedure with skepticism, wondering ② how sticking needles in your skin can be good for you. To clear up the doubt, some scientists tried the technique on mice that had a pain in their paws, inserting and rotating the needles in the acupoints from Chinese medicine. As a result, they found that the tissues around the treated acupoints get flooded with adenosine, a chemical ③ providing relief by keeping pain signals ④ on reaching the brain. This reduced the animals' discomfort, as ⑤ did treating them with drugs that boost the amount of adenosine. So acupuncture's effect as a painkiller was finally pinned down.

*acupoint: 침 놓는 자리

04 (A), (B), (C)의 각 네모 안에서 어법에 맞는 표현으로 가장 적절한 것은?

The other day, a friend of mine gave me some live Hawaiian Red Shrimp. They're really thin and tiny but if you look closely, you'll see that they're shaped like any other shrimp. They live in pools of slightly salty water (A) ｜ finding / found ｜ along the shore where fresh water from the land and sea water mix. I (B) ｜ gave / was given ｜ about twenty of them as a souvenir, in a small, clear plastic bottle, the kind that mineral water comes in. I planned to go and find a nice glass fishbowl on the weekend so my new pets could swim in it and I could enjoy watching them (C) ｜ swimming / to swim ｜ around. I left the bottle on the kitchen table and went to bed. The next morning when I woke up, I suddenly remembered that my mother makes coffee every morning using mineral water. I ran to the kitchen, and there she was, holding my bottle in her hand. I was about to say "Stop!" when she said, "Ugh, something's moving in this water!" So I told her the story and prevented a disaster just in time.

	(A)		(B)		(C)
①	finding	-	gave	-	swimming
②	found	-	was given	-	swimming
③	finding	-	was given	-	swimming
④	found	-	was given	-	to swim
⑤	finding	-	gave	-	to swim

05 다음 글의 밑줄 친 부분 중, 어법상 틀린 것은?

Mark Plotkin is an ethnobotanist who ① became fascinated with the native culture of Suriname, South America. In the course of his fieldwork, Plotkin helped a Suriname shaman, who was also his mentor, ② collects and documents hundreds of types of medicinal plants. Some elements of these medicinal plants had effects similar to ③ those of painkillers found in frogs and anti-tumor agents ④ derived from snake venom. Plotkin directed a non-profit group, which set up shamans' apprentice clinics next to clinics ⑤ run by missionaries. This gave apprentices the opportunity to pass on the shamans' medicine to the world at large. Plotkin's work earned him praise from the United Nations and the title "Hero of the Planet" from *Time* magazine.

*ethnobotanist: 민속 식물학자

06 (A), (B), (C)의 각 네모 안에서 어법에 맞는 표현으로 가장 적절한 것은?

Recently, a number of new business models have emerged. One model is a large corporation arranging to have another company, often located in a different country, (A) perform / performs important tasks. This situation became possible with the growth of reliable and secure communications, and the ability to move massive amounts of data over long distances immediately. An early example of this arrangement is in the field of accounting. A company in the United States, for instance, first (B) scan / scans all its bills, orders, and wage payments into the computer and sends the documents to an accounting center in, say, Costa Rica. Basic accounting activity is then carried out at that site. Next, the data is returned via the Internet to the original company, (C) which / where high-level analysis is done.

	(A)		(B)		(C)
①	perform	-	scan	-	which
②	performs	-	scan	-	which
③	perform	-	scans	-	where
④	performs	-	scans	-	where
⑤	perform	-	scan	-	where

Tenses

시제

과거완료

A brilliant woman, Amy Russell had been a beauty pageant winner before she became the leader of the company upon the death of her father.

훌륭한 여성인 에이미 러셀은 아버지가 돌아가시자 회사의 사장이 되었고, 그 전에는 미인대회 우승자였다.

훌륭한 여성인 / 에이미 러셀은 / 미인대회 우승자였다 //

A brilliant woman, Amy Russell had been a beauty pageant winner

was (O)
has been (X)

회장이 된 것(과거)보다 미인대회 우승이
먼저이므로 과거완료 had been이 온다.

그녀가 회사의 사장이 되기 전에 /

before she became the leader of the company

아버지가 돌아가시자

upon the death of her father.

Grammar Point

과거완료 – had p.p.

과거의 사건보다 먼저 발생한 사건을 표현할 경우 과거완료 시제인 had p.p.를 사용한다. before나 after처럼 시간 관계가 명확한 경우에는 둘 다 과거를 사용해도 된다.

In April 2001, a group of scientists announced that they had found evidence of ancient life on Mars.

2001년 4월 한 과학자 단체가 화성에서 고대 생물의 증거를 찾았다고 발표했다.

⇒ '증거를 찾은 행위'가 '발표한 시점'보다 먼저 일어났으므로 과거완료(had p.p.)가 쓰였다.

✔ Check-up

정답 및 해설 p.33

1. He sent me the present that he has bought / had bought in London.

2. She wished to know what kinds of boys his brothers were, what his mother was like, and when his father has died / had died .

Words & Phrases

beauty pageant
미인 대회

announce
[ənáuns]
알리다

ancient
[éinʃənt]
고대의

Mars
[mɑːrz]
화성

과거 시제

At that time the old lady was eighty-one years old, but she still remembered when she was twenty-three.

그 당시 노부인은 81세였지만 여전히 자신이 23세였던 때를 기억했다.

그 당시 / 그 노부인은 / 였다 / 81세 // 하지만 그녀는 여전히 /
At that time the old lady **was** eighty-one years old, but she still

is, has been (X)

뒤에 과거를 나타내는 절이 오므로
과거 시제가 쓰였다.

기억했다 // 때를 / 그녀가 / 23세였던
remembered when she was twenty-three.

Words & Phrases

at that time
그때, 그 당시

contact
[kántækt]
접촉하다

submit
[səbmít]
제출하다

final-term
학기말

paper
[péipər]
보고서, 논문

portion
[pɔ́ːrʃən]
부분

daily
[déili]
매일의, 일상적인

Grammar Point

과거 시제

문장에 과거를 나타내는 부사어가 있을 때, 역사적 사실이나 과거의 습관을 나타낼 때, 가정법 과거일 때 과거 시제를 사용한다.

과거를 의미하는 last night이 있으므로 called와 wasn't가 사용되었다.

I **called** Roger at nine **last night**, but he **wasn't** home.

과거 당시의 상황을 나타내므로 과거 진행이 쓰인다.

He **was studying** at the library.

나는 어젯밤 9시에 로저에게 전화를 했지만, 그는 집에 없었다. 그는 도서관에서 공부하고 있었다.

Check-up

정답 및 해설 p.33

1. Yesterday I contacted / have contacted the Internet to submit my final-term paper to my professor, but at that time the Internet line was shut.

2. Almost every portion of our daily lives was / has been computerized 30 years ago.

[01-10] 다음 중 어법상 가장 적절한 표현을 고르시오.

01   Hyde Park was one of the most beautiful scenes we ┃ have seen / had seen ┃.

02   It didn't matter to me that no woman in Korea ┃ has ever studied / had ever studied ┃ medicine before.

03   The tennis club—one of the largest clubs in our school— ┃ was / has been ┃ established in 2001.

04   Dr. Carter forgot the plan which he and his son, Shawn, ┃ have set / had set ┃ for his 35th birthday.

05   Thomson ┃ has been / had been ┃ sick for a week before he finished his last architectural work in this town.

06   Since 2000, a number of young students ┃ have enjoyed / had enjoyed ┃ playing board games such as Zenga, but the trend was over last year.

07   Wilbur and Orville Wright were anything but nuts, and in 1903 they proved everyone who ┃ has scorned / had scorned ┃ them wrong.

08   After he was elected president of the United States, the Internet and SNS attracted public attention that existing media ┃ has done / had done ┃.

09   That Friday, Juliet wrote down the name of every student on each sheet of paper and listed what anyone ┃ has said / had said ┃ about that individual three days ago.

10   Leeches ┃ have been used / had been used ┃ by doctors for thousands of years, starting in ancient Egypt but were abandoned in favor of modern methods more than a century ago.

 01 다음 글의 밑줄 친 부분 중, 어법상 틀린 것은?

Few animals have been so mercilessly ① <u>exploited</u> for their fur as the beaver. In the eighteenth and nineteenth centuries, beaver furs were worth their weight in gold. As a result, by 1896, at least 14 American states had announced that all of their beavers ② <u>were killed</u>. By the beginning of the twentieth century, it looked ③ <u>as if</u> the beaver was about to disappear from the face of the earth. However, thanks to a beaver recovery program, ④ <u>which</u> included trapping and relocating to protected areas, particularly in suburban areas, beavers ⑤ <u>have made</u> an impressive comeback throughout the United States.

02 (A), (B), (C)의 각 네모 안에서 어법에 맞는 표현으로 가장 적절한 것은?

Buildings—contrary to popular thought—are not lifeless objects. From the ruins of Byzantium to the streets of New York, from the roof of a Chinese pagoda to the Eiffel Tower, every building (A) tell / tells a story. Think of it: When we consider history, what we see before us are the buildings. If we look back to Rome, what we see first are the Colosseum and the Forum. (B) Stand / Standing beside the temples of Greece or near the circle at Stonehenge, we feel the spirit of the people who (C) create / created them; their spirits speak to us across history. Great buildings, like great literature or poetry or music, can tell the story of the human soul.

	(A)		(B)		(C)
①	tell	-	Stand	-	create
②	tell	-	Stand	-	created
③	tell	-	Standing	-	created
④	tells	-	Standing	-	created
⑤	tells	-	Standing	-	create

현재완료

Since the 1970s, the two traditional economic foundations in Daegu, agriculture and the textile industry, have been in constant recession.

1970년대 이후, 대구의 두 가지 전통적인 경제 기반인 농업과 섬유 산업이 지속적인 침체 상태이다.

1970년대 이후,   / 두 가지 전통적인 경제적 기반인   / 대구의   /

Since the 1970s , the two traditional economic foundations in Daegu,

└── since는 현재완료와 어울린다. ──┐

농업과 섬유 산업이   /   지속적인 경기 침체 상태이다

agriculture and textile industry,   have been   in constant recession.
                                       is, was (X)

Grammar Point

현재완료 – have [has] p.p.

과거의 사건이 현재까지 영향을 미치고 있다면 현재완료 시제인 have [has] p.p.로 표현한다.
since, for, so far, already, just, yet, never 등의 접속사나 부사와 잘 어울린다.

A solution to these complicated problems will not be possible without a mutual agreement that so far [prove / has proven] impossible to come to.

이 복잡한 문제에 대한 해결은 지금까지 도달하는 것이 불가능하다고 입증된 상호 합의가 없다면 불가능할 것이다.

⇒ so far는 현재완료와 어울리는 부사이다.

Words & Phrases

traditional
[trədíʃənəl]
전통적인

foundation
[faundéiʃən]
기반, 근거

agriculture
[ǽgrəkʌ̀ltʃər]
농업

textile industry
섬유 산업

constant
[kάnstənt]
끊임없이 계속되는; 불경기의

recession
[riséʃən]
경기 후퇴, 불경기

complicated
[kάmpləkèitid]
복잡한; 까다로운

✅ Check-up

정답 및 해설 p.33

1. Since 1980, computers have played / had played a very important role in our lives.

2. Our sales in this market reached / has reached our highest level in more than 10 years last month.

현재완료 불가 구문

This tradition began in 1301, when King Edward I of England, having completed the conquest of the country, gave the title to his heir, Prince Edward.

이 전통은 1301년에 시작되었는데, 이 때 영국의 왕인 Edward 1세가 나라 정복을 마무리 지으면서
자신의 상속자에게 'Prince Edward'라는 칭호를 주었다.

이 전통은   / 시작되었다 / 1301년에   // 때인   / 영국의 왕인 Edward 1 세가   /
This tradition │ began │ in 1301 │, when King Edward I of England,

has begun (X)

과거 시점인 'in 1301'이 나와 있으므로
과거 시제가 왔다.

그 나라의 정복을 마무리 지으면서   //
│ having completed │ the conquest of the country,

'Prince Edward'라는 칭호를 준 것 보다
이전의 일을 나타내므로 having completed가 쓰였다.

주었다   / 그의 상속자에게 'Prince Edward'라는 칭호를
gave the title to his heir, Prince Edward.

Grammar Point

현재완료 불가 구문

특정한 과거 시점을 나타내는 구문이나 어구는 현재완료와 같이 쓸 수 없다.

현재완료와 어울림	현재완료와 사용 불가
so far, before, for, since, once, many times, still, ever, never, just, already, yet	yesterday, last, then, at that time, -days/weeks/months/years ago, when절

cf.) just now 바로 전에(과거), 〈영〉 바로 지금(현재)

Words & Phrases

tradition
[trədíʃən]
전통

complete
[kəmplíːt]
끝내다

conquest
[kánkwest]
정복

so far
지금까지

take part in
~에 참가하다

man-dominated
인간이 지배하는

✓Check-up

정답 및 해설 p.33

1. In 2008, Susan │ visited / has visited │ Seoul to take part in a house-building project.

2. Man │ has lived / had lived │ on the earth for almost one million years, and it │ has been / had been │ a man-dominated world.

EXERCISE

정답 및 해설 p.34

[01-10] 다음 중 어법상 가장 적절한 표현을 고르시오.

01 In his last vacation, Kevin [visited / has visited] New Orleans where Hurricane Katrina took away everything.

02 Dr. Denma [donates / has donated] his time and skills to treat the poor for the last 10 years, and he will not stop it.

03 Since the installation of the new educational program, all of the members in the classroom [is / have been] able to access every educational site.

04 In the summer of 2009, Shawn [visited / has visited] Jisan, Korea, in order to take part in the rock festival.

05 I heard three pieces are free, but I paid an extra charge yesterday. The charges have [just / just now] been corrected.

06 To him, today is so busy. He [hasn't done / hadn't done] anything except surveying until now.

07 The average term of our leaders [has been / had been] less than a year so far.

08 Handel thought they wanted to know what just now [happened / has happened] in the lobby of the building.

09 In 2004, Ann Buchanan and Eirini Flouri [published / have published] the results of that tracking in the *British Journal of Educational Psychology*.

10 When the police arrived at the airport, the suspect [has already slipped / had already slipped] away.

01 다음 글의 밑줄 친 부분 중, 어법상 틀린 것은?

① I Being Korean, my country's long history and achievement makes me ② proud. However, recently there has been a problem about which I worry. It is no use ③ to deny that we have a huge environmental disaster that is destroying our people's current and future welfare. Last summer, I visited Korea with my family, and I was very delighted that I saw the great changes everywhere. People's lives ④ have become better since 1972 when I left. But I was ⑤ disappointed to see the hazy sky in Seoul and the dark water in the Han River. It's essential that we face the problem and find a long-term solution. We must work hard for a better life for ourselves and for our children, and a better quality of life depends not only on a good car but also on a clean river.

02 (A), (B), (C)의 각 네모 안에서 어법에 맞는 표현으로 가장 적절한 것은?

So far it (A) was / has been said that a weed is "any plant growing in the wrong place." Yet with a small shift in perspective we can change this definition to "a plant (B) whose / which virtues have not yet been discovered." Many weeds are edible and medicinal. They also increase biodiversity, provide valuable information about the condition of our land, or can bring up valuable nutrients from the subsoil to the surface, (C) which / where they eventually become available to other plants. Those plants that we call weeds are often beneficial.

	(A)		(B)		(C)
①	was	-	whose	-	which
②	has been	-	whose	-	where
③	was	-	which	-	which
④	has been	-	which	-	where
⑤	has been	-	whose	-	which

시제 일치

While he was reading his daughter a story, she fell asleep, and he closed the book and tiptoed out.

그가 딸에게 이야기를 읽어 주고 있던 동안 아이는 잠이 들었고, 그는 책을 덮고 발끝으로 걸어 나갔다.

동안에 / 그가 읽어 주고 있는 / 자신의 딸에게 / 이야기를 //
While he was reading his daughter a story,

↑ is reading (X)

주절이 과거이므로 종속절에는 과거(과거 진행)이 온다.

그녀는 / 잠이 들었고 // 그는 책을 덮고 / 발끝으로 걸어 나갔다
she fell asleep, and he closed the book and tiptoed out.

Grammar Point

시제 일치

1. 주절의 시제가 현재면 종속절에는 모든 시제가 올 수 있다.

I know that Hiddink was / is / will be the head coach of Chelsea FC.

나는 히딩크가 첼시 FC의 [감독이었다는/감독이라는/감독이 되리라는] 것을 안다.

⇒ 주절이 현재(know)이므로 종속절에는 어떤 시제(was/is/will be)가 와도 된다.

2. 주절의 시제가 과거면 종속절에는 보통 과거나 과거완료 시제가 온다.

I knew that Hiddink was / had been the head coach of Chelsea FC.

나는 히딩크가 첼시 FC의 [감독이라는/감독이었다는] 것을 알았다.

⇒ 주절이 과거(knew)이므로 종속절에는 내용에 따라서 과거(was)와 과거완료(had been)가 올 수 있다.

Words & Phrases

fall asleep
잠들다

tiptoe out
발끝으로 걷다

destroy
[distrɔ́i]
파괴하다

make a decision
결심을 하다

✅ Check-up

정답 및 해설 p.34

1. He was told three years ago that the building will / would be destroyed within a year.

2. Susan thought that Charles made / makes a final decision on this project.

시제 일치의 예외

The students learned in the last class that parent cells divide into two or more daughter cells to reproduce.

학생들은 지난 수업 시간에 모세포가 번식을 위해 두 개나 그 이상의 자세포로 분열한다고 배웠다.

학생들은   / 배웠다   / 지난 수업 시간에   // 모세포가   / 분열한다고   /

The students | learned | in the last class that parent cells | divide | into

divided (X)

주절의 시제가 과거이지만, 종속절인 that절의 내용이
과학적 사실을 나타내므로 현재 시제를 사용한다.

두 개나 이상의 자세포로   / 번식을 위해

two or more daughter cells to reproduce.

Grammar Point

시제 일치의 예외

1. 불변의 진리, 과학적 사실, 현재의 습관, 속담   → **현재 시제**
   미래를 나타내는 시간, 조건 부사절,
   왕래발착 동사의 미래

2. 역사적 사실, 가정법 과거   → **과거 시제**

3. 제안, 권고, 주장, 요구, 명령을 나타내는 동사 뒤에   → **(should+)동사원형**
   나온 that절이 어떤 일이 이루어지기를 바라는   영국식 영어에서는 현재 시제로 쓴다.
   의미일 경우

Words & Phrases

parent cell
모세포

divide
[diváid]
나누다

daughter cell
자세포

appear
[əpíər]
나타나다

insist
[insíst]
주장하다

Check-up

정답 및 해설 p.34

1. In 1910, Charlie Chaplin | moved / had moved | to America and began appearing in films 4 years later.

2. Galileo insisted that the Earth | be / is / was | round and | move / moves / moved | around the Sun.

EXERCISE

[01-10] 다음 중 어법상 가장 적절한 표현을 고르시오.

01 Jackson will wonder when the teacher | to come / will come | back from the trip.

02 If North Korea | suggests / will suggest | the new negotiation at the following meeting, we will consider offering our support.

03 The teacher paid attention to what students | say / had said | about their classmates.

04 As long as you stayed near the first stage of the security system, the second one | will / would | not allow you to come in.

05 If you | take / took | her in as a partner, you would cause yourself a lot of trouble.

06 The high-profile program reported that acid rain | hurts / hurt | wild animals and plants in the forest.

07 Jessica, an elementary school teacher, told her students that five and three | makes / made | eight.

08 Today, Jinsu learned that World War II | was / had been | over in 1945 and then Korea gained independence from Japan.

09 Our science teacher said that the Earth | is / was | smaller than Jupiter and bigger than Venus.

10 The detective didn't know that the suspect | has / had | an alibi, which made him irritated.

01 다음 글의 밑줄 친 부분 중, 어법상 틀린 것은?

We are normally unaware of the continuous rhythmic sounds in our chests. But we can hear our heart ① beating at quiet moments like just before sleep. The sudden awareness of these sounds can be distressing, because it is ② almost always associated with moments of fear and anxiety. Long before the present day, interestingly, the ancients believed that passion and all emotion ③ reside in the chest. But in the first century A.D., Galen took the romance out of the heart myth and declared, on an anatomical basis, that the heart was simply a natural pump ④ to cultivate the nourishment of the blood to nerves and muscles. Yet, ⑤ despite these 2,000 years of knowing of its mechanical function, people still think of the heart as an organ of emotion.

*anatomical: 해부학적인

02 (A), (B), (C)의 각 네모 안에서 어법에 맞는 표현으로 가장 적절한 것은?

Several years ago on a visit to Spain, I spent a week in the Peterson's company. I haven't forgotten it. Peterson and I visited Catherine, one of Peterson's co-workers on the weekend. We were welcomed by her, and we talked about the fact we (A) | has met / had met | each other in London before. Catherine was a special member of the riding club, and her house was built among pine woods with many red squirrels. We spent a whole morning taking a walk near her house. In hot summer, the cool wind blew and I emptied my shoes filled with sand a dozen times a day. Beyond the trees (B) | lay / laid | the blue edge of the Atlantic Ocean. The night of our arrival, Catherine gave a sublime dinner party, in my honor as well as Peterson's. My human relationships have always made me welcome and other guests who attended the party treated me very (C) | courteous / courteously |.

	(A)		(B)		(C)
①	has met	-	lay	-	courteous
②	had met	-	lay	-	courteously
③	has met	-	laid	-	courteously
④	had met	-	lay	-	courteous
⑤	had met	-	laid	-	courteous

미래 시제의 대용

The rock 'n' roll show, which I really want to see, starts at 8 p.m. on Saturday.

내가 정말 보고 싶어 했던 록큰롤 쇼는 토요일 저녁 8시에 시작한다.

록큰롤 쇼   // 내가 정말 보고 싶어 했던   //
The rock 'n' roll show, which I really want to see ,

계속적 용법의 관계대명사절로
The rock 'n' roll show에 추가 정보를 제공

토요일 저녁 8시에 시작한다
starts at 8 p.m. on Saturday.

8시 공연은 정해져 있는 미래의 일정이므로
미래 대신 현재가 사용됐다.

Grammar Point

미래 시제의 대용

앞으로 벌어질 미래의 사건을 이야기할 때 will, be going to를 사용한다. 다만 다음의 경우 현재와 현재 진행형으로 미래를 표현하기도 한다.

현재 진행 : go, come, leave, start 등 가까운 미래를 의미하는 왕래발착 동사
현재 : 정해져 있는 미래 일정(시간표), 시간과 조건의 부사절에서의 미래

We are leaving for L.A. next Monday.

우리는 다음 주 월요일에 LA로 떠날 것이다.

The movie TOY STORY 3 begins at 7:00 this evening.

영화 〈토이스토리 3〉는 오늘 저녁 7시에 시작한다.

If his brother comes here tomorrow, his parents will be happy.

만약 그의 남동생이 내일 여기에 온다면, 그의 부모가 기뻐할 것이다.

Words & Phrases

leave for
~로 떠나다

welcome
[wélkəm]
맞이하다, 환영하다

hold
[hould]
(행사를) 열다, 개최하다

splendid
[spléndid]
광장한

Check-up

정답 및 해설 p.35

1. When she comes / will come back this Sunday night, all of us will welcome her and hold a splendid event.

2. Jennifer comes / is coming today. Her airplane arrives at 2:30 this afternoon at Incheon Airport.

062

조건, 시간 부사절의 시제

If they accept the advice about their business at the next meeting, they will get three times as much as the original investment.

만약 다음 회의에서 사업에 관한 그 조언을 받아들인다면 그들은 원래 투자금의 세 배를 얻게 될 것이다.

만약 / 그들이 받아들인다면 / 그 조언을   / 사업에 관한   / 다음 회의에서   //

If they **accept** the advice about their business **at the next meeting**,

at the next meeting이라는 미래를 의미하는 부사구가 있으나,
if라는 부사절 안이므로 현재 시제로 나타낸다.

그들은 얻게 될 것이다 / 원래 투자 금액의 세 배를

they will get three times as much as the original investment.

Grammar Point

조건, 시간 부사절의 시제

조건과 시간의 부사절에서는 미래 시제 대신 현재 시제를 사용한다.
시간의 부사절을 이끄는 접속사로는 when, until, as soon as, before, after 등이 있다.

When he **appears** on TV, I will let you know.   그가 텔레비전에 나오면 알려 줄게.
will appear (X)

I don't know **when** he **will** come back.   나는 그가 언제 올지 모르겠다.

⇒ when은 '언제'라는 뜻, know의 목적어절을 이끄는 의문사이고, 부사절이 아니므로 미래 시제가 올 수 있다.

The next meeting will be held on the day **when** our captain **will** come back.   다음 미팅은 우리 팀장이 돌아오는 날 개최될 것이다.

⇒ when은 the day를 선행사로 받는 관계부사이고, 형용사절이므로 미래 시제가 올 수 있다.

I wonders **if** Jack **will** be the winner of the contest.
나는 잭이 대회의 승자가 될 여부가 궁금하다.

⇒ 이때의 if는 '~인지 아닌지'라는 뜻의 명사절을 이끄는 접속사로 쓰였고, 부사절이 아니므로 미래 시제가 올 수 있다.

Words & Phrases

accept
[əksépt]
받아들이다

advice
[ədváis]
충고, 조언

original
[ərídʒənəl]
원본; 원본의

investment
[invéstmənt]
투자, 투자금

realize
[rí(:)əlàiz]
깨닫다

postpone
[poustpóun]
연기하다, 미루다

departure
[dipá:rtʃər]
출발

✓ Check-up

정답 및 해설 p.35

1. I hope it won't be long before the students realize / will realize I am serving their interests in the best possible way.

2. If it will rain / rains tomorrow, I will postpone my departure.

EXERCISE

[01-10] 다음 중 어법상 가장 적절한 표현을 고르시오.

01 Customers never know exactly when service | begins / will begin |, so they present their service request to an order taker.

02 Preparing a broccoli is extremely easy, so all you have to do is boil it in water just until it | is / will be | tender for three to five minutes.

03 Tom and Jerry have only 10 hours before the presentation for the bid | starts / will start |.

04 The warm-but-cloudy weather will continue until the 5th Typhoon, Maemi, | comes / will come | here this Sunday.

05 The principal asked me if the students | win / will win | the contest which will be held next week.

06 Tomorrow is the time when we | leave / will leave | this hotel where we have stayed for five days.

07 If it | rains / will rains | tomorrow, the festival in honor of St. Benedict will be delayed.

08 Most of the NASA researchers don't know when the comet | comes / will come | back.

09 As soon as Jasmine | accepts / will accept | his proposal at the event, she will burst into tears.

10 The detectives don't know if John | returns / will return | to the crime scene this Saturday.

01 다음 글의 밑줄 친 부분 중, 어법상 틀린 것은?

When we live in the fullness of our gifts and harmonize all of our abilities, human nature will prove productive and trustworthy. That is to say, when we operate ① <u>freely</u>, our reactions may be trusted; they will be positive, progressive, and fruitful. This is a considerable function of faith in our nature, ② <u>which</u> many of us don't make. If someday we ③ <u>are</u> completely open to what we are, our behavior will harmonize all the aspects of our powers and will ④ <u>be balanced</u>. We will be on the path to growth, and that is human destiny, not ⑤ <u>perfect</u> but growth.

02 (A), (B), (C)의 각 네모 안에서 어법에 맞는 표현으로 가장 적절한 것은?

One of the deepest of all the human hungers is the need to be understood, cherished, and honored. Yet, in the fast-paced days we live in, too many people believe that listening involves nothing more than waiting for the other person to stop (A) | talking / to talk |. And to make matters worse, while that person is speaking, we are all too often using that time to formulate our own response, rather than to understand the point (B) | making / being made |. Taking the time to truly understand another's point of view shows that you value what he says and care about him as a person. When you (C) | start / will start | "getting behind the eyeballs" of the person who is speaking and try to see the world from his perspective in the near future, you will connect with him deeply and build high-trust relationships that last.

	(A)		(B)		(C)
①	talking	-	making	-	start
②	talking	-	being made	-	start
③	talking	-	being made	-	will start
④	to talk	-	making	-	will start
⑤	to talk	-	making	-	start

REVIEW TEST

[01~05] 다음 문장 중 어법상 <u>틀린</u> 부분을 고쳐 쓰시오.

01   We were testing for details what they kept in their mind; asking if they have watched a picture of a donut topped with sesame or poppy seeds before.

02   He suggests that play is how children make sense of the world and acquire the skills they need to negotiate adult life later.

03   You'll bring yourself a lot of trouble someday if you will accept his offer of employment.

04   When the government decided to offer cheap houses for the poor, some media have criticized the policy because it could disturb the sound housing market.

05   In the center of the hall, the most beautiful girl who I have ever seen was talking to my sister.

[06~10] 다음 주어진 단어를 알맞은 형태로 바꿔 문장을 완성하시오.

06   Researchers gave subjects written accounts of four events, three of which they _____ actually _____ before. (experience)

07   He will not postpone dealing with his work until he _____ a proper successor for his firm. (find)

08   Since the 1950's, many scientists _____ new ways to study the factors which could affect the growth of children. (seek)

09   Nick believed that black holes _____ all the light hitting the horizon, reflecting nothing. (absorb)

10   Shawn helped customers select their jackets and made sure various kinds of clothes _____ available in his shop. (be)

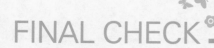

01 다음 글의 밑줄 친 부분 중, 어법상 <u>틀린</u> 것은?

In 1977, Dr. Alan Scott wanted treatment for lazy eye, a condition ① <u>in which</u> the eye muscles are hyperactive and cross the eyes. So Dr. Scott became the first to prescribe botulinum toxin, or Botox, which is a poison that destroys nerve function and ② <u>helps</u> muscles relax. Ten years later, eye doctor Jean Carruthers used the same toxin to treat patients' eye twitches. She began to notice that patients ③ <u>receiving</u> these treatments looked younger, which led to the discovery that Botox ④ <u>smoothed</u> facial wrinkles to produce a more youthful appearance. Then doctors began to notice that patients using Botox ⑤ <u>stops having</u> headaches. Now researchers have even begun to experiment with Botox as a possible cure for obesity. When injected into patients' stomachs, the toxin makes them feel fuller faster.

*twitch: 경련, 씰룩거림

02 (A), (B), (C)의 각 네모 안에서 어법에 맞는 표현으로 가장 적절한 것은?

Over the years, I've seen those who have a hard time (A) forgiving / to forgive others, and most of them tell me the major problem was that no one taught them how to forgive. After researching a number of people who have been hurt and have tried to forgive, I am sure that the ability to get over these wounds (B) is / are important to not only emotional but physical health. Forgiveness implies much more than ending a grievance. Forgiveness has become my life's mission. I describe forgiveness itself as the experience of peace and understanding that I can feel at this moment. You forgive by challenging the rigid rules you have for other people's behavior and by focusing on the good things in your life as opposed to the bad. Forgiveness does not mean denying or forgetting that painful things (C) occur / occurred . Forgiveness is the strong power that bad things will not destroy your today even though they may have spoiled your past.

	(A)		(B)		(C)
①	forgiving	-	is	-	occur
②	forgiving	-	are	-	occurred
③	forgiving	-	is	-	occurred
④	to forgive	-	are	-	occurred
⑤	to forgive	-	are	-	occur

03 다음 글의 밑줄 친 부분 중, 어법상 틀린 것은?

Without discussing immigrants, no study of the United States would be valid because America is a nation of immigrants. Since 1607 ① <u>when</u> the first English settlers arrived in the New World, more than 45 million people have migrated to the United States. This has ② <u>been recorded</u> as the largest migration of people in the history. For 400 years, a nation of more than 200 million people has been constructed by those who ③ <u>come</u> from all parts of the world. Every aspect of American life, from business to lifestyle, ④ <u>has</u> been influenced in one way or another by immigrants. No one could ever completely understand the comment "America is not merely a nation, but a teeming nation of nations" from the poet Walt Whitman, without first ⑤ <u>knowing</u> something about the history of America's leading import.

04 (A), (B), (C)의 각 네모 안에서 어법에 맞는 표현으로 가장 적절한 것은?

A man who (A) $\boxed{\text{was / had been}}$ a poor shepherd in his early years became a very wealthy, respected diplomat, and he was appointed as an ambassador to a country in Africa. In his residence near the embassy, he had one room known as "the shepherd's room." In that room (B) $\boxed{\text{was / were}}$ reproductions of hills, valleys, running streams, rocks, barns, and fences for the sheep. Here were the sticks he had carried and the clothes he had worn as a shepherd when looking after the sheep. When (C) $\boxed{\text{asking / asked}}$ one day the reason for this, he replied, "If ever my heart is tempted to arrogance and pride, I go into that room and remind myself of what I once was."

	(A)		(B)		(C)
①	was	-	was	-	asked
②	was	-	were	-	asking
③	had been	-	was	-	asking
④	had been	-	were	-	asked
⑤	had been	-	was	-	asked

05

다음 글의 밑줄 친 부분 중, 어법상 틀린 것은?

There are people who are well-known but ① <u>whose</u> views on certain subjects are not well-known. For instance, Helen Keller is very well-known, and students ② <u>teach</u> that she was born blind and could not speak or hear and yet became very successful. But they ③ <u>are not told</u> that she was a leader in the organization against World War I. Similarly, Mark Twain is well-known as a novelist, but most students do not learn that he protested against the war in the Philippines. They don't know that Mark Twain criticized Theodore Roosevelt because Roosevelt ④ <u>had congratulated</u> an American general for winning a victory ⑤ <u>killing</u> many people in the Philippine Islands in 1906.

06 **(A), (B), (C)의 각 네모 안에서 어법에 맞는 표현으로 가장 적절한 것은?**

The nineteenth century was a time of remarkable advancements not only in our understanding of the industrial world but also in our understanding of the physical and biological world. The French physiologist Pierre Flourens's tremendous feat on the brains of animals such as rabbits and pigeons in the 1820s and 1830s (A) mapping / mapped out parts of the brain in charge of basic motions, memory, and emotion. Basically, he got rid of regions of their brains and took notes on (B) what / which the animals could no longer do. A few decades later, Pierre Paul Broca, a French physician, isolated the region in the human brain responsible for controlling speech. He practiced autopsies on stroke sufferers who (C) lost / had lost the ability to construct vocabularies.

	(A)		(B)		(C)
①	mapped	-	which	-	lost
②	mapping	-	what	-	lost
③	mapped	-	which	-	had lost
④	mapping	-	what	-	lost
⑤	mapped	-	what	-	had lost

Modals

조동사

UNIT 063

주장, 권고, 제안, 명령, 요구 동사 + that + 주어 (+ should) + 동사원형

The Singapore prosecutor has demanded that the two Americans each be jailed for three years for violating immigration laws.

싱가포르의 검찰은 두 명의 미국인이 이민법을 위반했기 때문에 각각 3년 동안 수감해 줄 것을 요구해 왔다.

싱가포르 검찰은 / 요구해 왔다 // 두 명의 미국인이 각각 /

The Singapore prosecutor has demanded that the two Americans each

동사가 요구를 의미하는 demanded이고 that절 이하가
'~이 이루어져야 한다'는 내용이므로 동사원형이 온다.

3년 동안 수감되어야 한다고 / 이민법을 위반했기 때문에

be jailed for three years for violating immigration laws.

Grammar Point

주장, 권고, 제안, 명령, 요구 동사+that+주어(+should)+동사원형

주장, 권고, 제안, 명령, 요구를 의미하는 동사 다음에 that절이 오고, 그 that절의 의미가 '~이 이루어져야 한다'는 내용일 경우 that절의 동사는 동사원형을 쓴다. 단, 영국식 영어에서는 인칭에 맞춰 현재시제로 써준다.

주장	insist	
권고	recommend, demand	
명령	order	+that+주어(+should)+동사원형
제안	suggest	
요구	require, request	

She demanded that he (should) tell her the truth.

그녀는 그에게 진실을 말해 달라고 요구했다.

He suggested that they (should) have dinner first, and then play the game.

그는 그들에게 저녁을 먼저 먹고, 그러고 나서 게임을 하라고 제안했다.

Words & Phrases

prosecutor
[prásəkjùːtər]
검찰, 검사

demand
[diménd]
요구하다

jail
[dʒeil]
투옥하다

violate
[váiəlèit]
위반하다, 침해하다

immigration
[ìməgréiʃən]
이민

fragment
[frǽgmənt]
파편; 단편

Check-up

정답 및 해설 p.37

1. The government has been suggested that environmentally damaging materials like CFC [be / was] made more expensive to encourage recycling.

2. The Russian writer requested that the fragments of the book, written on 50 index cards, [be / were] destroyed by fire after his death.

064

주장, 권고, 제안, 명령, 요구 동사+that+주어(+should)+동사원형 - 예외

He insisted that Tom was capable enough to be promoted as a vice president in the hearing on him earlier this month.

그는 이번 달 초에 있었던 청문회에서 톰이 부회장으로 승진할 만큼 충분히 능력이 있다고 주장했다.

그가 / 주장했다　　// 톰은　　/ 충분히 승진할 수 있다　　　　　　　　　　　　　　/

He **insisted** that Tom **was** capable enough to be promoted

당위성이 없으므로 동사원형을 쓰지 않고 주절과 시제 일치를 한다.

부회장으로　　　　　　　　　/ 청문회에서　　　/ 그에 대한 / 이번 달 초에

as a vice president in the hearing on him earlier this month.

Grammar Point

주장, 권고, 제안, 명령, 요구 동사+that+주어(+should)+동사원형 – 예외

suggest, insist, demand, order, require 등의 주장, 권고, 제안, 명령, 요구 동사가 that절을 목적어로 가질 때 that절의 동사는 〈(should)+동사원형〉을 써야 하지만 that절의 내용이 당위성이 없다면 동사원형의 법칙은 적용되지 않는다. 즉, that절의 내용이 '~해야 한다'라는 의미가 아니면 주절과 시제를 일치시킨다.

The research suggests that the divorce rate is rising.

그 연구는 이혼율이 증가하고 있음을 알려 준다.

⇒ 동사가 suggests임에도 불구하고 that절의 동사가 is rising인 것은 그 의미에 '꼭 해야 한다'는 당위성이 없기 때문이다.

---

a) My father insisted that I (should) be home by 10 p.m.

아버지는 내가 10시까지 집에 와야 한다고 주장하셨다.

b) My father insisted that there was an accident on the way.

아버지는 오는 중에 사고가 있었다고 주장하셨다.

⇒ a)에서는 당위성이 느껴지지만, b)에서는 당위성이 느껴지지 않는다. b)는 사실을 전달하고 있기 때문이다.

Words & Phrases

promote
[prəmóut]
승진하다; 홍보하다, 촉진하다

vice president
부사장

relativity
[rèlətívəti]
상대성

measure
[méʒər]
측정하다

interval
[íntərvəl]
간격

Check-up

정답 및 해설 p.37

1. Jamie insisted that she pass / passed the driving test very easily.

2. In his special theory of relativity, Einstein suggested that the measured interval between two events depend / depends on how the observer is moving.

[01-10] 다음 중 어법상 가장 적절한 표현을 고르시오.

01   He asked that I │ do not / not │ use his name in the article.

02   Samuel insisted that he │ was / be │ stuck in heavy traffic on the way to the company.

03   The witness insisted that the fight between Tom and Don │ takes place / took place │ when the sun was rising.

04   The prosecutor strongly recommended that the suspect │ receives / receive │ a life sentence for murder.

05   The researchers insist that biomass fuels │ be / are │ clean, easily available, and can readily change into gas or liquid form.

06   A number of students in the school made a suggestion that they │ be / are │ allowed to select the length of their own hair.

07   The feminist group insists that women │ not / didn't │ receive unfair discrimination by men.

08   The patient's doctor strongly required that she │ has / have │ an operation on her back during the summer vacation.

09   I insisted that he │ take / takes │ some rest for his health and his family, and eventually he followed my advice.

10   The committee said no to the proposal of the union that more investment │ is / be │ made for the welfare of the employees.

01 다음 글의 밑줄 친 부분 중, 어법상 틀린 것은?

Science and its following technologies change the culture of society by overcoming conventional values. Public debate and ethical controversies, however, have triggered structural transformation in society as the legal system responds to calls for action. For instance, some countries now have ① <u>what</u> are named genetic exception laws. They demand that every organization ② <u>dealt</u> with genetic information separately from other medical information, leading to what is sometimes called patient shadow files. The logic of such laws ③ <u>depends</u> on the potentially devastating effects of genetic information being revealed to insurance companies, other family members, employers and ④ <u>the like</u>. Until now, 17 countries request informed consent for a third party either to perform or ask for a genetic test or to achieve genetic information and 27 countries require informed consent ⑤ <u>to uncover</u> genetic information.

02 (A), (B), (C)의 각 네모 안에서 어법에 맞는 표현으로 가장 적절한 것은?

New animal research suggests that in addition to the body's clock, which controls your sleep schedule by the rise and fall of the sun, there (A) be / is a "food clock." Researchers found that this clock is activated when animals are (B) facing / faced with starvation—they stay awake to find some food, ignoring their sleep schedule. The researchers speculated that their discovery could lead to a method of overcoming the sleep disorder caused by jet lag. By skipping a meal and fooling your body into thinking it is starving, you could possibly activate the effects of the food clock. After landing at your destination and resetting a clock, you may be able to sleep (C) like / likely a log.

	(A)		(B)		(C)
①	be	-	facing	-	like
②	be	-	faced	-	likely
③	is	-	faced	-	like
④	is	-	facing	-	likely
⑤	be	-	faced	-	like

UNIT 065

필요, 중요의 형용사+that+주어(+should)+동사원형

It is essential that everything possible be done to save the lives of those who have survived the earthquake and to make certain that they can rebuild their shattered land.

지진에서 살아남은 사람들의 목숨을 구하고 부서진 토지를 확실히 재건할 수 있게 해주기 위해 가능한 모든 일을 하는 것이 가장 중요하다.

중요하다 // 가능한 모든 것이 / 행해져야 한다 / 목숨을 구하기 위해 /
It is essential that everything possible be done to save the lives

to save와 to make는 병렬 구조

/ 사람들의 // 지진에서 살아남은 / 확실히 하기 위해 //
of those who have survived the earthquake and to make certain

그들이 그들의 산산이 부서진 토지를 재건할 수 있도록
that they can rebuild their shattered land.

certain의 목적어절

Grammar Point

필요, 중요의 형용사+that+S(+should)+동사원형

필요나 중요를 나타내는 형용사 다음에 that절이 올 경우 that절의 동사는 《(should)+동사원형》을 쓴다.

cf.) 구어체에서는 《should) + 동사원형》 대신 시제에 맞춰 쓰기도 한다.

vital, important, essential, necessary, critical, urgent, imperative	+that+주어(+should)+동사원형

Words & Phrases

essential
[isénʃəl]
필수적인, 극히 중요한

make certain
확인하다, 확보하다

shatter
[ʃǽtər]
부서지다

critical
[krítikəl]
중요한

grieving
[grívin]
슬퍼하는

be allowed to
~하는 것이 허락되다

☑Check-up

정답 및 해설 p.38

1. It is important that Jane be / was present when we sign the papers.

2. It is critical that the grieving woman be / was allowed to feel the emotion.

대동사

50% in their 20s believed in this real relationship, while only 30% in their 40s did.

20대 중 50%가 이러한 진실한 관계를 신뢰하는 반면 40대의 겨우 30%만이 그랬다.

20대의 50%가 　　　　　 / 신뢰했다 　　 / 이러한 진실한 관계를 　　　　　　　 // 반면에 / 겨우 30% 만이 /

50% in their 20s ｜ believed in this real relationship ｜ , while only 30%

받고 있는 동사가 일반동사이므로
did를 대동사로 사용한다.

40대의 　　　　　　　 / 그랬다

in their the 40s ｜ did ｜ .

was, do (X)

```
Grammar Point
```

대동사

동일한 동사가 반복되는 것을 피하기 위하여 영어에서는 대동사를 사용한다. 대신할 동사가 be동사라면 be동사를, 조동사라면 조동사를, 일반동사라면 do동사를 대동사로 쓴다. 또한 수와 시제도 고려해야 한다.

Her novel contains a larger number of sentences of high complexity than my novel [does / is].

그녀의 소설은 내 소설보다 더 많은 복잡한 수준의 문장을 포함한다.

⇒ 비교 대상인 Her novel에 걸린 동사가 일반동사 contains이므로 대동사로 does가 온다.

Words & Phrases

complexity
[kəmplέksəti]
복잡성

rattlesnake
[rǽtlsnèik]
방울뱀

destination
[dèstənéiʃən]
목적지

relieved
[rilíːvd]
안심한, 안도한

✅ Check-up

정답 및 해설 p.38

1. They did not use their guns much, and when they ｜ did / were ｜ , it was usually to shoot a coyote or a rattlesnake. 기출응용

2. Not until Jenny arrived at her destination did she feel more relieved than she ｜ was / did ｜ before leaving the house.

[01-10] 다음 중 어법상 가장 적절한 표현을 고르시오.

01 Those with insurance are struggling to pay ever higher premiums, as ┃ do / are ┃ their employers.

02 Some were based on folktales he had heard as a child, while others ┃ were / did ┃ his own inventions.

03 You haven't touched it yet, ┃ do / have ┃ you?

04 It was necessary that she ┃ leaves / leave ┃ the place immediately.

05 기출응용 It was of the greatest importance that a person ┃ is / be ┃ started in the affirmative direction.

06 I heard him arguing against Kennedy. It was essential that he ┃ remains / remain ┃ calm when talking to Kennedy.

07 If you put a thermometer in direct sunlight, the red-colored alcohol absorbs more sunlight than ┃ is / does ┃ the transparent air.

08 It is vital that the best works of art ┃ is / be ┃ presented to all of the students in the city free of charge.

09 It is necessary that salaries ┃ were / be ┃ commensurate with age and experience.

10 Jefferson was more excited at the game than he usually ┃ is / does ┃.

174

01 다음 글의 밑줄 친 부분 중, 어법상 틀린 것은?

Psychologist Mary Crawford at the University of Connecticut studied 1,000 adults between the ages of 30 and 90. The subjects ① <u>were asked to</u> rate whether their exercise style was alone, with same-aged people, ② <u>or with</u> different-aged people. According to the research, both the old and the young tended to exercise with those of their own age while no group wanted to exercise alone. Especially for the older adults, their preference for group exercise was much more remarkable than ③ <u>the younger group</u>. In conclusion, it is vital that society ④ <u>take</u> steps to better promote opportunities to encourage healthy and physically active lifestyles by ⑤ <u>expanding</u> chances for group exercise.

02 (A), (B), (C)의 각 네모 안에서 어법에 맞는 표현으로 가장 적절한 것은?

One of my friends recently bought his one-year-old daughter a laptop. He says that we should raise kids to be media-fluent. (A) | Though / Because | I agree that we should raise media-literate children, I think he fundamentally misjudges the cultural environment we are in. By the time the average kid graduates from elementary school, he or she spends 11,000 hours in school and more than 15,000 hours watching TV. Kids under six already spend more time watching TV and playing video games than they (B) | are / do | reading. I have not banned technology from our house, but there have always been limits. Kids are born with infinite creativity, and we cannot let excessive screen time (C) | spoil / to spoil | it.

	(A)		(B)		(C)
①	Though	-	are	-	spoil
②	Though	-	do	-	spoil
③	Though	-	are	-	to spoil
④	Because	-	do	-	to spoil
⑤	Because	-	are	-	spoil

UNIT 067 조동사 + have p.p. (1)

First, everyone who has been summoned to appear at jury duty must have arrived by nine o'clock in the morning and assembled in the jury room. 기출응용

우선 배심원의 의무에 출석하라고 소환된 모든 사람은 아침 9시까지 도착해서 배심원실에 모였음이 틀림없다.

우선 / 모든 사람은   // 소환된   / 배심원의 의무에 나오라고   //
First, everyone │ who had been summoned to appear at jury duty │

도착했음이 틀림없고   / 아침 9시까지   // 모였음이 틀림없다/
│ must have arrived │ by nine o'clock in the morning and assembled

└─ 전체적인 내용이 과거의 사건을 다루고 있으므로
조동사 must 다음에 완료형 have arrived가 온다.

배심원실에
in the jury room.

Grammar Point

조동사 + have p.p.

조동사가 포함된 문장을 과거로 표현하고 싶다면 조동사 뒤에 완료형 have p.p.를 붙인다.
〈조동사 + have p.p.〉는 과거의 사건을 의미한다는 것을 명심하자.

조동사	
can, could, may, might, would, must, should, need	+ have p.p. → 과거 사건

Words & Phrases

summon
[sʌ́mən]
소환하다, 소집하다

jury duty
배심원의 의무

assemble
[əsémbl]
모이다

pay attention to
~에 주목하다, 주의하다

in other words
다시 말해서

forefather
[fɔ́ːrfɑːðər]
조상, 선조

✅Check-up

정답 및 해설 p.39

1. I regret having paid little attention to him. In other words, I │ should pay / should have paid │ more attention to him. 기출응용

2. Our early forefathers │ may use / may have used │ the fingers of their hands or cut notches like /// on tree branches. 기출응용

176

조동사 + have p.p. (2)

The Aztecs once must have been flourishing because archeologists discovered many findings related to their high civilization.

아즈텍은 한때 번영했음이 틀림없는데, 왜냐하면 고고학자들이 높은 수준의 문명과 관련된 많은 습득물을 발견했기 때문이다.

아즈텍은 　　　／ 한때　／ 번영했음이 틀림없다　　　　　　　　　// 왜냐하면 　／ 고고학자들이　　／

The Aztecs once | must have been | flourishing because archeologists

과거의 내용이며, 뒤에 '높은 수준의 문명과 관련된 물건을
찾았다'라는 내용이 나오므로 must have been이 온다.

많은 습득물을 발견했기 때문에 　　　　　　　／ 높은 수준의 문명과 관련된

discovered many findings related to their high civilization.

Grammar Point

조동사 + have p.p.

〈조동사 + have p.p.〉는 과거를 표현할 때 사용하는데, 조동사에 따라서 의미가 달라지므로 다음의 의미를 숙지해야 한다.

could have p.p.	～할 수도 있었을 텐데
could not have p.p.	～했을 리가 없다 (하지 않음)
must have p.p.	～했음이 틀림없다 (했음)
should have p.p.	～했어야 했는데 (하지 않음)
should not have p.p.	～하지 않았어야 했는데 (했음)
need not have p.p.	～할 필요는 없었는데 (했음)

Words & Phrases

flourishing
[flɔ́:riʃiŋ]
번영하는

archeologist
[àːrkiálədʒist]
고고학자

related to
～와 관련된

civilization
[sìvəlizéiʃən]
문명

run away
도망치다

inform
[infɔ́:rm]
알리다

Check-up

정답 및 해설 p.39

1. Juliet | must be / must have been | as surprised at me as I was at her because I watched her run away.

2. You did it. I think you | need not / cannot | have informed John about the fact he could be fired.

[01-10] 다음 중 어법상 가장 적절한 표현을 고르시오.

01 He failed the math exam. He must / should have concentrated on studying in math class.

02 I looked for my lost book everywhere, but I can't find it. I must / should have written my name on the book.

03 Look at all the water on the ground. It must / could have rained really hard last night.

04 Teresa would have / have had a hard time persuading her father to see a doctor when he got heart disease.

05 Computers enabled scientists to find some results that they couldn't discover / have discovered on their own.

06 Tommy must / could have been in Japan because he speaks Japanese very well.

07 Jerome must / cannot have met Julie at the café, considering this picture where he was with her.

08 You cannot / need not have gone to the party. I didn't see you there.

09 Peter need not / must have met the suspect because we already finished the case.

10 Kevin must succeed / must have succeeded in escaping because the police are still searching for him.

01 다음 글의 밑줄 친 부분 중, 어법상 틀린 것은?

It is believed that the life-forms on this planet first evolved in the sea. When there were no animals yet ① to be found on land, the sea was already filled with life. Then at some point, one of the sea creatures ② must start to venture onto dry land. At first, it would perhaps crawl a few inches there, but soon be exhausted by the enormous gravitational pull of the planet. So it would return to the water, where gravity is almost nonexistent and where it ③ could live with much greater ease. And then it tried again and again, and much later would adapt to life on land, grow feet instead of fins, and develop lungs instead of gills. What made fish leave their habitat and evolve ④ may have been a large sea area that got cut off from the main ocean ⑤ where the water gradually receded over thousands of years.

*gill: 아가미

02 (A), (B), (C)의 각 네모 안에서 어법에 맞는 표현으로 가장 적절한 것은?

Our Stone Age ancestors were better doctors than you might think. Indeed, newly unearthed evidence suggests they could perform relatively sophisticated surgery. Researchers (A) working / worked in a Neolithic tomb some 40 miles south of Paris found the skeleton of an elderly man with most of his bones intact—but no left hand or forearm. After biological and radiological analysis, the archeologists concluded that his arm had been damaged, perhaps in war, (B) which / after which he'd received an amputation that was both intentional and successful. The cut, probably made with a sharpened piece of flint, was clean. There was no sign of infection, suggesting the operation was performed in relatively aseptic conditions. And the surgeons (C) must / should have given their patient something to keep him still—perhaps a painkilling plant.

*amputation: 절단

	(A)		(B)		(C)
①	working	-	which	-	must
②	worked	-	after which	-	should
③	working	-	after which	-	must
④	worked	-	after which	-	must
⑤	worked	-	which	-	should

[01-04] 다음 문장 중 어법상 <u>틀린</u> 부분을 고쳐 쓰시오.

01 The court required that each member of the jury attends the meeting, but none appeared.

02 Clearly, she was much better prepared to be president than her opponent did, so she made it.

03 Jamie showed no signs of stepping back and insisted that he not say anything wrong, and thus need not apologize.

04 The children were overstimulated and annoyed and so did the parents.
기출응용

[05-10] 다음 보기에서 〈조동사 / 동사〉를 골라 알맞은 형태로 바꿔 문장을 완성하시오.

보기	need not / worry	could / emerge	should / give
	should / call	must / forget	could not / do

05 The origins of our language have been a mystery for a long time, but recent evidence shows that our exclusive linguistic abilities _____ from gestural communication in our ancestors.

06 Neal _____ that he was to pick me up at noon. Otherwise, he would have come here.

07 June _____ a last word to her son and daughter. They regretted not hearing it from her.

08 Computers enable mathematicians to find various results that they _____ on their own.

09 Ken _____ about her coming back home then because she was asleep in her bed at that time.

10 Megan _____ to inform her parents that she would sleep over at her friend's house. Her parents called the police to report her missing.

01 다음 글의 밑줄 친 부분 중, 어법상 틀린 것은?

Running isn't only good for the heart and the waistline—it also makes the brain ① grow. That's the implication of recent research at Cambridge University, ② where scientists found that mice that had ③ access to a running wheel performed much better at memory tests than mice that hadn't been able to exercise. When the scientists took brain-tissue samples, they discovered that the running mice had grown thousands of new cells in the dentate gyrus region of their brain's hippocampus, an area associated with the formation and recollection of memories. The brains of non-running mice showed no such growth. It isn't ④ known why aerobic exercise should have this benefit. Some suggest increased blood flow to the brain ⑤ stimulate the cells to grow. Alternatively, or in addition, it may be because running inhibits the action of the stress hormone cortisol, which would otherwise restrict brain-cell growth.

*dentate gyrus: 톱니모양의 뇌 주름

02 (A), (B), (C)의 각 네모 안에서 어법에 맞는 표현으로 가장 적절한 것은?

I was watching the trial of Madame Wallis. She made up a pack of lies about saving the life of a rich and old English man in the train (A) who / which was having a heart attack in the next carriage. According to her, after hearing his moans, she ran there only to find the door (B) lock / locked . Then she said that she climbed up the roof on the train, broke the window of the compartment and finally saved him. She took out the letter from the man—of course, it also was her claiming. She assured the judge that he (C) must / should have promised to leave her his fortune. All forged, of course. There never was an English man, rich or otherwise. Based on these letters, she had lived the life as Madame Wallis until facing the trial.

	(A)		(B)		(C)
①	who	-	lock	-	must
②	which	-	lock	-	should
③	who	-	lock	-	should
④	which	-	locked	-	must
⑤	who	-	locked	-	must

03

기출응용

다음 글의 밑줄 친 부분 중, 어법상 틀린 것은?

Anchoring—settling to a certain price range—influences all kinds of purchases. Uri Simonsohn and George Lowenstein, for example, found that people who move from inexpensive areas to ① moderately priced cities do not increase their spending to fit the new area. Rather, these people spend an amount similar to ② what they were used to in their previous area, even if this means having to squeeze ③ themselves and their families into smaller or less comfortable homes. Likewise, people ④ moving from more expensive cities sink the same amount of dollars into their new housing situations as they ⑤ were in the past. People who move from an expensive area do not generally downsize their spending much once they move to a moderately priced city.

04

(A), (B), (C)의 각 네모 안에서 어법에 맞는 표현으로 가장 적절한 것은?

The polar bear is the first large mammal faced with extinction from global warming. That's (A) [why / because] it is the iconic image for climate change. A study found that the population of polar bears has fallen dramatically, and just 15,000 polar bears are surviving in the world. The rate of this decrease is similar to that of the ice. Also, seals, the primary prey of the polar bear, (B) [spend / spends] most of their time on the ice. They depend on the ice for feeding, sleeping, and giving birth. When the ice shrinks, so (C) [does / is] the area available for breeding. In other words, the less ice coverage, the fewer hunting chances for polar bears.

	(A)		(B)		(C)
①	why	-	spend	-	does
②	why	-	spends	-	does
③	why	-	spend	-	is
④	because	-	spends	-	is
⑤	because	-	spend	-	is

05 다음 글의 밑줄 친 부분 중, 어법상 틀린 것은?

We often consider shame as a strong form of embarrassment. However, a recent study suggests that embarrassment and shame ① are considerably different experiences. Generally, the former results from a relatively minor event that takes place while others are around. It seems to cause a person ② to blush. Also, an embarrassing event is likely to ③ remember not only with surprise but also with smiles or jokes. Embarrassment does not lead to feeling that one must correct a situation. On the other hand, the latter is felt when people expose their own drawback to themselves as well as others. Moreover, it is likely to make one feel that a situation needs ④ repairing. In addition, while embarrassment is strongly involved in ⑤ how we believe others see us, shame is often felt when one is alone.

06 (A), (B), (C)의 각 네모 안에서 어법에 맞는 표현으로 가장 적절한 것은?

A philosopher witnessed from the shore the shipwreck of a vessel, (A) [which / of which] the crew and passengers all drowned. He criticized the injustice of the gods, thinking that the gods (B) [must / should] not have allowed so many innocent persons to perish. As he was indulging in these reflections, he found himself surrounded by a whole army of ants, near whose nest he was standing. Some of them climbed up and stung him, and he immediately trampled them all to death with his foot. At that moment, Mercury, the messenger god, appeared and said, "Have you indeed made yourself a judge of the dealings of the gods, (C) [treat / treating] these poor ants in a similar manner?"

	(A)		(B)		(C)
①	which	-	should	-	treat
②	which	-	must	-	treating
③	of which	-	should	-	treating
④	of which	-	must	-	treat
⑤	of which	-	should	-	treat

Chapter

08

수동태

UNIT 069

수동태 vs. 능동태

It seems that the specific conditions the orchid needs to thrive can only be met in nature.

난초가 무성해지는 데 필요한 특정한 조건들은 오직 자연에서만 충족될 수 있는 것 같다.

~인 것 같다 // 특정한 조건들은 // 난초가 필요로 하는 / 번성하기 위해 /

It seems that the specific conditions [the orchid needs to thrive]

오직 자연에서만 충족될 수 있다

can only [be met] in nature.

meet (X) — 여기서 meet는 '~의 욕구를 충족시키다'라는 타동사로 쓰였는데, 목적어가 없으므로 수동형인 be met가 온다. 즉, 특정한 조건이 충족하는 것이 아니라 충족되는 것이다.

Grammar Point

능동태 vs. 수동태

능동태와 수동태 문제는 동사의 종류에 따라 달라진다. 목적어를 가지는 동사만 수동태로 쓸 수 있기 때문에 자동사는 수동태로 쓰일 수 없다. 또한 타동사라 하더라도 목적어의 유무와 개수에 따라서 능동태인지 수동태인지가 결정된다.

동사의 종류 파악
- 타동사 →
  - 목적어 ○ → 능동태
  - 목적어 X → 수동태
- 자동사 → 능동태

Words & Phrases

specific
[spisífik]
특정한

orchid
[ɔ́ːrkid]
난초

thrive
[θraiv]
번영하다, 무성해지다

construction
[kənstrʌ́kʃən]
건설, 구축

core
[kɔr]
핵심, 중요한 부분

extremely
[ikstríːmli]
극한

Check-up

정답 및 해설 p.41

1. Despite the fact that construction costs are high, a new building in the campus will [build / be built] next month.

2. The third layer, or the core of the earth, [makes / is made] up of nickel and cobalt, and it too reaches extremely high temperatures.

186

대표적 수동태 구문

The news report was about an important meeting to be held in his country, and local stations aired it often.

뉴스 기사는 그의 나라에서 열리는 중요한 회의에 관한 것이었고, 지역 방송국은 그것을 너무 자주 방송했다.

뉴스 기사는	/ 중요한 회의에 관한 것이다	/ 열리는

The news report was about | an important meeting to be held |

to hold (X)

→ hold의 주체가 an important meeting, 즉 중요한 회의가
여는 것이 아니라 열리는 것이므로 수동태인 be held가 온다.

그의 나라에서 // 그리고 지역 방송국은 그것을 너무 자주 방송했다

in his country, and local stations aired it often.

Grammar Point

대표적 수동태 구문

다음의 수동태는 능동태와 자주 비교되므로 그 차이를 익혀 두자.

hold vs. be held	행사가 앞에 오면 수동
ask vs. be asked	질문을 하는 것이면 능동, 질문을 받는 것이면 수동
know vs. be known	전치사가 바로 뒤에 붙으면 수동
suffer vs. be suffered	뒤에 from이 있으면 자동사이므로 능동

When [asking to / asked by] students, the professor replied, "No, you can't jump to the next topic without answering the questions."

학생들에게 질문을 받았을 때, 교수는 "아뇨, 그 질문들에 대답하기 전에는 다음 주제로 넘어갈 수 없습니다."라고 말했다.

⇒ 이 분사구문의 주어는 the professor이고, 교수가 학생들로부터 질문을 받은 것이므로 (being) asked by가 정답이다.

Words & Phrases

local
[lóukəl]
지역의, 국내의

air
[ɛər]
방송하다

reply
[riplái]
대답하다

district
[dístrikt]
구획, 지역

annual
[ǽnjuəl]
1년의; 1년에 한

auditorium
[ɔ̀:ditɔ́:riəm]
강당

Check-up

정답 및 해설 p.41

1. The district's annual year-end award ceremony will | hold / be held | in the Hoover High School auditorium on April 10th.

2. When a famous professor | asked / was asked | the secret of his success, he replied, "Early Bird."

[01-10] 다음 중 어법상 가장 적절한 표현을 고르시오.

01 Football's most multicolored carnival is being held / holding in South Africa.

02 Special sessions will hold / be held to promote active discussion and benchmarking opportunities among journalists.

03 기출응용 Another time they entered a contest to guess how many soda cans the back of a pickup truck held / was held .

04 Those adopted synthetic materials are knowing / known as hybrid metals, and they have been enriching the quality of our lives in the world.

05 기출응용 Music can also store / be stored digitally as MP3 or WAV files then changed back into sounds that we can hear.

06 The votes are counting / counted , and the man who gets the most votes becomes the new class president.

07 기출응용 Yet if the camera stays on them long enough, they will slyly check to see if they are still watching / being watched .

08 One character made / was made up of three vertical lines and represents the Chinese word for "river."

09 기출응용 Many theatergoers have offered / been offered lots of good plays including *West Side Story*, *The King and I*, and *Dracula* for several decades.

10 기출응용 I still remember the awesome feeling I had on that day in May when my little feet carried / were carried me up the stairs into the grandstands at the car racetrack.

01 다음 글의 밑줄 친 부분 중, 어법상 틀린 것은?

We all have excuses as to why we can't do something. Ask anyone and he can give you a million excuses why it can't ① do, why he hasn't moved forward on his goals, and on and on. Making up excuses ② takes a lot of energy and time. Since we seem to enjoy ③ making up excuses, I have a great idea. Let's make up positive excuses. Instead of coming up with all kinds of excuses why it won't work, let's focus on why it can work. Excuses like: "There is no time like the present. I am ④ old enough. I am just the person to do the job. I know all the ways ⑤ that it can work." Actually, there are an unlimited number of excuses as to why you can.

02 (A), (B), (C)의 각 네모 안에서 어법에 맞는 표현으로 가장 적절한 것은?

Teachers should attend at least one workshop (A) which / in which Barter professionals give them the tools for teaching playwriting to their students. After receiving classroom instruction on playwriting, students develop plays and submit them to a select group of Barter professionals for feedback and critique. The plays are not to exceed 10 minutes in length. The three winning plays are lightly staged at Barter Theatre by professional actors, and the five honorable-mention plays (B) give / are given a reading. Schools are invited to a morning performance of the plays, where students have the chance to see their peers' work. A nighttime performance, awards ceremony, and reception is open to the public. Writers of the top three plays receive cash prizes and a mentoring session with a Barter professional, which allows the students (C) have / to have valuable one-on-one time with experts in the field of theatre and playwriting. The first-place student's teacher receives two tickets to any performance at Barter Theatre.

	(A)		(B)		(C)
①	which	-	give	-	have
②	which	-	are given	-	to have
③	in which	-	give	-	to have
④	in which	-	are given	-	to have
⑤	in which	-	give	-	have

4문형 동사의 수동태

Toni Blair was given the prize for literature for her poem without others opposing her.

토니 블레어는 다른 이들의 반대 없이 자신의 시로 문학 분야에서 상을 받았다.

토니 블레어는 / 상을 받았다 / 문학 분야에서 / 그녀의 시로 /
Toni Blair **was given** **the prize** for literature for her poem
giving (X)

동사 뒤에 명사가 있지만, 형태가 수동태이다.
→ give가 4문형 동사(수여동사)로 쓰였고, 뒤에 간접 목적어가 없고 직접 목적어만 남아있다.

다른 이들이 그녀를 반대하는 것 없이
without others opposing her.

Words & Phrases

literature
[lítərətʃùər]
문학

poem
[póuəm]
시

oppose
[əpóuz]
반대하다

missing
[mísiŋ]
실종된

required
[rikwáiərd]
필수의

graduation
[græ̀dʒəwéiʃən]
졸업

Grammar Point

4문형 동사의 수동태

보통 능동태와 수동태의 문제를 풀 때, 가장 큰 힌트가 되는 것은 동사 뒤의 명사의 유무이다. 하지만, 동사 뒤의 명사를 목적어로 보는 경향 때문에 해석 없이 목적어의 유무로만 문제를 풀 경우 함정에 빠지게 된다. 4문형 동사의 경우 직접 목적어와 간접 목적어를 모두 가지기 때문에, 수동태로 변할 경우에도 목적어 한 개가 동사 뒤에 남게 되므로 문제를 풀 때 꼭 해석을 해봐야 한다.

Check-up

정답 및 해설 p.42

1. The police were giving / given the information about the missing boy, but they didn't care about it and didn't use it.

2. The students were teaching / taught biology as a required course and were going to take an examination for graduation.

5문형 동사의 수동태

What is considered a status symbol will differ from country to country, from culture to culture.

지위의 상징으로 여겨지는 것은 나라와 문화마다 다를 것이다.

여겨지는 것은 / 지위의 상징으로 / 다를 것이다 /

What **is considered a status symbol** will differ

considers, considering (X) ──▶ 동사 뒤에 명사가 있지만, 형태가 수동태이다.
a status symbol이 목적어가 아닌 목적격 보어이기 때문이다.

/ 나라와 문화마다

from country to country, from culture to culture.

Grammar Point

5문형 동사의 수동태

보통 능동태와 수동태의 문제를 풀 때 가장 큰 힌트가 되는 것은 동사 뒤의 명사의 유무이다. 하지만 동사 뒤의 명사를 목적어로 보는 경향이 크기 때문에 해석 없이 목적어의 유무로만 문제를 풀면 함정에 빠지기 쉽다. 5문형은 동사 뒤에 목적어와 목적격 보어로 두 개의 명사가 올 수 있으므로, 수동태로 변할 경우에도 명사 중 하나는 동사 뒤에 남는다.

Eastern larch, which is often [calling / called] a tamarack, grows from Canada through the eastern United States.

종종 tamarack으로 불리는 동양의 낙엽송은 캐나다에서 미국 동부에 걸쳐 분포한다.

⇒ 〈call A B〉 구문은 'A를 B라고 부르다'라는 뜻으로 A는 목적어, B는 목적격 보어이다. 이 문장은 〈call A B〉가 수동태로 전환된 것이므로 〈A be called B〉의 구조가 된다. 따라서 tamarack은 목적격 보어이므로 수동태인 called가 정답이다.

Words & Phrases

status
[stéitəs]
지위, 상태, 신분

differ from
~와 다르다

culture
[kʌ́ltʃər]
문화

elect
[ilékt]
선출하다

✓ Check-up

정답 및 해설 p.42

1. They knew that a Korean naming / named Suhyun was missing in Paris.

2. He was electing / elected president of United States last December.

EXERCISE

정답 및 해설 p.43

[01-10] 다음 중 어법상 가장 적절한 표현을 고르시오.

01   During the mid-nineteenth century, the Native Americans ｜forbade / were forbidden｜ to leave these areas without a permit.

02   Women in Greece were not ｜allowing / allowed｜ to participate in the Olympic Games.

03   Bike-riders are ｜required / requiring｜ to wear safety equipment such as a hard-shell helmet with chin strap, face shield, goggles, racing suit, gloves, and sturdy shoes.

04   The parent on leave ｜allows to / is allowed to｜ continue with an unpaid leave and a job guarantee for six additional months.

05   Ellen ｜taught / was taught｜ drawing at Oxford, whose teachers praised her wonderful drawing skill.

06   Every company bidding for the projects to rebuild the bridge will ｜give / be given｜ an equal chance in the competition.

07   The chief is ｜ordering / ordered｜ the team members not to be embarrassed after crashing into another car.

08   Loans with KEC Investment Bank can ｜give / be given｜ the company only if it is approved by a banker who has responsibility.

09   A dog ｜does not consider / is not considered｜ good because of his barking, and a man is not
기출응용 clever because of his ability to talk.

10   The exam is over. You will ｜send / be sent｜ the record card next Tuesday.

01 다음 글의 밑줄 친 부분 중, 어법상 틀린 것은?

Some fast-food companies hurt their own profits for providing customers with better value. During the recession, companies set prices low, ① hoping that once customers had come through the door, they would ② persuade to order more expensive items. But in many cases that strategy backfired. Last year Burger King franchisees sued the company over its double-cheeseburger promotion, which claimed it was not fair ③ for them to be asked to sell these for $1 when they cost $1.10 to make. In March, a judge dismissed the suit. Nonetheless, the company may be regretting its decision to promote cheap choices over more expensive ④ ones because items on its value menu now ⑤ account for around 30% of all sales, up from 10% last December.

02 (A), (B), (C)의 각 네모 안에서 어법에 맞는 표현으로 가장 적절한 것은?

Jim performed fieldwork in Lesotho, a small nation in Africa. There, studying and interacting with local villagers, he patiently earned their trust until one day he (A) asked / was asked to join in one of their songs. Jim replied in a soft voice, "I don't sing," and it was true. Although he was an excellent oboe player, he was unable to sing a simple melody. The villagers found his response (B) puzzling / puzzled . They just stared at Jim and said, "What do you mean you don't sing? You talk!" Jim recalls later, "It was as odd to them as if I told them that I couldn't walk or dance, even though I have both my legs." That's (C) why / because singing and dancing were a natural activity in their lives, involving everyone. Their word for singing, ho bina, also means "to dance"; there is no distinction, since it is assumed that singing involves bodily movement.

	(A)		(B)		(C)
①	asked	-	puzzled	-	because
②	was asked	-	puzzling	-	because
③	was asked	-	puzzling	-	why
④	was asked	-	puzzled	-	why
⑤	asked	-	puzzling	-	why

수동태로 쓸 수 없는 동사

The election for the next secretary-general will take place in the first week of May during the board of directors meeting in Mali.

차기 사무총장을 위한 선거는 5월 첫 주에 말리에서 있을 이사회 중에 열릴 것이다.

차기 사무총장을 위한 선거는 / 열릴 것이다 /
The election for the next secretary-general will take place

↓ be taken place (X)

'발생하다'를 의미하는 take place는
수동 불가 동사이다.

5월 첫 주에 / 이사회 중에 / 말리에서
in the first week of May during the board of directors meeting in Mali.

Grammar Point

수동태 불가 동사

다음의 동사들은 수동태로 쓸 수 없는 동사들이다. 반드시 암기하도록 하자.

자동사	rise, sit, lie, arrive, lack, weigh, seem, appear, look
'발생하다'는 의미의 동사	happen, occur, take place, break out, arise
주의해야 할 동사	consist of, result, cost, resemble, suit
수동이 될 것 같이 보이는 동사	disappear, suffer from, belong to

Words & Phrases

election
[ilékʃən]
선거, 선출

secretary-general
사무총장

take place
열리다, 발생하다, 일어나다

awareness
[əwέərnis]
인식

consist of
~로 구성되다

intensive
[inténsiv]
집중적인

customized
[kʌstəmàizd]
개별화된

immersion
[imə́:rʒən]
몰입, 집중

Check-up

정답 및 해설 p.43

1. Gentle exercise increases the flow of blood to the brain, resulting / resulted in increased awareness.

2. These programs consist of / are consisted of a one-year intensive program at a U.S. university followed by a second year of customized, intensive immersion overseas.

주로 수동태로 쓰는 동사

The new department store is located at Highway 57 and Queen Avenue near downtown Detroit, so that many people have shopped there since the opening.

새로운 백화점은 디트로이트 시내와 가까운 57번 간선도로와 퀸 에비뉴에 위치해서 개장 이후로 많은 사람들이 그곳에서 쇼핑을 한다.

새로운 백화점은 / 위치한다 / 57번 간선도로와 퀸 에비뉴에 /

The new department store is located at Highway 57 and Queen Avenue

locating (X) ──▶ 주어인 The new department는 '위치시키다'라는 동작을 할 수 없으므로 수동태가 온다.

디트로이트 시내와 가까운 // 그래서 많은 사람들이 / 쇼핑을 한다 / 거기에서 /

near downtown Detroit, so that many people have shopped there

개장 이후로

since the opening.

Words & Phrases

be located
~에 위치하다

avenue
[ǽvənjùː]
~가, 길

downtown
[dàuntáun]
시내

despicable
[déspikəbl]
비열한

infection
[infékʃən]
감염

particle
[páːrtikl]
부분

Grammar Point

주로 수동태로 쓰는 동사

일반적으로 이 동사들은 주로 수동태로 사용된다.

named, called, located, placed, based

We named our son "Chris." He was named aft er his great-grandfather.

우리는 우리 아들의 이름을 "Chris"라고 지었다. 그의 이름은 증조할아버지의 이름을 따서 지어졌다.

Check-up

정답 및 해설 p.43

1. Nothing is more despicable than love basing / based on money.

2. Leukocytes, commonly calling / called "white blood cells," defend the body against infection by directly attacking infectious particles in the blood.

EXERCISE

[01-10] 다음 중 어법상 가장 적절한 표현을 고르시오.

01
기출응용
That was the advice of Francis Galton in a book ┃ calling / called ┃ *The Art of Travel*.

02
기출응용
You may ┃ belong / be belonged ┃ to a club or organization that nominates candidates and elects officers.

03
Our experiences may ┃ consist / be consisted ┃ of what we feel and think.

04
The peer had a habit of watching every situation that ever ┃ occurred / was occurred ┃ in her life and remarking, "This is good!"

05
We're preparing for a variety of scenarios that may ┃ result / be resulted ┃ from the election.

06
In spite of some differences, several essential parts of your proposal and hers ┃ resemble / are resembled by ┃ each other.

07
Asbestos, commonly ┃ calling / called ┃ the death dust, is a naturally occurring mineral that is flexible, fire resistant, and does not conduct electricity.

08
Researchers said that South Korea ┃ places / is placed ┃ in the middle ranks of countries with economic vitality among the group of 20 nations.

09
All of the scientific methods ┃ consist / are consisted ┃ of setting up hypotheses, gathering documents and verifying results.

10
The situation ┃ looked / was looked ┃ very strange, which caused me not to understand it.

196

01   다음 글의 밑줄 친 부분 중, 어법상 틀린 것은?

Do you want to ensure that you are recruiting the right people for your company? Then, all you need to do ① is jump onto public transport. Dr. Chuck Fawcett, a leading psychologist, said there were definite patterns in people's behavior depending on ② where they tend to sit on a bus. According to him, something as ③ habitual as getting on a bus in their daily routine can reveal what kind of person they are by exposing how they react to situations. He concluded that those at the front seats generally ④ are belonged to forward thinkers and those at the back are rebellious types who do not like their personal space being invaded. Sitting in the middle on a bus ⑤ are independent thinkers—usually younger to middle-aged passengers more likely to read a newspaper or listen to a personal music player.

02   (A), (B), (C)의 각 네모 안에서 어법에 맞는 표현으로 가장 적절한 것은?
기출응용

When people read critical essays, they usually look for "proof." Like scientists who require proof of the sort that they can duplicate in their own laboratories, readers of criticism (A) want / wants access to every process of inference, analysis, and deduction that has led to your conclusions. However, if these requirements (B) placed / were placed on literary analysis, a critical essay would be interminable, since more can always be said about any interpretive point. Therefore, providing persuasive proof of a major point is more effective than attempting to prove every point in the critical essays. Writers' sound and concrete handling of major points makes readers (C) trust / to trust their judgment on lesser matters.

	(A)		(B)		(C)
①	wants	-	placed	-	trust
②	wants	-	placed	-	to trust
③	want	-	were placed	-	to trust
④	wants	-	were placed	-	trust
⑤	want	-	were placed	-	trust

[01~05] 다음 문장 중 어법상 <u>틀린</u> 부분을 고쳐 쓰시오.

01 Subsequently, it became clear that Gobekli Tepe is consisted of not only one, but many such Stone Age temples.

02 Based on what has found so far, the pattern principle appears to be that there are three large monumental pillars in the center of each installation.

03 Students who allow to go to bed later are more likely to suffer from depression —probably for the simple reason that they are not getting enough sleep.

04 Watching how black characters treat on media can affect what we think about race both consciously and unconsciously.

05 The educator, who considers the father of kindergarten, argued that integrating play into educational settings would engage children and foster a long-term interest in learning.

[06~10] 주어진 단어의 형태를 빈칸에 맞게 알맞은 형태로 쓰시오.

06 Rich parents have sent their children to private schools; poor ones knew so little they couldn't understand how badly their children _____ at the public ones. (teach)

07 The gene itself influences credit-card debt in the way other genes have _____ to play a role in breast cancer. (find)

08 Patients with major depressive disease who _____ a placebo saw their symptoms get better. (give)

09 Many school curricula _____ on the old paradigm that knowledge flows from an expert instructor to a passive student. (base)

10 As children's knowledge of relationships grows, children come to see that the world _____ not only of objects but of systems. (make up)

FINAL CHECK

01 다음 글의 밑줄 친 부분 중, 어법상 틀린 것은?

Bulls in Korea don't fight against matadors as they do in Spain, ① <u>nor do</u> they battle to the death. Instead, a bull grapples with another bull in a national sport that dates back to ancient times. On the very day of the fight, some bulls ② <u>feed</u> soju, a distilled beverage native to Korea and traditionally made from rice, to give them a kind of combative spirit. Bullfighting is one of the few sports on which you can legally bet in the country, although gambling isn't the only reason for the healthy audience. Many Koreans are rediscovering the heritage value in ③ <u>what</u> was once seen as an outdated and dying village sport. The feel-good aspect of bullfights ④ <u>is</u> surely part of the draw. A battle of physical strength can be enjoyed without these wonderfully strong creatures ⑤ <u>needing</u> to die.

* matador: 투우사

02 (A), (B), (C)의 각 네모 안에서 어법에 맞는 표현으로 가장 적절한 것은?

기출응용

More than one and a half million tickets have already been sold for the Olympic Games in London this summer. Many have been bought by genuine sports fans. But others have not. Some ticket holders are already selling off their seats on the black market for inflated prices. A ticket for the opening ceremony that originally cost less than $400 (A) is / are now on sale for more than $4,000. This is not supposed to be (B) happening / happened . Olympic rules say people can transfer a ticket to somebody else but not for financial gain. Anyone (C) catching / caught faces a huge fine, but this has not discouraged people from selling their seats openly on the Internet.

	(A)		(B)		(C)
①	is	-	happening	-	catching
②	is	-	happening	-	caught
③	is	-	happened	-	caught
④	are	-	happened	-	caught
⑤	are	-	happened	-	catching

기출응용

다음 글의 밑줄 친 부분 중, 어법상 틀린 것은?

It is surprising just how tolerant some cats and kittens can be with babies and young children, but this is not something you should put to the test. You must teach children ① <u>not to disturb</u> the cat—especially by grabbing at him when he is resting in his bed. Discourage young children ② <u>from picking</u> up kittens and cats, because they may squeeze them too hard around the belly and make them ③ <u>hate being</u> carried for life. Instead, encourage the cat to climb on the child's lap and remain there to be petted. Show children how to stroke the cat and how to pick him up and carry him. The cat should never ④ <u>hold</u> down during these encounters; be sure ⑤ <u>that</u> the child understands that he or she must allow the cat to walk away whenever he wishes.

04

(A), (B), (C)의 각 네모 안에서 어법에 맞는 표현으로 가장 적절한 것은?

Lizu is a 30-year-old man working in a liquid crystal display equipment factory, who came from a small village in Jilin Province in China. Along with his family and everyone else in his village, Lizu was forced to leave the only home he had ever known, (A) because / because of the construction of the world's largest hydroelectric power station in the Yangtze River, known as the Three Gorges Dam. He is not the only one (B) migrating / having migrated from their houses to urban China over last 10 years. There have been millions of people like him. The comfort was his dream in addition to more opportunity to make money and achieve an improved quality of life. It is, of course, true that migrants will have a better income in the city. But it is difficult to say that it is a much better life than he had since (C) that / what is newly injected into their lives along with the increased money is long working hours and increased safety hazards.

	(A)		(B)		(C)
①	because	-	migrating	-	that
②	because	-	having migrated	-	what
③	because of	-	migrating	-	that
④	because of	-	having migrated	-	what
⑤	because of	-	having migrated	-	that

Chapter VIII

05
기출응용

다음 글의 밑줄 친 부분 중, 어법상 틀린 것은?

When you go swimming, you are always ① <u>telling</u> to be careful not to bruise yourself against the rocks. However, fish swimming in the water rarely get bruised, moving through cracks in rocks and the branches of thorny water plants. It's ② <u>because</u> they have scales on their bodies which serve as a protective layer. The toughness of these scales ③ <u>is</u> determined by how harsh the environment is. For example, the scales of fish living in waters ④ <u>where</u> they should protect themselves from ragged surfaces are tough. Some people even use ⑤ <u>them</u> as a substitute for sandpaper. On the other hand, the fish which do not encounter too many rough surfaces have very soft scales.

06

(A), (B), (C)의 각 네모 안에서 어법에 맞는 표현으로 가장 적절한 것은?

In 1995, a special prize for female novelists, called the Orange Prize of Fiction, (A) was / were established in Britain. The point of giving this prize was to encourage women writers and attract more attention to their works. Recently, in order to find out if people's reading habits had changed since the Orange Prize was started, researchers asked a group of 100 British professors and writers about the novels they read. This group included both men and women. All of these 100 people said they supported the Orange Prize and that they never chose or avoided a book because of the author's gender. Nevertheless, it was found that the men mainly read works by other men. When the researchers asked, "What novels by women writers have you read recently?" a majority of the men found (B) hard / it hard to recall or could not answer. However, when (C) asking / asked the same question, many of the women were able to name several book titles. The researchers concluded that although men seem to support the Orange Prize, it appears that they choose to read novels written by men.

	(A)		(B)		(C)
①	was	-	hard	-	asking
②	were	-	hard	-	asked
③	was	-	it hard	-	asked
④	were	-	it hard	-	asking
⑤	was	-	it hard	-	asking

Adjectives,
Adverbs,
Comparatives

형용사 · 부사 · 비교급

few vs. little

There was actually very little interest in the difference between the brain cells of Edison and those of other people.

사실상 에디슨과 다른 사람들의 두뇌 세포 사이의 차이에 대해 관심이 거의 없다.

사실상 관심이 거의 없다 / 차이에 있어서 /
There was actually very | little interest | in the difference

few (X)
interest(관심)는 불가산 명사이기 때문에
little이 왔다.

에디슨의 두뇌 세포와 다른 사람들의 그것들 사이의
between the brain cells of Edison and those of other people.

between A and B : A와 B 사이의

Grammar Point

few vs. little

few와 little은 둘 다 '적은'이라는 뜻이지만, few는 수가 적음을, little은 양이 적음을 나타낸다. 따라서 few 뒤에는 가산 명사의 복수형이, little 뒤에는 불가산 명사의 단수형이 온다.

few + 가산 명사의 복수형　｜　**little** + 불가산 명사의 단수형

There are quite [a few / a little] things that do not exist on this island.

이 섬에는 존재하지 않는 것이 상당수 있다.

⇒ 뒤에 가산 명사인 things가 나오므로 a few가 정답이다.

| Little | boys | were playing soccer in the playground.

어린 소년들이 운동장에서 축구를 하고 있었다.

⇒ little은 '작은, 어린'이라는 뜻으로 쓰일 경우, 가산 명사가 올 수 있다.

Words & Phrases

actually
[ǽktʃuəli]
사실

cell
[sel]
세포; 작은 방; 독방

quite a few
꽤 많은, 상당수의

expert
[ikspə́:rt]
전문가

article
[á:rtikl]
논문, 기사

Check-up

정답 및 해설 p.46

1. | A few / A little | knowledge can lead us to think we are more expert than we really are.

2. I wrote | a few / a little | articles in *The Economist* before this war began.

UNIT
076

many vs. much

There are several reasons why some works, and not others, have become popular, and these reasons have as much to do with the historical availability of music as with its enduring quality. 기출응용

다른 작품들은 아니고 몇몇 작품은 인기가 있는지에 대해서 몇 가지 이유가 있는데,
이것은 음악의 영속성만큼이나 음악의 역사적인 유용성과 많은 관련이 있다.

있다 　　　/ 몇 가지 이유가 　　　// 몇몇 작품들이 　　　/ 다른 작품들은 아니고 　　　/

There are several reasons why some works, and not others,

인기가 있는가에 대한 　　　// 그리고 이 이유들은 　　　/ 많은 관련이 있다 　　　/

have become popular, and these reasons have as ⬚much⬚ to do with

관련이 많다는 것은 셀 수 없는 '정도'를 나타내므로
much를 사용한다.

음악의 역사적 유용성과 　　　　　　/ 그것의 영속성과 관련이 있는 것만큼

the historical availability of music as with its enduring quality.

Words & Phrases

several
[sévərəl]
몇몇의

as much as
~ 만큼

have much to do with
~와 상당한 관계가 있다

availability
[əvèiləbíləti]
이용 가능성, 유용성

quality
[kwáləti]
품질, 질

alternative
[ɔːltə́ːrnətiv]
대안, 대안품

historian
[histɔ́ːriən]
역사가

Grammar Point

many vs. much

many는 가산 명사의 복수형과 쓰며 '수의 많음'을 나타내고, much는 불가산 명사의 단수형과 쓰며 '양의 많음'을 나타낸다. 대명사로 쓸 경우 many는 복수 동사로 받고, much는 단수 동사로 받는다.

research의 형태가 단수이므로 much가 온다.　　　　주어가 much이므로 동사는 focuses가 온다.

⬚Much⬚ of today's research on alternatives to gasoline ⬚focuses⬚ on three types of fuel.

가솔린의 대체 물질에 대한 오늘날의 연구 중 상당수는 세 가지 형태의 연료에 집중돼 있다.

There are many more right-handed people than left-handed people.

왼손잡이보다 오른손잡이가 더 많다.

✓Check-up

정답 및 해설 p.46

1. ⬚Much / Many⬚ of what scholars have learned about ancient Rome comes from the writings of past historians. 기출응용

2. Holding the hand of an unknown man reduced the pain a little but not as ⬚many / much⬚ as holding the husband's hand. 기출응용

[01-10] 다음 중 어법상 가장 적절한 표현을 고르시오.

01   Much / Many   of what people know about genetics was found by the biologist and monk, Gregor Mendel of Austria.

02   Too   much / many   of comparing yourself with others leads to jealousy, especially if you're ungenerous toward yourself.

03   Few / Little   is known, nevertheless, about the painting which they drew a few centuries ago.

04   Much / Many   evidence indicates a relation between sex hormones and mental disorders over a life span.

05   Few / Little   of our great newspapers or magazines could support themselves by their subscriptions alone.

06   On the surface, effective listening might seem to require   a few / a little   more than an acute sense of hearing.

07   The first children's story which Andersen made came out in a cheap   few / little   book, which gained big success.

08   At the end of the round of introductions, the students were asked to write down the name of as   much / many   other students as they could remember.

09   Since most of you are working on a word processor, it seems silly to spend too   much / many   time on spelling.

10   Much / Many   of what he says to us is not understandable, so that we always ask him to explain it.

01 다음 글의 밑줄 친 부분 중, 어법상 틀린 것은?

Patience Lovell Wright was a successful artist who specialized in creating wax figures of famous people. Although Patience had received ① <u>few</u> formal education and what she knew about art was ② <u>mostly</u> self-taught, she was very skilled, and her work quickly became popular. She was also a devoted Patriot. When the war broke out, she immediately began to work for the Continental Army. She easily picked up information not only from her clients but also from women ③ <u>with whom</u> she socialized often. Patience thrived on danger. Toward the end of the American Revolution, she became deeply involved in a plot to overthrow the government. Without financial backing, the plotters were forced to abandon their plan. Patience consoled ④ <u>herself</u> by recognizing the part she ⑤ <u>had played</u> in the American Revolution as one of the Patriots' most colorful spies.

* **Patriot**: (독립전쟁 당시의) 애국단원

02 (A), (B), (C)의 각 네모 안에서 어법에 맞는 표현으로 가장 적절한 것은?

Consider the following implication involving the role of social bonds and affection among group members. If strong bonds make even a single dissent less likely, the performance of groups and institutions will be impaired. A study of investment clubs showed that the worst-performing clubs were (A) | building / built | on affective ties and were primarily social, while the best-performing clubs limited social connections and focused on making money. Dissent was far more frequent in the high-performing clubs. The low performers usually voted unanimously, with (B) | few / little | open debate. The central problem is that the voters in low-performing groups were trying to build social cohesion rather than (C) | producing / produce | the highest returns.

	(A)		(B)		(C)
①	building	-	few	-	producing
②	building	-	little	-	produce
③	built	-	little	-	produce
④	built	-	little	-	producing
⑤	built	-	few	-	produce

077

most의 용법

Most of those arriving to take the test were accompanied by one or more parents although they were grown-ups.

시험을 보기 위해 도착한 사람 대부분은 성인이었음에도 불구하고 한 명 이상의 부모와 동행했다.

사람들 중 대부분은 ↓　　　　/ 시험을 보기 위하여 도착하는　　　　/ ~와 동행했다　　　　/

| Most of those | arriving to take the test | were | accompanied by |

was (X)

대명사로 쓰여 '대부분'을 나타낸다. 이때 동사는
of 뒤에 오는 명사의 수에 일치시킨다.

한 명 또는 그 이상의 부모　　　// 비록 그들이 성인이었음에도 불구하고

one or more parents although they were grown-ups.

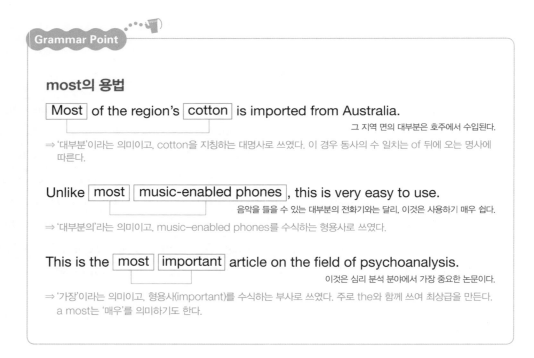

Grammar Point

most의 용법

Most of the region's cotton is imported from Australia.

그 지역 면의 대부분은 호주에서 수입된다.

⇒ '대부분'이라는 의미이고, cotton을 지칭하는 대명사로 쓰였다. 이 경우 동사의 수 일치는 of 뒤에 오는 명사에 따른다.

Unlike most music-enabled phones, this is very easy to use.

음악을 들을 수 있는 대부분의 전화기와는 달리, 이것은 사용하기 매우 쉽다.

⇒ '대부분의'라는 의미이고, music-enabled phones를 수식하는 형용사로 쓰였다.

This is the most important article on the field of psychoanalysis.

이것은 심리 분석 분야에서 가장 중요한 논문이다.

⇒ '가장'이라는 의미이고, 형용사(important)를 수식하는 부사로 쓰였다. 주로 the와 함께 쓰여 최상급을 만든다.
a most는 '매우'를 의미하기도 한다.

Words & Phrases

accompany
[əkʌ́mpəni]
동행하다

grown-up
성인

transmission
[trænsmíʃən]
전달, 전송

previously
[prí:viəsli]
이전에

inefficient
[ìnifíʃənt]
비효율적인

✓Check-up
정답 및 해설 p.47

1. The most / Most common transmission route became clear.

2. The most / Most of the plans are the same as others that previously proved inefficient.

UNIT

078

almost vs. most vs. the most

These Kong Mountains, as he called them, were drawn on almost all maps of Africa in the nineteenth century. 기출응용

콩 산맥은 그가 산맥을 불렀던 대로 19세기 아프리카의 거의 모든 지도에 그려졌다.

이 콩 산맥은 　　　　　// 그가 산맥을 그렇게 부르는 // 것처럼 그려졌다 　/

These Kong Mountains, as he called them, were drawn on

아프리카의 거의 모든 지도에 　　　　　/ 19세기에

almost all maps of Africa in the nineteenth century.

most all (X)

└─ all이 나왔으므로 almost가 적절하다.
　　almost 대신 most를 쓰려면 all most 구문으로 써야 한다.

Grammar Point

almost vs. most

almost는 '거의'라는 부사로 주로 all, everything, nothing처럼 '전부'를 가리키는 어휘나 숫자와 같이 쓴다. as if와도 잘 어울리는 부사이다.

most는 '대부분'이라는 의미의 대명사, '대부분의'라는 의미의 형용사, '가장'이라는 의미의 부사로 쓴다. 〈most of the[this / one's]+명사〉의 형태로도 쓴다.

almost	most
+ all, everything + always + nothing + 숫자 + as if	+ 명사 + of the + 명사 *the most + 형용사 / 부사 (최상급 표현)

cf.) mostly: '대개', '거의'라는 의미의 부사

Words & Phrases

draw
[drɔː]
그리다; 당기다

entirely
[intàiərli]
완전히

destruct
[distrʌkt]
~을 지령 파괴하다

promote
[prəmóut]
홍보하다

performance
[pərfɔ́ːrməns]
공연

✅ Check-up

정답 및 해설 p.47

1. Within one year, the war was completed, and the Japanese army had
   [most / almost] entirely destroyed the Chinese one.

2. [Most / Almost] musicians promote their music through live performances.

EXERCISE

정답 및 해설 p.47

[01-10] 다음 중 어법상 가장 적절한 표현을 고르시오.

01 American Indians have been one of most / the most deprived groups in the United States.

02 Researchers found that the individual fish responds almost / most instantly to the movements of its neighbors in the school.

03 Internet telephone service now makes it possible to telephone around the world at most / almost no cost.

04 I think most / the most special thing about college is not just what you do in class but what you do out of class.

05 Almost / Most every language, especially Korean, has specific parts that are abundant in vocabulary and idioms.

06 Each habitat is the home of numerous species, almost / most of which depend on the habitat.

07 They are working from the bottom up, and most / almost chemists attempt to create structure by connection molecules.

08 Begin by reminding yourself that most / almost no one can save enough to pay for several years of private education, let alone for more than one child.

09 Most / Almost from the beginning, teens have been required to reflect on something close to their lives—such as the customs of their neighborhoods or their coming-of-age rituals.

10 Even if your style changes and that kitchen table isn't your thing anymore, a good strong table will most / almost always be appealing to someone else, while a broken and unfixable one probably won't.

01
기출응용

다음 글의 밑줄 친 부분 중, 어법상 틀린 것은?

① Almost runaways come from homes in which there are clear problems, though there are cases ② where there has been little obvious trouble in the home. Nevertheless, it is important ③ for parents to be aware of the possibility that their child may run away and to notice the changes that often precede it. One major indication is a sudden change in behavior. This change may be one of eating or sleeping habits. Changes in social habits can also indicate problems, particularly when a teenager becomes ④ withdrawn from friends and outside contacts. If a young person begins ⑤ to show sudden mood swings, there is a good chance that he or she is undergoing some sort of stress that is difficult to resolve.

02

(A), (B), (C)의 각 네모 안에서 어법에 맞는 표현으로 가장 적절한 것은?

Consider the idea that all children have their own specific learning styles. Some are "auditory learners" and others are "visual ones"; some are "right-brain students," the others are "left-brain ones." In a current study (A) | publishing / published | in the journal *Psychological Science*, a group of psychologists discovered (B) | most / almost | no ground for such ideas. "The difference between the immense popularity of the learning-styles approach within education and the lack of reliable evidence for its utility (C) | is / are | shocking and disturbing," the researchers reported.

	(A)		(B)		(C)
①	publishing	-	most	-	is
②	published	-	most	-	are
③	publishing	-	almost	-	are
④	published	-	almost	-	are
⑤	published	-	almost	-	is

형용사 vs. 부사

Erosion of bedrock by glaciers and deposits of the eroded materials are characteristic and easily recognizable. 기출응용

빙하와 침식된 물질의 퇴적물로 인한 기반암의 침식은 독특하며 쉽게 알아볼 수 있다.

기반암의 침식은　　　　　/ 빙하와　　　　　/ 침식된 물질의 퇴적물로 인한　　　　　/
Erosion of bedrock by glaciers and deposits of the eroded materials

독특하고 쉽게 알아볼 수 있다
are characteristic and │ easily │ recognizable.
　　　　　　　　　　　└ easy (X) ┘　　↑
　　　　　　　　　　형용사인 recognizable을 수식하므로
　　　　　　　　　　부사가 와야 한다.

Words & Phrases

erosion
[iróuʒən]
침식

bedrock
[bédràk]
기반암

glacier
[gléiʃər]
빙하

deposit
[dipázit]
퇴적물

erode
[iróud]
침식하다

characteristic
[kæriktərístik]
독특한, 특징적인

recognizable
[rékəgnàizəbl]
알아볼 수 있는

seemingly
[síːmiŋli]
겉보기에, 외관상

constant
[kánstənt]
지속적인

deplete
[diplíːt]
고갈되다

Grammar Point

형용사 vs. 부사

형용사와 부사 중에서 고르는 문제는 시험에 꼭 나오는 항목이다.
일반적으로 가장 정확한 방법은 해석을 한 후 형용사나 부사가 어떤 것을 수식하는지 파악하는 것이다.

When we see a friend or a family member enjoying a [seeming / seemingly] perfect relationship with others, we may begin to question our own.

친구나 가족이 겉보기에 다른 사람과 완벽한 관계를 즐기는 것을 볼 때, 우리 자신의 관계에 의문을 품기 시작할 것이다.

⇒ '겉보기에 완벽한'이라는 의미로 수식을 받는 것은 형용사인 perfect이므로 부사인 seemingly가 정답이다.

Check-up
정답 및 해설 p.47

1. Once the dinner is complete, you ought to place your napkin │ neat / neatly │ on the table next to your dinner plate.

2. The body is in │ constant / constantly │ danger of being depleted by a greedy brain.

080

형용사 vs. 부사 - 3문형 동사

Officials who refused to take the disease seriously or who insisted that it did not exist in their countries made the situation even more difficult.

그 질병을 심각하게 받아들이는 것을 거부하거나 자국에서는 나타나지 않았다고 주장하는 정부 관리들은 그 상황을 훨씬 더 어렵게 만들었다.

정부 관리들은   //거부했거나   / 그 질병을 심각하게 받아들이는 것을   //

Officials | who | refused to take the disease | seriously | or
주어   serious (X)

Official을 수식하는 절을 이끄는   seriously가 동사인 take를 수식하므로 부사가 오는 것이 옳다.
주격 관계대명사 ①   take something seriously '~을 심각하게 생각하다'

주장했던   // 그것이 존재하지 않았다고   / 자신들의 나라에서는   /

who | insisted that it did not exist in their countries

Official을 수식하는 절을 이끄는
주격 관계대명사 ②

만들었다   / 그 상황을 훨씬 더 어렵게

made | the situation even more difficult.
본동사

Grammar Point

형용사 vs. 부사 – 3문형 동사

〈동사+명사+형용사/부사〉 문제에서는 동사가 중요한 역할을 한다. 어떤 문형의 동사인지를 알아야 명사 뒤에 오는 것이 형용사인지 부사인지 알 수 있는데, 3문형 동사 뒤에는 대부분 부사가 온다.

Someday doctors will diagnose diseases [different / differently], or we will not need them at all.

언젠가 의사들이 병을 다르게 진단할 것이다. 그렇지 않으면 우리는 전혀 그들을 필요로 하지 않을 것이다.

⇒ differently가 동사인 diagnose를 수식하므로 부사가 오는 것이 옳다.

Words & Phrases

refuse
[rifjúz]
거절하다

take A seriously
A를 심각하게 생각하다

diagnose
[dáiəgnòus]
진단하다

productive
[prədʌ́ktiv]
생산적인

✅ Check-up

정답 및 해설 p.47

1. As one of the most productive composers, Schubert wrote music as free / freely as one would write a friendly letter. 기출응용

2. Her injuries looked pretty serious / seriously , and she was sent to the general hospital.

EXERCISE

[01-10] 다음 중 어법상 가장 적절한 표현을 고르시오.

01 This fitness center will provide a diet program based on quality foods and a nutritional / nutritionally balanced meal plan.

02 These courses are arranged alphabetical / alphabetically by each department in order that the student may choose which courses he wants to take.

03 It worked wonderful / wonderfully well before the world economy tanked last year.

04 We all feel the need to check again sometimes, to reassure ourselves that we didn't neglect a possible / possibly dangerous problem.

05 Spoken English may sound very rapid / rapidly and you can't understand what Americans speak to you.

06 A clean sheet of paper is lying in front of you, and you have to fill it up. Suddenly, your mind may seem as blank / blankly as the paper.

07 Your eyes should move very quick / quickly over the pages and you should read only the parts of the text.

08 This book never offers readers classical / classically constructed arguments, just facts and pictures.

09 With his distinguished medical studies, James proved that women could indeed think and work as good / well as men.

10 The roads around the University of Texas are designed with clear / clearly marked bike lanes.

214

01 다음 글의 밑줄 친 부분 중, 어법상 틀린 것은?

Concern over the environmental impact of ① burning fossil fuels has helped spur interest in an alternative fuel. As for this issue, I strongly believe that we should choose biomass as an alternative fuel. Biomass is plant-derived material usable as a renewable energy source ② which does not deplete existing supplies. It contains ③ almost no sulfur, little ash, and gives off few pollutants, so it is very clean. Another good point is that it is readily available and in large supply because plants are probably one of ④ the richest resources in the world. Most of all, biomass technology is simple, so biomass can be burned as ⑤ easy as coal. I believe one day it will replace fossil fuels.

02 (A), (B), (C)의 각 네모 안에서 어법에 맞는 표현으로 가장 적절한 것은?

We live, work, learn, and play in a (A) ⌐ rapid / rapidly ⌐ changing communication world. Mobile phones deliver not only voice but also text messages and photos. Digital devices, such as digital cameras and camcorders, take video clips as well as pictures. They allow us (B) ⌐ access / to access ⌐ the Internet anywhere with a wireless network system. Under this environment, all of us can interact with language in web-based communication. New forms of discourse (C) ⌐ arise / arises ⌐ from e-mail, blogs, instant messaging, and chat rooms. They enable us to cross national boundaries.

	(A)		(B)		(C)
①	rapid	-	access	-	arise
②	rapid	-	to access	-	arises
③	rapidly	-	to access	-	arise
④	rapidly	-	access	-	arises
⑤	rapidly	-	to access	-	arises

형용사 vs. 부사 - 1, 2, 3문형 동사

The soar in oil prices to near-record levels can appear strange, even suspicious, especially given no major news to explain it.

거의 기록적인 석유 가격의 급등은 특히 이를 설명할 수 있는 큰 뉴스가 없다는 점을 고려한다면 이상하게 보일 수 있으며 심지어 의심스러울 수도 있다.

석유 가격의 급등은 / 거의 기록적인 수준 / 이상하게 보일 수도 있고 /

The soar in oil prices to near-record levels can appear strange ,

strangely (X)

우리말로는 '이상하게'로 해석이 되지만, 2문형 동사인 appear의 주격 보어 자리이므로 형용사인 strange가 온다.

심지어 의심스러울 수도 있다 / 특히 어떠한 큰 뉴스가 없다는 점을 고려한다면 / 그것을 설명할 수 있는

even suspicious, especially given no major news to explain it .

Grammar Point

형용사 vs. 부사 - 1, 2, 3문형 동사

동사 뒤에 오는 형용사와 부사 문제는 해석을 통해서가 아니라 문장 형식을 파악하여 답을 골라야 하는 경우가 많다. 2문형 동사 뒤는 주어를 수식하는 주격 보어 자리이므로 형용사가, 1, 3문형 동사 뒤는 동사나 문장 전체를 수식하는 부사가 온다.

Mother's hands felt hard and [harsh / harshly] at the slightest touch.

어머니의 손은 살짝만 닿아도 딱딱하고 거칠게 느껴졌다.

⇒ 우리말로는 '거칠게'라고 해석이 되지만, felt가 2문형 동사이고 주어인 Mother's hands의 상태를 설명하는 주격 보어 자리이므로 harsh가 옳다.

cf.) They seemed really fascinated by the old palace. 그들은 옛 궁에 정말로 매료된 것 같았다.
⇒ really는 2문형 동사인 seemed 다음에 나왔지만 주격 보어가 아니라 형용사(fascinated)를 수식하는 부사이다.

He worked [diligent / diligently] all morning and finally finished building a house for his dog.

그는 아침 내내 부지런히 일해서 드디어 개집 짓기를 끝마쳤다.

⇒ '부지런히 일했다'는 뜻으로 동사(worked)를 수식하므로 부사인 diligently가 정답이다.

Words & Phrases

near-record level
기록적인 수준

suspicious
[səspíʃəs]
의심스러운, 의심하는

given
[gívən]
~을 고려하면; 주어진; ~이라고 가정하면

explain
[ikspléin]
설명하다

harsh
[hɑːrʃ]
가혹한

loan
[loun]
대출금; 차관; 융자

run short
부족하다, 떨어지다

Check-up

정답 및 해설 p.48

1. The long-term loans for small business are running short / shortly .

2. Tom and Dean were born as twins, but they became different / differently when they grew up.

082 형용사 vs. 부사 – 5문형 동사

In some colleges, coed dormitories make it easy for young people to meet, which can be a problem.

어떤 대학에서는 남녀 공학 기숙사가 젊은이들이 만나는 것을 쉽게 해주는데, 그것은 문제가 될 수 있다.

어떤 대학에서는 / 남녀 공학 기숙사가 / 만든다 /
In some colleges, coed dormitories make it

〈make+목적어+목적격 보어〉 구문에서 to부정사가 목적어로 나왔으므로
가목적어 it이 사용되고, 진목적어인 for young ~ to meet이 뒤로 갔다.

쉽게 / 젊은 이들이 만나는 것을 // 그것은 문제가 될 수 있다
easy **for young people to meet** , **which** **can be a problem.**
easily (X)
우리말로는 '쉽게' 라고 해석되어 부사 같지만,   앞 문장을 선행사로 받는 계속적
진목적어인 명사구를 보충 설명해 주는 목적격   용법의 주격 관계대명사
보어 자리이므로 형용사가 온다.

Grammar Point

형용사 vs. 부사 – 5문형 동사

5문형 동사는 〈동사+명사+형용사〉구조로 쓰이며, 이에 해당하는 동사는 make, keep, find, consider, think, leave 등이 있다. 5문형 동사의 경우 명사(목적어) 뒤의 형용사나 부사를 고르는 문제가 자주 출제된다. 해석을 했을 때 명사를 보충 설명해주는 목적격 보어라면 형용사를, 동사나 문장 전체를 수식해 준다면 부사를 선택한다.

As we grew older, Mom made sure we did our part by keeping our rooms [neat / neatly]. 기출응용

우리가 성장함에 따라, 엄마는 우리에게 방을 깨끗이 유지하는 것으로 제 할 일을 확실히 하게 했다.
⇒ keep은 5문형 동사이고 〈keep+명사+형용사〉 구조이므로 neat가 옳다.

Her stay in England was made pleasant by the gift of a car from a friend in New York which was there when she landed.

뉴욕에 있는 친구로부터의 차 선물이 그녀가 도착했을 때 거기에 있어서 영국 체류가 즐거워 졌다.
⇒ 5문형이 수동태일때 동사 바로 뒤에 형용사가 올 수 있다는 사실에 주의하자.

Words & Phrases

coed
[kóuéd]
남녀 공학의

dormitory
[dɔ́ːrmitɔ̀ːri]
기숙사

pleasant
[plézənt]
즐거운

imply
[implái]
암시하다

dirt
[dəːrt]
먼지

✔Check-up

정답 및 해설 p.48

1. Don't imply a connection based on the fact that people consider both of them strange / strangely .

2. Two hoses will be enough for us to make our house free / freely of any dirt.

EXERCISE

[01-10] 다음 중 어법상 가장 적절한 표현을 고르시오.

01
기출응용
This, in turn, produces more heat in an attempt to keep your body temperature
stable / stably .

02 Space scientists cooperate with other researchers in the construction field to find ways to make this warning system useful / usefully .

03 "I have fellows who would spend more than 5 hours a week having a conversation with friends at a coffee shop when they don't attend a class," said Judy, 24, pointing to time that she considered wasteful / wastefully .

04 The ordering system was even faster, making distribution for inventory more efficient / efficiently .

05 The government serious / seriously considered limiting mortgages for entire households.

06 Long hair style usually makes girls look pure and innocent / purely and innocently to boys.

07 No matter how insignificant the matters may be, the board will have to take them serious / seriously .

08 It may sound simple / simply , but for some people, it is not easy to fill out the whole answer card in time.

09 A body becomes so massive / massively that even light cannot escape from the powerful gravitational pull called a black hole.

10 Judy stood in line for the ticket over two hours and felt unhappy / unhappily then.

01 다음 글의 밑줄 친 부분 중, 어법상 틀린 것은?

A very critical skill in a discussion is efficient turn-taking. This means that you need to know ① how to get your turn at speaking and also give others a chance to speak. One difficulty in taking turns ② is to know when it is proper to cut in. Generally, once one is speaking, that person ③ is allowed to finish his or her turn. An interruption at the wrong moment can sound very rude. However, there are times in a discussion when interrupting may be acceptable. For instance, you may not hear or understand something the speaker has said, or you may want to add a quick comment. In general, it is not considered ④ politely for two people to talk at the same time during a discussion in English. For that reason, you should stop ⑤ talking almost immediately when someone interrupts you.

02 (A), (B), (C)의 각 네모 안에서 어법에 맞는 표현으로 가장 적절한 것은?

기출응용

Some kinds of spiders weave thick white bands of silk across the centers of their webs. The purpose of these extra bands (A) ⌐is / are⌐ to prevent birds and large insects from damaging the webs. The bands make the webs many times more (B) ⌐visible / visibly⌐. Scientists discovered the purpose of the extra bands while observing the spiders in Florida. They noticed that songbirds would change their flight directions suddenly just before flying into clearly marked webs. The white bands seemed to serve as markers to warn off birds that might tear the webs. The birds themselves benefited from noticing the webs. Flying into the webs left their feathers (C) ⌐covering / covered⌐ with sticky threads. The same phenomenon was observed in the case of butterflies and other large insects as well.

	(A)		(B)		(C)
①	is	-	visible	-	covering
②	are	-	visible	-	covered
③	is	-	visible	-	covered
④	are	-	visibly	-	covering
⑤	is	-	visibly	-	covering

live vs. alive

The Hopi Indians perform ritual dances with live rattlesnakes in their mouths, which is considered curious to some.

호피 인디언들은 살아 있는 방울뱀을 입 속에 넣은 채 의식을 위한 춤을 추는데, 이것은 어떤 사람에게는 기이하게 여겨진다.

호피 인디언들은 　　　　　 / 의식을 위한 춤을 춘다 　　　 / 살아 있는 방울뱀을 넣은 채 　　　 /
The Hopi Indians perform ritual dances with live rattlesnakes

명사를 수식하므로 alive가 아닌 live가 온다.

입 속에 　　　　　　　 // 이것은 어떤 사람에게는 기이하게 여겨진다.
in their mouths, which is considered curious to some.

Grammar Point

live vs. alive

alive와 live처럼 a로 시작하는 형용사와 a를 뺀 형용사는 서로 비슷한 뜻을 지닌다. a가 없는 형용사는 명사를 수식하는 한정적 용법과 보어 역할을 하는 서술적 용법으로 모두 쓰고, 'a- 형용사'는 주로 명사를 직접 수식하지 않고 서술적 용법으로 쓴다.

live 명사 수식 가능	alive 명사 수식 불가능
like, sleeping, lonely	alike, asleep, alone

cf.) like 유사한, 같은(한정적으로만 쓰임) / lonely 외로운, 고독한 / alone 홀로, 외로이

Field hockey is like soccer in that both are fast-paced.

필드 하키는 빠른 속도 면에서 축구와 같다.

Many words sound alike but have different meanings.

많은 단어는 소리는 같지만, 다른 의미를 가진다.

Hosoka's lonely trip to the North Pole in 1978 captured the imagination of the whole world.

1978년 Hosoka의 북극으로의 외로운 여행은 전 세계의 상상력을 사로잡았다.

Words & Phrases

perform
[pərfɔ́ːrm]
공연하다, 연기하다

ritual
[rítʃuəl]
의식적인

rattlesnake
[rǽtlsnèik]
방울뱀

curious
[kjú(ː)əriəs]
기이한; 호기심이 있는

in that
~라는 점에서

combustion
[kəmbʌ́stʃən]
연소

by-product
[bai prɑ́dʌkt]
부산물

oxygen free radical
[ɑ́ksidʒen fri: rǽdikəl]
활성 산소

Check-up

정답 및 해설 p.49

1. Helen made everyone smile and feel good, customers and co-workers like / alike . 기출응용

2. The combustion of oxygen that keeps us live / alive and active sends out by-products called oxygen free radicals.

220

much vs. very

Hardin County, the home of Abraham Lincoln, is much praised for its splendid views of the Illinois countryside.

에이브러햄 링컨의 고향인 하딘 카운티는 일리노이 시골 지역의 놀라운 경치 덕분에 많은 찬사를 받는다.

하딘 카운티 / 에이브러햄 링컨의 고향인 / 많은 찬사를 받는다 /
Hardin County, the home of Abraham Lincoln, is | much | praised |

very (X)

과거분사 praised를 수식하므로 much가 왔다.

그 놀라운 경치 덕분에 / 일리노이 시골의
for its splendid views of the Illinois countryside.

Grammar Point

much vs. very

much는 과거분사와 비교급, very는 형용사, 부사, 현재분사, 형용사화된 과거분사를 각각 수식한다.

much	과거분사 비교급 수식 동사	very	현재분사 형용사화된 과거분사 형용사, 부사
much discussed / much bigger / work too much		very fast / very interesting / very tired	

cf.) 비교급을 수식할 경우, very나 too가 아닌 much, a lot, far, even, still, a little (bit)로 수식을 해야 한다.

✓Check-up

정답 및 해설 p.49

1. It can also happen that one's memories grow | much / very | sharper even after a long passage of time. 기출응용

2. His prepared speech wasn't supposed to offend his people, not even to raise an issue, although sounding | much / very | menacing.

Words & Phrases

splendid
[spléndid]
멋진, 훌륭한, 화려한

view
[vju:]
광경, 견해, 보다

passage
[pǽsidʒ]
흐름; 여행; 구절; 통행

menacing
[ménisiŋ]
위협적인

[01-10] 다음 중 어법상 가장 적절한 표현을 고르시오.

01   Climate affects our behavior many / much more than we realize.

02   Jason charmed friends and strangers alike / like into giving him food and shelter.

03   The earth will be a(n) lonely / alone place to live because computers will take our place.

04   If these disparities are in susceptible characteristics like / alike personality or intelligence, real trouble could ensue.

05   Most are employed in traditional fields for females like / alike clerk, sales, education, and service.

06   At the corner sits a lively / alive pub called Three Hogs dating from 1826 with small wooden booths where you can have dinner of pork sausage and good wine.

07   Jeju Island, called an island of world peace, is much / very admired today for its scenic beauty.

08   Robots can see, and in fact they can see much / very better than humans, but they don't understand what they are seeing.

09   The professor bitterly lays out a constant conflict in which teachers and students alike / like confront each other every day.

10   Mr. Lula succeeded at the polls with support from progressives and conservatives alike / like .

01 다음 글의 밑줄 친 부분 중, 어법상 틀린 것은?

Please note that we can suspect some tendencies of being psychological hiding for the opposite tendency. The thing about reaction formation is ① that it is always an overcompensation, an exaggerated reaction. Compensatory attitudes are a leaning over backwards to avoid ② tipping forward. This kind of compensation, once ③ setting in motion, always results in an exaggeration or extreme. It is consequently only exaggerated behavior of any kind, ④ which is suspect of being a compensatory "reaction formation." For example, it seems that a dogmatist thinks that he is never wrong, but in fact he is not at all sure of himself. Actually, he hates his indecisive character and his weakness ⑤ alike. In conclusion, exaggerated behavior usually means that the opposite of what it implies.

02 (A), (B), (C)의 각 네모 안에서 어법에 맞는 표현으로 가장 적절한 것은?
기출응용

The ancient Greeks recorded that a tribe of people in Africa had to use axes to harvest their crops and that birds frequently picked up the tribesmen and flew away with them, all of (A) them / which were untrue. The truth is that these people have babies who are born of normal size, and their children grow up like children anywhere else in the world, but whereas when we are adolescents we suddenly grow (B) very / much taller, these people don't. They are never more than one meter fifty centimeters tall. Scientists don't know why (C) does this happen / this happens , but it does make them an ideal size for moving fast and silently through the tropical forests where they live. It seems that they've made a successful adjustment to their environment.

	(A)		(B)		(C)
①	them	-	very	-	does this happen
②	which	-	very	-	this happens
③	them	-	much	-	this happens
④	which	-	much	-	this happens
⑤	them	-	much	-	does this happen

as+형용사/부사의 원급+as

English education is a huge business, with parents willing to spend a great amount of money as long as their children become fluent as early as possible.

영어 교육은 자신의 아이들이 가능한 한 빨리 유창해지기만 한다면 학부모들이 기꺼이 많은 돈을 소비하는 거대한 사업이다.

영어 교육은   / 거대한 사업이다   / 학부모들이 있는   / 기꺼이 소비하는   /

English education is a huge business, with parents willing to spend

많은 돈을   // 한다면   / 자신의 아이들이 /

a great amount of money as long as their children

가능한 한 일찍 유창하게 되기만

become fluent as | early | as possible.

earlier, earliest (X)

as ~ as 안에는 형용사나 부사의 원급이 와야 한다.

Grammar Point

〈as+형용사/부사의 원급+as〉

as ~ as 구문은 일종의 비교급으로 비교하는 두 대상의 정도가 같음을 나타내는 동등 비교이다.
as ~ as 사이에는 형용사와 부사의 원급이 들어가야 한다.

This tower is | as tall as | that.

as taller as (X)   이 탑은 저것만큼 높다.

You should try to study | as hard as | Jack.

as harder as (X)   당신은 Jack만큼 열심히 공부해야 한다.

Words & Phrases

as long as
~ 하는 한, ~하기만 하면

fluent
[flú(:)ənt]
유창한

rally
[rǽli]
경주, 랠리

participant
[pɑːrtísəpənt]
참가자

Check-up

정답 및 해설 p.50

1. Some rallies have drawn as | many / more | as 35,000 participants.

2. Far from walking as | fast / fastest | as my husband, I could not even walk faster than my boy.

형용사의 원급과 비교급

The report indicates that small businesses are a greater source of innovation and development than large businesses.

그 보고서는 중소기업이 대기업보다 더 거대한 혁신과 개발의 원천이라는 점을 나타낸다.

그 보고서는 나타낸다 // 중소기업은 / 이다 / 더 거대한 원천 /
The report indicates that small businesses are a greater source

great (X)

뒤에 than이 있기 때문에
비교급이 와야 한다.

혁신과 개발의 / 대기업보다
of innovation and development than large businesses.

Words & Phrases

indicate
[índəkèit]
가리키다, 지시하다

innovation
[ìnəvéiʃən]
혁신

development
[divéləpmənt]
발전, 개발

stress
[stres]
강조하다; 스트레스

financial
[finǽnʃəl]
재정의

fluctuation
[flʌ̀ktʃuéiʃən]
변동

conglomerate
[kənglámərit]
대기업

Grammar Point

형용사의 원급과 비교급

형용사의 원급과 비교급 문제는 뒤에 힌트가 주어진다. 비교급의 경우는 뒤에 반드시 than이 오며, than이 없다면 대부분 원급이 정답이다.

English class here puts [more / much] stress on conversation than on reading.

이곳의 영어 수업은 읽기보다 회화에 더 강조를 두고 있다.

⇒ 뒤에 than이 있으므로 앞의 형용사는 비교급이 되어야 한다.

Check-up

정답 및 해설 p.50

1. South Korea's small-sized companies will face large / larger financial fluctuations than conglomerates when International Financial Reporting Standards that were introduced in 2012 are applied.

2. The research center tried to get as many / more as 100 people keeping pets.

[01-10] 다음 중 어법상 가장 적절한 표현을 고르시오.

01 A baby food jar holds about as | much / more | as a big tube, and the jars are free.

02 The incident immediately sparked debate about whether drivers as | old / older | as Uncle Walter should still be behind the wheel.

03 Participate in a coin show and visit as | many / more | booths as possible to get help for how different dealers grade their coins.

04 Company A was assigned more than six times as | more / many | patents as company F during the period from 2008 to 2010, but the two companies received the same number of patents in 2011.

05 I don't feel as excited at this game | as / than | I felt at the last game.

06 Older drivers are in more deadly accidents per mile driven | as / than | any other demographic group—except for teenage males.

07 It might be a | good / better | idea to save your $100 for a ticket to England than to borrow money from your friend.

08 These days, any flu epidemic is likely to be far | little / less | severe than that plague.

09 It will take three times more for him to complete the project for the poor | as / than | before.

10 The percentage of girls who liked romances was about four times as | large / larger | as that of boys who liked romances.

01 다음 글의 밑줄 친 부분 중, 어법상 틀린 것은?

What people want to tell may differ from ① that transmitted by the real word, phrases, and sentences. For instance, when in an American restaurant, a French woman ② lays down her fork and says, "Vegetables not completely cooked ③ have a certain acidity," she is not making a general statement about vegetable cookery but ④ criticizes American food. We can never, of course, be certain about the intention of a speaker, but we must always prepare for the fact that what people are saying is not always as ⑤ exact as the meaning they intend to communicate.

02 (A), (B), (C)의 각 네모 안에서 어법에 맞는 표현으로 가장 적절한 것은?

Why eat a cookie? Some reasons might be to satisfy your hunger, to increase your sugar level, or just to have something to chew on. However, recent success in the packaged-cookie market suggests that these may not be the only, or perhaps even the most important, reasons. It appears that cookie-producing companies are becoming aware of some other influences and, as a result, are delivering to the market products (A) resulting / resulted from their awareness. These relatively new product offerings are usually referred to as "soft" or "chewy" cookies, to distinguish them from the more typical crunchy varieties. Why all the fuss over their introduction? Apparently (B) much / many of their appeal has to do with childhood memories of sitting on the back steps devouring those melt-in-your-mouth cookies that were delivered by Mom straight from the oven, while they were still soft. This emotional and sensory appeal of soft cookies is apparently at least as (C) strong / stronger as the physical cravings that the product satisfies.

	(A)		(B)		(C)
①	resulting	-	much	-	strong
②	resulted	-	many	-	strong
③	resulting	-	much	-	stronger
④	resulted	-	many	-	stronger
⑤	resulted	-	much	-	strong

as vs. than

It is better to do mathematics on a blackboard than on a piece of paper because chalk is easier to erase, and mathematical research is often filled with mistakes. 기출응용

분필이 더 지우기 쉽고 수학 풀이는 종종 실수가 많기 때문에 종이보다 칠판에 수학을 푸는 것이 더 낫다.

더 낫다   / 수학을 하는 것이   / 칠판에다가   / ~보다 /

It is better to do mathematics on a blackboard than

└─ 앞에 비교급이 있으므로 as가 아닌 than이 온다. ─┘ ↑ as (X)

종이에   // 왜냐하면 / 분필은 더 지우기 쉽다   // 그리고

on a piece of paper because chalk is easier to erase, and

수학 연구는   / 종종 실수로 가득하다

mathematical research is often filled with mistakes.

Grammar Point

as vs. than

as와 than 문제는 앞에 비교급(-er)이 있느냐 없느냐를 확인하면 된다.
비교급이 있으면 than, 없다면 as가 정답이다.

Industry watchers believe Korea's economy the potential to be more immense [as / than] Japan's.

산업 관계자들은 한국의 경제가 일본의 경제보다 거대해질 잠재력이 있다고 믿는다.

⇒ 앞에 비교급 more가 있으므로 than이 온다.

Words & Phrases

mathematics
[mæ̀θəmǽtiks]
수학

erase
[iréis]
지우다

industry
[índəstri]
산업

potential
[pəténʃəl]
잠재력, 능력

immense
[iméns]
거대한

satisfaction
[sæ̀tisfǽkʃən]
만족

exert
[igzə́:rt]
행사하다

Check-up

정답 및 해설 p.51

1. Studies show that job satisfaction comes less from how much people earn as / than from the challenge of their jobs and the control they are able to exert. 기출응용

2. Teenagers imagine others are as interested in them as / than they are in themselves.

to vs. than

Though they were inferior to Goodman, they preferred to develop their own style instead of being a copy of Goodman.

비록 그들은 굿맨보다 열등했지만 굿맨을 모방하는 것 대신에 자신의 스타일을 발전시키는 것을 선호했다.

비록 / 그들은 / 열등했지만 / 굿맨보다 // 그들은 / 선호했다 /

Though they were **inferior** **to** Goodman, they preferred

↑ than (X)

inferior는 to를 사용한다.

그들 자신의 스타일을 발전시키는 것을 / 굿맨을 모방하는 것 대신에

to develop their own style instead of being a copy of Goodman.

Grammar Point

to vs. than

'~보다'를 의미하는 것에는 than뿐만 아니라 to도 있다.

superior, inferior, prefer
senior, junior, prior   **+ to**

Most people are still not aware that natural treatments are superior [to / than] the stuff that passes for medicine today.

사람들 대부분은 자연 치료법이 오늘날 약이라고 통하는 물질보다 더 우월하다는 사실을 여전히 알지 못한다.

⇒ 형용사가 superior이므로 than이 아닌 to가 와야 한다.

Words & Phrases

inferior
[infí(:)əriər]
열등한

prefer
[prifə́:r]
선호하다

instead of
~ 대신에

superior
[sju(:)pí(:)əriər]
우월한

pass for
인정되다, 받아들여지다, 통하다

inclusion
[inklú:ʒən]
포함

Check-up

정답 및 해설 p.51

1. My duty is supervise new employees who are junior | to / than | me.

2. I don't understand why you think that your rights are inferior | to / than | others.

EXERCISE

[01-10] 다음 중 어법상 가장 적절한 표현을 고르시오.

01 It is better to ride a bicycle ⏤than / as⏤ to skip meals to lose weight.

02 The sun bursting through the clouds is esteemed superior ⏤to / than⏤ similar bodies in a quiet state.

03 Though working with a computer is convenient, I prefer writing a rough draft with a pen ⏤to / than⏤ typing it.

04 If you follow these directions, your paragraph should be as good as or better ⏤as / than⏤ this one.

05 It is important to note that prior ⏤to / than⏤ then, the term was typically used as a positive description of individual action.

06 In many countries, soccer is gaining more popularity ⏤as / than⏤ any other sport including baseball, basketball, etc.

07 He was promoted to a superintendent whose rank is senior ⏤to / than⏤ chief inspector.

08 More has been learned since 1950 about chemical changes in the body ⏤as / than⏤ in all human history before that time.

09 The counselor advised Tommy to research as much about the company ⏤as / than⏤ possible before his interview.

10 The first outlet opened early last year, and the company made a plan to open more ⏤as / than⏤ five each year.

01 다음 글의 밑줄 친 부분 중, 어법상 틀린 것은?

We usually use a euphemism ① <u>because of</u> our consideration for someone's feelings or out of concern for a social or cultural taboo. You use "pass away" since you do not want to say to a grieving person, "I'm sorry your mother is dead." The euphemism plays a role not only to protect the others' feelings, but ② <u>to communicate</u> your concern for their feelings during a period of mourning. Similarly, when you use "restroom" instead of "toilet," you respect the social taboos about ③ <u>referring</u> to bodily functions in direct terms. You also show your sensitivity to the feelings of your listeners, ④ <u>which</u> is usually thought of as a mark of courtesy. That is, a euphemism is superior ⑤ <u>than</u> straight talk in that you consider the feelings of another person.

*euphemism: 완곡어법

02 (A), (B), (C)의 각 네모 안에서 어법에 맞는 표현으로 가장 적절한 것은?

A study found that obese individuals in a tense and anxious condition would eat more than they (A) $\boxed{\text{would / do}}$ in a low-anxiety condition. On the other hand, normal people eat more in a low-anxiety situation. Another experiment showed that a fluctuation of emotion in overweight people (B) $\boxed{\text{appear / appears}}$ to stir them to eat something. For example, both obese and normal subjects watched a different movie in each of four rooms. Three of the movies stirred up several emotions. One was delightful, another stressful, and the other sexually stirring. The fourth movie was a boring documentary. The overweight subjects ate especially more popcorn while seeing any of the stirring movies (C) $\boxed{\text{as / than}}$ they did while viewing the documentary. In normal people, there was no difference in the amount of popcorn eaten regardless of the movies.

	(A)		(B)		(C)
①	would	-	appear	-	as
②	would	-	appears	-	as
③	would	-	appears	-	than
④	do	-	appear	-	than
⑤	do	-	appear	-	as

배수 표현

Many new bicycle paths were made, and today there are twice as many bicycles as cars in the city. 기출응용

많은 새 자전거 도로가 건설되었고, 오늘날에는 도시에 있는 차의 두 배만큼 많은 자전거가 있다.

많은 새로운 자전거 도로가   / 건설되었고   // 오늘날에는   / 있다   /

Many new bicycle paths were made, and today there are

두 배만큼 많은 자전거가   / 도시의 차보다

| twice | as many bicycles as | cars in the city.

as many bicycles as twice (X)

〈배수+as 형용사 / 부사의 원급+ 명사 as〉
구문이므로 순서에 주의하자.

Grammar Point

배수 표현

배수를 표현하고자 할 때에는 〈배수＋as＋형용사/부사의 원급＋as〉 구문을 사용한다.

The population of Japan is about | three times as large as | that of Korea.

일본의 인구는 한국의 인구보다 세 배 더 많다.

⇒ '몇 배'에 해당하는 부분에는 배수사를 쓰고, 다음에 〈as + 형용사 / 부사의 원급 + as〉를 붙인다.

Words & Phrases

path
[pæθ]
길, 도로

population
[pὰpjəléiʃən]
인구

square
[skwɛər]
광장

at the end of
~의 말에

✓ Check-up

정답 및 해설 p.52

1. This tower is about | as four times tall / four times as tall | as the building standing in the square.

2. At the end of 2005, Brown had $2.3 million in cash on hand, ten times as much | as / than | Hackett.

UNIT 090

the 비교급, the 비교급

The older people get, the more experience they acquire, and thus the old deserve to be respected.

사람은 나이가 들수록 더 많은 경험을 쌓게 되고, 그래서 노인들은 존경 받을 자격이 있다.

사람이 나이가 들면 들수록   // 더 많은 경험을 쌓게 된다   // 그리고

The older people get, **the more** experience they acquire, and

the many, the most (X)

문장의 맨 앞에 the 비교급이 나올 경우,
뒤에도 the 비교급이 나와야 한다.

그래서   / 노인들은   / 존경 받을 자격이 있다

thus the old deserve to be respected.

Grammar Point

the 비교급, the 비교급 '~하면 할수록 더 ~해지다'

문장이 〈the 비교급〉으로 시작할 경우, 반드시 뒤에 〈the 비교급〉이 나와야 한다.
일반적으로 〈the 비교급+주어+동사, the 비교급+주어+동사〉의 형태가 된다.

The more cattle a man owns, **the richer** he is considered to be.

더 많은 소를 소유할수록, 그 사람은 더 부유하다고 여겨진다.

앞에 the 비교급이 있으니 뒤에도
the 비교급이 와야 한다.

Words & Phrases

acquire
[əkwàiər]
취득하다, 얻다; 습득하다

deserve
[dizə́rv]
받을 만 하다, ~의 가치가 있다

respect
[rispékt]
존경하다

likable
[láikəbl]
호감이 가는

odd
[ɑd]
이상한, 확률

familiar
[fəmíljər]
친근한

Check-up

정답 및 해설 p.52

1. The more people you know and the more likable you are, the | better / best | your odds of being lucky.

2. The more time apart they have, | the little / the less | familiar they become with each other.

Chapter IX   233

EXERCISE

[01-10] 다음 중 어법상 가장 적절한 표현을 고르시오.

01 The farther back we go, the little / the less familiar we find ourselves with the speech of our ancestors.

02 Writing has numerous effects on the spoken language, and more / the more literate a culture is, the greater these effects are.

03 The study shows solar panels with these dyes can furnish ten times more power / more power ten times than the existing solar panels used around the world today.

04 The more the baby watches TV, the slower / the slowest his response is, as long as he keeps doing it.

05 Finally, the more specialized the job becomes, the easier / easiest it is to train new employees when an employee quits or is absent from work.

06 The many / more tasks you take on, the less free time you are allowed to have.

07 The more we surround ourselves with people who are the same as we are, who hold the same views, and who share the same values, the greater / the greatest likelihood that we will shrink as human beings rather than grow.

08 On enough logical reasons, the less effort you make, the few / fewer outputs you get.

09 Some archaeologists discovered that the more increased variations in skull size and shape the findings have, the far / further away the skull was from Africa.

10 The more Peterson tried to please his fiancé, the much / more he succeeded in annoying her.

234

01 다음 글의 밑줄 친 부분 중, 어법상 틀린 것은?

Recently, researchers have found the deeper disparity in how differently men and women express their depression. Women usually reveal sadness for depression, whereas men feel anger or irritation with recklessness. Thus, many people, ① including depressed men, mistake male depression for general frustration and restlessness rather than a serious disorder in need of intervention. Depressed men are also ② far less likely to ask for help than depressed women, and they are much more likely to kill ③ themselves. Men's suicide rate is ④ as high as four times the women's. Whether the variations are a matter of biology or culture ⑤ is the big deal.

02 (A), (B), (C)의 각 네모 안에서 어법에 맞는 표현으로 가장 적절한 것은?

기출응용

One of the little-understood paradoxes in communication is that the more difficult the word, the shorter the explanation, (A) the few / the fewer words are needed to get the idea across. Big words are resented by persons who don't understand them and, of course, very often they are used to confuse and impress rather than (B) clarified / clarify . But this is not the fault of language; it is the arrogance of the individual who misuses the tools of communication. The best reason for acquiring a large vocabulary is that it keeps you from being long-winded. A genuinely educated person can express himself tersely and trimly. For example, if you don't know, or use, the word "imbricate," you have to say to someone, "having the edges overlapping in a regular arrangement like tiles on a roof, scales on a fish." More than 20 words are needed to say (C) that / what can be said in one.

	(A)		(B)		(C)
①	the few	-	clarified	-	that
②	the few	-	clarify	-	what
③	the fewer	-	clarify	-	what
④	the fewer	-	clarified	-	what
⑤	the fewer	-	clarified	-	that

비교급의 병렬 구조

The first thing I notice upon entering this garden is that the ankle-high grass is greener than that on the other side of the fence. 기출응용

내가 이 정원에 들어서자마자 알아챈 첫 번째 사실은 발목 높이의 잔디가 울타리 반대편에 있는 잔디보다 더 푸르다는 것이다.

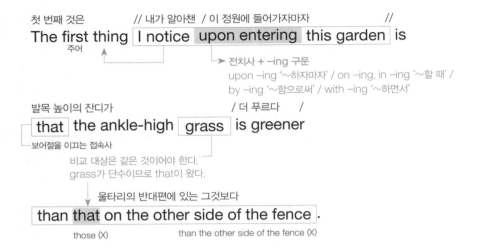

첫 번째 것은   // 내가 알아챈 / 이 정원에 들어가자마자   //
The first thing I notice upon entering this garden is
주어
→ 전치사 + –ing 구문
upon –ing '~하자마자' / on –ing, in –ing '~할 때' /
by –ing '~함으로써' / with –ing '~하면서'

발목 높이의 잔디가   / 더 푸르다 /
that the ankle-high grass is greener
보어절을 이끄는 접속사
비교 대상은 같은 것이어야 한다.
grass가 단수이므로 that이 왔다.

울타리의 반대편에 있는 그것보다
than that on the other side of the fence.
those (X)   than the other side of the fence (X)

Words & Phrases

notice
[nóutis]
알아채다

enter
[éntər]
들어가다

ankle-high
발목 높이의

fence
[fens]
울타리

climate
[kláimit]
기후

spectator
[spékteitər]
관객

Grammar Point

비교급의 병렬 구조

〈A 비교급 than B〉 구문에서 비교 대상인 A와 B는 동급이어야 한다.

The part which looks to the north is lower than that which looks to the south. 기출응용

북쪽을 향하는 지역은 남쪽을 향하는 지역보다 낮다.

⇒ 여기서 비교 대상은 The part이므로 which looks to the south라고 하면 안 된다. that이 지칭하는 것은 the part이다.

☑Check-up

정답 및 해설 p.53

1. The climate of Korea is warmer than Canada / that of Canada .

2. The spectators in baseball are fewer than those in football / in football .

092

형용사 vs. 형용사 + -ly

If this situation remains unsolved, it can become very grave and even deadly.

만약 이 상황이 해결되지 않는다면, 그것은 매우 심각하며 심지어 치명적일 수 있다.

만약 / 이 상황이 　　　/ 해결되지 않는다면, 　　// 그것은 / 될 수 있다 / 매우 심각해지고 /

If this situation remains unsolved, it can become very grave

심지어 치명적으로

and even deadly .

dead (X)

Grammar Point

형용사 vs. 형용사+ly

일반적으로 형용사에 -ly가 붙으면 형용사 본래의 의미를 지닌 부사가 된다. 하지만 일부 형용사는 -ly가 붙어서 의미가 다른 형용사나 부사가 되기도 한다.

dead	죽은	–	deadly	치명적인; 몹시
near	가까운, 진짜에 가까운	–	nearly	거의, 대략
late	늦은	–	lately	최근에, 요즈음
hard	어려운, 딱딱한	–	hardly	거의 ~ 않다
short	짧은	–	shortly	곧

high, wide, deep vs. highly, widely, deeply

high	높은, 높이		highly	매우
wide	넓은, 넓게	vs.	widely	넓게, 널리, 많은 사람들 사이에서
deep	깊은, 깊게		deeply	깊이, 몹시

Everyone spoke highly of him. 모두 그를 높이 평가한다.
The plane is flying high. 비행기가 높이 날고 있다.

Words & Phrases

unsolved
[ʌnsɑlvd]
해결되지 않은, 미해결의

deadly
[dédli]
치명적인

expect
[ikspékt]
예상하다, 기대하다

announce
[ənáuns]
알리다

governor
[gʌ́vənər]
지배자, 주지사

replace
[ripléis]
대체하다

term-limited
임기가 제한된

✓ Check-up

정답 및 해설 p.53

1. He is wide / widely expected to announce a run for governor of California, replacing the term-limited Jerry Brown in 2014.

2. Several plane crashes and near / nearly -crashes have been attributed to dangerous downward wind bursts known as *wind shear*. 기출응용

EXERCISE

[01-10] 다음 중 어법상 가장 적절한 표현을 고르시오.

01 The demand for window units is │ high / highly │ seasonal and also depends on variations in the weather.

02 Since the site is located │ near / nearly │ a large river, where inhabitants could get drinking water, it was a mystery as to why they needed a well.

03 Those living in poverty included 17% of all American children and │ rough / roughly │ 23% of African-Americans and Hispanics.

04 Even though New York's harbor is a wonderful one, few harbors in the world are as good as │ that of San Francisco / San Francisco │.

05 In the late 1800s, │ approximate / approximately │ 70% of them migrated from northern and western Europe to America.

06 Such penalties result in a player being sent to an isolated area called the penalty box, after which the offender's team must operate a player │ short / shortly │.

07 │ Hard / Hardly │ had they caught sight of him before he called out.

08 I wanted so │ bad / badly │ to touch the coffin and weep for him, for me, but I didn't.

09 The French replaced 3,000 English words │ wide / widely │ used in France by newly created French words.

10 With no way to watch the conditions in real time, firefighters end up reacting to spreading fires rather than │ extinguish / extinguishing │ them before they spread.

01 다음 글의 밑줄 친 부분 중, 어법상 틀린 것은?

You know your friends influence things ① <u>like</u> how you dress and your going-out habits. But a series of groundbreaking studies from Dr. James Fowler, a professor at New York University, ② <u>has</u> found that your social circle plays a key role in determining way more than that. It turns out that factors like health and happiness are contagious. If a friend loses weight, you're likely to slim down as well. In fact, people within three degrees of us (that includes friends, friends of friends, and friends of friends of friends) have a major influence on how we feel and act. "We subconsciously pick up on cues from those around us about ③ <u>what</u> normal, accepted behavior is," Dr. Fowler explained. So how do you use this info to make your life ④ <u>amazed</u>? First, beef up your network with positive people. "Our research shows that the more connections you have and the stronger those relationships are, ⑤ <u>the happier</u> you'll be," he said.

02 (A), (B), (C)의 각 네모 안에서 어법에 맞는 표현으로 가장 적절한 것은?

As organizations struggle to accomplish certain goals, individuals also are motivated to attempt and accomplish goals. Actually, setting goals (A) serve / serves as a powerful motivational tool when it comes to the performance of workers in organizations. Researchers have tried to develop an elaborate model of an individual goal setting for performance. This model shows that the key variables such as direction, effort, persistence or task strategy can trigger individuals to gain high performance. In this model, a goal itself plays a role as a motivator. Through it, employees can compare their current level of performance with (B) that / what needed for the goal. If they are not satisfied with their performance, they will do their best to achieve it. This is one of the most (C) wide / widely accepted models of goal setting.

(A)		(B)		(C)
① serve	-	that	-	wide
② serve	-	what	-	widely
③ serves	-	what	-	wide
④ serves	-	what	-	widely
⑤ serves	-	that	-	widely

so vs. such

The law has become so strict that drivers cannot drive their cars after drinking alcohol.

음주 후에 운전자들이 차를 운전할 수 없도록 법이 매우 엄격해졌다.

법이   / 매우 엄격해졌다   // 운전자들이   / 자신의 차를 운전할 수 없다   /
The law has become │ so strict │ that drivers cannot drive their cars

such (X)
└ 뒤에 형용사가 단독으로 있으므로
so가 왔다.

음주 후에
after drinking alcohol.

Grammar Point

so vs. such

so는 형용사와 부사를 단독으로 수식할 수 있지만, such는 명사가 꼭 있어야 한다. 어순에 관련된
문제가 자주 출제되므로 암기해 두자.

so	such
형용사 / 부사 단독 수식 so+형용사+a(n)+명사 so+many(much)+명사	형용사 / 부사 단독 수식 불가 such+a(n)+형용사+명사 such+형용사+복수 명사
*so와 같은 구조를 갖는 too, how, as	*such와 같은 구조를 갖는 what

I don't think America will have another president with [so / such] a
diverse background as Obama anytime soon.

나는 미국이 오바마만큼 다양한 배경을 가진 또 다른 대통령을 빠른 시일 내에 또 얻게 될 거라고 생각하지 않는다.

⇒ 뒤에 나오는 어순이 〈a+형용사+명사〉인 것으로 보아 such가 정답이다.

Check-up

정답 및 해설 p.54

1. She speaks English │ so / such │ well that everybody thinks it is her native
language.

2. They were │ so / such │ popular events that many tried to join them.

Words & Phrases

strict
[strikt]
엄격한, 엄한

diverse
[divə́:rs]
다양한

background
[bǽkgràund]
배경

native language
모국어

so[such] ~ that

Retail theft is such a serious problem that managers often hire people who are knowledgeable about how theft happens and what can be done to stop it.

소매점 도난이 매우 심각한 문제여서 매니저들은 종종 도난이 어떻게 일어나고
도난을 막기 위해 무엇을 해야 할지 잘 알고 있는 사람을 고용한다.

소매상점 도난은 / 매우 심각한 문제라서 // 매니저들은 / 종종
Retail theft is **such a serious problem** **that** managers often

앞에 such가 있으므로
명사(problem)이 온다.
앞에 such가 있으므로 that이 왔다.

what, which (X)

사람들을 고용한다 // 잘 알고 있는 / 어떻게 도난이 발생하는지에 대해 /
hire people who are knowledgeable about how theft happens

그리고 무엇이 이루어져야 하는지 / 그것을 멈추기 위해서
and what can be done to stop it.

> **Grammar Point**
>
> ### so[such] ~ that
>
> 〈so+형용사 / 부사+that〉이나 〈such+a(n)+형용사+명사+that〉 구문은 '너무 ~해서 that이하
> 하다'라는 뜻이다.
>
> 앞에 so나 such가 있으면 뒤에는 that이 나온다.
>
> Matilda is **so** technologically challenged **that** she can't even set an alarm clock.
>
> Matilda는 너무 기계치라서 알람시계 조차 맞출 수 없다.

Words & Phrases

retail
[ríːtèil]
소매

theft
[θeft]
절도

knowledgeable
[nálidʒəbl]
지식이 있는

outmoded
[autmóudid]
시대에 뒤쳐진

deal with
다루다

Check-up

정답 및 해설 p.54

1. The computer program that the workers are using is so / very outmoded that they have a great deal of difficulty dealing with their job.

2. I have so many books that / which I don't know what to do with them.

EXERCISE

[01-10] 다음 중 어법상 가장 적절한 표현을 고르시오.

01   People want to let in as ┃ sunlight much / much sunlight ┃ as possible.

02   He is so experienced ┃ that / which ┃ he can run his own business.

03   ┃ Such an experience / A such experience ┃ gives us some insight into the world of the deaf.

04   Even your living room may be ┃ too large a / too a large ┃ subject to discuss in a single paragraph.

05   Yesterday was ┃ such / so ┃ a beautiful day that I couldn't bring myself to complete all my work.

06   We have never made as ┃ a big / big a ┃ disturbance about bathing and baths as peoples of ancient times did.

07   Retired police officer James Cater and his son had ┃ so / such ┃ a poor wheat crop in 1945 that they had to close their business.

08   Emma succeeded in efficiently managing ┃ so / such ┃ a busy schedule that she increased her academic grades over one semester.

09   Most people including me dislike bats so much ┃ that / which ┃ many wildlife organizations have been reluctant to conduct a campaign to save them.

10   The prevalence of other technologies—like smart phones, wireless e-mail devices, sometimes called CrackPhones because they are considered ┃ so / such ┃ addictive—is one of the main causes of our advanced society.

01 다음 글의 밑줄 친 부분 중, 어법상 틀린 것은?

[기출응용]

I have been married to Mick for 22 years. My problem is ① <u>what</u> I have sometimes had a hard time contacting him. He is ② <u>so</u> forgetful that he often doesn't know where he put his cell phone. Recently, our family planned to go to dinner. When Mick didn't show up, we tried to contact him for one hour. We were worried sick, so we called Bill, one of his friends. We expected him ③ <u>to know</u> my husband's whereabouts, but he was no help to us. One hour later, Mick came back home and apologetically said that he seemed ④ <u>to have left</u> his cell phone beneath the pillow on our bed. At that very moment, his cell phone began ⑤ <u>vibrating</u> in the pocket of the coat he was wearing!

02 (A), (B), (C)의 각 네모 안에서 어법에 맞는 표현으로 가장 적절한 것은?

Although particular languages vary from each other on the surface, we can see that our languages are surprisingly analogous. For example, all known languages have a similar level of complexity and detail. Every language (A) offer / offers means for asking questions, making requests, etc. And there is nothing that one language can express that others can't. Definitely, one language may have terms not found in another one, but it is always possible to make new words to express (B) that / what we mean. Considering more abstract features, even the formal structures of language are similar: smaller phrasal units comprise sentences in all languages, and these units consist of words, which are made up of sequences of sounds. All of these features of human language are (C) so / such clear to us that it can be difficult to find how surprising it is that languages share them.

* analogous: 유사한

	(A)		(B)		(C)
①	offer	-	that	-	so
②	offers	-	that	-	such
③	offers	-	what	-	so
④	offers	-	what	-	such
⑤	offer	-	what	-	such

so vs. too

In a national poll, 81 percent of the high school students surveyed are too busy to eat breakfast in the morning.

전국적인 설문 조사에서, 설문에 응답한 고등학생의 81%는 너무 바빠서 아침에 식사를 할 수 없다고 한다.

전국적인 설문 조사에 따르면 / 고등학생의 81%는 /
In a national poll, | 81 percent of the high school students |

%는 단복수를 결정하지 못하므로 실제 지칭하는
students에 따라서 복수인 are가 온다.

조사된 / 너무 바빠서 아침에 식사를 할 수 없다
surveyed | are | too | busy | to eat | breakfast in the morning.

〈too ~ to 용법〉, '너무 ~ 해서 … 할 수 없다'이다.
뒤에 to부정사가 나오므로 so나 very가 올 수 없다.

Grammar Point

so vs. too

so와 too는 모두 형용사를 강조하는 역할을 한다.
so는 that과, too는 to부정사와 어울린다.

so +that+주어+동사

He is **so** smart **that he can solve** this question.

그는 매우 똑똑해서 이 문제를 풀 수 있다.

too +to부정사

He is **too** stupid **to solve** this question.

그는 너무 어리석어서 이 문제를 풀 수 없다.

Words & Phrases

amusement park
놀이공원

several
[sévərəl]
몇몇의

critical
[krítikəl]
중요한, 비판적인

handle
[hǽndl]
다루다

special prosecutor
특별 검사, 특검

✓Check-up

정답 및 해설 p.55

1. | So / Too | vast is the amusement park in Yongin that it takes several hours to look around it.

2. This case is | so / too | critical for us to handle, so we will pass it to the special prosecutor.

096

enough

The temperature is hot enough to melt both metals, but the sixty pounds of pressure borne by each square inch is still not enough.

온도는 두 개의 금속을 모두 녹일 만큼 충분히 뜨겁지만, 1평방미터당 가해지는 60파운드의 압력은 여전히 충분하지 않다.

온도는 / 충분히 뜨겁다 / 두 금속을 녹일 정도로 //

The temperature is | hot enough | to melt both metals,

enough hot (X) 〈형용사+enough〉의 어순을 따른다.
〈enough+형용사〉가 되지 않도록 주의한다.

하지만 60파운드의 압력은 / 1평방미터당 가해지는 /

but the sixty pounds of pressure | borne by each square inch |

여전히 충분하지 않다

is still not enough.

Grammar Point

enough의 어순

enough는 형용사와 부사로 쓰인다. 부사로 쓰여 형용사를 수식할 경우, 〈부사 + 형용사〉의 일반적 어순이 아닌 〈형용사 + enough〉가 되고, 형용사로 쓰여 명사를 수식할 경우 〈enough + 명사〉가 된다.

Today's Dow looks [strong enough / enough strong] to overcome bad news.

오늘의 다우 존스 평균 주가는 나쁜 소식을 이겨낼 만큼 강세이다.

⇒ 〈형용사+enough〉이므로, strong enough가 정답이다.

cf.) time, reason, trouble, fool 등의 특정 명사 뒤에 enough가 오기도 하지만 흔한 표현은 아니다.
We have time enough to talk later. 우리는 나중에 이야기할 충분한 시간이 있어.

Words & Phrases

temperature
[témpərətʃər]
온도

melt
[melt]
녹다, 용해하다

metal
[métl]
금속, 합금

pressure
[préʃər]
압력

square
[skwεər]
제곱, 정사각형, 광장

overcome
[òuvərkʌ́m]
극복하다, 억누르다

come along
나아지다

Check-up

정답 및 해설 p.55

1. The time is not | enough long / long enough | to finish our project, so we need more time for that.

2. Has your English come along | enough far / far enough | so that you can speak with foreigners?

EXERCISE

[01-10] 다음 중 어법상 가장 적절한 표현을 고르시오.

01
기출응용
If the camera stays on them enough long / long enough , they will check to see if they are still being watched.

02
기출응용
The CIV, an ultra-light scout vehicle, is enough light / light enough that its crew can drag it across the snow if the ground gets too rough.

03
기출응용
However, that was so / too much for the young system to absorb, and the computer crashed, killing the connection after all.

04
Taxes eventually grew so / too high that many landowners abandoned their farms, causing food production to fall.

05
The instrument, harmonica, was not cheap enough / too for anybody to purchase and put into a pocket.

06
The musical is too / so simple and easy that most children can understand and enjoy it.

07
He is so / enough smart that he could solve that problem to develop a new way of curing this disease.

08
The only way enough powerful / powerful enough to prevent the emergence of terror and change hatred into hope is human will.

09
According to local business experts, the film's performance at the U.S. box office was not enough large / large enough to affect our company.

10
Our department is so / too busy with training new employees to complain about it.

01 다음 글의 밑줄 친 부분 중, 어법상 틀린 것은?

The people who first settled in the rainforest of the Amazon River lived by hunting and gathering, ① not by farming. Tropical diseases and the limits of their food supply kept the population small. It has ② been said that it is the small animals in the rainforest, not the large ones, that make people's lives ③ miserably. Mosquitoes and other insects are more than just pests because they carry diseases like malaria and yellow fever ④ that can greatly weaken humans. These insects are always present, since the tropical forest never has a frost that will terminate them. By contrast, the most heavily populated parts of the highlands have ⑤ enough cold weather to keep down the insects. The highlands also have a big enough growing season for two crops a year.

02 (A), (B), (C)의 각 네모 안에서 어법에 맞는 표현으로 가장 적절한 것은?

One in ten children between the ages of ten and fifteen is unhappy. At least, that's the conclusion of a recent survey carried out by the Children's Society. The leading researcher described the finding as a major concern. (A) Giving / Given that the causes of unhappiness were worries such as schoolwork, feeling ugly or having parents who won't let you do stuff, it's amazing that the figure was only one in ten. It's (B) bad enough / enough bad that we already give Prozac to children as young as eight. No doubt there are some youths who could benefit from family mediation and counsel, but this focus on normal emotions is unhealthy. If you've left your best friend, or you've failed an exam, or the family pet has died, you're supposed to feel sad. You don't need treatment. The thing about youthful blues (C) is / are that they pass, as children will learn for themselves if we let them.

	(A)		(B)		(C)
①	Giving	-	bad enough	-	is
②	Given	-	bad enough	-	is
③	Giving	-	enough bad	-	are
④	Given	-	bad enough	-	are
⑤	Giving	-	enough bad	-	is

-thing + 형용사

It is also important to remember that there is nothing wrong with comparing the prices of services.

서비스의 가격을 비교하는 것은 잘못된 것이 아니라는 사실을 기억하는 것이 중요하다.

또한 / 중요하다 / 기억하는 것이 // 잘못된 것이 없다 /

It is also important to remember that there is nothing wrong with

wrong nothing (X)

–thing 으로 끝나는 단어는 형용사가
앞이 아닌 뒤에서 수식한다.

서비스의 가격을 비교하는 것은

comparing the prices of services.

Grammar Point

〈–thing + 형용사〉 – 형용사 후치 수식

-thing으로 끝나는 명사는 형용사가 명사의 앞이 아닌 뒤에서 수식한다.

These days, it is understood that a diet that includes [harmful nothing /
nothing harmful] may yet lead to serious disease if some essential
elements are missing.

　　요즘은 만약 필수 영양 성분이 없다면, 유해 물질이 함유되지 않은 식단도 여전히 심각한 질병을 유발할 수 있다고 여겨진다.

⇒ nothing을 수식하는 형용사는 nothing 뒤에 위치하므로 nothing harmful이 정답이다.

I don't think that's the right   thing to do.

나는 그것이 하기에 옳은 일이라고 생각하지 않는다.

⇒ thing의 경우 형용사는 주로 명사 앞에 온다.

Words & Phrases

compare
[kəmpέər]
비교하다

harmful
[há:rmfəl]
위험한

essential
[isénʃəl]
불가결한, 절대 필요한; 본질적인

element
[éləmənt]
요소

missing
[mísiŋ]
없어진

include
[inklú:d]
포함하다

✓ Check-up

정답 및 해설 p.55

1. The thing important / important thing is not what you have but what you are.

2. There is nothing impossible / impossible nothing for him in this place where
he has everything including power and money.

the + 형용사

The unemployed who need help from the government have to endure a complex application procedure and an inhumane and harsh means test.

정부로부터의 도움이 필요한 실업자들은 복잡한 지원 절차와 비인간적이고 가혹한 자산 조사를 견뎌야 한다.

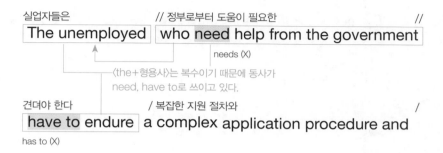

실업자들은 // 정부로부터 도움이 필요한 //
| The unemployed | who need help from the government |

needs (X)

〈the+형용사〉는 복수이기 때문에 동사가
need, have to로 쓰이고 있다.

견뎌야 한다 / 복잡한 지원 절차와 /
| have to endure | a complex application procedure and

has to (X)

비인간적이고 가혹한 자산 조사를

an inhumane and harsh means test.

Words & Phrases

unemployed
[ʌnimplɔ́id]
실직한

complex
[kámpleks]
복잡한

application
[æpləkéiʃən]
지원, 신청, 적용

procedure
[prəsíːdʒər]
절차

inhumane
[ìnhjuːméin]
비인간적인

harsh
[haːrʃ]
가혹한

means test
자산 조사

absolutely
[ǽbsəlùːtli]
절대적으로

Grammar Point

〈the + 형용사〉 '~한 사람들' – 복수 취급

〈the + 형용사〉는 명사로 바뀌는데, 이때 명사가 사람을 나타내면 〈형용사 + people〉을 뜻하므로 복수 취급한다.

the unemployed가 〈the+형용사〉이면서 사람을
의미하므로 복수 취급한다. 따라서 They가 오게 된다.

Life is all right if you have a proper job, but things are not easy for
| the unemployed |. | They | don't have enough money to buy things that
are necessary.

만약 적당한 직업이 있다면, 인생은 괜찮다. 하지만 실업자들에게는 쉽지 않다. 그들은 필요한 것을 살 충분한 돈이 없다.

cf.) 〈the+형용사〉가 추상 명사를 나타낼 경우 단수 취급한다.
The young is better than any other thing. 젊음은 다른 어떤 것보다 좋은 것이다.

Check-up

정답 및 해설 p.55

1. It is likely that the rich can't understand the situation of the poor, but | its / their | situation can change anytime.

2. "Do you think the young should respect the old?" "Absolutely, because | they / he | will also be aged someday."

EXERCISE

[01-10] 다음 중 어법상 가장 적절한 표현을 고르시오.

01 They rarely try ⌐ new something / something new ⌐ because they know they will not win.

02 If your boy or girl does ⌐ something wrong / wrong something ⌐, you should explain their fault to them clearly and kindly.

03 The disabled ⌐ is / are ⌐ offered other discounts, which may be applied to children and senior citizens.

04 The idle ⌐ is / are ⌐ apt to miss a good chance to improve their quality of life.

05 According to Mr. Kim, the good news is that these are ⌐ new nothing / nothing new ⌐ except the high price of raw resources.

06 Other than Sherlock Homes, nobody anticipated that there would be ⌐ anything terrible / terrible anything ⌐.

07 "The poor ⌐ is / are ⌐ often more generous to each other than the rich," said Thomson.

08 Parents can do ⌐ right everything / everything right ⌐, but children should grow up and make their own choices.

09 The invisible ⌐ is / are ⌐ difficult for you to believe, but it may be very critical to you.

10 The living from the airplane crash ⌐ is / are ⌐ giving testimony in the hearing, which is broadcast live on TV.

01 다음 글의 밑줄 친 부분 중, 어법상 틀린 것은?

Google shows that it is coming up with ① something similar for a translator phone. It already has a service for translating text on computers into foreign languages, as well as a voice recognition system it uses to enable customers ② to speak commands into their mobile phones. The challenge now is to combine the two technologies so that the software not only recognizes the caller's voice, but also ③ translate it into a synthetic equivalent in a foreign language. The software would listen to entire phrases before ④ attempting a translation. The firm thinks speech-to-speech translation should be possible and work reasonably well in a few years' time. ⑤ For it to work smoothly, people need a combination of high-accuracy machine translation and high-accuracy voice recognition, and that's what Google is working on.

02 (A), (B), (C)의 각 네모 안에서 어법에 맞는 표현으로 가장 적절한 것은?

We're always being warned about the dangers of being overweight. But when you're getting on in years, a few extra pounds may actually be good for you. A long-term study found that people who were slightly overweight were likely to live longer than (A) that / those of normal weight. A BMI of less than 18.5 is classed as "underweight"; above 25 is "overweight," while above 30 is "obese." By the end of the ten-year study, 2,300 of the subjects had died. But the results showed that, (B) although / despite slimness being equated with good health, the obese were no more at risk than those of optimal weight, while being underweight was linked with the highest rate of death. The research speculates that if the elderly (C) suffer / suffers a trauma such as surgery, a larger reserve of fat gives them a greater chance of recovery.

	(A)		(B)		(C)
①	that	-	although	-	suffer
②	that	-	despite	-	suffers
③	those	-	although	-	suffers
④	those	-	despite	-	suffers
⑤	those	-	despite	-	suffer

[01~05] 다음 문장 중 어법상 **틀린** 부분을 고쳐 쓰시오.

01 If humor is an indication of creativity and intelligence and a sign of superior genes, funny guys should be high desirable to most women.

02 The higher the variety in the brain's cell is, the highest challenge-overcoming opportunities we get.

03 Handwriting analysis could eventually make up for other methods of lie detection and would supplement a new dimension because unlike most all other techniques, it doesn't rely on verbal communication.

04 This has meant that for years many scholars, scientists, and graduate students like have tried to look for the cause.

05 A recent study indicates that thinking about fast food makes us impatiently about other things.

[06~10] 다음 보기에서 알맞은 단어를 골라 문장을 완성하시오. (단, 필요하면 형태를 바꾸시오.)

보기	profitable	beautiful	quick	rough	hot

06 Although they were brought to shore as _____ as possible, the two unconscious men died.

07 Gerald's daughter seems to be convinced that she is unattractive but in fact she is _____.

08 Physical punishment has been a _____ debated subject for a long time, with opposing discussion among many scholars.

09 What makes Gobekli Tepe distinctive is the date it was built, which is _____ twelve thousand years ago.

10 The woman's investment in a high-tech company proved quite _____.

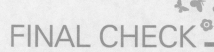
01 다음 글의 밑줄 친 부분 중, 어법상 틀린 것은?

Smart phones are becoming popular in Korea, ① <u>as</u> in many other countries. Only early adapters don't enjoy that gadget at all. Their popularity has a lot to do with people's desires for all-in-one gadgets. These phones have a couple of functions: a PDA, an MP3 and a video player, and, of course, a phone. Smart phones can also connect easily to the Internet, practically ② <u>making</u> them mobile computers. Also, if there is Wi-fi around you, you can use the Internet for free. Smart phones usually have touch-screen capabilities, which make them ③ <u>conveniently</u> to use. So that can allow the old, who were formally afraid to use mobile phones, to deal with them more easily. The competition in the smart phone market is ④ <u>growing fiercer</u> every day. Apple's iPhone made its debut in the Korean market with much fanfare late last year. Domestic companies are doing ⑤ <u>their</u> best to catch up with the iPhone.

02 (A), (B), (C)의 각 네모 안에서 어법에 맞는 표현으로 가장 적절한 것은?

Modern education has been greatly affected by John Dewey. He believed that the only worthy knowledge was information that could be practical and used. He thought it (A) pointless / pointlessly to make students memorize useless facts that they would easily and quickly forget. Rather, schools should teach skills and processes of thinking, he felt. His ideas also influenced several teaching methods. He believed children can learn by doing in person, not just watching. (B) Apply / Applying this idea today, democratic principles are practiced in the student union; science classes involve experimentation; the study of music involves making music; school projects encourage creativity and teamwork. Children don't spend their time (C) working / work silently and alone. Instead, they usually work in groups, share ideas, and complete projects together.

	(A)		(B)		(C)
①	pointless	-	Apply	-	working
②	pointless	-	Applying	-	working
③	pointless	-	Applying	-	work
④	pointlessly	-	Apply	-	working
⑤	pointlessly	-	Apply	-	work

다음 글의 밑줄 친 부분 중, 어법상 틀린 것은?

Roads of the nineteenth century were much different from ① today. In the fall and spring, these roads were often muddy and marked by holes. In the summer, dry dirt roads would create huge clouds of dust. Slightly better roads ② during this period were made with round logs, which ③ were laid on the ground next to each other. Roads made from logs were free of the dust and holes of dirt roads but had other problems. Horses often slipped because the logs rolled under the weight of coaches, and their ankles would get caught in the gaps between them, ④ resulting in broken bones. Even the best roads of the time—those made with wooden boards—would quickly rot away. Only later in the century ⑤ did workers use crushed stones, clay, and gravel to build roads.

04

(A), (B), (C)의 각 네모 안에서 어법에 맞는 표현으로 가장 적절한 것은?

Sports shops stock a (A) ⌐seeming / seemingly⌐ never-ending array of expensive running shoes—but runners might be better off going barefoot. According to the recent research, when runners wear modern cushioned sports shoes, they (B) ⌐most / almost⌐ always plant their feet heels first, causing significant jolting of the joints and the kind of damage the shoes are designed to prevent. But when they go barefoot, or wear shoes with minimal cushioning, they tend to land on the balls of their feet. "People who don't wear shoes when they run have an astonishingly different strike," said Prof. Daniel Smithers of Harvard University. "(C) ⌐By landing / To land⌐ on the middle or front of the foot, barefoot runners have no impact collision."

	(A)		(B)		(C)
①	seeming	-	most	-	By landing
②	seemingly	-	most	-	To land
③	seeming	-	almost	-	To land
④	seemingly	-	almost	-	By landing
⑤	seemingly	-	almost	-	To land

05 다음 글의 밑줄 친 부분 중, 어법상 틀린 것은?

Writing a college essay can be difficult because it is so unlike any other writing assignment ① which high school students have previously done. They are told to be witty, descriptive, and engaging, but at the same time they are trying to sell ② themselves and their personality to a committee of strangers. We find that ③ as long as students pick one anecdote, tie it to past accomplishments and future aspirations—④ most any topic can make a great essay. Still, it is hard to convince many students not to re-write their resumé with paragraphs or not to write all about their role model in life without ever divulging much about themselves. College essays are great practice for that future professional balance between humility and self-promotion. It is really wonderful when we see a student ⑤ embrace a well-chosen topic.

06 (A), (B), (C)의 각 네모 안에서 어법에 맞는 표현으로 가장 적절한 것은?

These days, e-mail is thought to be one of the most effective ways to communicate. However, it can be a (A) | high / highly | flawed communication vehicle in a workplace setting. Some people use it (B) | inappropriate / inappropriately | to avoid confrontation or to pass secrets among their friends. Some employees can say things in e-mail that they would never say to someone's face. To make matters worse, e-mail is likely to be misunderstood. E-mail is a system for transmitting messages and computer files electronically. Because e-mail lacks the tone, inflection, and body language of the communicator, a message may be interpreted (C) | wrong / wrongly | by the receiver.

	(A)		(B)		(C)
①	high	-	inappropriate	-	wrong
②	high	-	inappropriate	-	wrongly
③	highly	-	inappropriate	-	wrongly
④	highly	-	inappropriately	-	wrong
⑤	highly	-	inappropriately	-	wrongly

부록

필수 어법 공식 76

01 주어와 동사의 수일치는 맨 앞에 주목하라.

01-1 The fact that someone is interested enough to give help to poor villagers often work / works wonder.

01-2 The silk that spiders spin for their webs have / has a stretching strength superior to most elastic products made by humans.

01-3 Many countries around the world including the USA, Sweden, England, and Brazil is / are using this type of gasoline now.

01-4 The combination of a very tall building in a city with such weather conditions lead / leads to a lot of swaying in the breeze.

01-5 One of the unknown factors when it comes to tax cuts is / are what consumers will do with the extra income suddenly made available to them.

02 주격관계대명사 뒤에 나오는 동사는 선행사를 본다.

02-1 English spellings have considerable differences which make / makes it difficult to read words.

03 무조건 단수인 것에 주목하라.
to부정사, 동명사, what / that절, whether절, 의문사절

03-1 Going to these lengths, in turn, cause / causes serious harm to their bodies.

03-2 Whether a job is to be categorized as labor or work depend / depends not on the job itself, but on the mind-set of the individual who undertakes it.

04 분수, %, all, some, any, most는 실제 지칭에 따른다.

04-1 We are pumping a large amount of CO_2 into the atmosphere, almost one-third of which come / comes from cars.

01 works / has / are / leads / is 02 make 03 causes / depends 04 comes

05 단수와 복수 지칭은 바로 앞에 나온 명사를 잘 본다.

05-1 For example, your language use affects your teachers' attitudes toward you. Also, | it / they | can affect your friends' understanding of you and their feelings toward you.

05-2 There are only a few enlightened people with a clear mind and with good taste within a century. What has been preserved of | his / their | works belongs among the most precious possessions of mankind.

05-3 Malaysia, Indonesia, and Thailand have the same tropical climate as many African countries, but their economies — unlike | that / those | of African countries — are growing fast.

06 so, such, 〈it is 형용사/명사〉는 that과 친하다.

06-1 | It / There | is necessary that my uncle should be informed.

06-2 | It / There | is our parents that have given us our sense of right and wrong, our understanding of love, and our knowledge of who we are.

06-3 Science will have advanced | very / so | much that we will have microchips in our bodies to monitor our blood pressure, temperature and heartbeat on a daily basis.

06-4 So important is the well-being of a pitcher | which / that | he can be "off his game" if he has anything wrong with him.

07 과거를 나타내는 말(yesterday, ago, just now, when)은 현재완료와 쓰이지 않는다.
현재를 포함하는 말(so far, before, by, for, since)은 현재완료와 친하다.

07-1 Beavers | made / have made | an impressive comeback throughout the country so far.

07-2 I had lived there for ten years when the war | broke / has broken | out.

08 타동사와 자동사를 구분하라.
rise vs. arise vs. raise vs. arouse / lie vs. lay / sit vs. seat

08-1 Since then the number of people on waiting lists to receive an organ has | raised / risen | steadily, and now, about 6,000 individuals die every year because the need for organs greatly exceeds the number donated.

08-2 By seven o'clock the snow | laid / lay | on the ground, but in some places considerably deeper, for a brisk wind had piled it up in places.

09

| forget, remember, regret, stop | + to부정사 (안 한 것) |
| | + -ing (한 것) |

09-1 The guests had arrived, and the wine was worm. Once again, I'd forgotten | to refrigerate / refrigerating | it.

10 수동태 vs. 능동태

```
              ┌── 목적어 (O) ──┬── 4형식 (주다)  ⇒ 수동 (-ed)
타동사 +      │                └── 3형식        ⇒ 능동 (-ing/원형)
              └── 목적어 (X)  ⇒ 수동 (-ed)

자동사  ⇒ 능동 (-ing/원형)
```

10-1 | Injured / Injuring | animals certainly spend more time asleep than usual while their wounds are healing.

10-2 | Asking / Asked | the many question, the reporter interviewed the man.

10-3 The news report was about an important meeting | to hold / to be held | in his country.

10-4 To stop a ball | rolling / rolled | down a hill, you must apply an external force to stop it.

10-5 On December 11, 1963, 35-year-old Elsie Waring collapsed at her home in London and | took / was taken | to the Willesden Hospital where three doctors certified her as dead on arrival.

10-6 He narrowly escaped | hitting / being hit | by a car.

10-7 He took a walk with his dog | following / followed | behind him.

10-8 He kept his students | doing / done | the project.

10-9 The materials | making / made | of plastic fibers are cheap and easy to make.

11 감정동사는 모두 '~하게 하다'의 의미를 가진다.
보통 주어가 사람이면 -ed를, 사물이면 -ing의 형태로 쓴다.

11-1 The | frightened / frightening | passengers rushed out of the bus suddenly.

11-2 Living in a foreign country can be more | exciting / excited | than you might imagine.

09 to refrigerate   10 Injured / Asking / to be held / rolling / was taken / being hit / following / doing / made   11 frightened / exciting

12 happen, occur, take place, break out, belong, lack, have, resemble은 수동 불가 동사이다.

12-1 These beliefs are based on such things as the way people dress, the groups they belong / are belonged to, or whether they are male or female.

13 5형식 동사 ①

⟨keep, find, make, consider + 목적어 + 목적 보어(형용사/-ing/-ed/명사)⟩

13-1 When Bill got to Mrs. Carter's house, he was surprised not to find her working / worked in the yard.

14 5형식 동사 ②

⟨expect, promise, urge, get, cause, force, ask + 목적어 + to부정사⟩

14-1 After all, if one plants tomatoes, one must expect tomatoes to grow / growing , not cucumbers or daisies.

14-2 After multiplying in that person's liver, the parasite causes red blood cells burst / to burst and releases toxin into the blood, making the person feel a severe pain.

15 14번 동사의 수동태는 to가 바로 붙어있다.

15-1 These days I force / am forced to get out of bed the minute the alarm rings.

16 가목적어(it)는 목적어로 쓰이는 to부정사를 대신한다.

16-1 I've always found it / that much easier to prevent certain things from happening than to fix or repair them after the fact.

17 가목적어 자리(5형식의 목적어)에 to부정사는 올 수 없다.

17-1 Himalayas, enjoys a warm climate year-round that makes living / to live here pleasant.

18 문장 중간에 나오는 동사 문제는 앞에 힌트가 있다.

18-1 Free education enabled ordinary people | reaching / to reach | positions of power.

18-2 After watching the farmer | carry / to carry | on like this for a while, the passerby asked, "Say mister, how many names does that mule have?"

18-3 I was at a shopping mall when I observed two men | to argue / arguing | over one parking place.

18-4 She does not provide any verbal content which would help you | identify / identifying | her.

18-5 It also has been remote enough from the mainland of Europe | avoid / to avoid | being automatically involved in its political and social conflicts, but close enough to participate in its cultural and economic life.

19 〈with + 명사 + -ing/-ed/형용사〉 구문도 분사구문이다. (10번 참조)

19-1 He was at a loss with all his money | stealing / stolen | .

19-2 Most insect communication is based on chemicals known as pheromones, with specialized glands | releasing / released | compounds to signal emergencies or signpost a route to food.

20 〈동사 + to부정사〉: agree, decide, hope, wish, plan, promise, intend
〈동사 + -ing(동명사)〉: mind, avoid, can't help, keep, practice, quit, suggest, postpone, deny

20-1 You must try to avoid | to hurt / hurting | people's feelings.

20-2 They refused | obeying / to obey | the school regulations.

21 to부정사의 의미상의 주어 〈of/for ∼ + to부정사〉
〈성격, 성향 형용사 + of ∼〉 vs. 〈나머지 형용사 + for ∼〉

21-1 It is impossible | of / for | children to deal with the social problems.

21-2 It is kind | of / for | him to help the elderly couple.

22 if가 보이면 동사만 본다.

〈if 현재, will〉
〈if 과거, would〉
〈if had p.p., would have p.p.〉
〈if had p.p., would ~ now〉

22-1 If Spider-Man had gone to medical school, he could make / have made a fortune in orthopedics.

22-2 I was a better and happier man than I otherwise should have been if I did not attempt / had not attempted it.

22-3 How would you feel if someone showed / had shown up on your doorstep who looked very different, spoke a strange language and wore unusual clothes?

22-4 If this journey had taken place a week earlier, all this would please / have pleased my eyes now.

23 〈wish + 과거/과거완료〉

현재의 바람이면 과거, 과거의 바람이면 과거완료

23-1 I wish you have / had not worked so hard.

23-2 I wish he did / had done the project yesterday.

24 〈It is time + 과거〉

24-1 It's time you go / went to bed.

25 〈조동사 + have p.p.〉는 과거를 의미한다.

25-1 I regret having paid little attention to him. In other words, I should pay / have paid more attention to him.

25-2 Finally I concluded that he must turn / have turned in a word-for-word copy instead of using it only for ideas then.

22 have made / had not attempted / showed / please 23 had / had done 24 went 25 have paid / have turned

26 〈must have p.p.〉 (한 것) / 〈should have p.p.〉 (안 한 것)

26-1 The ground seems to be wet. It must / should have rained a lot last night.

26-2 My car has broken down. I must / should have fixed it before.

27

〈could have p.p.〉 (~했었을 수도 있다)	〈would have p.p.〉 (~했었을 텐데)
〈should have p.p〉 (~했었어야 했는데)	〈must have p.p.〉 (~했었음에 틀림없다)
〈cannot have p.p.〉 (~했었을 리 없다)	〈couldn't have p.p.〉 (~할 수 없었을 것이다)

27-1 Tom loves parties. I'm sure he would have come to the party if he had been invited. He couldn't / shouldn't have been invited.

28 동명사와 명사는 뒤에 목적어의 유무로 구별한다.

28-1 At that time, getting rich information was very expensive, and the tools for analysis / analyzing it weren't even available until the early 1990s.

28-2 This is their way of avoidance / avoiding taunts about their size or shape.

29 형용사와 부사는 그 앞뒤를 잘 살핀다. (동사와 수식 대상, 해석 필수)

29-1 When we see a friend or family member enjoying a seeming / seemingly perfect relationship with others, we may begin to question our own.

29-2 The future will be a(n) lonely / alone place to live because of computers.

30 -ly vs. 형용사

highly, widely, deeply (추상적)	vs.	high, wide, deep (실제적, 구체적)
lately(최근에)		late(늦게, 늦은)
hardly(거의 ~하지 않다)		hard(어려운, 딱딱한, 열심히)
deadly(치명적인)		dead(죽은)
likely(~할 것 같은)		like(~ 같은)

30-1 Everyone who knew Barrington Jones spoke high / highly of him, describing him as one of the most genuine persons they had ever met.

30-2 If it goes untreated, anorexia can become quite serious and even dead / deadly .

26 must / should   27 couldn't   28 analyzing / avoiding   29 seemingly / lonely   30 highly / deadly

264

31 〈many/few + 복수〉 vs. 〈much/little + 단수〉

31-1 On closer examination, there was actually very few / little difference between the brain cells of Einstein and those of other people.

32 live vs. alive / asleep vs. sleeping

접두사 a가 붙은 형용사는 명사를 앞에서 수식할 수가 없다.

32-1 I caught a(n) live / alive fish , and it was live / alive .

33 비교급은 than과 같이 쓰이고, as는 원급과 쓰인다. (as 원급 as)

33-1 Many new bicycle paths were made, and today there are twice as more / many bicycles as cars in the city.

33-2 The report shows that small businesses are a great / greater source of innovation and development than large businesses.

34 〈the 비교급 ~, the 비교급 ···〉 (~할수록 더 ···하다)
〈get[become/grow] + 비교급〉 (점점 ~해지다)

34-1 The more people you know and the more likable you are, the better / best your odds of being lucky.

35 〈most + 명사〉 / 〈most of + the/this/my〉 / 〈the most + 형용사/부사〉
〈almost + 100% 의미 단어(all/every/everything/anything)〉 / 〈mostly + 동사〉

35-1 Britain was France's rival as a colonial power, and France was in favor of most / almost anything that would annoy or harm the British.

36 관계대명사와 관계부사는 뒤에 오는 문장의 완전성을 본다.

〈관계대명사 + 불완전 문장〉 / 〈관계부사 + 완전 문장〉

36-1 There are regions, which / where cows are free to gather at the edges of highways even if they occasionally produce traffic jams.

31 little   32 live / alive   33 many / greater   34 better   35 almost   36 where

37 that vs. what

1) 〈명사 + that〉

2) 〈that + 완전 문장〉 / 〈what + 불완전 문장〉

37-1 We can learn how people looked and behaved in the past, and about | that / what | they thought most important.

38 which vs. what

앞에 명사나 콤마가 있으면 which, 없으면 what

38-1 He saw the male giraffes battling for mates by swinging their powerful necks, | which / what | were over six feet long and weighed more than 200 pounds.

39 〈명사 + 전치사 + 관계사(which, that vs. what)〉

뒤 문장이 완전하면 which/that, 불완전하면 what이 정답이다.

39-1 As a consumer of goods and services, you will sometimes need to communicate with a manufacturer concerning the quality of | that / what | you have purchased.

39-2 They do not want to spend a lot of effort pursuing the kinds of questions for | which / what | history has no answer: "What is the purpose of the universe?"

40 〈사람 + who + 동사〉

〈사람 + who(m) + 주어 + 타동사〉

〈사물 + which〉

40-1 The people | whom / whose | you communicate with will feel much more relaxed around you when they feel heard and listened to.

41 〈사람 + whom(who X) + 주어 + 동사 + 전치사〉

41-1 She introduced me to her husband | who / whom | I tried to look for.

42 〈whose + 명사/완전한 문장〉

42-1 That's in honor of Robert Bork, the Reagan highly qualified nominee to the Supreme Court who / whose career was torpedoed in the Senate.

42-2 Florence Lustig, a 72-year-old resident of Florida who / whose husband died six years ago, wanted to meet other singles her age.

42-3 An object which / whose speed is not changing is said to be in a state of equilibrium.

43 전치사나 콤마 뒤에는 that은 올 수 없다.

43-1 She changed her mind again, which / that made us all angry.

43-2 There is a dog of which / that I complained.

예외1) in that은 '~라는 점에서'로 쓰인다.

43-3 All of these will make us less human, in that / which the computer will take away our opportunities to meet for true human relationships.

예외2) that 앞에 콤마가 두 개가 오면 가능하다.

43-4 Jim had two friends, Jack and Susan, that / whom moved to Busan.

44 복합관계대명사는 대명사와 접속사의 역할을 모두 한다.
〈복합관계대명사(-ever) + 문장, 문장〉/ 〈복합관계대명사 + 동사〉

44-1 What / Whatever problems you have, I will always help you.

45 〈(관계)대명사 + 복합관계대명사〉 (X) / 〈복합관계대명사 + 관계사〉 (X)

45-1 Anyone who / whoever comes here will be welcomed.

45-2 Whoever would / that would succeed must work hard.

46 문장 맨 뒤로 가는 주어를 수식하는 절과 구에 주의하라.

46-1 The research that led to their development rested on the belief that chemicals could find / be found that would destroy specific microorganisms without injuring the human body at the same time.

47 병렬구조에서 A, B, and/or C에서 A=B=C라는 문법적 관계가 성립한다.

47-1 This posture will lead only to anger, resentment, irritation and therefore, further unhappy / unhappiness .

47-2 Many more people in the U.S. are spending their free time surfing the Web, emailing friends, or to play / playing games online.

47-3 This technique helps children understand their learning difficulties and recognize / recognizes that, like everyone else, they have strengths as well as weaknesses.

47-4 This is an alcohol that is produced by fermenting sugars as done in Brazil or using / used corn as done in the USA.

48 문장과 문장이 만나는 경우는 ① 접속사 ② 관계사 ③ 분사구문이다.

48-1 He invented a numbering machine, which they later decided to convert into a lettering machine. Sholes built about 30 different machines and designed a key board layout similar to that used / is used today.

48-2 Children are / being contemptuous of their parents will feel similarly towards all people.

48-3 However, there are other methods, some of them / which are now considered to have little scientific values, that people use to conveniently categorize members of the human race.

48-4 But doctors agree, sadly, that no practical cure has yet been found for this disease, it / which occurs more often than all others combined.

49 〈how/however + 형용사/부사/완전 문장〉
〈what/whatever + 명사/불완전 문장〉

49-1 If you can accept NO for an answer, you can fearlessly ask for however / whatever you need.

49-2 From fossils, scientists can tell where an animal lived, when it lived, and how / what it was like.

46 be found   47 unhappiness / playing / recognize / using   48 used / being / which / which   49 whatever / what

50 〈권고, 주장, 요구, 명령, 제안 동사 + that + 주어 (+ should) + 동사원형〉
(recommend, insist, require, ask, order, suggest 등)

50-1 He insisted that his son went / should go to a special school for the gifted where he could develop his talent for mathematics.

51 〈insist, suggest that + 일반적 사실〉 → 수/시제 일치 (should 해석 불가시)

51-1 Recently discovered evidence suggests that the weaving of cotton should originate / originated in India before spreading to the Middle East and then on to Europe.

52 〈사역동사(make, let, have) + 목적어 + 원형(능동)/-ed(수동)〉
〈지각동사(see, hear, notice, observe) + 목적어 + 원형/-ing(능동)/-ed(수동)〉

52-1 But I'm the kind of person who would come four hundred miles to see a very important friend of mine graduate / to graduate from college.

53 사역동사, 지각동사의 수동태에서 to부정사가 온다.

53-1 The man was seen enter / to enter the room.

54 〈to + -ing(동명사)〉

look forward to(~을 기대하다)	be used[accustomed] to(~에 익숙해지다)
prior to(~에 앞서)	when it comes to(~에 관하여)
key to(~의 핵심 사항)	from -ing to -ing(~에서 ~까지)
pay attention to(~에 관심을 가지다)	object[be opposed] to(~에 반대하다)

54-1 Property dealers will take potential clients to see an overpriced house of inferior quality prior to show / showing them the nice house they really want to sell.

54-2 The new camera cell phones are used to take / taking a picture of your name, number, and expiration date on your credit card.

50 should go 51 originated 52 graduate 53 to enter 54 showing / take

55 도치구문(so, as)에서 동사는 앞에 것을 따라간다.

(be − be, 조동사 − 조동사, 일반동사 − do동사)

55-1 The Greeks knew all about licorice, as were / did the Romans.

56 〈형용사 + V + S〉/〈전치사구 + V + S〉
〈부정부사어 + V + S〉/〈only + 부사 + V + S〉

56-1 Not until that evening she was / was she able to recover her self-control.

57 도치구문에서 동사와 주어의 수일치에 주의한다.

57-1 At stake was / were thousands of jobs and the future of large tracts of old-growth coniferous forest, along with the existence of organisms that depend on the forest.

58 〈although/because + 문장/분사/전치사구〉
〈despite / in spite of / because of + (동)명사〉

58-1 Although / Despite what the government promised, only a few enlisted.

58-2 It is often difficult to catch the main point that is being made because / because of the irrelevant details that speakers include.

59 think, say, believe가 that절을 이끌 때 수동태에 주의한다.

It is said that Peter won first prize.

= Peter is said to have won first prize.

59-1 The pupils of the cat's eyes believe / are believed to gradually change shape with the position of the sun in the sky.

60 another: 처음과 마지막이 아님, 뒤에 나머지 있음
the other: 마지막, 뒤에 나머지 없음

60-1 If you get 95% of the answers correct on an exam, the first question often is, "What about another / the other five?"

61 짝으로 다니는 것을 기억하자.
not – but, not only – but also, both – and, either – or, neither – nor

61-1 Being in those shelters, though, helped me to see that the biggest cause of homelessness is not lack of money to pay rent but / or a lot of broken families in these shelters.

62 영어에서는 이중부정은 허용되지 않는다.

62-1 The scientists don't think the storm had anything / nothing to do with the camera's movement, because it was 1,800 feet below sea level.

63 as if는 almost, it seems, look, feel(감각동사)과 친하다.

63-1 It allowed doctors to see into the body almost as if / even if layers of it had been sliced away for better viewing.

64 if, even if, as if, unless는 해석으로 풀어라.

64-1 Doctors should not engage in research projects involving human subjects if / unless they are confident that the risks involved have been adequately assessed and can be satisfactorily managed.

64-2 What they say may be ambiguous if / unless you don't listen carefully to their intonation.

64-3 It's true that many smokers gain weight after quitting, as if / even if they don't actually eat any more than before.

60 the other 61 but 62 anything 63 as if 64 unless / if / even if

65 like 뒤에는 (동/대)명사가 오고, alike 뒤에는 아무것도 오지 않는다.

65-1 Falling in love is | like / alike | being wrapped in a magical cloud.

65-2 It's common knowledge that no two sets of fingerprints are exactly | like / alike |.

66 특정어구에 주의하라.

(given은 문장 맨 앞에서 '～을 고려하자면', concerning은 '～에 관하여')

66-1 | Given / Giving | a choice between two potential helpers, they usually chose the better rope-puller.

66-2 It's unlikely that you will see or hear many reports about significant events | concerning / concerned | politics, culture, and business.

67 if(～인지 아닌지)가 안 되는 것 : ① 주어로 쓰이는 if절 ② if + to부정사

67-1 During his time in the Netherlands, he was apparently wrestling with the question | if / whether | to give up his more independent life as a philosopher.

68 〈so, as, too, how + 형용사 + (주어) + (동사)〉
〈such, what + (a/an) + 형용사 + 명사 + (주어) + (동사)〉

68-1 It has become | so / such | dangerous that women rarely drive cabs any more.

69 주어와 목적어가 일치하면 목적어는 -self/selves로 간다.

69-1 After that event, he took a more serious interest in running and devoted | him / himself | to it.

70 〈동사 + 대명사 + 부사/전치사〉의 어순을 명심하자.

70-1 He put | it down / down it |.

71 keep -ing(계속 ~하다) vs. keep A from -ing(A가 ~하지 못하게 하다)

71-1 The teacher kept his students | making / from making | a noise in the classroom.

72 전치사가 붙으면 안 되는 동사들에 주의하자.

enter (enter into: 시작하다)	attend (attend to: 주의하다)	marry (with ×)
reach (to ×)	discuss (about ×)	resemble (with ×)
approach (to ×)	answer (to ×)	answer (to ×)

72-1 You should | approach / approach to | a sign, reading KEEP SILENCE.

73 중간에 나오는 의문문은 〈의문문 + 주어 + 동사〉의 순서이다.

73-1 I asked | what he did / what did he do | in his room during holiday.

74 〈형용사 + enough〉 vs. 〈enough + 명사〉

74-1 If you wait | long enough / enough long |, your dream can come true.

75 〈why + 결과〉 vs. 〈because + 원인〉

75-1 When babies are born, they always have blue eyes. This is | why / because | the melanin, the pigment that colors the eyes, is not on the surface of the iris.

75-2 I have a cold. That's | why / because | I can't go to school today.

76 단수로 쓰는 명사

news, series, economics	
evidence, information, advice, knowledge	
furniture, fruit, food(집합체)	→ 단수 취급
baseball(경기), diabetes(질병)	
a pair of, the number of, the amount of	

76-1 A pair of gloves | was / were | found at the scene of the crime.

76-2 Ethics | begin / begins | with our being conscious that we choose how we behave.

71 from making 72 approach 73 what he did 74 long enough 75 because / why 76 was / begins

MEMO

LEVEL CHART

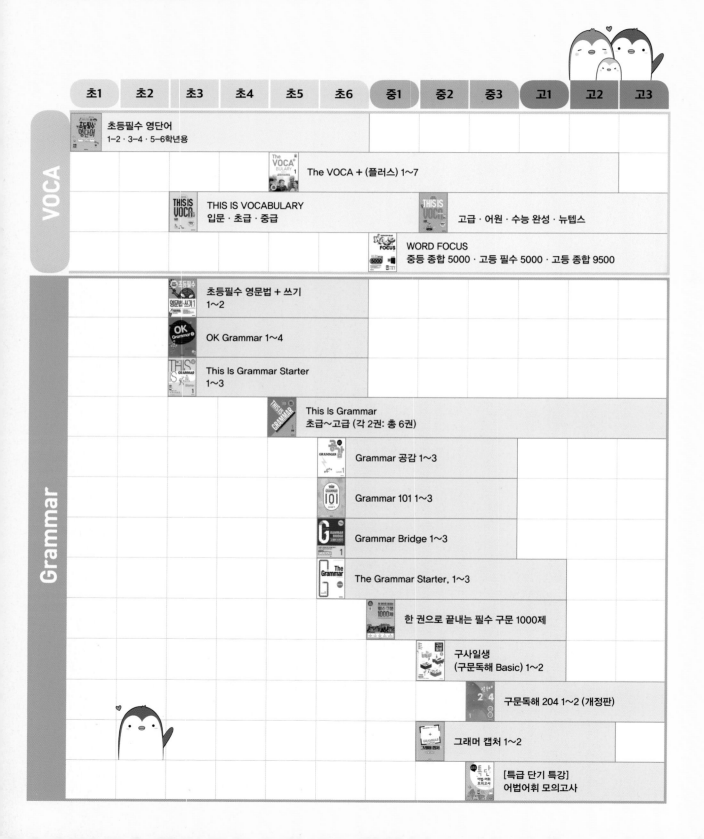

	초1	초2	초3	초4	초5	초6	중1	중2	중3	고1	고2	고3
VOCA	초등필수 영단어 1-2 · 3-4 · 5-6학년용											
					The VOCA + (플러스) 1~7							
			THIS IS VOCABULARY 입문 · 초급 · 중급							고급 · 어원 · 수능 완성 · 뉴텝스		
						WORD FOCUS 중등 종합 5000 · 고등 필수 5000 · 고등 종합 9500						
Grammar			초등필수 영문법 + 쓰기 1~2									
			OK Grammar 1~4									
			This Is Grammar Starter 1~3									
					This Is Grammar 초급~고급 (각 2권: 총 6권)						
						Grammar 공감 1~3						
						Grammar 101 1~3						
						Grammar Bridge 1~3						
						The Grammar Starter, 1~3						
							한 권으로 끝내는 필수 구문 1000제					
							구사일생 (구문독해 Basic) 1~2					
								구문독해 204 1~2 (개정판)				
							그래머 캡처 1~2					
								[특급 단기 특강] 어법어휘 모의고사				

구문을 알면 독해가 저절로!

구문 독해

204

김상근 지음

정답 및 해설

BOOK

1

NEXUS Edu

구문을 알면 독해가 저절로!

구문 독해

204

김상근 지음

정답 및 해설

BOOK 1

NEXUS Edu

UNIT 001~002

✓ Check-up   P. 008-009

001 1. was   2. was
002 1. The number of   2. A number of

001

1. of the ~ were given은 수식어구, One이 주어

우리에게 주어진 훈련 중 하나는 삶에서 가장 중요한 열 가지 사건의 리스트를 만드는 것이었다.

2. of the ~ he learned는 수식어구, One이 주어

그가 배운 가장 중요한 것 중 하나는 자기감정에 대한 책임은 자기 자신에게 있다는 것이었다.

002

1. 동사가 has been increasing이므로 단수 주어 필요

최근에 수면 중 사망하는 아기의 수가 증가하고 있다.

2. 동사가 were이므로 복수 주어 필요

지난 회의에 참석했던 많은 사람들은 개최자의 대접에 만족했다.

EXERCISE   P. 010

01 has   02 is   03 is   04 the number of   05 is   06 were
07 are   08 a number of   09 The number of   10 is

01 One이 주어

신상품 중 하나는 항상 장점과 단점을 모두 가지고 있다.

02 The number가 주어

아웃렛을 방문하는 고객의 수가 8.5% 증가할 것이다.

03 The number가 주어

투표자의 수는 전체 상·하원 의원의 수와 동일하다.

04 동사가 has been declining이므로 단수 주어 필요

비록 조합원의 수는 감소하고 있지만, 조합은 여전히 미국에서 중요하다.

05 of the ~ rules는 수식어구. One이 주어

특정한 규칙을 따름으로써 사람이 친구를 사귈 수 있음을 깨달은 최초의 사람 중 하나는 벤저민 프랭클린이다.

06 considerably large lakes가 주어

예전 빙하시대에는 지금의 미국 북서부 지역에 상당히 큰 호수가 많이 있었다.

07 young people이 주어

점점 더 많은 젊은이들이 뉴욕에서 상점을 차리려고 하고, 그들 스스로 유행하는 가게라고 광고하고 있다.

08 주격 관계대명사 절의 동사가 help이므로 선행사는 복수

그 공동체 안에서 모든 개미는 생존을 돕는 많은 특수한 기능을 지니고 있다.

09 동사가 is skyrocketing이므로 단수 주어 필요

동물법 수업의 수가 급격히 증가하고 있고, 최초의 동물법 사례집이 지금 발행되었다.

10 of the ~ a passage는 수식어구, 주어는 One

단락의 통일성을 해치는 가장 쉬운 방법 중 하나는 주제를 건너뛰는 것이다.

ACTUAL TEST   P. 011

01 ⑤   02 ③

01 ⑤ 앞에 either가 있으므로 and가 아닌 or가 와야 함 ① the number가 주어, has가 동사 ② with 분사구문, 의사가 병원을 운영하는 것이므로 능동 ③ people을 선행사로 받는 주격 관계대명사 who ④ research, diagnose와 병렬 구조

지난 20년 동안, 미국 내 개업의 수는 거의 두 배가 되었다. 그래서 당신은 모든 그런 개업의들이 분주히 치료를 하러 다녀서, 미국인들은 매번 의료 전문가에게 진료를 받으리라 생각할 것이다. 그렇지 않다. 사실, 미국인의 건강관리에 있어서 가장 큰 추세는 DIYDs이다. 이들은 자신의 증상을 조사하고, 질병을 진단하고, 스스로 치료하는 사람들이다. 만약 그들이 어쨌든 의사를 방문해야 한다면, 그들은 의사를 자신들이 이미 알고 있는 자신들이 필요한 처방전을 위한 ATM 기계처럼 여기거나, 의학 웹 사이트 상에서 자가 진단된 자신의 질병에 대해 완전 컬러로 인쇄된 설명서를 가지고 병원에 나타난다.

double 두 배가 되다 **symptom** 증상 **diagnose** 진단하다 **administer** (약을) 투여하다, (치료를) 해주다 **call on** 방문하다 **at all** 〈조건문〉 조금이라도, 이왕 **prescription** 처방전 **condition** 질병

02 (A) 주어가 One이므로 is가 적절 (B) 앞의 내용과 대조를 이루므로 '비록 ~일지라도'라는 의미의 even if가 적절 (C) 뒤에 주어가 없는 불완전한 문장이 왔으므로 관계사 what이 적절

동전에 관한 가장 큰 오해 중 하나는 동전의 가치를 결정하는 것이다. 만약 비수집가에게 2천 년 된 로마 동전과 20달러짜리 금화 중 선택하라고 한다면, 20달러짜리 금화가 700달러인데 비해 로마 동전이 50달러의 가치를 지니더라도 그들은 후자보다는 전자를 선택할 것이다. 비수집가에게 시간은 중요한 요소로 보인다. 그들은 대개 동전이 오래될수록 틀림없이 더 가치가 있을 거라고 생각한다. 그래서 2천 년 된 동전은 그들에게는 100만 달러의 가치가 있을 것이다! 연대, 희귀성, 수요와 공급, 상태와 같은 요소는 동전의 가치에 영향을 미친다. 불과 이 요소 중 한 가지만으로도 특별할 수 있다. 예를 들어, 낮은 등급의 동전은 흔할 수도 있는데, 이것은 낮은 희귀성을 의미한다. 반면에 높은 등급의 동일한 동전은 매우 드물 수 있고, 희귀한 것으로 알려지게 된다. 그러면 큰 가격 상승이 생긴다.

misconception 오해 **determine** 결정하다 **rarity** 희귀성 **have an impact on** ~에 영향을 끼치다 **significant** 특이한 **rare** 희귀한

UNIT 003~004

✓ Check-up   P. 012-013

003 1. is   2. is   004 1. What 2. That

003

1. What ~ them이 주어, what절은 단수 취급

유기체와 그것을 구성하는 물질을 다르게 만드는 것은 유기적 구조의 수준이다.

2. What ~ plans가 주어, what절은 단수 취급

우리 계획에서 가장 중요한 점은 지금 하고 있는 일을 즐기는 것이다.

004

1. discovered의 목적어가 없는 불완전한 문장이 왔으므로 What이 적절

과학자가 발견한 것은 한 사물이 우리가 느낄 수 없는 힘으로 다른 사물을 잡아당긴다는 것이다.

2. 뒤에 완전한 문장이 왔으므로 접속사 That이 적절

정부가 총선에서 패배할 수 있다는 것은 기정사실이다.

EXERCISE   P. 014

01 is   02 That   03 is   04 was   05 was   06 makes
07 was   08 was   09 was   10 doesn't

01 What ~ us가 주어, what절은 단수 취급

변명이 우리를 위해 할 수 있는 것은 또 다른 계획을 준비할 시간을 벌 기회를 준다는 것이다.

02 완전한 문장(all humans ~ equal)왔으므로 접속사 that 필요

모든 사람이 평등하다는 말은 동의한 사람이 거의 없는 명제이다.

03 What disturbs you가 주어, what절은 단수 취급

당신을 방해하는 것은 훌륭한 행동은 보상으로 강화되어야 한다는 생각이다.

04 What ~ Americans가 주어, what절은 단수 취급

많은 미국인을 위해 생산하도록 T형 모델을 저렴하게 만든 것은 부품의 상호 교환성이다.

05 What ~ places가 주어, what절은 단수 취급

이 새로운 장소에서 나를 항상 기다리고 있던 것은 그들의 환대였다.

06 what ~ eyes가 주어, what절은 단수 취급

비록 제이슨이 결국 약혼녀 몰리를 만나고 있지만 그의 눈앞에 있는 것이 결정을 바꾸게 한다.

07 What ~ ignored가 주어, what절은 단수 취급

전문가들이 분명히 무시했던 것은 모든 가정주부에게 알려진 사실이었다. 처음부터 그들의 삶은 단순하지 않았다.

08 That ~ friends가 주어, that절은 단수 취급

그가 가족과 친구들 앞에서 스파이 혐의로 체포된 사실이 사람들을 분노하게 만들 것 같았다.

09 What ~ months,가 주어, what절은 단수 취급

그녀가 11개월의 남극 생활로 얻은 것은 죽음 직전의 경험과 국제적인 명성, 삶에 대한 새로운 관점이었다.

10 That ~ year가 주어, that절은 단수 취급

올해 말까지 ELC 사와 TTL 그룹이 최종 계약을 성사할 거라는 사실은 적어도 나에게는 아주 놀라운 소식인데, ELC 사의 주가에는 영향을 미치지 않는다.

ACTUAL TEST   P. 015

01 ③   02 ③

01 ③ what ~ lightning이 주어, what절은 단수 취급하므로 were가 아니라 was가 적절 ① the roles가 주어, produce가 동사 ② desires을 받는 대동사 ④ 번개가 막아진다는 의미 ⑤ 질병의 하나로 분류되어 극복된 것이 과거의 일, 정신병으로 분류된 것은 보다 전에 있었던 일

사회는 원하는 결과를 도출해 주는 분류 체계를 진실로 생각하는 경향이 있는 반면, 과학은 증명할 수 있는 사실을 진실로 받아들인다. 이런 경향 때문에 사회가 바라는 결과는 비합리적이고 인간적일 수 있지만, 과학이 바라는 결과는 합리적이고 예상 가능할 수 있다. 즉, 분류 체계를 통해서 우리는 진실을 얻을 수 있다. 예를 들어, 번개는 신의 분노의 증거로 분류되었고, 사람들이 번개 맞는 것을 피하기 위해 할 수 있는 일은 기도하는 것뿐이었다. 하지만 벤저민 프랭클린이 번개를 전기로 분류한 이후로, 번개는 피뢰침으로 막을 수 있게 되었다. 유사하게 악령에 사로잡혔다고 분류되었던 정신병은 장애로 분류됨으로써 극복되었다.

classification 분류 **irrational** 비합리적인 **reasonable** 이성적인 **predictable** 예상 가능한 **prevent** 막다 **disorder** (신체 기능의) 장애

02 (A) 본동사 meant가 있으므로 '외상으로 사는 것'이라는 의미의 동명사 주어 Buying이 적절 (B) 주어가 what ~ idea, what절은 단수 취급하므로 was가 적절 (C) 사용하고 지불한다는 의미로 use와 병렬 구조를 이루어 pay가 적절

1960년대에, "지금 사고 나중에 지불한다"는 외상 구매의 개념은 여러 해 동안 미국 문화의 일부분이었다. 외상 구매는 사람들이 실제로 가진 것보다 더 많은 돈을 소비할 수 있다는 것을 의미한다. 1950년에 프랭크 맥나마라와 랠프 슈나이더가 첫 신용 카드를 소개했다. 그 당시, 맥나마라와 슈나이더의 생각에서 획기적이었던 점은 많은 현금을 가지고 다니지 않으면서 다양한 여러 장소에서 하나의 신용 카드를 사용하고 나중에 한꺼번에 지불할 수 있게 해준다는 점이었다. 이 편리함 때문에 이 생각은 빠르게 인기를 얻었고, 신용 카드 사업은 더욱더 고객을 끌어들였다. 오늘날, 모든 미국인의 80%는 최소한 하나의 신용 카드를 가지고 있다.

buying on credit 외상 구매 **revolutionary** 획기적인 **at one time** 한꺼번에 **catch on** 유행하다, 인기를 얻다 **attract** 끌어들이다

UNIT 005~006

Check-up   P. 016-017

005 **1.** is   **2.** is   006 **1.** depends   **2.** is

005

1. Whether ~ shopping이 주어, whether절은 단수 취급

백만 달러를 사업에 투자할지, 쇼핑에 쓸지는 아주 어려운 문제이다.

2. Whether ~ ones가 주어, whether절은 단수 취급

아이들이 대도시에서 자라야 하는지, 소도시에서 자라야 하는지 논란이 많다.

006

1. How ~ are가 주어, how절은 단수 취급

여성이 얼마나 아름다운지는 그들의 외모가 아닌 마음에 달려 있다.

2. What ~ friends가 주어, what절은 단수 취급

그가 가족, 친구들과 함께 여기에 몇 시에 올지 나에게는 비밀이다.

EXERCISE   P. 018

01 is   02 was   03 is   04 communicates   05 depends
06 determines   07 becomes   08 is   09 is   10 depends

01 What ~ World Cup이 주어, what절은 단수 취급

어떤 나라가 2022 월드컵을 유치할지 다음 주에 스위스 취리히에서 결정될 것이다.

02 Who ~ Nations가 주어, 의문사절은 단수 취급

누가 유엔의 새 사무총장으로 선출되는지가 우리의 최대 관심사였다.

03 Whether ~ board가 주어, whether절은 단수 취급

그가 부회장직뿐만 아니라 이사회직을 사임할지 안 할지 새 이사회에서 다뤄진다.

04 How ~ sentences가 주어, 의문사절은 단수 취급

우리가 단어와 구, 문장을 발음하는 방식이 우리가 누구인지에 대한 엄청난 정보를 다른 이들에게 전달한다.

05 Whether ~ market이 주어, whether절은 단수 취급

개나 고양이와 같은 동물을 먹고 싶어 하는 사람들이 그 고기를 시장에서 자유롭게 구입할 수 있는지 없는지는 국회에 달려 있다.

06 Where ~ place가 주어, 의문사절은 단수 취급

그들과 관련된 사건이 발생한 장소가 그가 무죄인지 유죄인지를 결정한다.

07 Whom ~ Group이 주어, 의문사절은 단수 취급

자문 위원회가 ENC 그룹의 회장으로 누구를 추천할지 그룹 직원들에게 있어 초미의 관심사이다.

08 how ~ childhood가 주어, 의문사절은 단수 취급

이 조사를 이끈 심리학자인 스티븐 마르티노에 따르면, 부모가 어렸을 때 아이들을 어떻게 불렀느냐가 아이들의 미래 심리 상태에 있어서 매우 중요하다.

09 Where ~ presents가 주어, 의문사절은 단수 취급

파울로 씨가 나에게 생일 선물과 결혼 선물로 사준 책을 어디에서 찾았는지 비밀이다.

10 When ~ Committee가 주어, 의문사절은 단수 취급

우리가 국회와 위원회에 그 프로젝트에 대한 최종 보고서를 언제 제출할 수 있을지는 당신의 자료 수집 능력에 달려 있다.

ACTUAL TEST   P. 019

01 ④   **02** ②

01 ④ How 의문사절이 주어이므로 depend가 아니라 depends가 적절 ① 〈비교급+than〉 구문 ② '소년들이 소녀들보다 더 활동적인 이유를'이라는 뜻 ③ 형용사 biological을 수식 ⑤ 〈전치사+관계사+완전한 문장〉 구조

남자아이와 여자아이는 명확한 신체적, 정신적 차이가 있다. 그들 간의 이런 차이의 이유는 어디에 있을까? 과학자들은 뇌 구조와 기능에서 그 답을 찾고 있다. 남자아이들은 태어날 때부터 노후에 이르기까지 여자아이들보다 더 큰 뇌를 가지고 있다. 하지만 이 이야기는 남자아이들이 여자아이들보다 더 활동적인 이유를 정확히 설명할 수 없다. 뇌의 차이는 분명 생물학적이지만, 완전히 뚜렷한 것은 아니다. 일부는 이것을 가소성이라고 부르는데, 이 것은 모든 학습과 아이들의 정신 발달의 기초이다. 그들이 환경을 어떻게 보느냐는 어린 시절의 평범한 시각적 경험에 달려 있고, 이것이 없으면 아기의 시각적 뇌가 적절하게 연결하지 못해서 시각이 영구적으로 손상된다.

definite 명확한 **disparity** 불일치, 차이 **obviously** 명백하게 **biological** 생물학적인 **stark** 완전한, 순전한 **permanently** 영구적으로 **impair** 손상시키다

02 (A) disposing ~ rivers가 주어, 동명사구가 주어이므로 is가 적절 (B) 뒤에 진목적어 for plants to survive ~ water's edge가 나오므로 가목적어가 나오는 making it easier가 적절 (C) contribute to -ing '~에 기여하다'이므로 purifying이 적절

최근 인도의 일부 공무원들은 육식성 거북이를 이용하여 강을 정화하고 되살리기 위해 고안된 프로그램을 시작했다. 이들에 따르면, 이 거북이들은 동물과 인간의 시체를 즐겨 먹는다고 한다. 일부 종교 단체에서는 강에 시

체를 버리는 것이 일반적인 관습이기 때문에 이것은 매우 의미 있는 일이다. 이 거북이들은 시체의 살을 기꺼이 먹을 뿐 아니라, 강둑의 토양도 부드럽게 해줘 식물이 물가에서 잘 살아남을 수 있게 해준다. 결과적으로 식물이 강둑의 침식을 막아주며, 실제로 몇몇 식물은 강을 정화하는 데 기여한다. 만약 몇 개의 주에서 거북이 실험이 성공한다면, 인도 전역에서 시행될 것이다.

carnivorous 육식성의 **corpse** 시체 **dispose** 처리하다 **willingness** 의지 **erosion** 침식 **implement** 시행하다

UNIT 007~008

✅ Check-up   P. 020-021

007   **1.** destroys   **2.** requires   **008**   **1.** seems   **2.** is

007

1. To ~ isolated가 주어, to부정사구는 단수 취급

이미 사회적으로 고립된 사람이 투표하는 것을 배제하는 일은 민주주의를 파괴하는 행위이며, 카스트 제도를 만드는 것과 같다.

2. To ~ days가 주어, to부정사구는 단수 취급

며칠 만에 체중을 감량하려면 다이어트를 하는 사람들에게 규칙적으로 운동하고 식이 요법을 하는 것이 요구된다.

008

1. Measuring ~ standards가 주어, 동명사구는 단수 취급

그런 높은 기준에 부합하는 것은 불가능해 보이므로 많은 사람은 어떤 대단한 것을 출판하려는 꿈을 포기한다.

2. just providing ~ treatment가 주어, 동명사구는 단수 취급

얼마 전에야 비로소 우리 대부분은 환자에게 최고의 치료를 제공해 주는 것만으로는 충분하지 않다는 사실을 이해하게 되었다.

EXERCISE   P. 022

01 is   **02** are   **03** takes   **04** is   **05** means   **06** is
07 differs   **08** is   **09** provides   **10** causes

01 Limiting ~ sentences가 주어, 동명사구는 단수 취급

문단과 문장을 제한하는 것은 소형 카메라를 가지고 스냅 사진을 찍는 것과 같다.

02 those details가 주어, Realizing 뒤에 목적어절을 이끄는 접속사 생략, 뒤에 문장이 나오므로 Realizing ~ 은 분사구문

그런 세부 사항이 단락에 필요하다는 것을 깨달아도 얼마나 많은 세부 사항이 필요한지 여전히 궁금해 할 수도 있다.

03 Banning ~ cell phones가 주어, 동명사구는 단수 취급

아이들이 휴대 전화를 가지고 다니지 못하게 하는 것은 평범한 가족에게서 이런 문제를 없애 준다.

04 To understand ~ brain이 주어, to부정사구는 단수 취급

두뇌에 미치는 이런 호르몬의 효과를 이해하는 것이 모든 우울증에 걸린 환자가 확실히 적절한 치료를 받게 할 수 있는 유일한 방법이다.

05 seeing ~ later가 주어, 동명사구는 단수 취급

우울증에 걸린 사람들에게 있어서 더 늦기 전에 의사를 만나는 것은 삶과 죽음 사이의 차이를 의미한다.

06 To reinforce ~ results가 주어, to부정사구는 단수 취급

이런 결론을 강화해 주는 것은 여성들이 삶의 다른 시기에 항우울제에 다르게 반응한다는 결과이다.

07 Grading ~ classroom이 주어, 동명사구는 단수 취급

이론적으로 그리고 교실에서(학문적으로) 동전을 분류하는 것은 길에서(실제 생활에서) 동전을 분류하는 것과는 매우 다르다.

08 To err or to make mistakes가 주어, to부정사구는 단수 취급

실수를 하는 것은 사실 인간의 한 부분이지만 대부분의 사람은 실수한 것에 대한 책임을 인정하고 싶어 하지 않는 것 같다.

09 Having ~ English가 주어, 동명사구는 단수 취급

특히 한국에서 뛰어난 영어 구사 능력을 가지는 것은 어떤 사람에게는 엄청난 이점이 된다.

10 Taking frequent showers가 주어, 동명사구는 단수 취급

사실 샤워를 자주 하는 것은 피부 문제와 다른 감염을 야기한다.

ACTUAL TEST
P. 023

01 ①　　　　**02** ②

01 ① To see ~ things가 주어, to부정사구는 단수 취급하므로 are가 아니라 is가 돼야 함 ② 앞 문장 전체를 선행사로 받는 관계대명사 which ③ '자민족 중심주의라고 불리는'이라는 의미 ④ 둘 중 나머지 하나를 의미 ⑤ 형용사로 쓰여 '열려 있는'을 의미

우리 문화를 최고 중 하나로 보는 것이 꼭 위험한 것은 아니다. 이 말에서 위험한 것은 우리가 감정적인 태도를 논리적인 것으로 여기는 경우이다. 만약 옥스퍼드와 케임브리지 대학교 간에 럭비 경기가 있다면, 두 학교의 학생들은 소리치고 가슴을 치는 행위를 보여 주고, 이것은 '자민족 중심주의'라고 불리는 자신이 최고라고 하는 믿음을 반영한다. 문제는 "우리가 최고다"라는 감정적인 태도가 인지적인 생각으로 변할 수 있다는 것이다. 다시 말해서 하나가 최고라면 나머지 하나는 그것보다 반드시 열등하다는 것이다. 이것의 가장 유명한 예는 아돌프 히틀러의 나치이다. 그는 그들이 최고라고 생각해서 다른 사람의 모든 면을 무시했다. 물론 이것은 단지 최악의 예일 뿐이다. 다행히도 우리는 올바른 논증을 할 줄 아는 인간이다. 우리는 우리 문화를 자랑스러워 할 수 있고, 동시에 다른 문화를 순순히 받아들이고 감사할 수 있다는 것을 안다.

pound 치다 **cognitive** 인지적인 **prominent** 우수한 **ignore** 무시하다 **be open to** ~을 순순히 받아들이다 **be appreciative of** ~을 감사하다

02 (A) 뒤에 본동사 might easily agree가 나오므로 anyone을 수식하는 분사 surveying이 적절 (B) realizing ~ globalization이 주어, 동명사구는 단수 취급하므로 goes가 적절 (C) 앞에 선행사가 있으므로 계속적 용법의 관계대명사 which가 적절

정체성이 가지는 힘에 대한 견해는 성과 종교, 윤리, 국가성을 기본으로 한 사회 운동의 급속한 증가를 조사해 본 사람이라면 누구나 쉽게 동의할 수 있다. 그래서 세계화라는 힘에 반대되는 의미 있는 문화적 원천을 깨닫는 것은 이 힘을 잘 균형 잡히게 하고자 하는 긴 길을 가는 것이다. 결과적으로 세계화의 영향은 세계를 향한 제도적이고 기술적인 추진력과 대등하게 하려는 지역화의 힘과의 상호작용의 문제가 된다. 이 세계화를 지향하는 추진력이 자본주의와 사람들에게 매우 큰 영향을 주는 통신 기술과 대중매체를 결합시킨다.

ethnicity 민족성 **in perspective** 균형이 잘 잡혀서, 진상을 바르게 **institutional** 제도적인 **counterbalance** 대등하게 하다

UNIT 009~010

✅ Check-up
P. 024-025

009 **1.** have **2.** is　　　**010** **1.** were **2.** gives

009

1. A lot of studies가 주어, 복수 동사 필요

인간 진화에 대한 많은 연구는 사람들이 스스로에 대해 정말 알고 싶어 하는 것을 밝혀준다.

2. The relationship이 주어, 단수 동사 필요

거북이와 토끼 사이의 관계는 그들이 얼마나 끊임없이 목적지로 뛰어가는냐에 따라 결정된다.

010

1. volunteers가 주어, 복수 동사 필요

과학자들은 도파민이라는 화학 물질을 더 많이 생산하는 두뇌를 가진 자원자들이 정보를 저장할 수 있다는 것을 발견했다.

2. A person이 주어, 단수 동사 필요

여성형 얼굴의 특성으로 여겨지는 것을 지닌 사람은 그 사람이 상냥하고 친절하다는 인상을 준다.

EXERCISE
P. 026

01 has　**02** is　**03** was　**04** is　**05** have　**06** rises　**07** are
08 was　**09** is　**10** destroys

01 Rapid growth가 주어, 단수 동사 필요

통신 기술의 빠른 성장은 언어 교육과 언어 사용을 변화시켜 왔다.

02 The best way가 주어, 단수 동사 필요

신선한 다발을 보관하는 최고의 방법은 비닐봉지에 담아 열린 채로 채소 칸에 냉장 보관하는 것이다.

03 The most ~ American friend가 주어, 단수 동사 필요

백인 정착민들의 가장 유명한 인디언 친구는 포카혼타스라고 불리는 어린 공주이다.

04 the huge disparity가 주어, 단수 동사 필요

그에 따르면, 수입에 있어서 미국과 소말리아 간의 큰 격차는 전적으로 신용의 격차로써 설명된다.

05 The countries가 주어, 복수 동사 필요

권력과 영향력이 있는 지위에 있는 여성의 수가 가장 적은 나라는 여성 교육에 있어서도 최악의 수치를 보인다.

06 the cost가 주어, 단수 동사 필요

충분한 신뢰가 없다면, 거래 비용은 상승하고, 심지어 상호 간에 이익을 얻을 수 있는 거래가 실현될 수 없는 시기도 있게 된다.

07 Events가 주어, 복수 동사 필요

금융 시스템에서 발생하는 사건들은 경제 전반에 걸친 성장을 이해하는 데 가장 중요하다.

08 the amount가 주어, 단수 동사 필요

모든 범주 중에서 의류비의 비중이 가장 컸다.

09 El Sistema가 주어, 단수 동사 필요

엘 시스테마는 가장 성공적인 사회 통합 프로젝트 중 하나로 알려져 있는데, 베네수엘라에 있는 청소년 오케스트라단과 음악 센터의 국가적인 네트

워크이다.

10 The humiliation이 주어, 단수 동사 필요

냉담하고 때로 잔인한 친구들에게 받았던 굴욕은 그의 자아를 파괴한다.

ACTUAL TEST

P. 027

01 ① **02** ⑤

01 ① something이 주어이므로 annoy가 아니라 annoys가 돼야 함 ② All that I know가 주어, is가 동사 ③ '어떤 판단도 포함하고 있지 않다'는 뜻, 판단이 포함되는 것 ④ the reason을 선행사로 받는 관계대명사 why ⑤ mean to '~을 의도하다'

만약 내가 당신에게 당신이 한 어떤 행동이 나를 짜증나게 한다고 말한다면, 나는 당신의 행동이 누군가를 짜증나게 할 거라고 생각하면서 그렇게 거만하게 구는 것이 아니다. 심지어 당신의 행동이 어떤 식으로든지 잘못되었다거나 공격적이라는 것을 의미하는 것도 아니다. 단순하게 지금 이곳에서 내가 짜증을 경험하고 있다는 것을 의미할 뿐이다. 아마도 그것은 두통이나, 소화 불량, 아니면 내가 지난밤 잠을 충분히 자지 못했다는 사실일 것이다. 나는 정말 모르겠다. 내가 아는 것은, 즉, 내가 당신에게 이 순간 짜증을 경험하고 있다는 것을 말하려는 것뿐이다. 이것은 아마도 함축하고 있는 의견이 없다고 다른 사람을 확신시키기 위해 일종의 부인을 하면서 본능적으로 의사소통을 시작하는 대부분의 경우에 도움이 될 것이다. 나는 "이것이 나를 괴롭히는 이유를 모르겠어요. 하지만 그래요. 내가 추측하기에 나는 그저 지나치게 예민해요. 정말로 당신이 잘못했다고 말하려는 것은 아니에요. 하지만 당신이 말한 것 때문에 정말 상처 받았어요."라고 말함으로써 시작할 수도 있다.

arrogant 거만한 **offensive** 공격적인 **indigestion** 소화 불량 **annoyance** 분노 **gut-level** 본능적인 **disclaimer** 부인, 포기 **hypersensitive** 지나치게 예민한 **imply** 함축하다

02 (A) Anyone이 주어이므로 knows가 적절 (B) 기억한 것이 과거이고, 표시를 한 것은 그보다 이전에 발생한 일이므로 과거완료 had가 적절 (C) 앞 문장 전체가 선행사이므로 was가 적절

컴퓨터나 냉장고에 접착 메모지를 붙여본 적이 있는 사람은 누구나 이 편리한 종잇조각의 가치를 안다. 하지만, 그들이 좋아하는 접착 메모지가 어떻게 탄생하게 되었는지를 아는 사람은 거의 없다. 사실 그것은 우연의 결과였다. 스펜서 실버와 아트 프라이가 일하고 있었을 때, 실버가 접착제를 발견했으나 접착성이 그렇게 강하지 않아서 그것을 버렸다. 프라이는 일요일에 성가집에 종잇조각으로 표시한 후 그의 동료의 발견을 기억해 냈다. 항상 그랬듯이 프라이가 노래하는 동안 종잇조각들이 떨어져 나갔고, 그것은 짜증나는 일이었다. 프라이가 월요일에 직장으로 돌아왔을 때, 그는 직접 임시 책갈피로 쓰기 위해 실버의 접착제를 쓰기 시작했다.

handy 편리한, 유용한 **adhesive** 접착제 **discard** 버리다 **choir** 합창 **temporary** 일시적인

UNIT 011~012

🔍 Check-up

P. 028-029

011 1. helps 2. was   **012** 1. was 2. make

011

1. that ~ subjects는 수식어구, 주어는 His advice

서너 개의 과목을 공부해야 한다는 그의 조언은 중간고사에서 내 성적을 올리는 데 도움을 준다.

2. that ~ things는 수식어구, 주어는 The evidence

그의 조카딸이 짐에게 그런 것들을 하라고 강요한 증거가 재판 전에 발견되지 않았다.

012

1. which ~ debt는 삽입절, 주어는 The most ~ proposal

위원회가 부채로부터 회사를 구해내는 데 도움이 된다고 생각한 가장 최근의 예산안은 채권자들에 의해 거부되었다.

2. A few other problems가 주어

재고 과잉과 같은 다른 몇 개의 문제는 이번 시즌에 상황을 더 심각하게 만든다.

EXERCISE

P. 030

01 is **02** has **03** is **04** are **05** is **06** is **07** is **08** is **09** have **10** appear

01 Capacity가 주어

종종 직원에게 있는 능력은 서비스 공급자에게 중요하다.

02 This opera singer가 주어

가장 작은 술집의 통나무 위에 앉아 있던 이 오페라 가수는 가장 취한 군중을 조용히 시켰다.

03 A person이 주어

그런 놀라운 업적을 쌓은 사람이 "성대한 파티나 선물은 필요 없습니다. 단지 잠시 쉬고 싶습니다."라고 요구하고 있다.

04 Manufacturers가 주어

이전에 대형 고급차만 생산했던 생산업자들은 더 작은 모델을 만들 필요가 있다.

05 the income이 주어

다르게 말하자면, 미국인들이 누렸던 수입의 0.5%는 노력의 결과이고, 99.5%는 신뢰의 결과이다.

06 The belief가 주어

모든 사람이 자기 자신에게 최선인 것을 알고, 자신의 결정에 책임을 져야만 한다는 신념은 미국에서 기본적인 경제 개념이다.

07 White mica가 주어

가장 단순한 구조를 가진 흰색 운모는 표면이 빛나고, 무색부터 은색 빛까지 띈다.

08 Quinzen이 주어

콩으로 만든 폴리에스테르 합성수지인 Quinzen은 후드와 트랙터의 커버 같은 다양한 상품을 만드는 데 사용되고 있다.

09 The greatest winnings가 주어

행복과 돈, 만족에서 내가 이룬 가장 위대한 승리는 거의 전반적인 비난 속에서 이뤄졌다.

10 Sex hormones가 주어

성 호르몬, 특히 상대적으로 풍부한 테스토스테론이 소년들의 흥분을 유발하는 것 같다. 그래서 소년들이 소녀들보다 더 공격적이다.

01 ③　　　　　　　　　02 ③

01 ③ seed products가 주어이므로 spreads가 아니라 spread가 돼야 함 ① the research가 주어, is가 동사 ② 전치사의 목적어인 동명사, prevent from -ing '~하는 것을 막다' ④ deserve의 목적어가 되는 to 부정사, those products가 보호하는 것이 아니라 보호되는 것이므로 수동형 ⑤ 연구에 대한 제한이 없어져야 한다는 의미

새로운 씨앗 제품 연구가 금지되는 것은 말이 안 된다. 특히, 과학자들이 공익을 위해 씨앗 제품을 연구하는 것을 막는다는 것은 나를 슬프게 한다. 알다시피, 과학자는 씨앗 제품을 검사하고 분석할 만한 자격이 있다. 그러나 연구하는 것이 금지되면, 국민의 건강에 위험한 문제를 유발할 수 있는 씨앗 제품이 나라 전역에 퍼질 수 있다. 나는 그 상품들이 지적 재산권으로 보호 받을 가치가 있다는 것에는 동의하지만 또한 식품 안전과 환경 보호가 우선시되어야 한다고 본다. 그러므로 나는 씨앗 제품에 대한 연구 제한이 즉각적으로 철폐되어야 함을 강력히 촉구한다.

seed 씨앗 **prevent** 막다 **welfare** 복지 **qualified** 자격이 있는 **property** 자산 **priority** 우선순위 **restriction** 제한

02 (A) Unlearned behavior가 주어이므로 is가 적절 (B) to make, design, read와 병렬 구조를 이루므로 do가 적절 (C) '학습되다'라는 의미이므로 be learned가 적절

무의식적인 윙크와 무릎 반사, 피부 붉어짐 등과 같은 타고난 행위는 완전히 생리적인 것이며 문화적인 것이 아니다. 하지만 악수나 면도는 문화적이다. 학습을 강조하는 것은 중요하다. 호모 사피엔스인 우리에게는 본능이 충분하지 않다. 다른 종과는 달리 인간은 그들이 하는 대부분의 일을 어떻게 하는지 배워야만 한다. 우리에게는 책상을 만들고, 멋진 드레스를 디자인하고, 소설을 읽고, 우리가 매일 생각하지 않고 많은 것을 하도록 가르치는 본능이나 다른 생물학적인 재능은 없다. 이 간단한 모든 것은 학습되어야 하는 것이다. 그것들은 모두 문화의 일부분이다.

involuntary 무의식적인 **reflex** 반사 작용 **flush** 홍조 **fairly** 완전히, 꽤 **physiological** 생리학적인 **instinct** 본능 **in contrast to** ~와 달리

01 are → is　**02** is → are　**03** is → are　**04** are → is　**05** was → were　**06** is　**07** causes　**08** reveals　**09** is　**10** shows

01 telling ~ jokes가 주어, 동명사구는 단수 취급

형식적인 농담을 하는 것은 재미있어지기 위한 많은 방법 중 하나이고, 남자가 여자보다 농담을 더 많이 한다고 밝혀졌다.

02 The spending habits가 주어, '소비 습관'이라는 의미의 복수 명사, spending을 동명사 주어로 보면 안 됨

19세에서 30세의 4억 중국인의 소비 습관은 세계 경제를 불경기에서 회복시키는 데 있어서 중요하다고 본다.

03 a good ~ to it은 목적격 관계대명사가 생략된 절로 주어인 The inferences를 수식, 복수 주어

훌륭한 기술자가 차 소리를 듣고 차의 내부 상태에 관해 추론해 내는 것은 가끔 놀라울 정도로 정확하다.

04 All이 주어, I want to know를 받으므로 단수

내가 알고 싶은 모든 것은 우리가 공유하는 사랑이 너무 특별해서 없어질 수 없다고 믿는 것이 옳은 가이다.

05 those가 주어, 복수 동사 필요

피실험자들이 아침에 동일한 그림을 보았을 때, 꿈으로 가득찬 REM 수면 상태를 빼앗긴 사람들은 다른 수면 구간을 빼앗긴 사람들보다 감정적으로 영향을 덜 받았다.

06 How ~ memories가 주어, 의문사절은 단수 취급

어떻게 두뇌가 기억을 암호화하고 저장하느냐는 의학계에서 가장 중요한 미스터리 중 하나이다.

07 Damage가 주어, 단수 동사 필요

이 부분과 근접한 부분의 손상은 심각하고 영구적인 기억 상실을 유발한다.

08 Where ~ time이 주어, 의문사절은 단수 취급

우리가 항상 보고 응시하는 곳은 우리가 의식적으로 접근할 수 없는 기억을 드러낸다.

09 What ~ researches가 주어, what절은 단수 취급

이런 연구로부터 확실치 않은 것은 악몽이 걱정의 원인이 되는 역할을 하느냐(걱정이 있어서 악몽을 꾸는 것인지) 아니면 잠재된 문제의 표현일 뿐이냐 하는 것이다.

10 Genetic analysis가 주어

세 종류의 돼지에 대한 유전적 분석은 그들의 유전자에 정상보다 낮은 활동성을 지닐 거라는 것을 보여준다.

01 ②　**02** ④　**03** ③　**04** ②　**05** ①　**06** ④

01 ② What ~ students가 주어, what절은 단수 취급하므로 are가 아니라 is가 적절 ① '어른이 모욕을 느낄 필요는 없다'는 의미, 어른이 감정을 느끼는 것이므로 과거분사 ③ 〈Some ~. Others ~.〉 구문으로 some은 일부를, others는 나머지 중 일부를 지칭 ④ '어떤 책'이라는 의미의 의문형용사 which ⑤ '적절함을 평가하는 방법'이라는 how

어른들이 아이들을 위한 무언가, 특히 (아이들용) 책을 받았을 때 모욕감을 느낄 필요는 없다. 이 책이 학생들에게 주는 것은 꽤 다양하다. 어떤 책은 아이들의 세계에 무언가 즐거운 것을 주기 때문에 선택된다. 다른 책들은 문학이나 다른 문화의 창으로 생각될 수도 있다. 어떤 책들은 모든 나이를 아우르는 이야기를 다루는데, 이는 사람들에게 선입견을 줄 수도 있다. 교사들은 어떤 책이 자신의 학생의 수준에 적절한지 결정해야 한다. 만약 그들이 그럴 충분한 능력이 없다면, 독서 전문가에게 도움을 요청해야 한다. 전문가들은 학생에게 각각의 책의 적절성을 평가하는 방법을 위한 도구를 제시해 줄 수 있다.

insulted 모욕감을 느끼는 **handle** 다루다 **determine** 결정하다 **valuate** 평가하다 **appropriateness** 적절성

02 (A) 뒤에 목적어가 오고, 그들이 오래된 직장을 떠난다는 의미이므로 leaving이 적절 (B) 뒤에 완전한 문장이 오므로 in which가 적절 (C) finding ~ skills가 주어, 동명사구는 단수 취급하므로 is가 적절

더 젊은 일꾼들은 더 일반적인 기술을 갖고 있는 경향이 있고, 그들의 기술이 가장 잘 이용될 수 있는 곳에 대한 확신이 덜 하다. 그래서 그들은 주기적으로 직장을 옮기는 경향이 있다. 그러나 이전의 직장을 떠날 때, 그들은 새로운 직장을 찾는 데 어려움이 거의 없다. 반대로 나이가 더 많은 일꾼들은 그들이 현재 고용된 산업 또는 회사에 맞는 아주 특별한 기술을 종종 더 많이 지니고 있다. 그들은 이미 그들의 최고의 고용 선택권을 알며 직장을 옮기지 않는 경향이 있다. 그러나 그들이 직장을 떠날 때 자신들의 정교한 기술과 잘 어울리는 자리를 찾는 것은 종종 어렵고 시간 낭비이다. 따라서 젊은 일꾼에게 성가신 일인 실직은 성숙한 일꾼에게는 해롭고 재정적으로 고갈되는 경험일 수도 있다.

tend to ~하는 경향이 있다 **precise** 정교한 **time-consuming** 시간이 걸리는 **nuisance** 성가심 **drain** 소진시키다

03 ③ Everything이 주어, are가 아니라 is가 적절 ① 전치사구가 앞으로 나가서 주어, 동사가 도치된 구조 ② 허물을 발견한 과거보다 이전의 일이므로 과거완료가 오고, 벗겨지는 것이므로 수동 ④ '교육 받다'라는 의미 ⑤ '벌거벗은 뱀 한 마리'라는 의미로 naked가 명사 snake를 수식

사라가 뛰어 들어왔다. 그녀는 "제가 찾은 것 좀 보세요."라고 말했다. 내가 읽고 있던 서류 위로 나를 펄쩍 뛰게 한 바스락거리는 긴 물체가 나타났다. 그것은 정원에 있는 많은 뱀 중의 한 마리가 남긴 허물이었다. "예쁘지 않아요?" 눈이 휘둥그런 일곱 살짜리 딸아이가 말했다. 나는 그 허물을 보고서 사실은 그리 예쁘지는 않다고 속으로 생각했지만, 보는 것을 과장하지 말라고 배웠다. 아이들이 처음 보는 모든 것은 그들의 미적, 창의적 감각의 기초가 된다. 아이들은 그렇지 않다고 교육 받기 전까지는 세상에서 좋은 점과 훌륭한 점만을 본다. "대체적으로 멋지구나! 이제 우리 정원에 벌거벗은 뱀 한 마리가 있겠네."라고 대답했다.

crispy 바스락거리는 **shed** 흘리다 **exaggerate** 과장하다 **elementary** 기초의 **educate** 교육하다 **naked** 벌거벗은

04 (A) 뒤에 완전한 문장이 오므로 관계부사 where가 적절 (B) '강 가까이'를 의미하므로 near가 적절 (C) The thousands of tells '수천 개의 언덕들'이 주어이므로 contain이 적절

역사 수업에서 우리는 초기 문명이 발생한 티그리스 강과 유프라테스 강 사이의 땅인 메소포타미아에 관해서 들어본 적이 있다. 그 땅에는 사막이 있지만, 만약 특히 관개 수로를 만든다면 강 가까이에서 기름진 농경지를 가질 수 있을 것이다. 신석기 사람들은 이미 거대 마을을 종교 중심지로써 짓기 시작했다. 몇몇 발굴지는 직사각형 모양의 집과 좀 더 큰 진흙 벽돌 건물의 밀집된 정착지를 보여주는데 그 건물은 tells라고 불리는 거대한 진흙 무더기가 형성될 때까지 유적지 위에 지어진다. 서남아시아 전체에 있는 수천 개의 tells에는 일상생활에서 나온 수천 년 된 쓰레기가 포함되어 있다. 또한 고고학자들은 고대인들이 점점 많은 사람들을 먹여 살리려고 식량 생산을 늘리기 위해 판 수백 마일의 관개 수로를 발견했다.

fruitful 기름진 **irrigation** 관개 **Neolithic** 신석기의 **excavation** 발굴 **dense** 밀집된 **settlement** 정착 **rectangular** 직사각형의 **ruins** 유적지 **archaeologist** 고고학자 **canal** 운하 **yield** 생산량

05 ① These fats가 주어, is가 아니라 are가 적절 ② 그것들의 부피를 늘린다는 의미로 대명사 목적어가 왔으므로 bulk them up이 적절 ③ '심장마비의 위험을 증가시키면서'라는 의미의 부대상황을 나타내는 분사구문 ④ 계속적 용법의 which ⑤ the substances를 의미

유능한 의사들은 정부에게 인공 트랜스 지방을 음식에 넣지 못하게 금지하라고 요구하고 있다. 영양가가 없는 이러한 지방은 비스킷, 칩, 즉석요리와 같은 음식의 부피를 늘리고, 식품의 보존 기간을 늘리기 위해서 첨가된다. 하지만 이 지방은 또한 소비자들의 심장마비가 올 확률을 높이는 나쁜 콜레스테롤의 수치도 증가시킨다. 인공 트랜스 지방은 벌써 덴마크, 캘리포니아, 스위스 등지에서는 법적으로 금지되고 있으며, 3천 명의 의사와 공중 보건 전문가를 대표하는 공중 보건 연구회에 따르면 영국 또한 똑같은 처리를 하라고 대중의 압박을 받고 있다. 2007년 정부가 지원한 연구에 따르면 인간이 그런 물질을 위험한 수준까지 섭취하지 않기 때문에 금지할 필요가 없다고 결론지었다. 하지만 이 공중 보건 연구회에 따르면 트랜스 지방에는 알려진 안전 수치가 없다고 한다.

ban 금지하다 **nutritional** 영양분의 **bulk up** 부피를 키우다 **extend** 확장하다 **outlaw** (법적으로) 금지하다 **overwhelm** 압도하다 **represent** 대표하다 **substance** 물질

06 (A) '녹색 혁명으로 알려진'이라는 의미로 a campaign을 수식하는 분

사구문을 이끄는 known이 적절 (B) helped와 병렬 구조를 이루므로 increased가 적절 (C) the cost가 주어이므로 was가 적절

1950년대 전 세계의 농업 과학자들은 녹색 혁명이라고 알려진 캠페인을 시작했다. 그것은 전 세계적으로 사용 가능한 식량 자원을 늘리려는 의도였다. 녹색 혁명은 아시아의 기근을 해결했고, 많은 다른 지역에서 식량 생산량을 증가시켰다. 하지만 녹색 혁명은 부정적인 측면도 있었다. 비료와 살충제는 암을 유발하고, 환경을 오염시키는 위험한 물질이다. 또한 화학 물질과 더 많은 작물을 추수하기 위한 장비의 비용은 일반 농민들에게는 너무 비쌌다. 결과적으로 소규모 농장주들은 농업의 진보로부터 혜택을 거의 받지 못했다. 일부의 경우, 농민들은 더 큰 농업 사업주들에 의해서 땅에서 쫓겨나기도 했다.

agricultural 농업의 **famine** 기근 **crop yield** 수확량 **fertilizer** 비료 **pesticide** 살충제 **peasant** 농부

chapter
02 주어와 동사 2

UNIT 013~014

🔍 Check-up   P. 038-039

013 1. is 2. were   **014** 1. are 2. consists

013

1. suffering ~ bruises는 수식어구, 주어는 The sprinter
까지고 멍이 든 단거리 주자는 승리를 즐기고 있다.

2. working for this lab은 수식어구, 주어는 Employees
이 연구소에서 일하는 직원들은 뛰어난 능력이 있는 엔지니어들이다.

014

1. 주어는 Half of the books이고, 실제 지칭하는 것이 복수인 the books이므로 그 절반에 해당하는 것도 복수 취급
내 책장에 있는 책의 절반은 버려질 것이다.

2. 78%이기는 하지만 실제 지칭하는 것이 불가산 명사인 air이므로 단수 취급
공기의 78%는 질소로 구성되어 있고, 나머지는 산소, 아르곤, 이산화탄소 등이다.

EXERCISE   P. 040

01 is 02 seems 03 depends 04 is 05 hurts 06 have
07 is 08 is 09 survive 10 comes

01 Most의 실제 주어는 단수인 the paragraph
단락의 대부분은 주제를 소개하는 데 사용된다.

02 All this concern이 주어
민족적 다양성에 관한 이 모든 걱정은 지나친 호들갑인 것 같다.

03 The particular order or sequence needed가 주어, or로 연결되어 있으므로 단수 취급
특별한 순서나 필요한 차례는 주제에 달려 있다.

04 most의 실제 주어는 단수 our body heat

우리는 종종 체열의 대부분이 머리를 통해서 소실된다고 믿도록 유도된다.

05 All의 실제 주어는 the junk

사람이 만든 모든 쓰레기는 식물, 동물, 심지어 사람 자신에게도 피해를 준다.

06 80%의 실제 주어는 women

미국에서 18세 이하의 자녀가 있는 여성의 80% 이상은 어머니의 역할과 가정주부의 역할 말고도 다른 역할이 있다.

07 90%의 실제 주어는 all Internet web content

모든 인터넷 콘텐츠의 90% 이상이 영어로 쓰여 있다는 점을 주목하는 것은 중요하다.

08 Most의 실제 주어는 동명사인 our conquering

공학, 화학, 의학과 같은 외부 세계에 대한 우리 대다수의 정복은 우리 신경계의 능력을 증가시키기 위해 한두 가지 기계 장치를 사용한 덕분이다.

09 96%의 실제 지칭은 passengers

미국 비행기 사고에서 거의 96%의 승객이 개선된 비행 안전 기준 덕택에 살아남는다.

10 About two-thirds의 실제 지칭은 all e-mail. e-mail은 가산, 불가산 명사 모두로 쓸 수 있지만, 여기서는 불가산으로 쓰임

모든 이메일의 3분의 2는 미국에서 오며, 미국에서 온 이메일 메시지의 수는 미국 체신부에 의해 배달되는 우편물의 수를 넘는 것으로 추정된다.

ACTUAL TEST
P. 041

01 ① **02** ⑤

01 ① plants가 주어이므로 is가 아닌 are가 돼야 함 ② All they need가 주어, is가 동사 ③ 접속사가 없으므로 분사구문이 적절 ④ 뒤에 명사구만 오므로 because of가 적절 ⑤ '제거된다'라는 의미이므로 수동태가 적절

화분이나 흙이 필요 없이 물 표면에 있는 식물은 수상 식물이라고 불린다. 수상 식물을 기르는 매우 쉽고, 일부는 꽃도 피는데, 날씨가 따뜻할 때 밝은 푸른 꽃이 피기 시작하고 가을까지 지속된다. 수상 식물에게 필요한 것은 물을 담을 통뿐이고, 안뜰이나 덱에서도 자란다. 수상 식물의 뿌리는 물속에 매달려 있는데, 이는 그렇지 않으면 해조류를 번성하게 할 수 있는 영양분을 끌어당긴다. 보통 매년 수상 정원가의 대부분은 가장 저렴한 식물 중 신선한 것을 구입한다. 겨울에는 간단히 수상 식물에 퇴비를 주거나 여러해살이 주위에 뿌리를 덮어 보자. 높은 질소 함유량 때문에, 수상 식물은 연못에서 꺼낸 다음에도 흙에 영양분을 공급하기도 한다.

float 떠 있다 patio 안뜰 nutrient 영양분 algae 해조류 bloom 번영하다 compost 비료 nitrogen 질소 pond 연못

02 (A) all you needed가 주어이므로 was가 적절 (B) 뒤에 완전한 문장이 왔으므로 관계부사 where가 적절 (C) '변형된 동전'이라는 의미로 coins를 수식하는 altered가 적절

오래 전에 가짜 동전을 구별하기 위해 필요했던 것은 좋은 확대경과 다양한 동전 디자인에 대한 친숙함뿐이었다. 그 당시에는 진짜 동전이 어떻게 생겼는지 알고만 있다면 위조품을 쉽게 찾을 수 있었다. 오늘날에는 특수한 중력 테스트를 하는 방법과 전자 현미경과 다른 복잡한 장치와 기술에 접근할 수 있어야(사용할 줄 알아야) 한다. 대안으로 동전을 진품 인증 서비스로 보낼 수 있는데, 몇몇 전문가들은 가짜 구별법에 친숙하고 적당한 과정을 통해서 동전을 분석하는 장치를 가지고 있기도 하다. 훨씬 더 좋은 방법으로는 당신 스스로 가짜와 변형된 동전을 구별하는 방법을 찾아보는 것이다.

discern 구별하다 magnifying glass 확대경 familiarity 친숙함 counterfeit 위조품 gravity 중력 microscope 현미경 complicated 복잡한 alternative 대안 alter 바꾸다

UNIT 015~016

🔍 Check-up
P. 042-043

015 1. is 2. was   **016** 1. It was 2. is

015

1. 돈이 주어이므로 단수 취급

연봉으로 15만 달러는 Apple 사에서 MS 사로 옮기기에 만족스러운 제안이다.

2. 거리인 15.2km가 주어이므로 단수 취급

조깅하는 데 15.2km라는 거리는 아침에 운동하기에는 너무 멀다.

016

1. a pair of는 한 쌍을 의미하므로 단수 취급

나는 어제 안경을 샀다. 이것은 이탈리아에서 만들어졌다.

2. news는 셀 수 없는 명사로 단수 취급

무소식이 희소식이다. 그것은 한국 속담이다.

EXERCISE
P. 044

01 is   02 is   03 was   04 sits   05 teaches   06 has
07 was   08 is   09 is   10 is

01 series는 단수형과 복수형이 같음, 이 문장에서는 가장 유명한 드라마 하나를 의미

새로운 드라마가 가장 인기 있는 드라마로 선택될 것이다.

02 evidence는 불가산 명사로 단수 취급

늦게 낳은 아이들에게 다른 아이들이 직면하지 않는 문제가 종종 있다는 많은 증거가 있다.

03 The three miles를 하나의 단위로 보아 단수 취급

그녀와 남편이 매일 아침 함께 걸었던 3마일의 거리는 그녀가 확실히 체중 감량할 수 있게 해주었다.

04 부사어인 4,000 feet above sea level이 앞으로 나가 도치된 문장이고, the Thompson Ranch가 주어이므로 단수 취급, sit 같은 자동사는 주어, 동사 도치 시 대동사를 쓰지 않는다.

할레칼라의 서쪽 능선에 펼쳐진 1,400 에이커에 달하는 톰슨 랜치는 해발고도 4천 피트 위에 있다.

05 Economics는 과목명이므로 단수 취급

경제학은 우리에게 북극의 얼음이나 사막의 모래와 같이 기본적으로 무료인 상품을 가지고 돈을 버는 것이 힘들다는 것을 알려 준다.

06 선행사인 measles는 병명으로 단수 취급

목표는 홍역에 대한 면역을 일찍 유도하는 것인데, 홍역은 가난한 나라의 많은 아이들을 죽음으로 내몰았다.

07 $50 million은 하나의 단위로 보아 단수 취급

HD그룹은 회사를 인수할 금액으로 5천만 달러를 제시했는데, 이는 작년에 제시했던 5천 5백만 달러보다 10% 인하된 금액이다.

08 60 kilograms를 하나의 단위로 보아 단수 취급

우승자의 최종 몸무게는 60kg인데, 이는 이 프로그램 역대 최고 기록 중 하나이다.

09 ten days를 하나의 단위로 보아 단수 취급

축제에 대한 계획을 상의한 결과, 그 일을 끝내는 데 10일이 필요하다는 결

론을 내렸다.

10 news는 -s가 붙지만 불가산 명사이므로 단수

그 나라에 대한 좋지 않은 소식은 정권이 계속해서 종교와 표현의 자유를 억압한다는 것이다.

01 ②	02 ①

01 ② 20 nights는 하나의 단위로 보아 단수 취급하므로 are가 아닌 is가 적절 ① be about to 구문 ③ idea와 동격인 문장을 이끄는 접속사 that ④ 완전한 문장을 이끄는 관계부사 ⑤ 설치된 가상 경계선이라는 뜻. 가상 경계선이 세우는 게 아니라 세워지는 것

케냐의 산림 경비원들은 코끼리들이 막 농장을 급습하려 할 때 경고 메시지를 전하는 휴대 전화와 GPS가 장착된 목걸이를 코끼리들에게 착용시켰다. 2006년에 산림 경비원들은 케냐에서 가장 긴 기간 중 하나인 연속 20일 밤을 전기 울타리를 뚫고 들어가서 농작물과 농기구에 수천 달러의 피해를 입힌 Kimani라는 상습적인 무법 코끼리에게 그 목걸이를 시험했다. 대부분의 농부들은 그들의 농장이 피해를 입을 때까지 급습을 당한 것을 알지 못했다. 이제 Kimani의 목걸이는 나이로비에 있는 서버에 매시간 위치를 전송하는데, 그곳의 소프트웨어가 동물의 위치와 마을과 농장 주변에 설치된 가상 경계선 데이터베이스를 비교한다. 만약 Kimani가 경계선 중 하나를 가로질러 벗어나게 되면, 시스템은 그 지역에 있는 연구자들과 산림 경비원들에게 경보를 발해 Kimani를 달래서 말썽을 일으키지 않도록 할 수 있다.

ranger 산림 경비원 **outfit** 장착하다 **collar** 목걸이 **raid** 침입하다 **in a row** 연속으로 **virtual** 가상의 **stray** 빗나가다 **coax** 구슬리다, 속이다

02 (A) function은 자동사이므로 완전한 문장을 이끄는 how가 적절 (B) 그들이 낙담하게 되는 것이므로 discouraged가 적절 (C) $2를 하나의 단위로 보아 단수 취급하므로 plays가 적절

당신이 아이들에게 진짜 세계가 어떻게 돌아가는지 가르칠 때, 어찌 되었든 해야 하는 일을 했다고 돈을 주는 것은 좋은 생각이 아니다. 우선 아이들은 자라서 설거지를 하거나, 방을 청소할 때마다 돈이 들어오는 게 아니라는 것을 깨달았을 때 매우 실망하게 될 것이다. 두 번째로, 설거지를 한 대가로 2달러를 주는 것은 아이들이 자람에 따라 당신은 아무것도 받지 않고 설거지를 하는데 그들은 돈을 받기 때문에 당신에 대한 그들의 태도를 폄하하게 된다. 얼마나 공정한가? 아니다. 그렇지 않다. 여러분은 가족이다. 집안일은 엄마만의 일이 아닌, 가족 모두의 일이다. 아이들이 당신을 2달러가 아닌 공짜로 돕는 건 당연하다.

function 기능하다, 작동하다 **washing-up** 설거지 **play down** 경시하다 **chores** 집일

UNIT 017~018

017 1. need 2. were	018 1. is 2. is

017

1. all areas가 주어

그들이 주의가 필요한 창고 내의 모든 구역을 확인하기로 되어 있다.

2. a boy and his dog이 선행사

친절한 소녀가 무전으로 여행하고 있던 소년과 그의 개를 태워주었다.

018

1. Talent가 선행사

재능은 어떤 것을 잘 해내는 선천적인 능력인데, 그것은 신의 선물이라고 불린다.

2. A hospice가 선행사

호스피스는 불치병으로 고통 받는 환자들을 치료하는 장소로 보통 교외에 위치한다.

01 are	02 claim	03 were	04 are	05 warn	06 is
07 visit	08 has	09 live	10 teaches		

01 it ~ that 강조 구문, 주어는 the ideas이므로 복수 동사가 적절

다른 모든 일을 균형에서 벗어나게 하는 것이 바로 당신이 사랑에 깊게 빠졌다는 생각이다.

02 주어는 선행사인 those이므로 복수

그것은 많은 업무를 하는 데 능숙하다고 주장하지만 그것 중 하나도 잘 해내지 못하는 사람들을 언급한다.

03 the Indians가 선행사

섬에 깊은 동굴이 있었는데, 그곳은 거기에 묻혔을 걸로 추정되는 인디언의 뼈를 포함하고 있다.

04 주어는 thin sheets이므로 복수

그것은 부주의하게 부러지지 않는다면, 구부러질 뿐만 아니라, 탄력적인 얇은 시트로 벗겨지는 독특한 특징이 있다.

05 선행사는 chemical signals이므로 복수

그것은 지하의 곤충들이 자신의 존재를 지상 위의 곤충들에게 경고하는 화학적인 신호를 식물의 잎을 통해 발산하기 때문이다.

06 선행사는 앞 문장 전체이므로 단수

원유의 높은 가격은 석유 관련 제품의 가격을 올리고, 이는 결과적으로 업체들에게 콩과 같은 대체품을 찾는 데 영감을 주고 있다.

07 The guests가 선행사, 복수 동사 필요

우리 박물관을 방문하는 하와이에서 온 손님들은 그림이나 도자기, 조각상을 포함한 많은 전시물의 사진을 찍을 수 있다.

08 The news가 선행사, 관계대명사 절이 후치된 경우. news는 불가산 명사, 단수 동사 필요

우리를 충격에 빠뜨린 그 소식은 다음 총선 이후 정치 환경을 바꿀 것이다.

09 some students가 선행사

우리 이웃에 살고 있는 캘리포니아 대학교의 몇몇 학생들과 어울리기 시작할 때까지는 일이 좋게 진행되었다.

10 student가 선행사

우리 아들은 음악을 가르치고, 아동 병원에서 자원 봉사를 하는 스무 살 대학생이다.

01 ⑤	02 ⑤

01 ⑤ 선행사가 Name changing이므로 mean이 아니라 means가 돼야 함 ① 두 문장을 연결해 주는 관계대명사 ② a sound idea의 동격을 나타내는 접속사 that ③ enter '~에 들어가다' ④ on -ing '~하

자마자'

플로리다는 아름다운 풍경과 다양한 동물로 알려져 있는데, 그중 하나는 큰 바퀴벌레이다. 알다시피 바퀴벌레는 역겨운 곤충이고, 플로리다의 이미지를 망친다. 이런 이유로 플로리다 사람들은 바퀴벌레의 이름을 바꿔서 "palmetto bug"라고 부르기 시작하는 좋은 생각을 해냈다. 이 이름은 귀엽고 해롭지 않게 들려서 사람들은 그 문제를 해결할 수가 있었다. 예를 들어, 한 숙녀가 플로리다의 한 옷 가게에 들어와서 손바닥만 한 크기의 벌레를 보자마자 소리를 질렀을 때, 점원이 "걱정 마세요. 그건 palmetto bug일 뿐예요."라고 말했다. 그러고 나서 그들은 크게 웃었는데, 왜냐하면 그들은 그것이 걱정거리가 아니란 것을 알기 때문이었다. 플로리다 사람들은 "이름 바꾸기"라고 부르는 마케팅 전략을 사용했는데, 이는 만약 당신이 어떤 것을 다른 이름으로 부르면, 사람들이 그것을 다른 것으로 믿는다는 것을 의미한다.

scenery 풍경 cockroach 바퀴벌레 disgusting 역겨운 come up with 생각해 내다 palm 손바닥 strategy 전략

02 (A) 주어는 선행사인 everybody else이므로 is가 적절 (B) 뒤에 명사와 완전한 문장이 오므로 소유격 관계대명사 whose가 적절 (C) 지각동사 see의 목적격 보어 자리이고 appear는 자동사이므로 현재분사 appearing이 적절

모든 작가는 다른 지점에서 시작하고 다른 목표 지점에 도달한다. 그럼에도 불구하고, 많은 작가들은 글을 쓰려고 하고 아마도 더 잘하는 다른 모두와 경쟁을 하고 있다는 생각에 몸이 무력해진다. 이것은 글쓰기 수업에서 자주 볼 수 있다. 경험이 부족한 학생들은 대학 신문에 기사가 게재된 학생들과 같은 수업을 듣는다는 것을 알고 겁을 먹곤 한다. 하지만 대학 신문에 기사를 쓰는 것은 대수로운 일이 아니다. 나는 대학 신문에 글을 쓰는 토끼들이 글을 쓰는 것을 마스터하려는 목적을 향해 열심히 나아가는 거북이들에게 추월당하는 것을 자주 보았다. 똑같은 두려움은 자신의 글은 계속 돌려받는 반면 잡지에 다른 작가의 글이 기재된 것을 보는 프리랜서 작가들도 마찬가지이다. 경쟁을 잊고 자기 자신의 속도로 나아가라.

paralyze 무력하게 만들다 compete 경쟁하다 presumably 아마 overtake 따라잡다 tortoise 거북이 studiously 열심히

UNIT 019~020

🔍 Check-up   P. 050-051

019 1. remains 2. is, comes   020 1. was 2. are

019

1. each action이 주어, each의 수식을 받는 것은 단수 취급

인간을 제외한 동물에게 있어서, 경험은 하자마자 사라지고 그들이 한 각각의 행위만 남는다.

2. Everything은 단수 취급

인간의 힘으로 할 수 있는 모든 일은 인간에게서 온다.

020

1. 도치된 문장, 주어는 one

우리 동료 가운데 상식이라고 알려진 자질이 부족한 사람이 한 명 있었고, 그래서 그는 말하는 것이 허락되지 않았다.

2. 도치된 문장, 주어는 two small ~ enormous terrarium

방 뒤쪽에 작은 수족관 두 개와 커다란 동물 사육장이 있다.

EXERCISE   P. 052

01 has 02 is 03 is 04 is 05 do 06 has 07 is
08 raises 09 is 10 spice

01 Each가 주어

학생회장에 지원하는 재학생 각자는 신청서를 작성했다.

02 Each one이 주어

각각은 생명체가 지구상에 존재해 온 40억 년 동안 축적되어 온 한 쌍의 화학적 기반이다.

03 among common aging symptoms가 앞으로 나가서 주어와 동사가 도치된 문장, hearing loss가 주어

노령은 많은 신체적 문제를 야기하는데, 일반적인 노화 증상 중 하나는 청력 상실이다.

04 Among ~ photographs가 앞으로 나와서 주어, 동사가 도치된 구문

수집한 사진 중에서 2012년에 뉴욕에서 찍은 것은 겨우 하나이다.

05 〈only+부사구〉가 앞으로 나간 도치 구문, the most ~ features가 주어

오직 작곡 과정의 마지막 단계 동안에 가장 개성적이며 표현력이 풍부한 음악적 특징이 함께 어우러진다.

06 each of us가 주어

우리의 일생 중 몇 년 안에, 우리 각자는 이 이상한 행성과 우주에서 그것의 위치를 알아야 한다.

07 Every inch가 주어

캠퍼스의 시설을 포함한 모든 곳은 너무 붐벼서, 더 수준 높은 교육을 위한 곳이 아닌 지하 특설매장 같아 보인다.

08 Each extra inch가 주어

중년층의 허리둘레에서 각 1인치의 증가는 암 발생을 높인다.

09 Among 이하가 앞으로 나간 도치 구문, the cyberwidow support group이 주어

온라인 중독 문제가 있는 배우자를 위한 사이버 과부 지원 단체는 1994년 킴벌리 박사가 세운 보스턴에 있는 온라인 중독 센터가 제공하는 프로그램 중 하나이다.

10 every가 있는 구문, 뒤에 오는 명사는 단수 명사

생강에서 칡에 이르기까지 모든 가능한 향신료의 원천인 인도 덕분에 마누엘 왕은 향신료에 대한 유럽 사람들의 식욕을 충족시킬 수 있고, 그런 과정을 통해 큰돈을 벌 수 있다는 것을 알았다.

ACTUAL TEST   P. 053

01 ③   02 ④

01 ③ Among the interviewees가 앞으로 나와서 주어, 동사가 도치된 문장, 넬슨 만델라가 주어이므로 were가 아니라 was가 돼야 함 ① It's time 가정법 문장, 뒤에는 과거형 ②〈make+목적어+목적격 보어〉구문, 그가 기록을 보유하는 것 ④ All이 주어인 문장에서 주격 보어로 to부정사가 올 때 to는 생략 가능 ⑤ 의문사

TV 인터뷰 쇼의 대가인 래리 킹은 CNN에서 맡고 있는 토크쇼에서 은퇴할 것이라고 밝혔다. 76세의 킹은 은퇴에 대한 계획을 트위터에 게재했다. 트위터에서 그는 "제가 나이트 쇼를 그만둘 시기입니다."라고 은퇴에 대해 언급했다. 그는 가족과 보낼 시간이 더 많이 필요하고, 이번 가을에 마지막 쇼를 할 거라고 말했다. 블로그에서 그는 25년 전 뉴욕 시장이었던 마리오 쿠

오모와의 첫 번째 인터뷰를 회상했다. 그때 이후로 그는 5만 명 이상의 사람을 인터뷰했고, 이는 그가 〈기네스북〉에서 가장 많은 인터뷰를 한 사람으로 기록되게 해줬다. 킹은 인터뷰를 한 사람 중에서 세상에서 가장 뛰어난 사람 중 한 명이 넬슨 만델라라고 생각했다. 킹은 자신의 자서전에서 성공에 대한 비밀을 밝혔다. 그는 "제가 한 일은 질문을 하는 것뿐입니다. 짧고 간단한 질문을요." 관심이 가는 것은 이제 누가 그를 대신할 것인가이다. 킹 자신도 이렇게 말했다. "저는 이 일을 할 수 있는 사람이 굉장히 많이 있다고 확신합니다."

virtuoso 대가 **announce** 알리다 **host** 주최하다 **reference** 언급 **conduct** 행하다 **interviewee** 인터뷰하는 사람 **extraordinary** 특별한 **replacement** 대체자

02 (A) to가 전치사이므로 learning이 적절 (B) 전치사구가 앞으로 나가 도치된 문장, emotions or attitudes가 주어이므로 are가 적절 (C) refuse는 to부정사를 목적어로 취하는 동사이므로, to even consider가 적절

맹점은 단순한 지식의 부족과 같지 않다. 맹점은 특정한 분야의 학습에 대한 저항에서 발생한다. 우리의 많은 맹점의 원인에는 다양한 감정이나 태도가 있는데 가장 두드러지게는 두려움이 있고 또한, 자존심과 자기만족, 걱정이 있다. 예를 들어 경영자는 재정 분야에 탁월한 지식을 지니고 있을지도 모르지만, 그녀의 인력 관리에 대한 이해는 제한되어 있을 수도 있다. 직원들은 그녀가 차갑고 냉담하다고 생각하며, 그녀가 좀 더 상담을 해주고 팀에 관여하기를 바랄 것이다. 하지만 그녀는 자신의 경영 방식에 대한 피드백을 받아들이기를 꺼리고, 자신의 경영 방식을 바꿀 가능성을 고려하는 것조차 거부한다.

emerge 나타나다 **resistance** 저항 **obvious** 명백한 **anxiety** 걱정 **unsurpassed** 탁월한 **consultative** 자문의 **involved with** ~와 관련된 **refuse** 거절하다 **prospect** 전망

UNIT 021~022

✅ Check-up
P. 054-055

021 1. becomes 2. lie **022** 1. is 2. are

021

1. B as well as A : B에 수 일치
올해 다른 기본적인 공과금뿐만 아니라 난방비도 작년보다 줄어들었다.

2. Many boxes가 주어
리본을 단 많은 상자들이 생일파티를 위해 배열된 책상 위에 놓여 있다.

022

1. neither A nor B : B에 수 일치
정치학의 지식과 이해 둘 다 지금 당장 우리에게 필요하지 않다.

2. not only A but also B : B에 수 일치
나뿐만 아니라 우리 가족도 당신이 준 선물에 만족한다.

EXERCISE
P. 056

01 is 02 was 03 has 04 have 05 announces 06 am
07 were 08 is 09 was 10 receive

01 not only A but also B : B에 수 일치
부모님뿐만 아니라 우리 형도 내 의견에 반대한다.

02 B as well as A : B에 수 일치
출력된 복사본뿐만 아니라 CD도 회의가 시작될 때까지 우리에게 전달되지 않았다.

03 either A or B : B에 수 일치
너나 네 형 중 한 명이 이 특허와 관련된 최종 보고서를 제출해야 한다.

04 both A and B : 복수 취급
잭과 질 모두 조사를 시행했는데, 그 조사는 오백 개 이상의 구역에 오류가 있음을 보여 준다.

05 neither A nor B : B에 수 일치
보통 정부나 중앙은행 둘 다 시장에 관여할 계획이 있는지 없는지를 알리지 않는다.

06 neither A nor B : B에 수 일치
영업부 부장이나 나도 또 다른 마케팅 계획이나 판매 전략에 대한 책임이 없다.

07 both A and B : 복수 취급
그가 우리에게 그 이야기와 관련된 모든 것을 말해 주는 동안 남동생과 나는 큰 소리로 울었고, 이는 그를 당황하게 했다.

08 B as well as A : B에 수 일치
국가로부터 쌀 경작 농가에 대한 수입 보호책이나 보조금이 제공될 예정이라고 공무원이 말했다.

09 either + 단수 명사 : 단수 취급
길 양쪽은 아름다운 야생화와 발목 높이의 풀로 가득했다.

10 not A but B : B에 수 일치
한 멤버가 아닌 팀의 모든 멤버가 영화 감상 분야에서 대상을 수상한다.

ACTUAL TEST
P. 057

01 ①   02 ⑤

01 ① Collective agreements가 주어이므로 has가 아니라 have가 돼야 함 ② not only A but also B는 B에 수 일치 ③ 전치사 by의 목적어 ④ it ~ that 강조 용법 ⑤ to donate와 병렬 구조

비록 노동조합원의 수는 점차 줄어들고 있지만, 조합은 미국에서 여전히 중요한 단체이다. 노동자와 회사 사이의 단체 협약은 노동조합이 있는 분야의 비노조원에게도 영향을 미친다. 임금 계획뿐만 아니라 근로 조건까지도 이 협약에 포함된다. 더욱이, 노동조합은 정치적인 영향력을 행사하려고 노력한다. 물론 노동조합이 일부 다른 나라처럼 자기들만의 정당을 만든 것은 아니다. 하지만 노동조합은 로비를 통해서 입법과 정부 정책에 영향을 미친다. 특히 선거가 있는 해에는 각 정당의 많은 후보가 노동조합의 지원을 원한다. 그래서 정치 단체들은 보통 조합의 요구와 이익에 대한 관심을 보여 준다. 조합은 조합원에게 친 노동자라고 생각하는 정치인에게 기부하고 노동자의 권리와 이익을 보호하고 지지하는 사람들에게 투표하도록 독려한다.

critical 중요한 **collective agreement** 단체 협정 **legislation** 입법 **advocate** 옹호하다 **right** 권리 **interests** 이익, 이해관계

02 (A) '거의 모든 곤충들'이라는 의미로 Almost가 적절 (B) B as well as A는 B에 수 일치, the mimic은 '흉내 낸 것'이라는 뜻의 단수이므로 is가 적절 (C) make의 목적격 보어이므로 difficult가 적절

거의 모든 곤충은 위협을 느끼면 도망간다. 하지만 많은 곤충이 더 특성화된 방어 수단을 가지고 있다. 예를 들어, 바퀴벌레는 공격자를 몰아낼 지독한 냄새의 화학 물질을 분비한다. 벌과 말벌, 어떤 개미는 작은 포식자들은 죽이고 더 큰 것들에게는 고통을 줄 수 있는 독침을 가지고 있다. 자신만의

방어 수단이 없는 어떤 곤충들은 침을 쏘거나 지독한 냄새가 나는 곤충들의 겉모습을 흉내 낸다. 그들은 불쾌한 맛이나 침을 가진 곤충뿐 아니라 그런 곤충을 흉내 낸 것도 포식자로부터 피할 수 있다는 것을 안다. 다른 곤충들은 주변 환경에 조화되는 능력을 이용한다. 그들은 자신을 알아보기 어렵게 만드는 독특한 색의 무늬를 가지고 있다. 포식자들은 그들이 배경에 섞여 들어가기 때문에 찾아내는 데 어려움을 겪는다.

secrete 배출하다 aggressor 공격자 poisonous 독성의 sting 침, 침을 쏘다 predator 포식자 mimic 흉내 내다 appearance 외모 blend 조화하다, 섞이다 distinctive 구별되는

REVIEW TEST   P. 058

01 go → goes   02 shows → show   03 indicate → indicates
04 were → was   05 come → comes   06 stand   07 reveals
08 contains   09 is   10 is

01 주어는 expenditure의 1/7 이상이므로 단수

지출의 1/7 이상은 학년을 유급하는 학생들에게 간다. 중등학교를 졸업하는 학생의 20%는 놀랍게도 25세 이상이다.

02 주어는 gym-goers의 1/4 이상이므로 복수

정기적으로 체육관에서 운동하는 사람들의 1/4 이상은 아프거나 다쳤을 때에도 운동을 계속하는 운동 의존 증상을 보인다.

03 앞 문장 전체가 주어, 단수로 받음

연구원들은 사람들이 단어를 보는 데 1,000분의 8초를 사용하지 않는다는 것을 발견했는데, 이는 그들의 두뇌가 이중 언어 단어를 모국어보다 더 빨리 처리한다는 것을 보여 준다.

04 부사구가 앞으로 나와 주어와 동사가 도치된 문장, an unsigned agreement가 주어

그들의 서류 가운데, 소유주로부터 닉 홀던에게 온 서명되지 않은 비행기 판매 동의서가 있다.

05 evidence가 주어, 불가산 명사

우리가 초기 인간에 대해 가지고 있는 대부분의 증거는 그가 터키에서 발굴했던 습득물로부터 나온다.

06 부사구가 앞으로 나간 도치 구문, two huge palaces가 주어

도시 중심부에 커다란 종이 있는 두 개의 거대한 궁전이 서 있다.

07 30 years를 하나의 단위로 보아 단수 취급

30년 이상의 연구는 분노의 표현이 실제로 공격성을 확대한다고 밝혔다.

08 each 구문은 단수 취급

피터슨은 숙제를 하고 있었는데, 각각의 스크랩에는 그가 배우고자 했던 단어가 하나씩 있다고 말했다.

09 All이 주어이나, 실제로 we had to do를 받으므로 단수

우리가 해야 하는 일은 일련의 모델을 구성하고 다양한 물건을 가지고 놀기 시작하는 것뿐이다.

10 부사구가 앞으로 나간 도치 구문, a small box가 주어

인형 옆에 작은 거울과 금으로 된 핀이 들어 있는 상아로 만들어진 작은 상자가 있다.

FINAL CHECK   P. 059-061

01 ②   02 ④   03 ⑤   04 ①   05 ②   06 ⑤

01 ② 20 miles가 주어, 하나의 단위로 보아 단수 취급, was가 동사 ① One이 주어, was가 동사 ③ 뒤에 본동사 didn't count가 나오므로 동명사 주어인 being이 적절 ④ 뒤에 문장이 오므로 접속사 because가 적절 ⑤ 앞의 명사를 수식하는 형용사적 용법의 to부정사

그레그는 늘 혼자 할 수 있는 스포츠를 즐겨왔다. 그는 14세였을 때, 스키 캠프에 갔다. 그곳에서 그는 건강을 유지하는 가장 좋은 방법 중 하나가 자전거 타기라고 들었다. 그 당시 그의 아버지는 체중을 줄이려고 했고, 그것을 위해 아들과 함께 자전거로 매일 20마일을 달려야 했다. 곧 그레그는 자전거 타기에 흥미를 가졌고, 14세와 15세를 위한 경주에 참가해서 거의 모든 경주에서 우승을 했다. 미국에서 아무도 그를 물리칠 수 없게 되었다. 그러나 모든 상위 사이클 경주 선수들은 유럽에서 경주를 했기 때문에 미국에서의 일등은 중요하지 않았다. 16살 때 그레그는 유럽에서 경주를 하고 우승을 하기 시작했다. 그리고 25살 때 그는 세계 최고의 자전거 경주 대회인 투르 드 프랑스에서 우승한 최초의 비(非)유럽인이 되었다.

on one's own 혼자서 stay in shape 건강을 유지하다 unbeatable 이길 수 없는 count for 중요하다, 가치가 있다

02 (A) get used to -ing '~에 익숙하다'라는 뜻이므로 sleeping이 적절 (B) 〈동사+대명사 목적어+부사〉의 구조가 되어야 하므로 build it up이 적절 (C) A reassuring sound가 주어이므로 makes가 적절

마사지의 한 동작으로, 아이의 발을 최대한 당신에게 가까이 둔 채, 엎드려 눕혀라. 만약 아이가 반듯이 눕거나 옆으로 자는 데 익숙하다면, 아이가 엎드리는 것을 좋아하지 않을 수도 있지만 아이가 그렇게 눕도록 격려하라. 확신컨대, 그 자세는 아이의 전체적인 기능 발달에 기여하게 될 것이다. 아이의 등을 마사지하는 것은 아이가 이 자세에 익숙해지도록 하는 좋은 방법이다. 아이는 당신의 생각보다 더 짧은 시간 동안 엎드려 있을지도 모른다는 사실을 기억하라. 아이가 허용하는 만큼만 엎드려 눕히고 천천히 늘려 가야 한다. 아이가 당신을 볼 수 없으므로 아이에게 말을 해야 한다. 마사지를 하는 동안 당신이 안심시키는 소리가 아이에게 편안함을 느끼도록 한다.

be on one's belly 엎드리다 make a contribution to ~에 기여하다 familiarize 익숙하게 하다 reassuring 안심시키는

03 ⑤ teenagers가 선행사로 복수 주어, doesn't가 아니라 don't가 돼야 함 ① '휘발유를 주유하는 것을 멈추다'라는 의미, stop -ing '~하는 것을 멈추다' ② a gas station을 선행사로 받으면서 완전한 문장을 이끄는 관계부사 where ③ get, pump와 병렬 구조 ④ consumers가 주어, are가 동사

주유소는 비인격적인 방식의 좋은 예이다. 많은 주유소에서 더 이상 직원들이 휘발유를 주유하지 않는다. 운전자들은 돈을 받는 창구가 있는 유리 칸막이 안에 직원들이 있는 주유소에 차를 세운다. 운전자는 차 밖으로 나와 주유를 하고 돈을 지불하기 위해 유리 칸막이까지 걸어가야 한다. 그리고 자동차의 엔진에 이상이 있거나 히터가 작동되지 않는 고객들은 대개 운이 없는 것이다. 왜 그럴까? 많은 주유소가 상주 정비사를 없앴기 때문이다. 자동차에 대해 아무것도 모르며 아무 관심도 없는 유니폼을 입은 십대들이 숙련된 정비사를 대신하게 되었다.

impersonal 비인격적인 pull up 멈추다 on-duty 근무 중인 replace 교체하다 skillful 숙련된 couldn't care less 조금도 개의치 않다, 아무 관심도 없다

04 (A) The aim이 주어이므로 is가 적절 (B) reading을 가리키므로 it is가 적절 (C) consider의 목적격 보어이므로 important가 적절

인터넷 쇼핑은 회화 수업을 위한 컴퓨터 기반 교육이다. 토론과 매칭 게임, 청해력과 이해도 확인, 두 종류의 읽기 활동, 비디오 클립과 빈칸 넣기 등을 위한 주제로 구성되어 있다. 다양한 수업에서 시행되는 훈련의 목적은 학생들에게 영어로 쓰인 웹 사이트를 찾아보도록 격려하는 것이며, 현실적인 문제 해결을 통해 서구의 문화와 삶에 접촉하게 하는 것이다. 이 훈련은 이것이 인터넷 사용자에게 가장 유용한 기술이기 때문에 독해에 초점이 맞춰

져 있지만, 말하기, 듣기와 쓰기 연습 또한 중요하게 여겨진다. 훈련은 개인, 짝, 그룹 활동을 통해 행해질 것이다. 수업을 더 수월하게 진행하기 위해 최소한 두 명당 컴퓨터가 한 대씩 필요하다.

instruction 교육 conduct 행하다 inspiration 격려

05 ② Among the commemorations가 앞으로 나가서 주어와 동사가 도치된 구문, the new postal event가 주어, are가 아니라 is가 와야 함 ① 〈with+명사+분사구문〉 남부 연맹군이 발포를 한다는 뜻 ③ 문장을 연결하는 관계사 which, dramatic changes가 선행사 ④ 우표와 봉투가 발행되는 것 ⑤ '사용이 중단되었다'는 의미, stop -ing '~을 멈추다'

1861년 4월 12일 남북전쟁은 남부 연맹군이 미합중국 군에게 발포함으로써 시작되었다. 우리는 3년 동안 지속될 150주년 행사를 시작할 것이다. 기념행사 중 하나는 전쟁을 기념하는 새로운 우편 행사이다. 전쟁의 시작은 국가에 커다란 변화를 가져왔는데, 그 중 일부는 그 당시에는 초창기였던 우표 수집 취미에 깊이 영향을 주었다. 새 우표와 우표가 부착된 봉투는 미합중국 편 주에서 사용하려고 발행된 반면, 남부 연맹은 자신만의 새로운 우편 시스템을 만들고자 쟁탈전을 벌였다. 미합중국 우표는 남부 연맹의 우편 시스템이 6월 1일에 시작되었을 때, 남부 연맹편 주에서는 그 사용이 중단되었지만 미합중국의 우표를 워싱턴으로 돌려준 남부의 우편국장은 거의 없었다.

last 지속하다 commemoration 기념 profoundly 깊이 issue 발행하다 scramble 쟁탈전을 벌이다 valid 유효한 Rebel (남북전쟁 때의) 남군 병사 take charge 임무를 맡다 postmaster 우편국장

06 (A) 문장 전체를 수식하므로 importantly가 적절 (B) '포크와 칼을 사용하는 데 익숙하다'라는 의미이므로 using이 적절, be used to -ing '~에 익숙하다' (C) 선행사가 존재하지 않으므로 선행사 필요 없는 관계대명사인 what이 적절

우리 만찬 클럽에 참여해 주신 것을 환영하고 감사합니다. 우리 클럽은 독특한 식사 체험을 제공합니다. 당신은 전 세계 모든 음식을 맛보게 될 것이지만 더 중요한 것은 각 나라의 식사 전통과 관습을 경험할 기회를 갖게 될 거라는 점입니다. 예를 들어, 인도 사람들은 식사에 손을 사용합니다. 만약 포크나 칼을 사용하는 데 익숙해 있다면, 이것이 힘든 일임을 알게 될 것입니다. 프랑스에서는 식사 때 많은 코스 요리를 먹기 때문에 프랑스 요리를 위해서는 충분한 시간을 확보해야 합니다. 일본인들은 숟가락으로 국을 먹지 않기 때문에 그릇에 대고 국을 마셔야 합니다. 8월 말까지 매주 토요일 저녁에 당신이 경험하게 될 것들 중의 일부입니다. 우리는 당신이 식사 체험을 즐기게 되기를 바랍니다.

03 대명사

UNIT 023~024

🔍 Check-up
P. 064-065

023 **1.** themselves   **2.** myself
024 **1.** them   **2.** themselves

023

1. 주어인 the eyes를 가리키므로 재귀대명사가 적절

한 가지 이유는 눈이 자신을 자극하는 것으로부터 스스로를 보호하고 있다는 것이다.

2. 주어인 I를 의미하므로 재귀대명사가 적절

나는 지루한 강의를 40분이나 듣고 난 후에 내가 졸고 있다는 것을 알았다.

024

1. enables의 주어는 radar system, 목적어인 bats와 동일하지 않으므로 them이 적절

박쥐는 주변의 모든 것을 감지할 수 있는 일종의 레이더 시스템을 지니고 있다.

2. by oneself '혼자서'

우리 회사의 정보 기술부 직원은 자체적으로 전자 기록을 위한 기본 방침을 세워야 했다.

EXERCISE
P. 066

01 themselves   **02** them   **03** herself   **04** themselves   **05** themselves   **06** them   **07** himself   **08** him   **09** her   **10** her

01 목적어가 주어인 Most of the town's families와 동일

마을의 대다수의 가정은 양과 소를 소유하고 있고, 양모와 쇠고기를 팔아서 먹고 산다.

02 목적어는 people을 의미, 주어는 spiders이므로 them이 적절

사람들은 거미가 인간에게 위험한 독으로 자신들을 죽일 수 있다고 생각한다.

03 목적어는 주어인 Sim Chong을 의미

심청이 아버지의 소원을 들었을 때, 그녀는 자신을 쌀 300석에 선원에게 팔기로 결심했다.

04 목적어가 주어인 They와 동일

그들은 자신감이 적은 동료보다 스스로를 더 똑똑하고, 매력적이라고 여겨야 한다.

05 목적어가 주어인 some of those와 동일

계속해서 사업차 전국을 여행하는 사람 중 일부는 종종 왜 그런 삶을 선택했는지 자문한다.

06 목적어는 people을 의미, 주어는 The goal

우월감이라는 목표는 사람을 성공을 위해 나아가게 하고 장애물을 극복할 수 있게 해주며, 인간 사회의 발전에 기여한다.

07 let의 목적어가 주어인 Matthew와 동일

이웃이 소음에 대해서 불평하자, 아내는 애완견 Matthew가 앞발을 사용하여 걸쇠를 누르고 들어오도록 훈련하는 데 몇 주를 보냈다.

08 keep의 목적어는 their guest, 주어는 all the villagers

잠시 놀란 후, 그들의 손님이 완벽하다는 믿음을 유지하면서, 그가 당황하지 않도록 하기 위해 연회에 온 모든 마을 사람은 서로의 무릎에 두부를 던지기 시작했다.

09 a severe ankle injury가 주어, Margaret Mitchell이 목적어

1926년, 심각한 발목 부상을 당해 출판업을 그만 두었을 때, 마거릿 미첼은 소설 〈바람과 함께 사라지다〉를 집필하기 시작했다.

10 Mistry's talent가 주어, Mistry가 목적어

미스트리의 수학에 대한 재능은 유명한 수학 문제인 피보나치 수열을 풀 수 있게 했다.

ACTUAL TEST · P. 067

01 ②   02 ③

01 ② 그녀가 나(나의 번호)를 제거한다는 의미로, remove의 주체(her)와 대상(me)이 동일하지 않으므로 myself가 아니라 me가 적절 ① phone call이 짜증을 유발하므로 능동 ③ 부정문에서 '또한'이라는 뜻 ④ 완전한 문장을 이끄는 의문사 how ⑤ '~인지 아닌지'

나는 내 차의 보증 기간 만료에 대한 짜증나는 전화를 받고 있다. 나는 심지어 차를 소유하고 있지도 않다. 나는 정부의 '전화 금지 목록'에 들어가 있다. 그 회사의 목록에서 나를 제거하고자 2번 버튼을 눌렀다. 그것은 효과가 없었다. 나는 교환원에게 이야기하며 나를 목록에서 제거해 줄 것을 요청했다. 이것 또한 효과가 없었다! 나는 인터넷에서 그 회사의 이름을 찾았다. 상위 목록 열 개는 모두 어떻게 이 사람들이 '전화금지 목록'을 무시할 수 있느냐에 대한 불평이었다. 그들은 너무나도 많은 다른 전화번호를 가지고 있어서 그들을 차단하는 건 효과가 없다. 나는 짜증나는 전화가 항상 같은 번호로부터 오는지 알아내기 위해서 전화 회사에 전화했다. 그 전화 회사는 법원의 명령 없이는 나에게 그 정보를 주지 않을 것이라고 답했다.

warranty 보증 **impractical** 비실용적인 **harass** 괴롭히다

02 (A) 주어와 목적어가 all three로 동일하므로 themselves가 적절 (B) 뒤에 완전한 문장이 오므로 관계부사 where가 적절 (C) the hero가 주어이므로 is가 적절

셰익스피어 연극의 비극적인 주인공들은 자유 의지를 지닌다. 그들은 스스로의 파멸을 초래하는 성격적 결함을 지니고 있다. 맥베스는 야심은 크지만 유약하고, 오셀로는 질투심이 강하며, 햄릿은 우유부단하다. 하지만 세 명 모두 어쩌면 스스로 더 나은 사람이 될 수도 있었다. 외부의 어떤 것도 그들이 잘못된 것이나 비극적인 길 대신에 올바른 길을 선택하는 것을 막지 않는다. 반면에 신탁으로 구현되는 운명이 지배하는 세상인 그리스 비극의 주인공들에게는 자유 의지가 없다. 신들이 인간의 운명을 좌지우지하고 인간은 신에 대항할 수 없다. 그들의 힘이나 지혜와 관계없이 주인공들은 스스로 미래를 제어할 수 없다. 이러한 이유로 그리스 비극의 주인공이 그물 속의 물고기에 비유되는 것이다.

tragic 비극의 **possess** 소유하다 **defect** 결점 **downfall** 몰락 **ambitious** 야심 찬 **prevent ~ from -ing** ~가 …하는 것을 막다 **tragedy** 비극 **prevail** 퍼지다 **regardless of** ~에 상관없이

UNIT 025~026

☑ Check-up · P. 068-069

025 **1.** other   **2.** another
026 **1.** the others   **2.** another

025

1. 뒤에 복수 명사가 오므로 other가 적절

다른 파충류와 마찬가지로 그것들은 냉혈 동물이고 체온은 환경에 따라서 변한다.

2. 뒤에 단수 명사가 오므로 another가 적절

영화는 그녀의 남편이 다른 여자와 도망가는 장면으로 시작한다.

026

1. 남아 있는 6명을 의미하므로 복수형이 적절

그 팀은 7명의 학생으로 구성되어 있는데, 한 명은 잭이고 나머지는 그의 친구들이다.

2. 셋 이상에서 두 번째를 의미하므로 another가 적절

김 씨는 차가 3대 있다. 한 대는 파란 색, 다른 하나는 검은 색, 마지막 한 대는 하얀 색이다.

EXERCISE · P. 070

01 others   02 the other   03 other   04 schools   05 another
06 the other 07 the other   08 the others   09 another
10 others

01 other는 단독으로 사용하지 못하므로 대명사 others가 적절

악의적인 소문이 돌고 난 후에 희생자들은 다른 사람의 동기를 의심하기 시작했다.

02 두 사람(twins) 중 나머지 한 명이므로 the other가 적절

만약 한 쌍둥이가 손톱을 문다면 다른 쌍둥이도 역시 그러할 것이다.

03 뒤에 복수 명사가 오므로 other가 적절

토론 중에 참가자들은 상대방의 의견이나 관점에 적절한 존중을 보여야만 한다.

04 앞에 other가 오므로 복수 명사가 적절

이 학교들은 다른 모든 러시아 공립학교와 마찬가지로 동일한 과목을 가르친다.

05 one ~ after another '차례로'

나는 나에게서 꿈이 차례로 사라짐에 따라 우울해 졌다.

06 on the one hand, ~ on the other hand ~ '한편으로는, 다른 한편으로는'

그는 한편으로는 그의 팀메이트를 응원하려고 했고, 다른 편으로는 밀워키 타자들을 짜증나게 할 작정이었다.

07 두 명 중 나머지 한 명을 의미하는 the other가 적절

두 아이가 곤란에 빠졌다. 마이클은 차가운 물속으로 7번 뛰어들었고 다른 아이를 찾으려고 했지만, 운이 없었다.

08 3명을 제외한 나머지를 의미하므로 the others가 적절

여러분 중 3명은 핸즈프리 장치를 상품으로 받으실 것이며 나머지 분들은 5만 원 상품권을 받으실 겁니다.

09 마지막 남은 시간이 아니므로 another가 적절

15

그녀는 주당 20시간을 일하고 전공 수업으로 또 다른 30시간 동안 수업을 들어야 한다. 게다가 10시간짜리 보충 수업도 들어야 한다.

10 앞에 many가 나오므로 복수인 others가 적절

다수의 여타 국가와 달리, 중국은 미국 달러화 대비 자국의 위안화 강세를 체계적으로 막고 있다.

ACTUAL TEST　　　　　　　　　　　　　P. 071

01 ⑤　　　　　　　　　　　02 ③

01 ⑤ 두 가지 중 나머지 하나는 another가 아니라 the other가 돼야 함 ① 〈how+완전한 문장〉 ② 어떤 생명체든 무기력하게 만든다는 의미의 분사구문 ③ whatever ~ them이 주어 ④ 주어와 목적어가 poisonous animals로 동일

벌레와 동물과 관련해 venomous와 poisonous라는 단어를 들어본 적이 있는가? 검은 과부거미는 독을 품고 있지만 반면 어떤 개구리들은 독을 분비한다. 만일 그들이 독을 어떻게 사용하는지 이해한다면 당신은 그것들을 쉽게 구별할 수 있다. 독을 품고 있는 동물들은 자신의 내부에 독을 저장해두었다가 물거나 침을 쏘아 독을 방출하고 자신이 물거나 침을 쏜 어떤 조직이든 무기력하게 만든다. 독을 분비하는 동물들은 보통 피부를 통해 독을 분비하여 그들을 물거나 건드리는 어떤 동물이든 중독되게 한다. 독은 상이한 용도를 가지고 있다. 독을 품고 있는 동물들은 독을 먹잇감을 포획하는 데 사용한다. 독을 분비하는 동물들은 자신을 방어하기 위해 독을 사용한다. 하나가 저녁거리를 마련하기 위해 독을 사용하는 반면, 다른 하나는 저녁밥이 되지 않기 위해 독을 사용한다.

in reference to ~에 관하여 **distinguish** 구별하다 **toxin** 독 **release** 배출하다 **secrete** 분비하다

02 (A) 이미 발생한 사건을 의미하므로 having이 적절 (B) double life 중 나머지 하나이므로 the other가 적절 (C) a male doctor가 선행사이므로 who가 적절

로버트 루이스 스티븐슨은 어린 시절 악몽을 꿨던 것을 기억했다. 나중에 그는 즐거운 꿈을 꾸기 시작했다. 그때 그는 전체 이야기를 가진 꿈을 꾸기 시작했다. 즉, 그는 항상 한 번에 완결된 꿈을 꾸지 않았다. 꿈 이야기는 일련의 다양한 꿈으로 밤마다 계속되었다. 그는 자신이 두 가지 인생을 산다고 생각했다. 하나는 그가 깨어있을 때 발생한 것이고, 다른 하나는 꿈속에서 발생한 것이었다. 곧 그는 그의 이중생활과 관련된 이야기를 떠올리게 되었다. 이것은 무시무시한 살인자로 변신하는 남자 의사에 관한 유명한 이야기가 되었다. 우리가 이미 알고 있듯이 이것이 〈지킬 박사와 하이드〉이다.

a series of 일련의 **plot** 이야기

UNIT 027~028

🔍 Check-up　　　　　　　　　　P. 072-073

027　**1.** either　**2.** Both　　028　**1.** neither　**2.** or

027
1. 뒤에 단수 명사가 오므로 either가 적절
　산의 양쪽에 큰 마을이 있었다.

2. 뒤에 복수 명사가 오므로 Both가 적절
　우리 부모님은 두 분 다 서울 출신이라서 그 건물이 어디에 있는지 안다.

028
1. 뒤에 nor가 나오므로 neither가 적절

우리가 연극에서 맞닥뜨리는 것은 악당도 영웅도 아닌 평범한 사람인 멕베스이다.

2. 앞에 either가 나오므로 or가 적절

급여 자동 이체나 최소 1천 달러의 잔금이 없으면 5달러의 수수료가 부과될 것이다.

EXERCISE　　　　　　　　　　　　　P. 074

01 either　02 either　03 neither　04 neither　05 or　06 either
07 neither　08 nor　09 either　10 both

01 뒤에 단수 명사가 나오므로 either가 적절
　이 효과는 그들 양쪽에 앉아 있는 학생들에게 더욱 나쁘다.

02 뒤에 단수 명사가 나오므로 either가 적절
　앞쪽 창문의 양옆 벽에는 그녀의 아버지가 직장에서 가져온 사진이 일렬로 줄지어 있다.

03 뒤에 nor가 나오므로 neither가 적절
　위원회의 다른 구성원들과는 달리, 루스벨트 여사는 국제법에 관한 학자도 전문가도 아니었다.

04 뒤에 nor가 나오므로 neither가 적절
　당신의 두뇌와 귀가 모두 손상되지 않는 한, 청력은 무의식적이다.

05 앞에 either가 나오므로 or가 적절
　많은 주 정부는 나이 든 운전자들에게 운전면허증을 더 자주 갱신하거나, 우편보다는 직접 갱신하기를 요구한다.

06 뒤에 or가 나오므로 either가 적절
　대부분은 그 질병과 명확하게 연관되어 있는 질환이나 당뇨에 의한 합병증으로 고통 받고 있다.

07 뒤에 nor가 나오므로 neither가 적절
　단락은 너무 짧아서 글의 주제가 전개되지 않고 충분히 설명이 되지 않거나, 너무 길어서 지나치게 세세한 주제로 나눠지면 안 된다.

08 앞에 neither가 있으므로 nor가 적절
　토미는 학생들에게 자신은 아무것도 모르고, 알려고 노력하지도 않는다고 했다.

09 뒤에 or가 나오므로 either가 적절
　방송 시작 첫 해에, 스타 TV는 프로그램의 30% 이상을 외국어나 외국어 자막으로 내보낼 계획이다.

10 뒤에 and가 나오므로 both가 적절
　결국 나치는 유대인들을 자본주의와 공산주의의 비밀 조직으로 고발했다.

ACTUAL TEST　　　　　　　　　　　　　P. 075

01 ⑤　　　　　　　　　　　02 ②

01 ⑤ never stand의 부정과 연결되므로 either가 아니라 neither가 돼야 함 ① one reason or another '어떤 이유로든' ② to부정사의 부정 ③ these emotions는 이해되어야 할 존재 ④ 주어는 anyone이므로 단수

우리가 감정을 드러내지 않는 가장 보편적인 이유는 어떤 이유로든 우리가 그런 감정을 받아들이기를 원하지 않기 때문이다. 우리는 우리의 감정의 순수함을 위해서(감정적으로 상처받지 않기 위해서) 다른 사람들이 우리에 대해 좋게 생각하지 않거나, 사실상 우리를 거부하거나, 어떤 식으로든 우리를 벌주는 것을 두려워한다. 우리는 어떤 특정한 감정을 우리의 일부로 받아들

이지 않도록 만들어졌다. 우리는 때때로 그런 감정을 부끄러워한다. 이제 우리는 그 감정이 이해될 수 없다는 이유로 드러낼 수 없다고 하거나 그런 감정을 표현하는 것이 평화로운 관계를 해치거나 다른 사람들로부터 감정적으로 격렬한 반응을 불러일으킬 수 있다고 정당화해서 말할 수 있다. 하지만 이런 이유는 모두 본질적으로 거짓된 관계에 근거한 것이다. 개방과 정직이 없는 관계를 쌓는 사람은 누구든지 모래 위에 그 관계를 짓는 것이다. 그런 관계는 시련의 시간을 견딜 수 없고, 또한 관계의 양쪽 당사자 모두 어떤 주목할 만한 이점도 얻지 못할 것이다.

in some way 어떤 식으로든 reaction 반응 fraudulent 정직하지 않은 noticeable 주목할 만한

02 (A) occur는 자동사이므로 occur가 적절 (B) 뒤에 오는 명사가 단수 명사이므로 either가 적절 (C) language를 지칭하므로 its가 적절

언어 번역은 컴퓨터 과학의 초창기 목표였지만, 아직까지 갈 길이 멀다. 그 이유는 간단하다. 항상 제대로 번역되지는 않는다. 번역 오류는 컴퓨터, 언어, 사고방식의 복잡한 특징 때문에 발생한다. 두 언어에 대한 훌륭한 사전과 완벽한 문법 지식을 가지고 있다 하더라도, 기계 번역은 종종 정확하지 않다. 문장의 의미는 그 문장 내의 단어 속에 완벽하게 담겨 있지는 않다. 화자와 청자(또는 작가와 독자)가 그 단어의 정확한 의미를 얻기 위해서는 언어에 적용해야 할 문맥이라고 불리는 뭔가 다른 것이 있다. 문맥이 없으면 종종 정확한 컴퓨터 번역이 불가능하다.

feature 특징 inaccurate 부정확한 context 문맥

UNIT 029~030

✔ Check-up
P. 076-077

029 1. What 2. How **030** 1. what 2. how

029

1. 전치사 like의 목적어가 없으므로 what이 적절

"네 여동생은 어떻게 생겼니?" "키가 크고 피부가 가무잡잡해. 그리고 예쁘게 생겼어."

2. 뒤에 오는 문장이 완전하므로 how가 적절

회사가 재정적 어려움에 처했을 때 당신은 어떻게 하셨나요?

030

1. need의 목적어가 없는 불완전한 문장이므로 what이 적절

만약 당신이 No라는 대답을 받아들일 수 있다면, 당신은 필요한 것을 요구할 수 있다.

2. 뒤에 오는 문장이 완전하므로 how가 적절

그는 그가 어떻게 겨우 미로를 빠져 나왔는지 열심히 설명했다.

EXERCISE
P. 078

01 how 02 how 03 how 04 what 05 how 06 what
07 what 08 how 09 what 10 how

01 뒤에 완전한 문장이 나오므로 how가 적절

만약 광고가 게시판에 게재된다면, 위치가 얼마나 많은 사람이 광고를 보게 되느냐에 영향을 미치게 될 것이다.

02 뒤에 완전한 문장이 나오므로 how가 적절

훑어 읽기의 목적은 글쓴이가 소재를 어떻게 제시하는지에 대해 전체적인 윤곽을 잡고 글의 주요 관점에 대한 개념을 형성하는 것이다.

03 뒤에 완전한 문장이 오므로 how가 적절

제이미는 혼자 위층에 있는 방에 앉았는데, 이것이 보통 그녀가 혼자서 자신의 시간을 보내는 방식이다.

04 say의 목적어가 없으므로 what이 적절

나는 우리 부모님이 뭐라고 말하시든 간에 이번 여름에 너와 캠핑을 가기로 결심했어.

05 뒤에 완전한 문장이 오므로 how가 적절

좁은 공간에 주차를 하기에 충분하고 아무것도 치지 않고 차고에서 차를 빼기에 충분한지 당신의 자동차의 크기를 당신이 어떻게 알고 있는지 생각해 보아라.

06 뒤에 명사가 오므로 what이 적절

만약 우리가 당신이 접근하고자 하는 독자의 유형을 정확히 안다면, 당신의 책을 더 정확하게 디자인할 수 있을 것이다.

07 뒤에 오는 문장이 불완전하므로 what이 적절

모든 사람들은 대부분의 검색 결과가 어떤지를 알고 있다. 당신이 정보를 찾을 수 있을지도 모르는 웹 페이지에 대한 링크의 목록을 말이다.

08 뒤에 오는 문장이 완전하므로 how가 적절

그들은 다른 사람들이 어떻게 살아가며 집에서는 경험할 수 없는 것을 하고, 다른 풍경과 유명한 건물을 보는지 알아냈다.

09 뒤에 diagnosed의 목적어가 없는 불완전한 문장이 오므로 what이 적절

제니는 의사들이 유방암 3기라고 진단한 병에 대한 치료로부터 회복되고 있는 중이다.

10 뒤에 완전한 문장이 오므로 how가 적절

나는 우리가 어떻게 이런 환경적인 주제에 대해 설득력 있는 논의를 할 수 있는지에 관심이 무척 많다.

ACTUAL TEST
P. 079

01 ⑤   02 ⑤

01 ⑤ 뒤에 완전한 문장이 오므로 what이 아니라 how가 돼야 함 ① '대부분'을 의미 ② 앞의 stories를 수식, '출간된'이라는 뜻 ③ 완전한 문장을 이끄는 〈전치사+관계사〉 ④ 또 다른 소설을 지칭

유명한 소설가이며 시인이자, 극작가인 제임스 조이스는 아일랜드에서 태어나서 교육을 받았고 유럽 대륙, 주로 프랑스, 이탈리아, 스위스에서 그의 생애의 대부분을 보냈다. 〈더블린 사람들〉로 출간된 그의 첫 단편 소설은 표면적으로는 사실적일 뿐 아니라 더 깊은 의미를 담고 있다. 한 남편이 여러 해 동안 알았던 죽은 남자에 대한 아내의 사랑을 알게 됨으로써 그의 자기만족으로부터 충격을 받는다는 내용의 〈죽은 사람들〉이 가장 뛰어나다. 또 다른 유명한 소설인 〈젊은 예술가의 초상〉은 조이스 자신을 아일랜드의 국가적, 정치적, 종교적인 감정의 강력한 힘으로 만들어진 그의 영웅의 역할로 표현하며 그가 자신의 본성과 운명을 따르기 위해서 어떻게 점차 이런 힘의 영향으로부터 스스로 자유로워지는지를 보여 준다.

continental 대륙의 realistic 사실적인 surface 표면
self-satisfaction 자기만족 remarkable 뛰어난 portrait 초상화
present 나타내다 gradually 점차 influence 영향력 fate 운명

02 (A) 주어와 목적어가 우리로 동일하므로 ourselves가 적절 (B) 뒤에 완전한 문장이 나오므로 how가 적절, take place는 자동사 (C) 비교급을 수식하므로 much가 적절

학교와 직장에서 우리가 더 많은 즐거움을 경험하도록 돕기 위해 우리가 가진 공부(또는 일)에 대한 편견을 없앰으로써 인지적으로 경험을 재정의할

수 있다. 지난 1930년에 도널드 헵에 의해 진행된 연구는 이런 재구성이 어떻게 발생할 수 있는지 이해하는 데 도움을 줄 수 있다. 6세에서 15세 사이의 600명의 학생들은 더 이상 학교 공부를 할 필요가 없다고 들었다. 만약 그들이 수업 중에 잘못 행동하면 벌칙으로 밖에 나가서 놀게 했고, 만약 잘 행동하면 상으로 더 많은 공부를 해야 했다. 헵은 "이런 환경에서 하루나 이틀 이내에, 모든 학생들이 자신들이 공부를 안 하는 것보다 하는 것을 더 좋아한다는 것을 발견했다."고 보고한다. 만약 우리가 일을 의무가 아닌 특권으로 재구성할 수 있고 우리의 아이들에게도 그렇게 똑같이 한다면 우리는 궁극적으로 훨씬 더 나아질 것이다.

cognitively 인지적으로 redefine 재정의하다 rid 제거하다 prejudice 편견 reformation 재구성 take place 발생하다 misbehave 잘못 행동하다 circumstances 환경 privilege 특권

UNIT 031~032

✓ Check-up   P. 080-081

031 1. whatever   2. Whatever
032 1. its   2. it

031

1. 뒤에 명사 measures가 오므로 whatever가 적절

회장이 요구하는 방법이 무엇이든 간에 지원하기 위해서, 추가 자금을 확보하는 것이 우리 팀을 위해 할 첫 번째 일이다.

2. 뒤에 문장이 오므로 접속사 역할을 하는 whatever가 적절

아무리 이 고유한 서식지가 가속화되는 개발에 직면하고 있다 하더라도, 지방 정부는 그 숲을 보존하기 위해 노력한다.

032

2. England를 받으므로 단수인 its가 적절

이들 나라에 대한 근접한 위치에도 불구하고 영국은 그 치명적인 질병으로부터 자유롭다.

2. 앞 문장 전체, 즉 아침을 먹지 않은 것을 의미하므로 단수가 적절

톰과 제리는 체중을 감량하기 위해 종종 아침을 거르는 경향이 있다. 하지만 그것은 잘 되지 않을 것이다.

EXERCISE   P. 082

01 them   02 its   03 its   04 its   05 it   06 them   07 their
08 its   09 Whatever   10 Whatever

01 financial data를 의미하므로 them이 적절

모든 중요한 재정 자료를 모아 시간 순서대로 정리하라.

02 Popular culture를 의미하므로 its가 적절

대중문화는 소비자들에게 어떤 지적인 요구도 하지 않는다.

03 Eton College를 의미하므로 its가 적절

이튼 대학은 1440년 대학의 설립 이래로 아주 많은 국무총리를 배출해냈다.

04 the government를 의미하므로 its가 적절

하지만 더 최근에 정부는 제출한 법안에 대한 엄청난 저항에 직면하고 있다.

05 ketchup를 의미하므로 it이 적절

아무리 우리가 케첩의 바닥을 치고 흔들더라도 그 중 일부는 나오지 않는다.

06 They를 의미하므로 them이 적절

그들은 그들을 스타덤에 올려줄 커다란 기회를 얻기를 바라면서 재능을 드러내기 위해서 TV 시간을 활용한다.

07 a number of small stores를 의미하므로 their가 적절

소기업과 대기업 모두 한결같이 살아남기 위해 노력하는 반면, 많은 작은 상점은 대중에게 문을 열어 놓기 위해 필사적으로 노력한다.

08 the community를 의미하므로 its가 적절

나의 스승은 공동체의 모든 구성원을 위한 부의 분배는 결코 무료 자선금이 아닌 오히려 공동체 구성원을 위한 지원으로써 제공되어야 한다고 생각한다.

09 call의 목적격 보어가 없는 불완전한 문장이 왔으므로 Whatever가 적절

그들이 나를 뭐라고 부르더라도, 나는 계속해서 지난달에 발생한 침몰 사건을 조사할 것이다.

10 said의 목적어가 없는 불완전한 문장이 왔으므로 Whatever가 적절

주인이 회의에서 무슨 말을 했는지 모르지만 직원 채용은 즉각적인 관심을 받아야 하는 문제이다.

ACTUAL TEST   P. 083

01 ①   02 ④

01 ① carpets를 의미하므로 it이 아니라 them이 돼야 함 ② 진동이 먼지를 제거했다는 의미, vibration이 주어, removed가 동사 ③ '~라고 불리는' ④ 물품이 청소 되는 것 ⑤ 〈like+명사〉, 카펫 터는 도구처럼

진공청소기가 대중화되기 전에 작은 카펫은 보통 줄에 걸어 카펫을 터는 도구를 이용해서 청소했다. 이 방법은 카펫을 쳐서 발생하는 진동이 먼지와 오물의 대부분을 제거한다는 사실에 근거했다. 동일한 원리가 오늘날 초음파 세탁에 사용된다. 세탁되어야 할 물품이 초음파실이라 불리는 세탁 용기 안에 놓인다. 또한 초음파실에는 초음파 전도체와 적합한 용매가 들어 있다. 이 것은 물이 아니고 세탁소에서 사용되는 세탁 용액과 유사한 액체이다. 초음파 전도체는 액체에 진동을 일으킨다. 이 진동은 세탁되고 있는 물품으로 전해진다. 세탁물이 진동하기 시작하면 먼지와 다른 원치 않는 물체가 떨어져 나간다. 그러므로 초음파 전도체는 카펫을 터는 도구와 똑같은 작용을 하는 것이다.

vacuum cleaner 진공청소기 rely on 의존하다 ultrasonic 초음파의 article 입자, 물품 chamber 공간, 방 transmitter 전달자 liquid 액체 vibration 진동 pass on to ~에게 전하다

02 (A) 뒤에 명사가 바로 나오므로 whatever가 적절 (B) 뒤에 목적어가 나오지 않으므로 수동을 의미하는 과거분사 deposited가 적절 (C) 뒤에 완전한 문장이 오므로 관계부사 where이 적절

1960년대에 이르러 환경 문제가 국경을 넘는다는 사실이 분명해졌다. 물은 하수와 다른 쓰레기와 함께 바다로 흘러간다. 새들은 그들의 먹이에서 흡수한 모든 독성 물질을 품은 채 이동한다. 어떤 연구자들은 로마 제국의 흥망성쇠는 빙하가 천 년이 넘게 축적된 납 성분이 있는 먼지를 보존하고 있는 그린란드에서 추적될 수 있다고 본다. 이 먼지의 양은 로마가 번성할 때에는 증가하고 중세 시대에는 줄었으며 르네상스와 산업 혁명 시기에는 또 다시 증가했다. 1972년에 다른 연구자들 역시 스웨덴에서 내린 대부분의 산성비가 다른 나라에서 왔다는 사실을 발표할 수 있었다. 오늘날 우리는 살충제와 다른 화학 성분들이 결코 사용되지 않았던 장소에서 발견될 수 있다는 사실을 알고 있다.

sewage 하수 migrate 이주하다 absorb 흡수하다 empire 제국 glacier 빙하 lead-containing 납이 포함된 deposit 저장하다 flourish 번영하다 pesticide 살충제 chemicals 화학물질

UNIT 033~034

Check-up
P. 084-085

033 **1.** those **2.** those   034 **1.** there **2.** It

033

1. workers를 지칭하므로 those가 적절

주간 근무자들은 어떤 문도 사용할 수 있지만 야간 근무자들은 Gate A를 이용해야만 한다.

2. sales를 받으므로 those가 적절

7월의 아기 의류의 판매량은 3월 판매량보다 적다.

034

1. '~이 있다'라는 뜻의 〈there+be동사〉 구문

대부분의 사람들은 벌에 쏘이면 위험하지 않지만 단 한 번 벌에 쏘여 알레르기 반응으로 죽음에 이른 사례가 몇 번 있었다.

2. 온도를 나타내는 비인칭대명사 it

오늘 아침에는 영하 5도였다.

EXERCISE
P. 086

01 It   02 There   03 It   04 It   05 It   06 that   07 It
08 those   09 that of other countries   10 those

01 〈it ~ that〉 강조 구문

내가 그를 처음 만난 때는 바로 그가 뉴욕에서 공부하던 때이다.

02 arose는 자동사로 목적어를 취할 수 없음, arose 뒤에 명사가 오면 뒤에 온 명사가 주어가 되고, 주어 자리에는 유도부사 there가 필요, 〈there arise〉 '~이 일어나다, 발생하다'

그가 우리 집에 오기 전까지 당신과 나 사이에 어떤 문제도 없었다.

03 to talk 이하가 진주어이므로 가주어 it필요

TV 쇼에 나오는 굶주리고 고통 받는 사람들에 대해서 이야기하는 것은 무책임하다.

04 it seems that ~ '~처럼 보이다, ~인 것 같다'

다음과 같은 이유로 인해서 종이 책을 완전히 대체할 것 같지는 않다.

05 to make 이하가 진주어이므로 가주어 it 필요

그 일이 지속적으로 새로운 목표를 제공하기만 한다면 30년 동안 만족스러운 발전을 하는 것이 가능하다.

06 the percentage를 의미하므로 that이 적절

도시 지역에서, 2010년부터 2011년까지 천식을 앓는 소년의 비율은 2008년부터 2009년까지 천식을 앓는 소년의 비율보다 낮았다.

07 it ~ that 강조 구문

무엇보다도 유능한 사람들이 두드러지는 것은 바로 이와 같은 회의를 통해서이다.

08 stems를 의미하므로 those가 적절

비록 그것을 지탱하기 위해서 물에 의존함에도 불구하고 수상 식물의 줄기는 종종 육상 식물의 줄기와 유사하다.

09 비교하는 대상은 나라가 아닌 다른 나라의 학술 체계

영어로 진행되는 강의는 영어 언어 강의의 유용한 보완인데, 왜냐하면 미국의 학술 체계는 다른 나라의 체계와는 매우 다르기 때문이다.

10 research and development budgets를 지칭하므로 those가 적절

보고서에 따르면, 국내 기업의 연구 개발 예산은 세계적인 선도 기업의 예산보다 훨씬 더 낮은 것으로 밝혀졌다.

ACTUAL TEST
P. 087

01 ③   02 ①

01 ③ 비교 대상이 total production이므로 the nearest competitors가 아니라 that of the nearest competitors가 돼야 함 ① '다음에'라는 뜻 ② 〈by+시간〉은 완료형과 어울림 ④ 행사가 앞에 나오므로 수동 ⑤ the some time을 선행사로 받으면서 완전한 문장을 이끄는 관계부사 that

당신은 목이 마를 때 무엇을 마시고 싶은가? 1980년대 이후로 한국에서 탄산음료 선호도는 상당히 다양해졌다. 80년대 후반에는 모든 탄산음료는 선호도에 있어 선두주자였고, 그 다음은 과일 주스와 커피음료가 뒤를 따랐다. 하지만 2004년까지 이러한 음료수는 새로운 상품인 차음료의 진입으로 그 우위를 잃었다. 녹차를 포함한 차 음료는 탄산음료와 커피음료의 자리를 차지했다. 전체적인 차 관련 음료의 총 생산량은 거의 가장 근접한 경쟁자인 탄산음료와 커피음료 생산량의 2배에 이른다. 과일 주스는 가장 높은 수준이었던 80년대 말에 비해 생산량은 1/4 수준이 되며, 선호도는 4등으로 떨어졌다. 5등으로는 새로운 유형의 음료수인 스포츠음료가 차지했다. 녹차가 포장 상품이 되었을 거의 동시에, 채소 주스도 시장에 나오기 시작했다.

popularity 인기 **considerably** 엄청나게 **followed by** 그 다음에 **carbonated** 탄산이 있는 **competitor** 경쟁자

02 (A) it ~ that(who) 강조 구문 (B) 접속사 역할을 해야 하므로 복합관계사 Wherever가 적절 (C) 동작 heading to에 대해 criticism이 목적어(대상)이 되므로 them이 적절

여성들은 그들과 함께 하는 사람이 무례하고 공격적일 때조차도 모든 것을 좋게 유지하는 것이 그들의 책임이라는 사실을 당연시 하라고 배웠다. 남성과 대화할 때 질문을 하고 대화를 이끄는 것은 여성인 반면, 남성은 전형적으로 "흠"이란 말 밖에는 하지 않는다. 여성은 어디에 가든지, 그들은 계속해서 여성의 복종의 문화적 의식 중 하나인 미소를 짓는다. 만약 칭찬을 받는다면 당황하도록 배우지만 만약 그들 자신에 대한 비판을 받는다면 그들은 그 이유를 이해하고자 한다. 여성이 공격적이거나 화가 났을 때, 그들은 미소를 짓는다. 한마디로 여성들은 그들이 소심한 것 처럼 행동하도록 많은 시간을 소비한다.

take A for granted A를 당연시 하다 **offensive** 공격적인 **typically** 전형적으로 **ritual** 의식 **obedience** 복종 **aggressive** 적극적인, 공세적인 **in short** 한마디로, 요컨대

UNIT 035~036

Check-up
P. 088-089

035 **1.** ones **2.** ones   036 **1.** it   **2.** one

035

1. 형용사인 new가 수식을 하므로 ones가 적절

신상품에 5% 할인을 해주는 이 쿠폰을 사용하세요.

2. 형용사 new의 수식을 받으므로 ones가 적절

"그것은 내 예전 신발이야." 지미가 말한다. "새 신발이 더 좋아"

036

1. 앞에 나온 the book을 의미

제이드가 순진하게 "하지만 엄마, 저는 벌써 책을 읽었어요. 주디는 아직 책을 읽지 않았고요."라고 대답했다.

2. 특정 티켓이 아니라 막연한 티켓 중 하나를 의미

콘서트 티켓을 원하는 모든 직원은 티켓을 얻을 수 있다.

EXERCISE   P. 090

01 one 02 ones 03 some 04 it 05 ones 06 one 07 it
08 one 09 ones 10 some

01 앞에 있는 일반 명사 car를 받음

그는 좋은 차를 가지고 있지 않아서 차를 구입할 예정이다.

02 형용사의 수식을 받으므로 ones가 적절

크리스마스 선물 포장은 20세기로 들어오면서 생겨났는데, 수제로 만든 선물이 기계로 만들어 가게에서 구입 가능한 선물로 바뀌던 시기였다.

03 복수의 부정대명사로 사용, 뒤에 of 구문이 오면 some이 적절

잭은 당신이 재미난 게임을 많이 가지고 있다고 알고 있다. 아마도 그는 그것들 중 몇 개를 빌릴 것이다.

04 a fantastic picture를 의미

제니퍼는 멋진 그림 한 점을 그렸고, 그 그림은 우리 갤러리에 전시될 것이다.

05 형용사의 수식을 받으므로 ones가 적절

작은 껍질은 80mm처럼 보이고, 커다란 것은 120mm가 넘어 보인다.

06 특정한 영화를 지칭한 것이 아니므로 one이 적절

DGV 극장에는 현재 많은 영화가 상영 중이다. 우리는 오늘 밤 영화 한 편을 볼 것이다.

07 두 개 중 맞지 않은 옷(구체적)을 의미

피터슨은 셔츠와 바지 한 벌을 샀는데, 그 중 한 개가 맞지 않았다. 그래서 그는 그것을 환불하기를 원했다.

08 특정한 CD player가 아니라 정해지지 않은 CD player를 의미

톰슨이 나에게 CD 플레이어를 사주었고, 나도 보답으로 그에게 CD 플레이어를 사주었다.

09 형용사의 수식을 받으므로 ones가 적절

제니는 파리와 런던에서 다양한 이국적인 가방과 모자를 가지고 있었지만 그녀는 오래된 것을 버렸다.

10 ones는 단독으로 사용할 수 없음

아프리카에는 사자, 얼룩말, 코끼리, 하마 등과 많은 야생 동물이 있다. 나는 사파리 여행에서 그들 중 일부를 본 적이 있다.

ACTUAL TEST   P. 091

01 ④   02 ①

01 ④ 형용사의 수식을 받고 있으므로 some이 아니라 ones가 돼야 함 ① give를 강조 ② materials를 수식하는 분사구문, '압축된' ③ sensory receptors가 주어, are가 동사 ⑤ 모양을 구별하는 과거의 일보다 전에 일어난 일을 과거완료로 표현

기타리스트나 피아니스트에게 있어서 작은 손가락은 저주에 해당한다. 하지만 뉴욕 대학교 패트릭 제임슨 교수는 작은 손가락이 더 민감하다는 이점이 있다고 밝혔다. 그는 손가락 끝에 눌려지는 물질의 구조와 질감을 구별하는 머켈 세포라고 알려진 감각 수용기가 큰 손가락에 비해서 보다 작은 손가락을 빽빽이 싸고 있다고 발표했다. 여자가 남자보다 더 작은 손가락을 가지고 있어서 남자보다 그들이 느끼는 사물의 형태를 더 잘 구별할 수 있다. 실제로 남자와 비교했을 때, 이 연구에서 여자들은 손가락으로 눌렀던 플라스틱 조각에 있는 얇은 홈의 모양을 더 쉽게 식별할 수 있었다.

sensitive 민감한 sensory receptor 감각 수용기 distinguish 구별하다 structure 구조 texture 질감 appearance 형태 compared with ~와 비교하여 discern 식별하다 groove 홈

02 (A) 인식한다는 것을 보여준다는 의미, 부대상황의 분사구문, 목적어가 나오므로 indicating이 적절 (B) human의 수식을 받으므로 ones가 적절 (C) suggest의 that절이 당위성이 없으므로 동사원형이 아니라 are가 적절

생후 6개월 즈음, 유아들은 사람의 얼굴 식별을 꽤 잘한다. 파스칼리스, 데한과 넬슨은 유아들에게 동일한 몇 쌍의 얼굴을 보여 주고 나서 이전에 보여 준 얼굴 중 하나와 새로운 얼굴로 다시 몇 쌍을 보여 주었다. 유아들은 새로운 얼굴과 이전에 제시된 얼굴 사이의 차이를 인식한다는 것을 보여 주면서 나중에 제시된 쌍에서 새로운 얼굴을 더 오래 바라보았다. 놀랍게도 원숭이 얼굴이 사람의 얼굴 대신 사용되었을 때에도 생후 6개월 된 유아들은 여전히 새로운 얼굴을 선호했다. 즉, 생후 6개월 된 유아들은 서로 다른 원숭이들의 얼굴을 구별할 수 있다. 그러나 그 능력은 나이 들면서 쇠퇴되는데, 생후 9개월의 유아들은 사람들의 얼굴은 구별했지만 원숭이의 얼굴은 구별하지 못했고, 이와 같은 양상은 성인에게도 나타났다. 이 발견은 초기 안면 지각 능력이 경험에 따라 조정된다는 것을 암시한다.

infant 유아 identical 동일한 preceding 이전의 novel 새로운 indicate 지시하다 perceive 인지하다 decline 감소하다

REVIEW TEST   P. 092

01 what → how   02 us → ourselves   03 one → it   04
themselves → them   05 people → that of people   06 those
07 another   08 yourself   09 how   10 what

01 뒤에 완전한 문장이 오므로 what이 아니라 how가 돼야 함

1920년대까지는 경쟁을 벌이는 수영 영법이 자유영, 배영과 평영뿐이었고, 각각 그것이 행해지는 방법을 서술하는 특정한 규칙이 있었다.

02 주어와 목적어가 동일하므로 us가 아니라 ourselves가 돼야 함

우리가 임박한 죽음에 대해 알게 될 때 우리는 우선 우리 스스로에게 그것은 발생하지 않을 것이라고 말하며, 그 다음에는 현실에 분노하게 된다.

03 구체적인 사물을 지칭하므로 one이 아니라 it이 돼야 함

조던은 지하철에서 빨간 우산을 발견했고, 우산을 딸에게 주어 딸을 기쁘게 했다.

04 stimulating ~ future가 주어, 목적어는 people을 의미하므로 themselves가 아니라 them이 돼야 함

미래의 자신과 동질성을 느끼는 감정은 장기적인 관점에서 재정적인 결정을 하도록 만들어 주기 때문에 사람들로 하여금 자신의 미래를 꿈꾸도록 하는 것은 그들이 더 많이 저축을 하도록 도울 수 있다.

05 비교 대상은 performance이므로 people이 아니라 that of people이 돼야 함

환자들이 이 호르몬 주사를 맞은 후에, 그들의 성과는 그 병을 앓고 있지 않은 사람들의 성과와 비슷했다.

06 The arms and legs, the heads and feet를 의미

의자의 팔걸이와 다리, 침대의 머리와 다리는 의자와 침대를 사용하는 사람들의 그것들과 마찬가지로 한없이 강할 것이라고 기대될 수 없다.

07 뒤에 단수 명사가 오므로 another가 적절

제이드는 승선했을 때, 그녀는 또 다른 승객이 그녀와 객실을 공유한다는 것을 알았다.

08 명령문이므로 주어는 you, 목적어와 동일

아무리 일이 많더라도, 항상 저녁에는 쉴 것이라고 당신 스스로에게 약속하세요.

09 뒤에 완전한 문장이 오므로 how가 적절

선임 연구원들은 어떻게 사람이 운동에 중독되는지 설명하기 위해서 두 가지 반대되는 가설을 발전시켰다.

10 뒤에 명사가 바로 오므로 what이 적절

만약 내가 유료 회원이 된다면, 당신의 회사로부터 얻을 수 있는 이점은 무엇인가요?

FINAL CHECK

P. 093-095

01 ② 02 ④ 03 ③ 04 ② 05 ④ 06 ③

01 ② a detailed script가 주어, actors가 목적어이므로 themselves가 아니라 them이 돼야 함 ① '다른 사람들' ③ 비교급을 수식 ④ it ~ to 부정사, 진주어, 가주어 구문 ⑤ means의 목적어절을 이끄는 접속사 that

상호 작용을 할 때 우리는 타인에게서 배운 대본을 따름으로써 배우처럼 행동한다. 이 대본은 기본적으로 우리에게 우리의 지위와 역할에 따라서 행동하는 법을 말해 준다. 그러나 이 무대 비유에는 한계가 있다. 무대에서 배우들은 그들이 무엇을 말하고 행동할지를 정확하게 연습하도록 해주는 세부적인 대본을 가지고 있다. 그러나 실제 삶에서 우리의 대본은 훨씬 더 일반적이고 모호하다. 그 대본들은 우리가 어떻게 행동할지 혹은 다른 사람이 어떻게 행동할지 정확하게 우리에게 알려 줄 수 없다. 사실 우리는 매일 새로운 경험을 하기 때문에 끊임없이 대본을 수정한다. 그러므로 우리가 제대로 예행연습을 한 상태가 된다는 것은 훨씬 더 어렵다. 이것은 우리가 상당히 즉흥적이어야 하며, 바로 직전까지 생각나지 않던 많은 것을 말하고 행동해야 한다는 뜻이다.

interact 상호작용하다 **in accordance with** ~에 따라서 **status** 지위 **analogy** 비유 **detailed** 상세한 **ambiguous** 애매한 **revise** 수정하다 **improvise** 즉석에서 하다

02 (A) each가 주어이므로 gives가 적절 (B) '분열된, 부서진'이라는 의미의 fractured가 적절, nations를 수식 (C) 뒤에 불완전한 문장이 왔으므로 what이 적절

인종 구분은 미국의 끊임없는 저주이다. 새로운 각 집단의 이민자들은 오래된 선입견에 새로운 목표물을 제공한다. 종교적 또는 정치적 신념의 가식 아래 위장해 있는 선입견과 경멸은 다르지 않다. 이러한 힘은 예전에 우리나라를 거의 파괴했다. 그것들은 우리를 여전히 괴롭히고 있다. 그것들은 테러라고 하는 광신에 기름을 붓는다. 그리고 그것들은 전 세계적으로 부서진 나라의 수백만의 삶을 괴롭힌다. 이런 집착은 미워하는 사람은 물론이고 미움을 받는 사람 모두를 무력하게 만들고 그들이 되고자 하는 바를 앗아간다. 우리는 영혼의 먼 지역에 숨어있는 어두운 충동에 굴복할 수도 없고, 굴복하지도 않을 것이다. 우리는 그것들을 극복할 것이다. 그리고 우리는 어두운 충동들을 서로에게 편안함을 느끼는 사람들의 관대한 영혼으로 바꿀 것이다.

contempt 경멸 **cloak** 위장하다 **pretense** 가식 **conviction** 신념 **plague** 괴롭히다 **fanaticism** 광신 **fracture** 부수다 **obsessions** 집착 **cripple** 무력하게 하다 **succumb** 굴복하다 **impulse** 충동 **lurk** 숨다 **replace** 대체하다

03 ③ subjects가 스스로의 등급을 매기는 것이므로 them이 아니라 themselves가 돼야 함, rate의 주체와 대상이 subjects로 동일 ① tell의 목적격 보어 ② look과 병렬 구조 ④ '똑바로 앉으라고 말을 들은'이라는 의미의 분사구문을 이끄는 분사 ⑤ '평가서를 쓰는 동안'이라는 의미의 분사구문에서 생략되지 않고 남은 접속사

어린 시절 성장하는 동안 당신의 어머니와 아버지는 좋은 자세가 당신이 자신감 있게 보이고, 훌륭한 인상을 주는데 도움이 될 수 있기 때문에 당신에게 똑바로 앉으라고 말했을 것이다. 그리고 〈사회 심리학 미국 판 저널〉의 한 연구에 따르면 똑바로 앉는 것은 스스로 기분이 더 나아지도록 할 수 있다는 사실을 보여 준다. 연구원들은 실험자들에게 구직자와 직원으로서 얼마나 좋을지 자기 자신에게 등급을 매기라고 했다. 지원서를 쓰는 동안, 가슴을 쭉 편 채 앉아있는 실험자들은 자기 자신에게 구부정하게 앉아 있는 사람들보다 높은 등급을 매겼다. 다시 말해서 여러분의 부모가 완전히 옳았다.

posture 자세 **impression** 인상 **require** 요구하다 **subject** 피실험자 **candidate** 후보 **instruct** 지시하다

04 (A) 뒤에 to부정사나 that절이 나오지 않고, 가목적어가 필요치 않으므로 make fear가 적절, fear는 명사로 목적어이고, a permanent ~ life가 보어 (B) 두려움의 반대편을 의미하므로 the other가 적절 (C) 앞에 either가 있으므로 or가 적절

진정한 자유는 우리를 가장 두렵게 하는 일을 하는 가운데 발견된다. 과감히 시도하라. 그러면 삶을 잃는 것이 아니라 찾게 될 것이다. 두려움이 삶의 영원한 일부가 되지 않도록 하라. 두려움을 내버려 두거나 두려움이 있음에도 불구하고 살아가는 것은 놀랍고도 역설적이게도 당신을 안전한 장소로 이끈다. 당신은 주저 없이 사랑하고, 경계심 없이 말하며, 자기 방어 없이 관심을 갖게 되는 것을 배울 수 있다. 일단 우리가 두려움의 반대편에 서면 우리는 새로운 삶을 찾는다. 헬렌 켈러가 말했던 것처럼 "인생은 대담한 모험이 아니면 아무것도 아닌 것이다." 이 교훈을 배울 수 있다면 우리는 경외와 놀라움으로 가득 찬 삶을 살 수 있다.

take a leap 도약하다 **permanent** 영구적인 **paradoxically** 역설적으로 **hesitation** 주저함 **daring** 용감한, 무모한 **awe** 경외심

05 ④ 주어는 children, 목적어는 books이므로 themselves가 아니라 them이 돼야 함 ① find의 목적어절을 이끄는 선행사를 포함한 관계부사 ② '발견 됐을 때'라는 의미의 분사구문 ③ Making으로 시작하는 동명사구 주어, is가 동사 ⑤ 〈there+be동사〉 '~이 있다'

한 연구는 아이들은 놀이를 위한 장소로 도서관을 선호하지 않는다고 밝혔다. 그 장소는 무질서하게 책이 꽂혀진 책장으로 구성된다. 심지어 어른들도 그들이 원하는 책을 찾기 힘들다. 게다가 그곳은 접근하기 힘들거나 찾기 힘든 곳에 위치해 있다. 찾더라도 이 장소는 매력적이지 않다. 새 아동용 도서로 채워진 접근하기 쉽고 매력적인 도서관을 만드는 것은 시도할 만한 가치가 있다. 아이들의 독서에 대한 관심은 증가해야 한다. 아이들이 다양한 책으로 채워진 교실에 있을 때, 그들은 책이 별로 없는 교실에 있을 때보다 책을 50% 이상 더 사용할 수 있다. 요약하자면, 도서관의 위치와 빈도에는 높은 상관관계가 있다.

be composed of ~으로 구성되다 **in disorder** 무질서하게 **inaccessible** 접근성이 떨어지는 **be worthy of** ~할 만한 가치가 있다 **stocked with** ~로 채워진 **correlation** 상관관계 **frequency** 빈도

06 (A) A is B what C is D 'A가 B인 것은 C가 D인 것과 같다' (B) make의 목적격 보어이므로 available이 적절 (C) 주어와 같은 e-commerce enterprises를 의미하므로 themselves가 적절

전자 상거래와 정보 혁명과의 관계는 철길과 산업 혁명과의 관계와 같다. 철도가 거리를 정복한 반면, 전자 상거래는 거리를 없앴다. 인터넷은 기업에 하나의 활동을 다른 것과 연관시키고 실시간 자료를 폭넓게 이용할 수 있게 만들었다. 그것은 오늘날의 거대 기업을 분해하려는 움직임을 강화시킨다. 그러나 전자 상거래의 최대 강점은 누가 만들든 소비자들에게 모든

제품을 제공한다는 것이다. 전자 상거래는 처음으로 판매와 생산을 분리시켰다. 판매는 더 이상 생산이 아닌 분배와 연관되어 있다. 왜 어떤 전자 상거래 기업이 하나의 브랜드 상품을 마케팅하고 판매하기 위해 스스로를 국한해야 하는가에 대한 이유가 전혀 없다.

industrial 산업의 distance 거리 eliminate 제거하다 enterprise 기업 strengthen 강화하다 corporation 회사 range 범위 separate 분리하다 distribution 분배

04 명사

UNIT 037~038

✅ Check-up   P. 098-099

037 **1.** stars   **2.** diseases   **038** **1.** are   **2.** are

037

1. stars는 가산 명사, 〈more+가산 명사 복수형〉
하늘에는 지구의 들판에 있는 쌀알보다 더 많은 별이 있다.

2. disease는 가산 명사, 〈a variety of+가산 명사 복수형〉
심리적 요인뿐만 아니라 신체적 요인도 다양한 정신병을 야기할 수 있다.

038

1. Poultry는 복수 취급하는 군집 명사
가금류는 지구상에서 가장 일반적인 가축 중 하나이다.

2. Police는 복수 취급하는 군집 명사
경찰은 법을 집행하고, 합법적인 수단으로 공공질서와 사회 질서를 유지하는 권력이 있는 기관 또는 대리인이다.

EXERCISE   P. 100

01 were   **02** were   **03** a few   **04** information   **05** flows
06 attempts   **07** have   **08** is   **09** are   **10** advice

01 police는 군집 명사로 복수 취급
범죄 현장에서 경찰은 무장 강도에게 공격을 받았다.

02 cattle은 군집 명사로 복수 취급
수입된 소가 최근 광우병 사건과 관련이 없다는 증거는 없다.

03 facts는 가산 명사, 〈a few+가산 명사〉
그들은 눈의 움직임이나 표정의 변화 같은 고객의 반응을 관찰하며 전형적으로 몇 가지 사실을 언급함으로써 회의를 시작했다

04 information은 불가산 명사
미국인 관광객의 100명이 넘는 친척들은 사랑하는 사람에 관한 정보를 청하기 위해서 외교부 핫라인에 전화를 걸었다.

05 money는 불가산 명사로 단수 취급
흑자는 나간 돈보다 들어온 돈이 더 많다는 의미이며, 그것은 결국 우리 통화를 강화할 수 있다.

06 attempt는 가산 명사, 〈more+가산 명사 복수형〉

시험에 통과하기 위해서 보다 더 많은 시도를 한다면, 최소한 당신은 노력의 가치를 깨닫게 될 것이다.

07 clergy는 군집 명사로 복수 취급
대주교의 죽음이 대중에게 알려진 이후, 그리스 정교회의 성직자들이 대주교의 집무실에 도착하기 시작했다.

08 furniture는 불가산 명사
다양한 가구가 이 집에 설치되어 있어서 임대료가 다른 집보다 더 비쌀 것이다.

09 e-mail은 시스템을 지칭할 때는 불가산 명사, 한 통, 한 통의 이메일을 지칭할 때는 가산 명사
내 메일 박스에는 많은 이메일이 있는데, 이는 일에 대한 내 집중력을 방해한다.

10 advice는 불가산 명사
제니퍼에게는 결혼에 대한 몇 가지 조언이 필요하며, 그래서 내가 좋은 웨딩 플래너를 소개시켜 줄 것이다.

ACTUAL TEST   P. 101

01 ④   **02** ②

01 ④ wisdom이 불가산 명사이므로 many가 아니라 much가 돼야 함 ① the admiration이 주어, goes가 동사 ② 어머니의 role과 의사, 변호사의 role을 비교 ③ holds와 병렬 구조 ⑤ teach의 간접 목적어 절을 이끄는 접속사 that

지금 나는 여성의 자립심과 능력을 개선하는 방법을 개발하기 위해 일하고 있지만 나는 전문직 여성에 대한 찬사가 지나치다고 생각한다. 집은 전문적인 영역만큼 현실적이다. 집에서의 어머니의 역할은 의사나 변호사의 역할보다 더 현실적일지도 모른다. 어떻게 대차대조표는 읽을 수 있는 것을 죽은 개를 붙잡고 왜 사랑하는 것을 잃어버려야 하는지 알고 싶어 하는 울고 있는 세 살짜리를 달래는 것과 비교하는가? 분명히 우리가 딸을 자립하도록 키울 때의 가치는 있다. 하지만 우리가 딸에게 꼭 직업적인 성공을 해야만 한다고 가르친다면 지혜는 많이 없는 것이다.

improve 개선하다 competency 능력 self-reliance 자립 admiration 찬사

02 (A) '최소한'이라는 뜻의 least가 적절 (B) feel like -ing '~하고 싶다'라는 의미이므로 looking이 적절 (C) 앞의 pictures을 의미하므로 many가 적절

만일 당신이 디지털 카메라의 소유자이고 자녀가 있다면, 자녀가 어릴 때에는 적어도 한 달에 두세 번 아이들의 사진을 찍어 주어야 한다. 이렇게 하는 것의 첫 번째 이점은 자녀들의 사진을 계속해서 찍어 주면 아이들이 부모인 당신에 의해 사랑을 받고 존중 받는다는 것을 확실히 느낄 것이라는 점이다. 아이들은 심지어 자신의 아이들에게도 결국 똑같은 것을 해줄지도 모른다. 두 번째로, 과거에 일어났던 일을 미래의 어느 시점에서 회상하고 싶다면 아이들의 사진을 가지고 있는 것이 분명히 그 시간을 회상하는 데 도움을 줄 것이다. 마지막으로, 살아가면서 아이들을 잃어버리는 것과 같은 긴급한 상황이 발생하거나 어떤 이유로 아이들 사진이 필요한 경우가 생기더라도 지금부터 아이들 사진을 찍기 시작하면 이용할 수 있는 사진을 많이 보유하게 될 것이다.

constantly 계속해서 definitely 명백히 remind A of B A에게 B를 생각나게 하다

UNIT 039~040

✓ Check-up

P. 102-103

039 1. is 2. is **040** 1. luggage 2. it

039

1. 주어인 electronics가 전자 산업이므로 단수 취급

일본의 전자 산업은 나라의 상황을 악화시키고 있는 문제의 상징이다.

2. news는 복수형이 아니라 추상 명사이므로 단수 취급

뉴스는 최근에 발생한 상황에 대한 다양한 정보이다.

040

1. luggage는 불가산 명사

이사벨은 세 개의 가방, 한 개의 숄더백, 화장품 케이스를 가지고 갔다. 다시 말해서, 그녀는 여행할 때 많은 짐을 가지고 다닌다.

2. advice는 불가산 명사

나디아는 나에게 몇 가지 좋은 조언을 주었고, 그것이 내가 그 어려움들을 극복하는 데 도움을 주었다.

EXERCISE

P. 104

01 is 02 much 03 times 04 is 05 is 06 was
07 equipment 08 were 09 works 10 are

01 나라명은 복수 형태이더라도 단수 취급

미국은 정체성의 위기를 겪고 있다.

02 water는 불가산 명사

사실 가장 일반적인 사막 식물인 선인장에는 많은 물이 들어 있다.

03 횟수를 의미하는 time은 가산 명사

앞에 놓여 있는 것은 우리가 여태껏 보아왔던 것보다 수천 배는 더 인상적일 것이다.

04 news는 불가산 명사

좋은 소식은 과학자들이 지구의 온도가 올라가는 와중에 번성하는 동물 그룹을 발견했다는 것이다.

05 evidence는 불가산 명사

65세 이상의 사람들이 노쇠하고 무능력하다는 것을 확인해 주는 많은 의학적인 증거가 있다.

06 과목명은 형태가 복수형이더라도 단수 취급

불과 수십 년 전만해도 유전학은 과학에서 하찮은 분야였음이 틀림없다.

07 equipment는 불가산 명사

컴퓨터는 받은 정보에 대한 반응으로 히터와 조명, 다른 장치를 통제하도록 프로그램 될 수 있다.

08 police는 군집 명사로 복수 취급

경찰은 그녀가 전화를 했을 때 어디에 있었는지 알 수가 없어서 대답을 하지 못했다.

09 works는 가산 명사 '작품'을 의미, 참고로 work(일)는 불가산 명사

레오의 몇 가지 추상적인 작품들은 이 갤러리를 방문하는 대부분의 사람들을 항상 매료시켰다.

10 〈a variety of+가산 명사의 복수형〉, 복수 취급

회사들이 직면한 다양한 경제적 장애물이 있는데, 그 중 하나는 원자재의 높은 가격이다.

ACTUAL TEST

P. 105

01 ①   02 ④

01 ① some이 실제 지칭하는 것이 advice이므로 are가 아니라 is가 돼야 함 ② 특정한 공간을 찾아야 한다는 의미 ③ found의 목적어절을 이끄는 접속사 that ④ 두 개의 방 중 나머지 하나 ⑤ 전체적인 시제는 과거

개인.학습은 또 다른 중요한 요소인데, 일부 연구원들은 공부하는 습관 중 가장 흔한 조언이 틀렸다는 사실을 발견했다. 예를 들어 많은 공부 기법 강의는 학생들이 공부를 하기 위해 공부방이나 도서관의 조용한 구석과 같은 특정한 공간을 찾아야만 한다고 제안한다. 이 연구는 정반대의 사실을 보여 준다. 또 다른 실험에서 심리학자들은 하나는 창문이 없고 어질러진 방이고, 다른 하나는 현대적이며 시골의 경관이 보이는 방인 두 개의 다른 방에서 50개의 어휘를 외운 학생들이 같은 방에서 두 번 단어를 외운 학생보다 훨씬 더 잘했다는 사실을 발견했다. 이후의 연구들은 많은 주제에 관해서 그 결과를 확증하게 되었다.

individual 개인의 **clutter** 어지르다 **confirm** 확증하다

02 (A) evidence가 주어이므로 is가 적절 (B) 동명사의 부정이므로 not smoking이 적절 (C) 위험을 인식하도록 만들어 진다는 의미로 〈make+목적어+목적격 보어〉에서 목적어가 주어로 나간 수동태 구문, 〈be made+목적격 보어〉 구조

담배를 피우는 사람과 같은 공간에 있을 때 숨을 쉬는 간접흡연이 특히 아이들에게 해로울 수 있다는 증거는 너무도 많으며, 어떤 부모들은 아이들이 있으면 담배를 피우지 않는 방법을 쓰고 있다. 하지만 한 연구자에 따르면 간접흡연이 가능하기 때문에 이것도 완전한 예방책을 제공하지 않는다. 담배 연기 속에 있는 유독 물질은 담배를 끄고 난 오랜 후에도 근처의 표면뿐만 아니라 흡연자의 머리카락과 옷에도 남아 있을 수 있는데, 어린 아이들은 그런 것들과 아주 가까운 곳에서 숨을 쉬고 심지어는 그것들을 핥거나 빨기도 하기 때문에 쉽게 영향을 받는다. 그래서 아이들의 건강에 대한 흡연과 관련된 가능성 있는 위험성을 사람들이 알도록 하는 것이 아주 중요하다.

second-hand 간접의 **adopt** 받아들이다 **particle** 입자 **lick** 핥다
suck 빨다 **vital** 중요한 **associated with** ~와 관련된

REVIEW TEST

P. 106

01 are → is 02 are → is 03 are → is 04 baggages → pieces of baggage 05 them → it 06 cattle 07 refers
08 was 09 Many 10 much

01 news는 불가산 명사

좋은 소식은 만약 당신이 고정 관념을 지닌 그룹에 속해 있거나 사람들이 당신에 대해 어떻게 생각하는지 안다면, 당신의 이미지를 더 좋게 바꾸고자 시도할 수 있다.

02 과목명은 단수 취급

기술적으로 정의된 생명공학은 역학의 방법에 의한 생물학적 시스템의 구조와 기능에 대한 분야이다.

03 information은 불가산 명사

대부분의 정보는 정확하고 실용적이지만 다수의 유명한 심리학 서적과 논문은 우리가 psychomythology라고 부르는 것으로 가득할 수도 있다.

04 baggage는 불가산 명사, piece로 개수를 표현

싱가포르에 본사를 둔 회사는 한번에 5개의 수화물을 자동적으로 검사하기 위해서 세 개의 주요 공항에 폭발물 감지 시스템을 설치할 것이다.

23

05 information은 불가산 명사, 단수 취급

쾨베클리 테페에 관한 이용 가능한 많은 정보가 그 장소에서 발견된 이후로 그것들 중 일부는 인간 역사에 관한 중요한 증거로 인지되기 시작했다.

06 cattle은 군집 명사로 단수 취급

정부는 내년에 더 많은 소를 키우는 농가에게 이 시스템을 확장할 계획이다.

07 과목명은 단수 취급

경제학은 어떻게 사회가 돈과 거래와 산업을 구성하는지에 대한 학문을 나타낸다.

08 선행사가 시간이므로 단수 취급

이 기계의 사용법을 완전히 익히기 위해서 그들에게 고작 이틀이라는 시간만 주어졌는데, 그 시간은 충분치 않았다.

09 뒤에 가산 명사가 오므로 Many가 적절

많은 출판사가 이제는 그의 그저 그런 소설을 출간하려고 한다.

10 뒤에 오는 명사 money는 불가산 명사

우리는 당신이 가진 돈의 고작 반 정도만 가지고 있어서 프로젝트를 전혀 진행할 수 없다.

FINAL CHECK
P. 107-109

01 ⑤   02 ③   03 ②   04 ②   05 ①   06 ③

01 ⑤ the most important thing이 주어이므로 are가 아니라 is가 돼야 함 ① two Englishmen이 주어, have never met이 동사 ② '다른 사람에게 이야기를 함으로써'라는 의미 ③ '언어에 의해 성취되는 기능'이라는 뜻 ④ '수단'이라는 의미

이전에 한 번도 만나본 적이 없는 두 명의 영국인이 기차의 같은 칸에 앉아 마주보고 있다면 어떤 일이 일어날지 모든 사람이 알 수 있다. 그들은 날씨에 대해 말하기 시작할 것이다. 날씨와 같은 중립적인 주제를 가지고 다른 사람들과 이야기함으로써 그와의 관계를 쉽게 시작할 수 있다. 이런 종류의 대화는 언어에 의해 수행되는 일종의 중요한 사회적 기능이다. 언어는 단지 날씨나 다른 주제에 대한 정보를 교환하는 수단만이 아니다. 언어는 다른 사람들과의 관계를 형성하고 유지시켜 주는 매우 중요한 수단이기도 하다. 두 영국인 사이의 대화에서 아마 가장 중요한 것은 그들이 사용하고 있는 말이 아니라 그들이 서로 대화를 하고 있다는 사실일 것이다.

be supposed to ～하기로 되어 있다 **compartment** (기차의) 객실 **neutral** 중립적인 **strike up** (관계를) 시작하다 **fulfill** 성취하다

02 (A) 불가산 명사 information을 수식하므로 much가 적절 (B) 수가 증가되는 것이므로 자동사인 risen이 적절 (C) issue는 가산 명사, 〈some of+복수 명사〉이므로 issues가 적절

최근에 지구 온난화가 사람의 건강에 심각한 영향을 끼친다는 것을 입증하기 위해 과학적 조사가 시행되었다. 과학자들이 연구를 통해 모은 많은 정보로부터 이 연구는 기후 변화가 질병이나 이른 죽음으로 인해 고통 받는 사람들의 수를 늘리고 있다는 사실을 밝혀냈다. 세계 보건 기구 또한 기후 변화가 2000년에 전 세계의 15만 명의 죽음에 책임이 있다고 평가한다. 그때 이후로 지구 온난화의 영향이 악화됨에 따라 그 수치는 아마도 증가했을 것이다. 기후 변화는 몇 가지 건강 문제에 관해서 긍정적, 부정적으로 극적인 영향을 미치고 있다. 하지만 건강에 대한 부정적인 영향은 긍정적인 영향을 훨씬 능가한다.

conduct 행하다 **global warming** 지구온난화 **add to** 더하다 **estimate** 평가하다 **dramatic** 극적인 **surpass** 능가하다

03 ② 지칭하는 대상이 some shirts이므로 it이 아닌 them이 돼야 함 ① select의 목적어절을 이끄는 선행사를 포함한 관계대명사 what ③

---

the majority of '대다수', 실제 지칭하는 것이 messages이므로 복수 취급 ④ '그들이 생각하기에 좋은 것'이라는 뜻, 〈they think what is fine ～〉 구문에서 what이 앞으로 나간 구조 ⑤ whether '～인지 아닌지'

학생들은 학교에 입고 싶은 옷을 자유롭게 선택해야만 한다. 물론 그 위에 공격적인 글귀가 써져 있는 옷이 있지만, 대다수의 메시지는 공격적이지 않다. 대다수의 메시지는 수업 시간에 그들의 학습과 집중에 부정적인 영향을 미치지 않는다. 만약 복장 규정이 있다면, 그것은 학생들이 모욕적인 글귀가 있는 옷을 입을 수 없다고 말하는 것이다. 하지만 그것이 전부다. 나는 복장 규정이 있든 없든, 내 학생들이 생각하기에 재학 중에 좋고 적당한 것을 입게 할 것이다. 교사들은 입기에 적당한 옷인지 아닌지 학생들이 결정할 수 있다고 신뢰해야 한다.

offensive 공격적인 **affect** 영향을 주다 **dress code** 복장 규정 **insulting** 모욕적인 **determine** 결정하다

04 (A) 뒤에 명사가 오므로 전치사 like가 적절 (B) a series of가 이끄는 구문은 단수 취급하므로 happens가 적절 (C) 주격 보어이므로 형용사 new가 적절

음모론은 정말로 그것을 믿는 이들을 위한 일종의 위안이 될 수 있는데, 왜냐하면 그것은 우주로부터 무작위성의 불확실성을 제거하기 때문이다. 누군가에게 있어 음모 그 자체는 종교적인 믿음의 연장일 수도 있다. 사실 이런 많은 사람들은 세상의 종말이 다가 온다는 믿음과 강하게 연결되어 있다. 중대한 일련의 세계적 사건들이 일어난 이후에 그들은 그 사건들이 지구상에서의 선과 악의 마지막 전쟁인 아마겟돈을 알리게 되어 있다고 믿는다. 음모와 관련된 다른 어떤 것은 비밀 사회이다. 사실 대부분의 우리에게 잘 알려진 음모론은 우리가 생각하는 것만큼 새로운 것은 아니다.

conspiracy 음모 **consolation** 위안 **uncertainty** 불확실성 **randomness** 무작위 **extension** 연장 **significant** 중대한 **be meant to** ～되게 할 생각이다, ～하게 되다

05 ① a pair of는 단수 취급하므로 are가 아니라 is가 돼야 함 ② 둘 중 나머지 하나 ③ 질문을 하는 것이 아니라 질문을 받는다는 의미 ④ 형용사 wrong을 수식하는 부사 ⑤ not A but B 'A가 아니라 B'

당신이 한 쌍의 카드를 보고 있는 누군가를 보고 있다고 상상해 봐라. 그 카드 중 하나에는 줄이 한 개있고, 나머지 카드에는 줄이 세 개 있다. 세 개의 줄 중, 하나는 확실히 첫 번째 카드에 있는 줄보다 길고, 다른 하나는 더 짧고, 마지막 줄은 똑같다. 이 카드들을 보고 있는 사람은 첫 번째 카드의 줄과 똑같은 두 번째 카드의 선을 가리키기를 요구 받는다. 놀랍게도 그는 분명히 틀린 선 중 하나를 고른다. 당신은 아마도 그가 시력이 좋지 않은 건지 뭔지 궁금해 할 것이다. 하지만 만약 여러 사람들이 잘못된 같은 선을 고른다면, 당신이 요구 받았을 때 비록 당신이 그들에게 동의하지 않는다 하더라도 같은 잘못된 선을 선택할지도 모른다. 이것은 애쉬의 동조 실험이다. 이것은 항상 그렇지는 않지만 종종 아주 간단한 과정에 의해 보통의 평범한 사람들이 자신의 감각에 대한 분명한 증거를 부인하도록 유도될 수 있으며, 다른 사람의 의견을 기꺼이 받아들이기 때문에 발생한다.

conformity 동조 **ordinary** 평범한 **induce** 유도하다

06 (A) the subject matter가 주어이므로 continues가 적절 (B) information은 불가산 명사 (C) 뒤에 진목적어인 to부정사가 나오므로 가목적어가 있는 find it difficult가 적절

대학 교재 출판업자들은 한 가지 중요한 문제와 씨름해 왔다. 경영, 화학, 역사 같은 특정한 분야를 구성하는 주제의 규모, 범위, 복잡성 등이 계속해서 증가하고 있다. 따라서 저자들은 교재의 최신판에 점점 더 많은 정보를 추가해야 한다고 강요받는 것처럼 느낀다. 출판업자들 또한 더 많은 색상과 사진을 추가하여 교재를 시각적인 세련됨을 증가시키는 것을 추구해 왔다. 동시에, 일부 교수들은 분량이 더 많아진 수업 자료를 다루는 것이 어렵다고 생각한다. 게다가 더 길어지고 더 매력적인 교재들은 생산하는 데 더 많

은 비용이 들며, 그 결과 학생들에게 더 높은 판매가를 초래한다.

struggle with ~와 싸우다 **comprise** 구성하다 **scope** 범위
complexity 복잡함 **compel** 강요하다 **seek** 추구하다
sophistication 정교함

05 동사

UNIT 041~042

Check-up
P. 112-113

041 1. convinced **2.** disappointing
042 1. bad **2.** familiar

041

1. 스티브 잡스가 확신에 차게 되는 것이므로 과거분사

스티브 잡스는 부서장으로서 그녀의 능력을 확신하기 때문에 그 중요한 지위에 그녀를 임명할 만큼 도량이 넓었다.

2. second terms가 실망감을 느끼게 하는 것이므로 현재분사

그의 파트너들은 클린턴이 실망스러운 집권 2기를 맞았던 대통령의 관례를 따를까 걱정한다.

042

1. 2문형 동사 look 뒤에 오는 주격 보어, 형용사가 적절

제이콥은 폐암 수술 후 매우 안 좋아 보였고, 이는 우리를 걱정케 했다.

2. 2문형 동사 become 뒤에는 형용사가 적절

프로젝트의 지속적인 성공을 위해, 우리는 영업 사원들에게 좀 더 많은 시간을 들여 상품에 익숙해질 것을 요구했다.

EXERCISE
P. 114

01 evident **02** looked **03** frustrating **04** surprising **05** looks
06 inadequate **07** sounds like **08** popular **09** excited
10 evident

01 2문형 동사 become 뒤에 오는 주격 보어는 형용사

그들의 지식이 제한적이며, 실용적 가치를 지니지 않는다는 것이 곧 명백해질 것이다.

02 뒤에 형용사 보어(different)가 왔으므로 look이 적절, 전치사 like 뒤에는 명사가 와야 함

뉴욕 번화가의 모습은 서울 번화가와 그것과 약간 다르게 보인다.

03 훈련이 실망감을 느끼게 하므로 현재분사가 적절

당신은 특히 결과가 좋지 않을 경우, 처음에 이 훈련에 좌절감을 느끼게 될 수도 있다.

04 장소가 놀라움을 느끼게 하므로 현재분사가 적절

새 상품을 홍보하기 위해 그들은 화려한 디스플레이를 고객들의 이목을 끌 수 있는 놀라운 장소에 놓았다.

05 뒤에 형용사 보어(solid)가 왔으므로 look이 적절

단지 그 물체의 움직임이 너무 빠르거나 미세해서 느낄 수 없기 때문이다.

06 〈형용사 as 주어 동사〉 구문, 형용사 inadequate이 문장 앞으로 나온 구문으로 '비록 ~임에도 불구하고'의 '양보절'을 의미함. 동사가 2형식 동사인 are이므로 형용사인 inadequate이 적절

비록 우리의 감각은 부족하지만, 기구의 도움으로 우리에게 엄청난 것들을 말해 준다.

07 뒤에 명사 보어가 나오므로 전치사 like가 붙어야 함

그것은 합리적인 변명처럼 들리지만 사실, 이런 관행은 바람직하지 않은 상황으로 이어질 수 있다.

08 2문형 동사 become 뒤에 오는 주격 보어는 형용사

라이먼 프랭크 바움이 1899년에 〈오즈의 마법사〉를 집필했을 때, 그는 아마도 작품이 실제로 그렇게 유명해 질지는 몰랐을 것이다.

09 그가 흥분을 느끼는 것이므로 과거분사

30여 명의 다른 여행객과 함께 그는 태평양을 항해하는 데 흥분했지만 30분 후 그는 어지러움과 메스꺼움을 느꼈다.

10 2문형 동사 become 뒤에 오는 주격 보어는 형용사

만일 진실이 대중에게 밝혀지면, 그것을 믿지 않았던 사람들에게 조차도 존재가 명백해질 것이다.

ACTUAL TEST
P. 115

01 ③ **02** ②

01 ③ 뒤에 완전한 문장이 오므로 what이 아니라 that이 와야 함
① 많은 사람들이 놀라움을 느끼는 것 ② 재가 남아 있었던 과거 보다 이전의 일을 의미하는 과거완료 ④ '광선을 쏘이는 것으로' ⑤ to fly through의 의미상의 주어

200년도 더 전에 아이슬란드에 있는 화산이 처음으로 분출했을 때 많은 사람들이 놀랐다. 화산재가 대기 중으로 높이 폭발한 후, 비행기 엔진에 위험을 가했다. 화산 분출이 멈추고 난 후에도 화산재는 여전히 공중에 남아 있었다. 그 당시 많은 전문가에 따르면, 레이저 기술을 이용한 위성이 화산재의 농도를 측정할 수 있었다. 또한 화산재가 비행기 엔진에 얼마나 많은 위험이 될 수 있는지를 알아낼 수 있다고 말했다. 화산재 구름에 광선을 쏨으로써 위성은 반사되는 빛을 잡을 수 있었다. 이것으로 그들은 화산재가 얼마나 농축되었는지 측정할 수 있고, 비행기가 그곳을 통과하는 것이 얼마나 위험한지를 측정할 수 있다고 믿었다.

erupt 분출하다 **blast** 돌풍 **eruption** 분출 **ash** 재 **satellite** 위성
determine 결정하다 **figure out** 알아채다 **bounce** 튀기다

02 (A) 가주어, 진주어 구문이므로 it이 적절 (B) stay는 2문형 동사이므로 뒤에 주격 보어가 되는 형용사 stable이 적절 (C) 잃어버리게 될 수도 있다는 의미이므로 be lost가 적절

우리는 공식적이지 않은 일상적인 대화를 들을 때 사람들이 농담의 원리를 따르는 다양한 방식을 인지하는 것이 가능하다. 다시 말해서 그들은 일상적인 언어적인 생활에서 즐겁게 빗나가 있지만 매우 익숙한 언어 영역으로 한정된다. 일반적으로 한 번에 한 가지의 일탈이 발생한다. 만약 우리가 음향 효과를 가지고 장난을 친다면, 문법이나 어휘는 안정적으로 유지될 것이다. 만약 우리가 어휘나 문법적 구조를 가지고 장난을 친다면, 우리는 발음을 그대로 유지할 것이다. 그런 제약은 중요하다. 왜냐하면 그러한 제약이 없다면, 언어는 이해하지 못하는 수준으로 붕괴될 수도 있고, 언어의 전체적인 요점을 잃어버리게 된다.

casual 우연의, 평상의 **recognize** 인지하다 **deviate** 빗나가다 **linguistic** 언어적인 **deviation** 일탈 **intact** 손대지 않은, 그대로의 **constraint** 제약 **break down** 분해되다 **on the brink of** ~하기 직전

UNIT 043~044

043

1. 미국인의 수가 증가하는 것이므로 자동사인 rising이 적절, who는 Americans를 선행사로 받는 관계대명사

   교육의 가치에 대한 미국인의 신념은 최소한 학사 학위 가지고 있는 미국인이 증가하는 것을 예로 들 수 있다.

2. 사람의 수가 증가하는 것이므로 자동사인 risen이 적절

   그때 이후로 장기 이식 대기자 명단에 있는 사람의 수가 꾸준히 증가하고 있으며, 현재 매년 3,000명이 사망한다.

044

1. 감자 조각들을 베이킹 종이 위에 놓으라는 의미이므로 타동사 lay가 적절

   감자의 껍질을 벗기고 주사위 모양으로 잘라서 베이킹 종이 위에 놓아라.

2. 누워 있었다는 의미이므로 lie의 과거인 lay가 적절

   제임스는 불을 끄고 침대에 누워서 어둠 속을 응시하고 있었다.

EXERCISE P. 118

01 lay 02 lay 03 lying 04 raised 05 lies 06 lying
07 arising 08 laid 09 laid 10 rose

01 '놓여 있다'는 의미이므로 자동사 lie의 과거 lay가 적절

   그녀는 웨인 원트를 만났고, 산업의 미래가 철강에 있다고 확신하게 되었다.

02 '놓여 있다'는 의미이므로 자동사 lie의 과거 lay가 적절

   마틸다는 집 주변에 놓여 있는 신문과 잡지를 공부함으로써 스스로 읽는 법을 터득했다.

03 '거짓말을 했다'는 의미이므로 lie의 동명사형인 lying이 적절

   그는 여권 신청을 하는 데 거짓말을 한 혐의로 4개월의 징역형을 선고 받았다.

04 '희망을 높여 주었다'는 의미이므로 타동사인 raised가 적절

   클라크는 수술 후에 112일을 살았고, 그의 생존은 인공 심장에 대한 앞으로의 성공에 대한 희망을 높여 놓았다.

05 '자연이 놓여 있다'는 의미이므로 자동사 lie의 3인칭 단수형 lies가 적절

   자연은 자연의 과정이 방해 받지 않는 지구의 지역인 도시와 농경지 구역 바깥쪽에 있다.

06 '누워 있다'는 의미이고, imagine의 목적어가 되므로 자동사 lie의 동명사형 lying이 적절

   마취 효과가 나기 전, 의사가 간호사에게 말하는 것을 들으면서 수술실에 누워 있는 것을 상상해 봐.

07 핵심 쟁점이 발생하는 것이므로 자동사 arise의 현재 분사인 arising이 적절

   비록 공간이 철저한 조사 리뷰를 허용하지 않지만, 우리는 최신 기술 관련된 논문에서 나온 핵심 이슈에 집중한다.

08 시체가 놓여지는 것이므로 타동사 lay의 수동형인 laid가 적절

   이집트의 가족들은 고양이의 죽음에 슬퍼했고, 죽은 고양이의 시체를 묻기 전에 시체를 천으로 쌌다.

09 둥지에 알을 낳는다는 의미이므로 타동사 lay의 과거 laid가 적절

   이것은 만약 뻐꾸기가 둥지에 알을 낳으면, 산 까치들은 거의 즉시 낯선 알을 발견할 수 있다는 것을 암시했다.

10 불법 약물 사용이 늘었다는 의미이므로 자동사 rise의 과거 rose가 적절

   조사는 소녀들과 성인 여성에서 모두 전반적으로 불법 약물 사용이 2008년과 2009년 사이에 6.2%에서 7.5%로 증가했음을 보여 준다.

ACTUAL TEST P. 119

01 ⑤ 02 ③

01 ⑤ 대답이 '놓여 있다'는 의미이므로 is lain이 아니라 is laid나 lies가 돼야 함 ① '다른 어느 다른 곳보다' ② 과거 사실에 대한 추측 〈조동사+완료형〉 ③ Nor가 문두에 있어서 도치된 구문 ④ announcement와 동격절을 이끄는 접속사 that

   2003년도에 미국에서 어떤 다른 차보다도 많이 팔린 차가 있었다. 아이러니하게도 그 차는 예전에 그 자동차 회사에 이익을 내지 못했던 비효과적인 상품으로 판명되었다. 왜 그 차의 판매량이 갑자기 치솟았을까? 광고를 통해서는 그렇게 되지 못했을 것이다. 예상치 못했던 인기를 설명할 만한 가격 변화도 전혀 없었다. 성공의 이유는 역설적이었다. 자동차 회사는 판매 부진으로 인해 그 차의 생산을 중단하기로 결정했다. 그 차를 더 이상 구입하지 못할 거라는 발표에 대한 반응으로 판매량이 과거와 비교를 할 수 없을 정도로 급등했다. 왜일까? 그 답은 희소성의 원칙에 있다. 사람들은 어떤 물건이 희귀하고, 구입할 수 있는 양이 제한되고, 한정된 기간에만 획득할 수 있다는 것을 알게 될 때 그 물건에 대해 더 큰 욕구를 보인다.

   ineffective 효과가 없는 manufacturer 생산자 skyrocket 치솟다 account for 설명하다 paradoxical 역설적인 discontinue 끝내다 announcement 발표 scarcity 부족 principle 원리 obtainable 얻을 수 있는

02 (A) the common characteristics가 주어이므로 serve가 적절 (B) 누가 조상이었는지를 말해 준다는 의미로, say의 목적어절을 이끄는 의문사 who가 적절 (C) '정보가 놓여 있다'는 의미로 자동사 lies가 적절

   과학자들은 그들이 진화의 혈족 관계처럼 동의한다는 것을 안다. 이용 가능한 충분한 데이터가 있을 때, 진화론적 발전의 계보가 추적될 수 있으며, 종(種), 과(科), 목(目) 동의 공통적인 특성은 우리의 지식을 정리하기 위해 활용할 수 있는 범주로 작용한다. 과학적 체계는 가끔씩 분류된 사물에 대한 사실을 보여 준다. 그것들은 우리에게 어떻게 관련되었는지를 말해 준다. 같은 종은 짝짓기를 할 수 있고 다른 종은 그럴 수 없다. 하지만, 항상 그런 것은 아니다. 그것은 우리에게 누가 어떤 동물이나 식물의 선조였는지를 말해 준다. 또한 우리에게 포유류나 뼈물고기, 척추동물과 같은 것의 생리학에 대해서 말해 준다. 우리가 분류를 위해 공통적인 특징으로 사용하려고 고른 태그에 그런 정보가 있다. 다시 말해서, 우리가 그것을 척추동물로 분류해야 비로소 척추동물에 속하게 된다.

   criteria 기준 take advantage of 이용하다 evolutionary 진화적인 kinship 혈족 관계 sufficient 충분한 be traced 추적되다 order 목(目) forebear 조상 vertebrate 척추동물 feature 특징 categorize 분류하다

UNIT 045~046

🔍 Check-up　　　　　　　　　　　P. 120-121

045 **1.** sound　**2.** bitten　046 **1.** to take　**2.** painted

045

1. 가십이 덜 해롭게 들리는 것이므로 사역동사의 목적격 보어로 능동인 동사원형이 적절

　가십은 개인의 성격과 관련된 사소한 소문이다. 하지만, 이러한 정의가 실상은 그렇지 않은데 가십을 덜 해롭게 들리게 만든다.

2. 귀를 개에게 물린 것이므로 사역동사의 목적격 보어로 수동인 과거분사가 적절

　4살짜리 달리가 오른쪽 귀를 개에게 물어 뜯겼을 때, 의사가 18시간의 수술 끝에 귀를 접합했다.

046

1. 사진사가 사진을 찍는 것이므로 get의 목적격 보어로 능동인 to take가 적절, get은 능동인 경우 목적격 보어로 to부정사 사용

　우리는 전문 사진사에게 회의에 참석한 모든 사람의 사진을 찍게 했다.

2. 벽에 페인트칠이 되는 것이므로 get의 목적격 보어로 수동인 과거분사가 적절

　토미는 그 일을 할 사람을 찾는 데 힘든 시간을 보냈지만, 결국 벽에 페인트칠을 시켰다.

EXERCISE　　　　　　　　　　　P. 122

01 wash　02 enlarged　03 to reflect　04 feel　05 look
06 know　07 hunt　08 examined　09 be known　10 know

01 형제, 자매가 손을 씻는 것이므로 능동

　그들은 형제, 자매에게 자신들의 손을 씻도록 했다.

02 사진의 일부가 확대되는 것이므로 수동

　좀 더 자세히 보고 싶으면, 그림의 그 부분을 확대할 것을 제안한다.

03 독자가 곰곰이 생각하는 것이므로 능동

　당신은 독자들로 하여금 도입부에서 언급된 당신의 주요 관점을 곰곰이 생각하도록 한다.

04 그녀가 자신감을 갖는 것이므로 능동

　그 순간은 그녀가 훨씬 더 자신감을 느끼도록 해주고, 동료에 대한 그녀의 분노를 누르게 해줬다.

05 그 사건들이 더 극적으로 보이는 것이므로 능동

　그것은 그 사건을 실제보다 더욱 극적으로 보이도록 함으로써 사건을 이슈화하려고 한다.

06 정부가 아는 것이므로 능동

　단체들은 정부가 그들이 무엇을 선호하고 반대하는지 알게 하기 위해서 팻말을 들고 노래하면서 행진했다.

07 사람들이 사냥을 하는 것이므로 능동

　서울에 있는 'You the man'이라는 회사가 사람들이 전화를 사용해서 서로를 사냥하는 게임을 발매했다.

08 사람의 몸이 검사를 받는 것이므로 수동

　만약 특화된 병원이 검사 받기를 원하는 누구에게나 무료로 서비스를 제공한다면 어떨까?

09 네가 알려지는 것이므로 수동, let의 경우 목적격 보어가 수동일 경우 〈be+과거분사〉의 형태가 돼야 함

　나는 한 달 안에 너를 이 도시의 사교계에 알려지게 할 것이다.

10 반 아이들이 알게 되는 것이므로 능동

　학급 임원에 관심 있는 학생들은 급우들에게 말할 것이고 그들에게 이번 선거에 나간다는 사실을 알리기 위해 포스터를 만들 것이다.

ACTUAL TEST　　　　　　　　　　P. 123

01 ④　　　　　　　　　　02 ③

01 ④ 다른 사람들이 음식을 생산하는 것이므로 능동, get은 능동의 경우, 목적격 보어로 to부정사를 사용하므로 produce가 아니라 to produce가 돼야 함 ① '식량을 생산하는 것'이라는 의미의 주어를 이끄는 to부정사 ② 비교급 병렬 구조로 to grow와 비교 ③ 부정어가 앞으로 나와서 주어와 동사가 도치된 구문 ⑤ 〈end up+동명사〉 '결국 ~이 되다'

　당신은 식량 생산은 사람들에게 문화의 다른 분야를 개발할 수 있는 더 많은 여가 시간을 주었다고 생각할 수도 있다. 하지만 사실, 야생에서 식량을 모으는 것보다 농사짓는 것이 더 많은 시간이 걸렸다. 그러면 농업 문화는 기념비를 세우고 아름다운 기능과 예술을 발전시킬 시간을 어디서 벌었을까? 핵심은 전문화와 사회 분화이다. 어떤 사람들은 좀 더 중요한 인물이 되면 자신의 식량을 생산할 필요가 거의 없었다. 기능공, 우두머리 같은 정치적 지도자, 때때로 정치적, 경제적 지도자와 같은 성직자 같은 종교 전문인들은 다른 사람들에게 그들의 식량과 다른 필수품을 생산하도록 했다. 그래서 그들은 전문적인 일에 시간을 바칠 수 있었다. 그래서 식량 생산은 마침내 대중을 위한 더 많은 일을, 소수의 특별한 사람을 위해서 더 많은 시간을 창조하도록 헌신하도록 했다.

in reality 사실 **gather** 모으다 **monument** 기념비 **craft** 기능, 재주 **priest** 성직자 **necessity** 필수품 **engage** 관여하다

02 (A) 뒤에 nor가 오므로 neither가 적절 (B) the form이 주어이므로 has가 적절 (C) make oneself understood '자신의 말을 남에게 이해시키다'

　교사와 학생 모두 언어 수업 시간에 문법적인 실수에 대해 크게 걱정해서는 안 된다. 만약 학생이 "You want collect our books?"라고 질문한다면 그는 교사에게 오류를 수정 받아야 한다. 그러나 우선적이고 보다 중요한 것은 그 학생은 칭찬 역시 받아야 한다는 점이다. "좋아, 잘했구나. 그래. 나는 너희들의 책을 걷고 싶단다. 모든 학생들이 그것을 들을 수 있도록 그 질문을 다시 해봐. 들어봐. "Do you want to collect our books?" 이제 네가 물어보렴. 잘했어." 이런 방식으로 말이다. 질문의 형태는 수정되었지만, 그 학생은 자신의 의사를 남에게 이해시킨 것에 대한 충분한 칭찬을 받았다. 이런 방식은 학생의 동기를 높일 것이며, 학생들은 이제 재 시도하려는 열의를 갖고 실수하는 것에 대해 걱정하지 않을 것이다

UNIT 047~048

🔍 Check-up　　　　　　　　　　　P. 124-125

047 **1.** read　**2.** feeling　048 **1.** battling　**2.** glittering

047

1. help+목적어+(to) 동사원형

　그는 1990년에 자신의 이발소에 소장한 500개의 책으로 도서관을 열어서 손님들이 책을 읽도록 도왔다.

2. cannot help -ing '~하지 않을 수 없다'

우리는 그녀가 가족에게뿐 아니라 남편에게 쏟았던 사랑과 집중적인 헌신을 느낄 수밖에 없었다.

048

1. 수컷 기린이 싸우는 것이므로 목적어와 목적격 보어의 관계는 능동

그는 기린이 강한 목을 흔들어서 짝을 찾기 위해서 싸우는 것을 목격했다.

2. N-tower가 반짝이는 것이므로 능동

많은 방문객과 연인들은 크리스마스에 수천 개의 크리스마스용 전구로 N 타워가 반짝거리는 것을 볼 수 있다.

EXERCISE
P. 126

01 feeling 02 try 03 take 04 to keep 05 reading
06 climb 07 relieve 08 keep 09 locked 10 entering

01 cannot help -ing '~하지 않을 수 없다'

나는 〈진흙 속의 다이아몬드〉라는 책을 읽었을 때 흥분할 수밖에 없었다.

02 한 남자가 내리려고 하는 것이므로 능동

나는 지하철에 있던 남자가 내리려고 하다가 실패한 것을 보았다.

03 내가 목표물을 겨냥하는 것이므로 능동

게다가 너무 많은 빛이 있었고, Old Ranger는 내가 목표물을 겨냥하는 것을 보았다.

04 help+(to) 동사원형

햇빛 비타민인 비타민 D는 뼈와 이를 튼튼하게 해주는 데 도움이 된다.

05 cannot help -ing '~하지 않을 수 없다'

나는 그녀의 논평을 읽을 수밖에 없었고, "과연 우리가 동일한 Great Goat에 대해서 말하고 있을까?"라고 생각했다.

06 달이 하늘 위로 올라가는 것이므로 능동

나는 낙엽송 뒤 하늘 위로 달이 떠올라서 하늘을 가로지르는 것을 볼 수 있었다.

07 help+(to) 동사원형

연구 조사에 따르면, 예술은 학생들이 전 과목에서 더 높은 집중력을 얻도록 해줄 뿐만 아니라, 학생들의 스트레스를 완화하는 데에도 도움을 준다고 한다.

08 help+(to) 동사원형

지구 내부에서 발생하는 지열은 몇 미터의 깊이에 있는 지대의 온도를 거의 10~20도 정도의 온도로 유지하도록 도와준다.

09 창문이 잠기는 것이므로 수동

우리는 외출하기 전에 창문이 이상 없이 잠겨 있는 것을 보았다. 하지만 돌아와서 깨진 창문을 발견했다.

10 그들이 집으로 들어가는 것이므로 능동, observe는 지각동사이므로 동사원형이나 현재분사가 적절

잭슨과 그의 형은 그들이 집이 들어가는 것을 보았고, 바로 경찰에 신고했다.

ACTUAL TEST
P. 127

01 ③   02 ①

01 ③ 부부가 조화로운 관계를 맺게 되는 것이므로 능동, 지각동사의 목적어와 목적격 보어의 관계가 능동이면 목적격 보어 자리에 동사원형이나 현재분사가 와야 하므로 to merge가 아니라 merge나

---

merging이 돼야 함 ① 전치사의 목적어로 사용된 관계대명사 ② '함께 삶을 사랑하면서'라는 의미의 분사구문 ④ have little in common '공통점이 거의 없다' ⑤ thing은 형용사가 앞에서 수식

많은 사람들은 그들이 관계를 맺고 있는 사람과 똑같지는 않더라도, 비슷한 신념과 가치관을 공유하는 것이 중요하다고 생각한다. 이것이 바람직할지는 모르지만, 강제적인 것은 아니다. 완전히 다른 배경을 지닌 개인은 그들의 차이를 너그럽게 보고 조화롭고 사랑하는 삶을 함께 누리는 것을 배웠다. 나는 경제적으로, 정치적으로 반대의 양 끝 지점에 있는 사람들이 행복하고 지속적인 결혼 생활을 하는 것을 보았다. 나는 다른 인종 집단 출신 부부들이 조화로운 관계를 맺으며 함께 사는 것을 목격했으며, 게다가 많은 좋은 친구들이 존경과 친밀한 관계의 따뜻한 사랑하는 감정을 빼고는 서로 공통된 점이 거의 없는 것도 보았다. 그것이 유일한 필수적인 것이다.

critical 중요한, 비판적인 identical 동일한 preferable 바람직한 mandatory 명령의, 강제적인 overlook 간과하다 harmonious 조화로운 ethnic 민족의 merge 병합하다 rapport 관계

02 (A) The view가 주어이므로 is가 적절 (B) 물고기가 행동을 수정하는 것이므로 목적어와 목적격 보어의 관계는 능동, observe가 지각동사이므로 modifying이 적절 (C) 매혹하는 것이므로 fascinating이 적절

물고기가 겨우 3초 동안 기억할 수 있다는 관점은 완전한 쓰레기이다. 호주의 연구원은 낚시 바늘에 걸렸다가 다시 물로 되돌아간 잉어가 12개월까지 낚시 바늘을 피할 것이라는 사실을 발견했다. 케빈 워버턴 박사는 물고기가 먹이를 얻을 확률을 극대화하기 위해서 행동을 수정하는 것을 관찰했다. "예를 들어, 암초가 있는 환경에서 '고객' 물고기의 기생충을 먹는 청소 물고기는 더 커다란 고객을 발견했을 때 더 잘 행동하려고 노력합니다. 더 놀라운 것은 물고기가 다른 미래의 고객에 의해서 발견될 때, 고객들과 협동을 한다는 점입니다. 이것은 그들의 이미지와 고객을 유혹할 수 있는 확률을 높입니다."라고 그가 말했다.

carp 잉어 hook 갈고리로 걸다 avoid 피하다 observe 관찰하다 maximize 극대화하다 reef 암초 parasite 기생충 patron 후원자 cooperate 협동적인 potential 잠재적인

UNIT 049~050

Check-up
P. 128-129

049 **1.** to fix **2.** to confess   050 **1.** to catch **2.** to erase

049

1. 사역동사의 수동태 구문, made 앞에 were가 생략되었으므로 made to fix가 적절

옷의 상태가 좋은 않은 사람은 줄밖으로 빠져서 옷매무새를 다듬도록 했다.

2. 사역동사의 수동태 구문이므로 to confess가 적절

사람들은 그 교수가 스스로 현대 건축에 대해 문외하다고 고백하는 걸 들었다.

050

1. 강이 물고기를 잡는 것이 아니고, 물고기를 잡기 위해 강을 보는 것이므로 to부정사는 부사적 역할 중 목적을 의미

그들은 물고기를 잡기 위해서 밤새 강을 바라보았다.

2. 얼룩을 지우기 위해 자신을 바라본 것이므로 to erase가 적절

난 얼굴에 얼룩이 있는지 아닌지 몰랐다. 그래서 얼룩을 지우기 위해서 나 자신을 바라보았다.

01 arguing   02 meeting   03 do   04 to escape
05 to prompt   06 to eliminate   07 to get   08 to solve
09 to talk   10 feel

01 두 남자가 논쟁을 하는 것이므로 목적격 보어 자리. watch가 지각동사이므로 arguing이 적절

잭슨은 두 남자가 주차 장소에 대해서 논쟁을 하는 것을 보았을 때 병원에 있었다.

02 지각동사 see의 수동태로 meeting이 적절

찰리는 접근 금지 명령을 받아서 가족들을 만날 수 없었다. 하지만 그가 지난 일요일 그의 딸을 만나는 것이 목격되었다.

03 우리가 숙제를 하는 것이므로 목적격 보어 자리. make가 사역동사이므로 do가 적절

우리에게 숙제를 하게 만들거나, 계획을 짜게 만들거나, 또는 제 시간에 수업에 도착하게 강요할 사람이 아무도 없기 때문에 우리는 자기 스스로에게 동기를 부여할 필요가 있다.

04 섬으로부터 탈출하기 위해서 불을 피운 것이므로 to부정사의 부사적 역할 중 목적을 의미하는 to escape가 적절

앨리스와 톰은 2달 전 경비행기가 불시착한 섬을 탈출하기 위해서 불을 피웠다.

05 지각동사의 수동태

치명적인 사고가 노조로 하여금 회사 측의 협상을 받아들이도록 촉구하는 것이 목격되었다.

06 '수도에 대한 과도한 집중을 해소하기 위해서'라는 의미로 to부정사의 부사적 역할 중 목적을 의미하는 to eliminate가 적절

대통령은 수도에 대한 과도한 집중을 해소하기 위해서 그 정책을 만들려고 했다.

07 선생님이 힌트를 얻는 게 아니라 학생들이 힌트를 얻기 위해 선생님을 바라본 것이므로 to부정사의 부사적 역할 중 목적을 의미하는 to get이 적절

대부분의 학생들은 기말고사에 대한 힌트를 얻고자 선생님을 바라보았다.

08 사역동사 make의 수동태

주택 가격 상승이 유발한 이러한 문제를 해결하도록 제도적 변화가 있을 수 있다.

09 지각동사 hear의 수동태

켄트는 빈집에 머물렀고, 혼잣말로 "드디어 내가 해냈어!"라고 말했다.

10 그 사람이 특별하게 느끼도록 만드는 것이므로 사역동사(make)의 목적격 보어로 feel이 적절

전화 통화를 하면서 이야기하는 사람의 등을 두드려주거나 안아 줄 수 없을 때, 어떻게 그 사람의 기분이 나아지게 해줄 수 있을까?

01 ⑤   02 ⑤

01 ⑤ 돈을 준 사람이 아니라 돈을 받은 사람을 의미하므로 giving이 아니라 given이 돼야 함 ① 효과적으로 일한다는 뜻으로 work을 수식하는 부사 ② 〈the key to+명사〉 '~의 비결, 핵심' ③ 사역동사의 수동태 ④ 앞 문장의 30 people을 의미

많은 회사는 효과적으로 일을 할 수 있도록 직원들을 후원한다. 회사는 직원들에게 동기를 갖게 하는 비결이 현금이나 휴가 같은 보상을 제공하는 것이라고 생각한다. 하지만 이 시도가 항상 성공적인 것은 아니다. 한 연구에 따르면, 내적 동기가 외적 동기보다 더 나은 성과에 이르게 한다고 한다. 한 실험에서 30명의 사람들에게 아동용 서적을 팔도록 했다. 연구팀은 그들을 2개의 그룹으로 나누었다. 하나는 인센티브로 현금을 받았고, 다른 한 팀은 자선 단체를 도와주는 상품권을 받았다. 놀랍게도 후자 그룹이 더 나은 결과를 보여 주었다. 한마디로 인센티브로 현금을 받은 사람들은 보상에 집중을 했고, 이것이 판매에 전념하는 그들의 재능을 저하시켰다.

motivate 동기화하다 intrinsic 내적인 extrinsic 외적인 divide A into B A를 B로 나누다 charity 자선단체 interfere 방해하다

02 (A) 간접의문문의 어순은 〈의문사+주어+동사〉 (B) 신발을 신는 것이 허락되지 않았다는 의미이므로 weren't allowed가 적절 (C) '보여 주기 위해'라는 의미로 to부정사의 부사적 역할 중 목적을 의미하는 to show가 적절

역사상 특정 시대에 신발이 무엇을 의미하는지를 궁금해 본 적이 있는가? 신발은 신고 있는 사람의 사회적 지위, 권위, 정치적 철학을 알려주는 데 도움이 될 수 있다. 고대 그리스 시대에는 신발로 노예와 시민을 알 수 있었다. 당시 노예들은 신발을 신도록 허락되지 않았다. 프랑스의 루이 14세는 위대한 통치자로서 자신을 과시하기 위해 굽이 5인치나 되는 특수 제작된 신발을 신었다. 토마스 제퍼슨은 '옥스퍼드'라 불리는 끈 달린 신발을 신은 최초의 대통령이었다. 그는 프랑스인들이 프랑스 혁명 동안 그 신발을 신었기 때문에 옥스퍼드가 민주적이라고 생각했다. 오늘날 옥스퍼드는 남자들과, 심지어는 여자들에게도 정장 구두로 여겨진다.

wonder 궁금해 하다 status 지위 authority 권위 ancient 고대의 democratic 민주주의의

UNIT 051~052

051   **1.** from getting   **2.** from sleeping
052   **1.** to set   **2.** reading

051

1. 열이 빠져나가는 것을 막는다는 의미

추운 날씨에는 지붕 위에 있는 자재가 열이 건물 밖으로 나가는 것을 막아 준다.

2. 당신이나 당신의 직원이 잠드는 것을 막는다는 의미

카페인이 함유된 커피는 당신과 직원이 잠드는 것을 막아줘서 당신은 한밤중에 기사를 쓸 수 있다.

052

1. 〈it takes+시간+to부정사〉 '~하는 데 시간이 걸리다'

대면 회의를 준비하는 데 너무 많은 시간과 돈이 든다.

2. 〈spend+시간/돈+-ing〉 '~하는 데 시간/돈을 소비하다'

내가 하고 싶은 일은 제인이 쓴 책을 읽으며 여생을 보내는 것뿐이다.

01 from taking off   02 discovered   03 sewing
04 to construct   05 verifying   06 from voting   7 to become
08 to disappear   09 getting   10 from gathering

01 비행기의 이륙을 막는다는 의미

갑작스런 폭풍이 비행기가 정시에 이륙하는 것을 막았다.

02 who kept cows가 Most Korean farmers를 수식하므로 본동사 필요, 대부분의 한국 농부들이 질병의 원인을 발견했다는 의미로 discovered가 적절

소를 키우는 대부분의 한국 농부들은 예전의 자료에서 이 질병의 원인을 찾았다.

03 〈spend+시간/돈+-ing〉 '~하는 데 시간/돈을 소비하다'

내 여동생은 내가 뉴욕을 떠날 준비를 하는 동안 적당한 옷을 바느질 하는 데 며칠을 보냈다.

04 〈it takes+시간+to부정사〉 '~하는 데 시간이 걸리다'

Three Jorge Dam은 만드는 데 5년이라는 시간이 걸렸고, 그 당시 역사의 상징으로 생각되었다.

05 〈spend+시간/돈+-ing〉 '~하는 데 시간/돈을 소비하다'

그 사람은 매일 아침을 출근하기 전 모든 문과 창문이 닫혀 있는지 확인하는 데 한 시간을 보냈다.

06 투표하는 것을 막는다는 의미

나는 정신병이 있는 사람들을 투표하지 못하게 할 수 있고, 투표할 권리를 잃을 수 있다는 소식을 듣고 놀랐다.

07 〈it takes+시간+to부정사〉 '~하는 데 시간이 걸리다'

다른 언어를 유창하게 하는 데 만 시간이 걸린다.

08 〈take+시간+to부정사〉 '~하는 데 시간이 걸리다'

비록 중국에서 전족이 더 이상 시행되지는 않지만, 그 전통이 사라지는 데에는 오랜 시간이 걸렸다.

09 〈spend+시간/돈+-ing〉 '~하는 데 시간/돈을 소비하다'

부모들은 기회가 주어졌음에도 불구하고 침대에서 하루의 반을 보내고 나머지 반은 옷을 입는 데 보내는 아이들을 포기하도록 유도되지만 하지만 영원히 지속되지는 않는다.

10 모이는 것을 막는다는 의미

정부는 기독교 단체 회원들의 행진을 막으려고 했지만, 그 장소에 그들이 모이는 것을 막을 수 없었다.

01 ④   **02** ②

01 ④ 그가 불가능한 것을 당신에게 요구하고 있는 것이므로 asked가 아니라 asking이 돼야 함 ① 길러져 왔다는 의미 ② specific emotions가 주어, are가 동사 ③ 문장 전체를 수식하는 부사 ⑤ keep A from -ing 'A가 ~하는 것을 막다'

우리 대부분은 용납되지 않는 감정이 있다고 믿도록 길러져 왔기 때문에, 우리는 우리의 감정을 억압한다. 어떤 이들은 모든 감정은 용납되지 않는다고 배웠고, 반면에 다른 이들은 분노나 우는 것 같은 특정한 감정이 용납되지 않는다고 배웠다. 사실 모든 감정에는 전혀 잘못된 것이 없다. 누군가 당신에게 슬퍼하거나 화내지 말라고 한다면, 당신에게 불가능한 일을 요구하고 있는 것이다. 당신은 느끼는 감정을 부인할 수는 있지만, 감정이 생기는 것을 막을 수는 없다. 감정이 지나가기 위해 필요로 하는 것은 감정이 인정되고 받아들여지는 것이다. 자신에게나 타인에게 '난 화가 난다 (혹은 슬프다, 혹은 두렵다)'라고 말하는 것만으로도 좋은 출발이다. 좋은 것이든 나쁜 것이든, 자신이 감정을 존중하도록 하라.

bring up 양육하다 **unacceptable** 받아들일 수 없는 **acknowledge** 이해하다

02 (A) '거의 유일한 양식'이라는 뜻이므로 the only를 수식하는 almost가 적절 (B) one이 주어이므로 was가 적절 (C) 예술가들이 베끼는 것을 막는 것이므로 from copying이 적절

종교 예술은 수백 년 동안 유럽에서 거의 유일한 예술의 양식으로 존재했다. 교회나 다른 종교적인 건물과 같은 많은 건축물은 성경 속의 인물이나 이야기를 묘사하는 그림으로 채워져 있다. 대부분의 사람들은 비록 성경은 읽을 수 없었지만, 교회 벽에 있는 그림 속의 성스러운 이야기를 이해했다. 유럽과는 달리, 중동에서의 주요 예술적 특징 중 하나는 인간과 동물의 모습의 부재이다. 이것은 상은 성스럽지 않다는 이슬람의 신앙을 보여 준다. 이슬람법은 예술가들이 일상생활용 작은 소품을 제외하고는 사람이나 동물의 모습을 모방하는 것을 금지한다. 그래서 이슬람 세계의 예술가들은 건물에 꽃이나 기하학적인 모양의 이미지를 가지고 대단한 미의 독특한 장식을 만들어 냈다.

architecture 건축물 **absence** 부재 **statue** 상(像), 조각상 **figure** 얼굴, 모양 **geometric** 기하학의

UNIT 053~054

053   1. resembles   2. enter , discuss
054   1. attend to   2. answer to

053

1. '~을 닮다'의 resemble은 전치사를 쓰지 않는 타동사

불꽃 모양은 똑바로 선 세 개의 혀 또는 연꽃을 닮았다.

2. '~들어가다'의 enter, '~에 대해 논의하다'의 discuss는 전치사를 쓰지 않음

난방이 수리되기를 한 시간 기다린 후에, 우리는 문제를 토론하기 위해 방으로 들어갈 수 있었다.

054

1. '일상적인 임무에 전념하다'라는 의미, attend는 '참가하다'의 의미로 쓸 때 전치사를 쓰지 않음

하지만 만약 정직 매니저가 아프거나 일상적인 임무에 전념할 수 없다면, 관리인이 임명될 수도 있다.

2. answer가 명사이므로 answer to가 적절

그런 질문에 답하기 위해서 나는 점점 더 의심을 하게 되었다.

01 to that question   **02** attend to   **03** attend school
04 access to   **05** attend   **06** reached   **07** marry
08 enter into   **09** resembles   **10** discuss with

01 answer가 명사이므로 to that question이 적절

당신이 지난 주 나에게 했던 질문의 답이 있다.

02 '돌보다'라는 의미이므로 attend to가 적절

덴마 박사와 몇몇 간호사는 아픈 사람과 노인을 밤낮으로 돌보려고 했다.

03 '학교에 들어가다'라는 의미, '~에 참석하다, 들어가다'의 attend는 전치사를 쓰지 않음

대부분의 미국 부모들은 그들의 아이들이 5세 이전에 학교에 들어가기를 원한다.

04 access가 명사이므로 access to가 적절

이것은 Insider Locations을 포함하는데, 그곳은 호텔이 특별 이벤트 장소에 대한 접근권을 제공하고 있는 곳이다.

05 회의와 이벤트에 참석한다는 의미로 attend가 적절

호텔 팀은 호텔에서 열리는 행사와 회의에 참가하는 대표들에게 지역적으로 영감을 주는 경험을 조직할 수 있다.

06 '~에 도달하다, 도착하다'의 reach는 전치사를 쓰지 않음

천문학자들은 토성이 우리 태양계에 얼마나 중요한가를 깨달은 후, 이런 결론에 도달했다.

07 '~와 결혼하다'의 marry는 전치사를 쓰지 않음

어떤 사람들은 만약 결혼하지 않은 여자가 베개 아래 케이크 한 조각을 넣고 자면 결혼하게 될 남자 꿈을 꾼다고 믿는다.

08 협상을 시작한다는 뜻이므로 enter into가 적절

만약 영국이 미국 운송 업체 경쟁에서 제한을 끝내는 가장 신실한 협상을 시작하지 않는다면, 미국은 적절한 행동을 취할 것이다.

09 또 다른 사건을 닮았다는 의미이므로 resemble이 적절

홀든 사건은 2000년의 또 다른 사건을 닮았는데, 이 사건은 치명적인 백혈병을 진단받은 17세의 엘렌 카터와 연관되어 있다.

10 '~에 대하여 논의하다'는 discuss이고, '~와 논의하다'는 〈discuss with+사람〉이므로 discuss with가 적절

일주일에 네 번 정도 백 명의 교사가 전화 네트워크에 접속하고 그것을 학생들과 토론하는 데 사용한다.

ACTUAL TEST   P. 139

01 ④   02 ②

01 ④ '~에 대해 논의하다'라는 뜻으로 discuss about이 아니라 discuss가 돼야 함 ① taking과 병렬 구조 ② 지정된 자리에 각각의 조각이 위치된다는 의미의 with 분사구문 ③ 〈형용사+enough〉 ⑤ This diversity가 주어, has가 동사

패치워크는 단순히 기하학적인 모양으로부터 다양한 천 조각을 취해, 천 조각을 좀 더 복잡한 모양으로 만들기 위해 그것들을 함께 바느질하는 것이다. 각각의 조각을 지정된 장소에 위치시키는데, 그것은 간단한 아이용 퍼즐을 하는 것과 비슷하다. 패치워크의 경우, 직물은 퍼즐 조각을 구성한다. 간단하게 들리지 않는가? 삼각형, 정사각형, 직사각형, 긴 줄과 같은 기본적이고, 전통적인 패치워크 패턴을 위해서는 적은 수의 조각이 필요하다. 물론 Double Wedding Ring 같은 곡선 모양의 패턴 또한 가능하다. 하지만 당신은 아마도 퀼트에 있어 초보자이기 때문에 이 수업에서 가장 기본적인 디자인 요소에 대해서만 논의할 것이다. 패치워크에서 가능한 형태는 간단한 도형에서부터 피카소의 예술품 같이 믿기 힘들 정도로 복잡한 패턴에 이르기까지 다양하다. 퀼트의 실용성과 천 조각을 유용한 보물로 재활용하는 친환경적인 면과 더불어 이러한 퀼트 형태의 다양성은 당신의 패치워크를 가장 우아한 퀼트의 형태로 만들어 준다.

fabric 직물 **geometric** 기하학의 **stitch** 바느질하다 **construct** 구성하다 **designate** 지정하다 **compose** 구성하다 **rectangle** 직사각형 **novice** 초보자 **diagram** 도형 **diversity** 다양성 **practicality** 실용성 **eco-friendliness** 친환경 **elegant** 우아한

02 (A) 선행사가 way이므로 관계부사 that이 적절 (B) '특별히 고안된 프로그램'이라는 의미로 designed가 적절 (C) '참가하다'라는 의미로 attend가 적절

파리 비즈니스 학교의 임무는 세계가 사업을 하는 방법에 있어서 긍정적인 효과를 내기 위한 다문화적 학습 환경에서 지식을 발전시키고 재능을 키우는 것이다. 학교는 정규 MBA 프로그램 면에서 세계 1위를 달리고 있고, 임원 교육을 위한 국제 비즈니스 학교 중에서도 최고이다. 또한 학교는 어떤 프랑스 학술 기관보다도 가장 높은 평균 연구 실적을 유지한다. 임원이 되고자 하는 사람은 디자인하고, 마케팅하고, 그리고 학습과 전문적인 개발 전략을 지지하는 회사 고객을 위해 특별히 고안된 주문 제작 프로그램뿐 아니라, 20개 이상의 공개 프로그램의 포트폴리오를 전달한다. 매년 9천 명 이상의 참가자들이 많은 세계의 선도적인 비즈니스 석학들이 이끄는 임원 프로그램에 참가한다.

mission 임무 **advance** 나아가다 **nurture** 양육 **multicultural** 다문화의 **executive** 임원 **academic** 학술적인 **institution** 기관 **corporate** 회사의 **strategy** 전략 **annually** 매년 **participant** 참가자

REVIEW TEST   P. 140

01 attending to → attending   02 laid → lay   03 improving → (to) improve   04 consuming → to consume   05 resembled with → resembled   06 (to) stand out   07 (to) create 08 test(ing)   09 pressured / pressure   10 entering / to enter

01 '수업에 출석하다'라는 의미이므로 attending to classes가 아니라 attending classes가 적절

나는 지난겨울을 그의 고향에서 보내며, 지역 대학에서 수업을 들었고 아르바이트도 했다.

02 '~에 놓여 있다'라는 의미이므로 laid가 아니라 자동사 lie의 과거인 lay가 돼야 함, lie - lay - lain '~이 놓여 있다', lay - laid - laid '~을 놓다'

Billups에 얻은 교훈은 내면에 놓여 있었지만, 내가 글을 쓰기 시작했을 때 꽃처럼 돋아나서 단어와 글, 책, 그리고 내 안에서 만개했다.

03 help는 to부정사나 동사원형을 목적격 보어로 취함

연구원들에 따르면, Block Doctor와 같은 블록을 가지고 노는 것과 같은 촉각 활동은 아이들이 수학적 능력에서 사고 능력에 이르는 모든 것을 향상시키는 데 도움이 된다고 한다.

04 그가 더 많은 소비를 하도록 만드는 것이므로 〈get+목적어+to부정사〉

30세의 킴은 할인이 더 많은 돈을 소비하도록 한다고 인정했다.

05 '~을 닮다'의 resemble은 전치사를 쓰지 않음

커다란 석회암 한 조각은 굉장히 익숙해 보였고, 그것은 카이로에서 본 T 모양의 기둥 모양과 닮았다.

06 help의 목적격 보어이므로 (to) stand out이 적절

시장은 브랜드명으로 너무 포화되어 있어서 작은 할인이 큰 차이를 만들고 그 상품이 목표 고객의 눈에 띄도록 돕는다.

07 help의 목적격 보어이므로 (to) create가 적절

확실히 필름의 선명도는 학생들이 사물에 대한 더 명확한 기억력을 형성하도록 돕는다.

08 신체의 한계를 시험하는 것을 관찰하는 것이므로 observe의 목적격 보어로 test(ing)이 적절

모든 부모는 아기가 발을 차고 팔을 쭉 펴는 걸로 신체의 한계를 시험하는 것을 관찰한다.

09 교사들이 압박감을 느끼는 것이므로 과거분사가 적절, pressure도 가능

교사들은 운동하는 학생들을 제외하고, 학생들이 학업을 추구하도록 이끌어야 한다는 압박감을 느낀다.

10 지각동사의 수동태

경찰은 도둑이 방에 들어오는 것을 알아챈 사람이 아무도 없어서 이 사건을 해결하는 데 오랜 시간이 걸릴 거라고 말했다.

FINAL CHECK

01 ① 02 ⑤ 03 ④ 04 ② 05 ② 06 ③

01 ① '~하곤 했다'라는 의미이므로 was used to가 아니라 used to가 돼야 함 ② the fixed behavior를 선행사로 받는 계속적 용법의 목적격 관계대명사 ③ The largest part가 주어, has been shown이 동사 ④ 일반적인 운전자들과 비교되는 문제 있는 운전자들 ⑤ take A seriously 'A를 심각하게 생각하다'

많은 운전자는 충돌을 피하는 데 어려움을 겪고 있고, 교통안전 전문가들은 계속해서 운전을 더 안전하게 하는 방법을 찾고 있다. 최근 차와 도로의 성능 개선을 강조한 이후, 자동차 안전 집중은 지금 예전에 "운전석의 골칫덩어리"라고 불렸던 것으로 돌아가고 있다. 하지만 운전자들의 고정된 습관을 바꾸는 것은 쉽지 않은데, 일부 분석가들은 대부분의 교통사고의 원인을 운전자의 고정 습관으로 돌리고 있다. 문제는 어떤 운전자가 충돌에 책임이 있는지와 사고는 왜 발생하며, 어떻게 그것을 멈추는지를 아는 것은 명확하지 않다는 것이다. 교통사고 문제에 있어서 가장 커다란 문제는 단지 일부 문제가 되는 사건의 운전자들보다도 일반적인 운전자에 의해서 발생하는 실수를 포함하고 있다는 것이다. 운전 습관을 바꾸는 것은 부분적으로는 사람들이 운전을 심각하게 생각하지 않기 때문에 어렵다.

collision 충돌 **emphasize** 강조하다 **revert** 되돌아가다 **behind the wheel** 운전하다 **fixed** 고정된 **analyst** 분석가

02 (A) '~에서 빠진 것'이라는 의미의 missing이 적절 (B) Draining ~ floods가 주어이므로 is가 적절 (C) 홍수 문제를 다룬다는 의미이므로 be addressed가 적절

야주 유역 분지에서 물을 퍼내는 정부의 계획에서 빠진 유일한 것은 영화에서 괴물이 다시 등장할 때 함께 나오는 무서운 음악이다. 습지는 홍수의 최고 수위를 낮춘다. 홍수를 막기 위해 습지에서 물을 빼는 것은 체중을 줄이기 위해 아이스크림을 먹는 것과 같다. 게다가 그 계획은 납세자들에게 끝없는 짐이 될 것이다. 배수펌프를 설치하는 데 거의 2억 달러가 들고, 그 이후 펌프를 작동하고 관리하는 데 매년 몇백만 달러가 더 들 것이기 때문이다. 홍수 문제는 우리의 소중한 습지에서 물을 빼는 거대한 펌프로가 아니라, 집과 도로를 보호할 소규모의 홍수 조절 대책과 습지대의 조림으로 해결할 수 있다.

basin 분지 **accompany** 동반하다 **drain** 배수하다 **taxpayer** 납세자 **operation** 활동, 작동 **maintenance** 유지 **address** 처리하다, 다루다 **reforestation** 나무 다시 심기 **precious** 소중한

03 ④ 통증신호가 뇌에 도달하는 것을 막는다는 의미이므로 on reaching이 아니라 from reaching이 돼야 함 ① 침술이 시도돼 왔다는 의미 ② wondering의 목적어절을 이끄는 의문사 ③ '안도감을 주는 화학 물질'이라는 뜻으로 chemical을 수식하는 분사 ⑤ as로 인해서 동사 (did)와 주어(treating~)가 도치, did는 대동사

침술은 통증에서 불임에 이르기까지 모든 종류의 질병에 대해 오랫동안 시도되었다. 하지만 서양 세계에서는 바늘을 피부에 찌르는 것이 어떻게 도움이 되는지 의아해하며 침술 과정을 회의적으로 대했다. 그 의혹을 해소하기 위해, 일부 과학자들은 이 기술을 앞발에 통증이 있는 쥐에 시도했는데, 중국 의학의 침놓는 자리에 침을 찌르고 회전시켰다. 그 결과, 과학자들은 치료받은 침놓는 자리 주변에 있는 세포에 아데노신이 넘치는 것을 발견했는데, 아데노신은 통증 신호가 뇌에 도달하지 못하게 함으로써 안정을 주는 화학 물질이다. 이것은 쥐의 불편함을 감소시켰는데, 이는 아데노신의 양을 증가시키는 약으로 치료를 했을 때와 같았다. 이렇게 진통제로써의 침술의 효과가 마침내 밝혀지게 되었다.

acupuncture 침술 **infertility** 불임 **procedure** 절차, 진행 **be good for** ~에 좋다 **paw** 앞발 **insert** 주입하다 **discomfort** 불편 **boost** 올리다, 격려하다 **painkiller** 진통제

04 (A) '발견된'이라는 의미이므로 found가 적절 (B) 내가 기념품을 받은 것이므로 was given이 적절 (C) 그들이 수영을 하는 것이므로 지각동사 watch의 목적격 보어로 swimming이 적절

다음 날, 내 친구 중 한 명이 나에게 살아 있는 하와이언 레드 새우를 몇 마리를 주었다. 새우는 정말로 얇고 작았지만 만약 자세히 본다면, 그 새우들이 다른 새우처럼 생겼음을 알게 될 것이다. 그것들은 염수에서 살았는데, 이 물은 육지의 민물과 바닷물이 섞이는 물가에서 발견된 소금기가 약간 있는 물이다. 나는 생수병 같은 종류의 작고 선명한 플라스틱 병에 있는 약 20마리의 새우를 받았다. 나는 내 새로운 애완동물들이 그 속에서 놀고 내가 그들이 수영하는 것을 볼 수 있도록 주말 동안 좋은 어항을 찾으려고 했다. 나는 그 병을 주방 테이블 위에 올려놓고 자러 갔다. 다음날 내가 일어났을 때, 나는 문득 엄마가 매일 아침 생수를 이용해서 커피를 끓이는 것을 기억했다. 나는 부엌으로 뛰어 갔고 엄마는 손에 내 물병을 들고 있었다. 내가 막 "멈춰요."라고 말하려고 했을 때 "어, 이 물 속에서 뭔가가 움직이는 구나!"라고 엄마가 말했다. 그래서 나는 그녀에게 자초지종을 설명했고 제때에 참사를 막을 수 있었다.

slightly 다소 **fishbowl** 어항

05 ② help의 목적격 보어이므로 collects and documents가 아니라 collect and document가 돼야 함 ① 민속 식물학자가 매료되었다는 의미 ③ elements를 받는 those ④ '뱀 독에서 추출한 항암 인자'라는 의미로 agents를 수식 ⑤ '선교사들에 의해 운영되는 진료소'라는 의미로 clinics를 수식하는 분사

마크 플롯킨은 민속 식물학자로 남미의 수리남의 토속 문화에 매료되었다. 현장 연구 과정에서 플롯킨은 수리남의 한 주술사가 수백여 종의 약용 식물을 채집하고 기록으로 남기는 것을 도와주었는데, 이 주술사는 또한 그의 스승이기도 했다. 이러한 약용 식물의 몇몇 성분은 개구리에서 발견되는 진통제의 성분과 뱀의 독액에서 나오는 항암 인자와 유사한 효과를 가지고 있었다. 플롯킨은 비영리 단체를 이끌었는데, 이 단체는 선교사들에 의해서 운영되는 진료소 옆에 수습 주술사들의 진료소를 세웠다. 이것은 수습 주술사들에게 주술사들의 의술을 세상에 널리 전할 수 있는 기회를 제공했다. 플롯킨은 이런 업적으로 유엔으로부터의 찬사와 〈타임〉지로부터 "Hero of the Planet"이라는 호칭을 받게 되었다.

shaman 주술사 **derive A from B** A를 B에게서 가져오다 **venom** 독 **apprentice** 제자

06 (A) 다른 회사(another company)가 중요한 일을 하도록 한다는 의미로 사역동사(have)의 목적격 보어로 perform이 적절 (B) A company가 주어이므로 scans가 적절 (C) 뒤에 완전한 문장이 왔으므로 where가 적절

최근에 많은 새로운 비즈니스 모델이 나타났다. 한 가지 모델은 다른 나라에 위치한 또 다른 회사가 중요한 일을 하도록 배치하는 대기업이다. 이러한 상황은 신뢰할 수 있고 안전한 통신과 거대한 양의 데이터를 즉시 멀리 떨어져 있는 곳으로 전송할 수 있는 능력의 성장과 함께 가능하게 되었다. 이러한 배치의 초창기 예는 회계 분야이다. 예를 들어, 미국의 한 회사는 우선 송장과 주문서, 임금 지급서를 컴퓨터로 스캔하고 코스타리카에 있는 회계 센터로 자료를 보낸다. 기본적인 회계 활동은 그때 그 지역에서 이루어진다. 다음에 그 데이터는 인터넷을 통해 원래 회사로 되돌아오는데, 높은 수준의 분석은 거기서 이루어진다.

emerge 나타나다 **arrange** 배열하다 **perform** 실행하다 **reliable** 믿을 수 있는 **secure** 안전한 **accounting** 회계 **arrangement** 배열 **carry out** 수행하다 **via** 경유하여

06 시제

UNIT 055~056

> ### ✔ Check-up P. 146-147
>
> **055** 1. had bought 　　2. had died
> **056** 1. contacted 　　2. was

055

1. 선물을 산 것이 보낸 것보다 먼저 일어난 일

그가 나에게 런던에서 산 선물을 보냈다.

2. 알기를 원했던 것이 과거, 돌아가신 것은 그 이전의 일

그녀는 그의 동생들이 어떤 소년들이며, 어머니가 어떤 사람인지, 아버지는 언제 돌아가셨는지 알고 싶어 했다.

056

1. yesterday는 특정한 과거 시점을 나타내는 부사

어제 나는 교수님께 기말 과제를 제출하기 위해 인터넷에 접속했지만, 바로 그때 인터넷 선이 다운되었다.

2. 과거를 의미하는 30 years ago가 나오므로 과거시제인 was가 적절

30년 전 우리 삶의 거의 모든 부분은 전산화되었다.

> ### EXERCISE P. 148
>
> 01 had seen 　02 had ever studied 　03 was 　04 had set
> 05 had been 　06 had enjoyed 　07 had scorned
> 08 had done 　09 had said 　10 had been used

01 주절이 과거, 과거 이전부터 과거까지의 시점

하이드 파크는 우리가 지금껏 보았던 가장 아름다운 광경 중 하나였다.

02 주절이 과거, 과거 이전에 있었던 일을 의미

한국의 어떤 여성도 그 전에 의학을 전공한 적이 없다는 사실은 나에게 문제가 되지 않았다.

03 2001년은 특정한 과거 시점

우리 학교에서 가장 큰 클럽 중 하나인 테니스 클럽은 2001년에 설립되었다.

04 잊어버린 것이 과거의 일, 계획은 세운 것은 그 이전

카터 박사는 그와 그의 아들 손이 35번째 생일 파티를 하려는 계획을 잊었다.

05 건축물을 완성한 것이 과거의 일, 아픈 것은 그 이전

톰슨은 이 마을에서 마지막 건축물을 완성하기 전에 일주일 동안 아팠다.

06 2000년부터 작년까지를 이야기하므로 과거완료가 적절

2000년 이후로, 많은 젊은 학생은 젠가와 같은 보드 게임을 즐겨왔지만, 그 유행은 작년에 끝났다.

07 증명한 것이 과거의 일, 비난한 것은 그 이전

하지만 윌버와 오빌 라이트 형제는 결코 바보가 아니었고 1903년 그들은 그들을 비난했던 모든 이들이 틀렸다는 것을 증명했다.

08 인터넷과 SNS가 대중의 관심을 끌게 된 것은 과거의 일, 기존 매체가 대중의 관심을 끈 것은 그 이전

그가 미국의 대통령으로 선출된 이후로, 기존 매체가 끌었던 대중의 관심을 인터넷과 SNS가 끌게 되었다.

09 종이에 이름을 쓴 것이 과거의 일, 이름을 말한 것은 그 이전

줄리엣은 금요일에 모든 학생의 이름을 각 종이에 썼고, 모든 이들이 3일 전에 말했던 것의 리스트를 작성했다.

10 방치된 것이 과거의 일, 사용되었던 것은 그 이전

거머리는 수천 년 동안 의사들에 의해 사용되었고, 이는 고대 이집트에서 시작되었다. 하지만 현대적인 방법에 대한 선호로 100년 동안이나 쓰이지 않았다.

ACTUAL TEST P. 149

01 ② 　　　　　　　　　　**02** ④

01 ② 발표한 것이 과거의 일, 죽은 것은 그 이전의 일이므로 were가 아니라 had been killed가 적절 ① 착취되었다는 의미 ③ 마치 사라질 것처럼 보였다는 의미 ④ a beaver recovery program을 선행사로 받는 계속적 용법의 주격 관계대명사 ⑤ 과거부터 현재까지를 의미하는 현재완료

비버만큼이나 모피를 위해 무자비하게 착취되어 온 동물도 거의 없다. 18세기와 19세기에 비버의 모피는 아주 귀중했다. 결과적으로 1896년경, 적어도 미국의 14개의 주가 모든 비버가 살상되었다고 발표했다. 20세기 초반, 비버는 지구상에서 거의 사라질 것처럼 보였다. 하지만 비버를 생포해서 안전한 지역, 특히 미국의 교외 지역으로 재배치시킨 비버 되살리기 프로그램 덕분에 비버는 미국 전역에 인상적으로 복귀했다.

mercilessly 무자비하게 **exploit** 착취하다 **worth one's in gold** 아주 귀중한 **relocate** 재배치하다 **suburban** 교외의

02 (A) every building이 주어이므로 tells가 적절 (B) '우리가 신전 옆에 서 있을 때'라는 의미의 분사구문이므로 Standing이 적절 (C) 신전을 만든 것은 과거의 일이므로 created가 적절

건물은 일반적인 생각과 달리 생명이 없는 사물이 아니다. 비잔틴의 유적에서부터 뉴욕의 거리, 중국의 탑 상층부에서부터 에펠 탑에 이르기까지 모든 건물은 이야기를 전한다. 이렇게 생각해 보라. 역사를 고려할 때 우리가 보는 것은 건물들이다. 로마로 거슬러 올라가면 우리가 먼저 보는 것은 콜로세움이나 포럼이다. 그리스의 신전 옆이나 스톤헨지의 원형 근처에 서 있을 때, 우리는 그것을 만든 사람의 존재를 느낀다. 그들의 영혼이 역사를 가로질러 우리에게 말을 걸어온다. 훌륭한 문학 작품이나 시, 음악처럼 훌륭한 건물들은 인간의 영혼에 관한 이야기를 해 줄 수 있다.

contrary to ~와 달리 **ruins** 유적지 **pagoda** 탑 **temple** 신전

UNIT 057~058

> ### ✔ Check-up P. 150-151
>
> **057** 1. have played 　　2. reached
> **058** 1. visited 　　2. has lived, has been

057

1. 1980년 이후로 지금까지를 의미

1980년 이후로 컴퓨터는 우리 인생에서 중요한 역할을 해왔다.

2. last month는 특정 과거 시점을 나타냄

이 시장에서 우리의 판매량은 지난달에 10년 중 가장 높은 수준에 도달했다.

058

1. 2008년은 특정 과거 시점을 나타냄

2008년 수잔은 집 짓기 프로젝트에 참가하기 위해서 서울을 방문했다.

2. 백만 년 전부터 지금까지 살아온 것을 의미하므로 has lived가 적절, 같은 기간 동안 인간이 지배해 온 것이므로 has been이 적절

사람은 거의 백만 년 동안 지구상에서 살아왔고, 지구는 사람이 지배하는 세상이었다.

EXERCISE   P. 152

01 visited   02 has donated   03 have been   04 visited
05 just   06 hasn't done   07 has been   08 happened
09 published   10 had already slipped

01 In his last vacation은 특정 과거 시점

마지막 휴가에서 케빈은 허리케인 카트리나가 모든 것을 휩쓴 뉴올리언스를 방문했다.

02 10년 전부터 현재까지의 기간을 이야기하므로 현재완료가 적절

덴마 박사는 지난 10년 동안 그의 시간과 기술을 가난한 사람들을 치료하는 데 기부했고, 그것을 그만두지 않을 것이다.

03 새 교육 프로그램을 설치한 이후의 기간의 의미하므로 현재완료가 적절

새로운 교육 프로그램의 설치 후, 학급의 모든 구성원은 모든 교육 사이트에 접근을 할 수 있었다.

04 In the summer of 2009은 특정한 과거 시점

2009년 여름, 손은 락 페스티벌에 참가하기 위해서 한국의 지산을 방문했다.

05 지금 막 수정되었다는 의미로 현재완료 중 완료를 의미, just now는 과거를 나타내는 부사어

나는 세 개는 무료라고 들었는데, 어제 추가 요금을 냈다. 그 요금은 지금 수정되었다.

06 과거부터 지금까지의 기간을 이야기하므로 현재완료가 적절

그에게 오늘은 매우 바쁜 날이다. 그는 지금까지 조사하는 것 외에는 한 것이 없다.

07 현재까지의 기간을 이야기하므로 현재완료가 적절

지금까지 우리 대표의 평균 재임 기간은 1년이 채 되지 않는다.

08 just now는 '바로 전에'라는 뜻으로 과거 시제와 함께 쓰는 부사

헨델은 그들이 지금 막 건물의 로비에서 무슨 일이 벌어졌는지 알고 싶어 한다고 생각했다.

09 In 2004는 특정 과거 시점

2004년 앤 뷰캐넌과 아이리니 플러리는 추적 조사의 결과를 〈British Journal of Educational Psychology〉에 발표했다.

10 경찰이 공항에 도착한 것은 과거, 용의자가 빠져 나건 것은 그 이전

경찰이 공항에 도착했을 때, 용의자는 이미 몰래 도망가 버렸다.

ACTUAL TEST   P. 153

01 ③   02 ②

01 ③ It is no use -ing '~해도 소용없다' ① '한국인으로서'라는 의미의 분사구문을 이끄는 분사 ② 나를 자랑스럽게 만든다는 의미로 makes의 목적격 보어 ④ 1972년 이후 현재까지 사람들의 삶이 나아지고 있다는 뜻 ⑤ 내가 실망했다는 뜻

한국인으로서 우리나라의 오래된 역사와 성공은 나를 자랑스럽게 한다. 하지만 최근에 내가 걱정하는 문제가 있다. 그것은 우리의 현재와 미래의 복지를 파괴할 엄청난 환경적 재난을 가지고 있다는 사실은 부인해도 소용없다는 것이다. 지난여름 나는 한국을 가족과 함께 방문했고 어디서나 엄청난 변화를 보고 매우 기뻤다. 사람들의 삶은 내가 떠난 1972년 전 이후로 더 좋아졌다. 하지만 나는 서울의 안개 낀 하늘과 한강의 검은 물을 보고 실망했다. 우리가 문제를 직면하고 장기적인 해결책을 찾는 것이 중요하다. 우리와 아이들을 위해서 더 나은 삶을 위해 열심히 일하는 것은 필요하며, 더 나은 삶의 질은 좋은 차뿐만 아니라 깨끗한 강에도 달려 있다.

achievement 성공 deny 부인하다 welfare 복지 disappointed 실망한 hazy 안개 낀 quality 질

02 (A) 지금까지 말해 온 것이므로 has been이 적절, So far는 현재완료와 어울리는 부사구 (B) '그것의 장점이 아직 발견되지 않은 식물'이라는 뜻이며, 뒤에 명사가 나오므로 소유격 관계대명사인 whose가 적절 (C) 뒤에 완전한 문장이 오므로 관계부사 where가 적절

지금까지 사람들은 잡초는 "잘못된 장소에서 성장하는 모든 식물"이라고 말했다. 하지만 시각을 약간 바꾸면, 이 정의를 "아직까지 발견되지 않은 장점을 가진 식물"로 바꿀 수 있다. 많은 잡초는 먹을 수 있고, 약효가 있다. 그것들은 또한 생물의 다양성을 증가시키거나 토양의 상태에 대한 가치 있는 정보를 제공하거나 심토에서 지표까지의 좋은 영양분을 가져올 수 있는데, 그곳에서 결국 다른 식물에게 유용하게 쓰인다. 우리가 잡초라고 부르는 그 식물은 종종 유익하다.

weed 잡초 perspective 시각 biodiversity 생물학적 다양성 nutrient 영양분 subsoil 심토, 하층토 surface 표면

UNIT 059~060

🔍 Check-up   P. 154-155

059 **1.** would   **2.** made   060 **1.** moved   **2.** is, moves

059

1. 주절의 시제가 과거, 3년 전에 들은 말

그는 그 건물이 1년 안에 파괴될 것이라는 것을 3년 전에 들었다.

2. 주절의 시제가 과거, 시제 일치

수잔은 찰스가 이번 프로젝트에서 마지막 결정을 해야 한다고 생각했다.

060

1. 역사적 사실

1910년에 찰리 채플린은 미국으로 건너왔고, 4년 후에 영화를 찍기 시작했다.

2. 지구가 둥글고, 태양 주위를 도는 것은 과학적 사실

갈릴레오는 지구는 둥글고 태양 주위를 돈다고 주장했다.

EXERCISE   P. 156

01 will come   02 suggests   03 had said   04 would
05 took   06 hurts   07 makes   08 was   09 is   10 had

01 when은 의문사로 사용 중. 주절이 미래이므로 의문사 when절도 미래시제

잭슨은 선생님이 여행에서 언제 돌아오시는지 궁금해 할 것이다.

02 조건을 나타내는 if절 안에 있으므로 현재로 표현

만약 북한이 다음 회담에서 새로운 협상을 제안한다면, 우리는 그들을 지원하는 것을 고려할 것이다.

03 교사가 학생들의 말에 주목한 것이 과거, 학생들이 말을 한 것은 그 이전

교사는 학생들이 그들의 급우에 대해 말하는 것에 주목했다.

04 과거 상황에 대한 설명

당신이 보안 시스템의 첫 번째 단계에 있는 한, 두 번째 단계는 당신이 들어오는 것을 허용하지 않을 것이다.

05 가정법 과거

당신이 만약 그녀를 파트너로 삼는다면, 당신은 곤경에 처할 것이다.

06 산성비가 동물과 식물에 악영향을 끼치는 것은 변하지 않는 진리

세간의 이목을 끄는 프로그램은 산성비가 숲 속에 사는 야생 동물과 식물을 해친다고 보도했다.

07 '5 + 3 = 8'은 불변의 진리

초등학교 교사인 제시카는 학생들에게 5 더하기 3이 8이라고 말했다.

08 역사적 사실

진수는 오늘 제2차 세계 대전이 1945년에 끝났고, 그러고 나서 한국이 일본으로부터 독립했다고 배웠다.

09 과학적 사실

우리 과학 선생님께서 지구는 목성보다 작고, 금성보다 크다고 말씀하셨다.

10 주절의 시제가 과거, 시제 일치

형사는 용의자가 알리바이가 있었다는 것을 알지 못했고, 이는 그를 짜증나게 했다.

ACTUAL TEST　　　　　　　　　　　　　　P. 157

01 ③	02 ②

01 ③ 주절의 시제가 과거 reside가 아니라 resided가 돼야 함 ① 지각동사 hear의 목적격 보어 ② always를 수식 ④ 앞의 명사를 수식 ⑤ despite+명사구

우리는 보통 가슴 속에서 계속되는 규칙적인 소리를 인식하지 못한다. 그러나 우리는 잠들기 직전과 같은 조용한 순간에 심장이 박동하는 소리를 들을 수 있다. 이런 소리의 갑작스러운 인식은 괴로울 수 있는데, 그런 소리가 거의 항상 두렵고 걱정스러운 순간과 관련이 있기 때문이다. 지금으로부터 오래 전에, 흥미롭게도 고대인들은 열정과 모든 감정은 가슴 속에 머문다고 믿었다. 그러나 1세기에 갈렌(갈레노스)은 해부학적 근거로 심장에 관한 신화로부터 로맨스를 떼어 내었고, 심장은 단지 신경과 근육으로 가는 혈액 속의 자양분을 배양시켜 주는 자연적인 펌프라고 공표했다. 그러나 2,000년 동안 심장의 기계적인 기능에 대해 알고 있더라도 사람들은 여전히 심장을 감정에 대한 기관으로 생각한다.

unaware 모르는 **awareness** 인식 **distressing** 괴롭히는 **reside** ~에 살다 **declare** 선언하다 **cultivate** 배양하다 **nourishment** 영양분 **nerve** 신경

02 (A) 이야기를 한 것이 과거, 런던에서 만난 것은 그 이전이므로 had met이 적절 (B) 장소 부사어구가 앞으로 나가서 주어와 동사가 도치된 문장, 대서양이 놓여 있는 것이므로 자동사 lie의 과거인 lay가 적절 (C) 나를 예의 바르게 대했다는 뜻으로 동사 treated를 수식하므로 부사 courteously가 적절

몇 년 전 스페인을 방문할 때, 나는 피터슨의 회사에서 일주일을 보냈다. 나는 그것을 잊어본 적이 없다. 피터슨과 나는 주말에 피터슨의 동료 중 한 명인 캐서린을 방문했다. 우리는 그녀의 환영을 받았고, 지난 번 런던에서 만난 것에 대해 이야기를 나눴다. 캐서린은 승마 클럽의 특별 회원이었고, 그

녀의 집은 다람쥐가 많이 있는 소나무 숲 사이에 지어졌다. 우리는 아침 내내 그녀의 집 근처에서 산책을 했다. 더운 여름, 시원한 바람이 불었고, 나는 몇 번이나 신발에 가득 찬 모래를 비웠다. 나무 뒤편에 대서양의 파란 바다 끝자락이 있었다. 우리가 도착했던 날 밤, 캐서린은 피터슨뿐 아니라 나를 환영하기 멋진 저녁 파티를 열었다. 나의 인간관계는 나를 항상 환영받게 했고 파티에 참석한 다른 손님들은 나를 매우 예의 바르게 대해줬다.

squirrel 다람쥐 **sublime** 멋진 **courteously** 예의 바르게

UNIT 061~062

🔍 Check-up　　　　　　　　　　　　　　P. 158-159

061 1. comes 2. is coming　　**062** 1. realize 2. rains

061

1. 시간 부사절

그녀가 이번 주 일요일 밤에 돌아올 때, 우리 모두 그녀를 환영할 것이고 성대한 이벤트를 열 것이다.

2. 가까운 미래를 의미하는 왕래발착 동사이므로 현재 진행

오늘 제니퍼가 올 것이다. 그녀의 비행기가 오늘 오후 2시 반에 인천 공항에 도착한다.

062

1. 시간 부사절

학생들이 내가 할 수 있는 최선의 방식으로 그들의 관심을 채워 주고 있다는 사실을 깨닫는 데 오래 걸리지 않기를 희망한다.

2. 조건 부사절

만약 내일 비가 온다면, 나는 출발을 연기할 것이다.

EXERCISE　　　　　　　　　　　　　　P. 160

| 01 will begin | 02 is | 03 starts | 04 comes | 05 will win | 06 will leave | 07 rains | 08 will come | 09 accepts | 10 will return |

01 when이 명사절을 이끄는 의문 대명사로 사용되며, 시제가 미래를 의미

고객들은 언제 서비스가 시작될지 정확하게 알지 못해서 그들의 서비스 요구를 주문 접수 직원에게 제시한다.

02 시간 부사절

브로콜리를 준비하는 것은 매우 쉬워서, 여러분이 해야 할 일은 브로콜리가 부드러워질 때까지 3분에서 5분 정도 끓이는 것뿐이다.

03 시간 부사절

입찰을 위한 프레젠테이션이 시작되기 전까지 톰과 제리에게는 불과 10시간 밖에 남지 않았다.

04 시간 부사절

5호 태풍 매미가 이번 주 일요일에 올 때까지는 따뜻하지만 흐린 날씨가 계속 될 것이다.

05 '이길 수 있을지 없을지'라는 의미의 명사절

교장 선생님은 내게 다음 주에 열릴 다음 대회에서 학생들이 이길 수 있을지 없을지 물어보았다.

06 when은 the time을 수식하는 관계사절을 이끄는 관계부사, when은 관계사절 내에서는 완전한 문장이 오므로 부사 역할을 하지만, 관계사절 자체는 앞에 나오는 선행사인 명사를 수식해 주므로 형용사절, 부

사절이 아니므로 미래를 의미할 때는 미래 시제를 사용

내일은 우리가 5일 동안 머물렀던 이 호텔을 떠나야 할 때이다.

07 조건의 부사절

내일 비가 오면, 성 베네딕트를 기리는 축제는 연기될 것이다.

08 의문사 when이 이끄는 명사절

대부분의 나사 연구원들은 그 혜성이 언제 다시 돌아올지 모른다.

09 as soon as가 이끄는 시간 부사절

재스민은 이벤트에서 그의 프러포즈를 받자마자, 눈물을 터뜨릴 것이다.

10 '존이 범죄 현장에 돌아올지 안 올지'라는 의미의 명사절

형사는 존이 이번 토요일에 범죄 현장으로 돌아올지 아닐지 알 수 없을 것이다.

ACTUAL TEST   P. 161

01 ⑤   **02** ②

01 ⑤ 〈not A but B〉 구문, A와 B는 병렬 구조이므로 perfect가 아니라 perfection이 돼야 함 ① operate를 수식하는 부사 ② a considerable function을 선행사로 받는 계속적 용법의 목적격 관계대명사 ③ 조건절 if 안의 미래는 현재로 표현 ④ 우리의 행동이 균형을 이루게 되는 것이므로 수동태

우리의 재능으로 가득한 채 살며 모든 능력을 조화롭게 만들 때, 인간의 본성이 생산적이고 믿을 만하다는 것이 증명될 것이다. 즉, 우리가 자유롭게 활동할 때, 우리의 반응은 믿을 만하게 될 것이며 긍정적이고, 진보적이고 풍요로워질 것이다. 이것은 우리 본성 안에 있는 신뢰의 엄청난 기능이며, 우리 중 많은 사람이 잘하지 못하는 것이다. 만약 언젠가 우리가 자신을 기분 좋게 받아들인다면, 우리의 행동은 우리의 모든 능력의 양상을 조화롭게 만들 것이고, 균형을 이루게 될 것이다. 우리는 성장의 길에 설 것이며, 즉, 완벽하지는 않지만 성장하는 인간의 운명이다.

harmonize 조화를 이루다 productive 생산적인 trustworthy 믿을 만한 progressive 진보적인 fruitful 풍요로운 considerable 엄청난 be open to ~을 기분 좋게 받아들이다

02 (A) 말하는 것을 멈추는 것이므로 talking이 적절 (B) 주장되는 요점이므로 being made가 적절, the point를 수식 (C) 시간 부사절이므로 start가 적절

인간의 모든 열망 중에서 가장 뿌리 깊은 것 중의 하나는 이해 받고, 소중히 여겨지고, 존중 받고자 하는 욕구이다. 하지만 우리가 살고 있는 빠른 속도의 시대에서, 너무나 많은 사람들은 귀 기울여 듣는 것이 단지 다른 사람의 말이 끝나기를 기다리는 것에 불과하다고 믿고 있다. 설상가상으로 그 사람이 말하는 동안에 우리는 주장하는 바를 이해하기 보다는 자신의 대답을 생각해내는 데 그 시간을 너무나 자주 이용하고 있다. 타인의 관점을 진정으로 이해할 시간을 가지는 것은 타인이 말하는 것을 당신이 소중히 여기고 한 인간으로 그에 대해 관심을 가진다는 것을 보여 준다. 가까운 미래에 당신이 말하고 있는 사람의 "안구 뒤에 도달하기"를 시작하고 타인의 관점으로 세상을 보려고 노력할 때, 당신은 그와 깊은 관계를 맺게 되고, 오래 지속될 높은 신뢰의 관계를 쌓게 될 것이다.

cherish 소중히 여기다 fast-paced 빠른 속도로 formulate 공식화하다 perspective 관점

REVIEW TEST   P. 162

01 have watched → had watched   **02** need → will need
03 will accept → accept   **04** have criticized → criticized
05 have → had   **06** had , experienced   **07** finds
08 have sought   **09** absorb   **10** were

01 시험한 것은 과거, 본 것은 그 이전

우리는 그들에게 전에 참깨가 올려진 도넛이나 양귀비 씨앗 그림을 본 적이 있느냐를 물으며 세부 사항에 대해 기억하는 것을 시험하고 있었다.

02 후에 성인이 되었을 때 기술이 필요할 것이므로 미래 시제

그는 놀이는 아이가 세상을 이해하고 나중에 성인의 삶을 살 때 필요할 기술을 배우는 방법이라고 말했다.

03 조건 부사절

만약 당신이 그가 제안한 일을 받아들인다면, 언젠가 스스로를 많은 문제에 빠뜨릴 것이다.

04 특정한 과거 시점을 나타내는 when절이 있으므로 과거가 적절

정부가 가난한 이들에게 저렴한 주택을 제공하겠다고 결정했을 때, 일부 매체는 그 정책이 건전한 주택 시장을 방해할 수 있기 때문에 그 정책을 비난했다.

05 내 여동생과 이야기하는 것이 과거, 본 적이 없는 것은 그 이전

홀 가운데에서 내가 여태껏 본 여성 중 가장 아름다운 여성이 내 여동생에게 이야기하고 있었다.

06 설명을 나눠 준 것이 과거, 경험한 것은 그 이전

연구원들은 피실험자들에게 4개의 사건에 대한 글로 된 설명을 주었는데, 그 중 3개는 그들이 이전에 실제로 경험했던 것이다.

07 시간 부사절

그가 회사에 대한 적합한 후임자를 찾을 때까지 일 처리를 미루지 않을 것이다.

08 1950년대 이후로 지금까지의 기간을 의미하므로 현재완료가 적절

1950년대 이후로 많은 과학자들은 아이들의 성장에 영향을 미칠 수 있는 요소를 연구하기 위해 새로운 방법을 찾아 왔다.

09 과학적 사실

닉은 블랙홀이 아무것도 반사하지 않으면서 지평선에 부딪히는 모든 빛을 흡수한다고 믿었다.

10 주절이 과거, 시제 일치

숀은 고객들이 그들의 재킷을 선택하도록 도와주었고, 다양한 종류의 옷이 그의 가게에서 구입 가능하다는 사실을 확인해 주었다.

FINAL CHECK   P. 163-165

01 ⑤   **02** ③   **03** ③   **04** ④   **05** ②   **06** ⑤

01 ⑤ 주절의 시제가 과거이므로 stops having이 아니라 stopped having이 돼야 함 ① 〈전치사+which+완전한 문장〉 ② destroys와 병렬 구조 ③ "이 치료를 받는 환자들"이라는 뜻으로 patients 수식하는 분사 ④ 주름살은 완화시켰다는 뜻, 주절이 과거

1977년에 앨런 스콧 박사는 눈 근육이 지나치게 활동적이어서 사시를 유발하는 약시를 치료하려 했다. 그래서 스콧 박사는 처음으로 Botulinum toxin, 또는 보톡스를 처방했는데, 이것은 신경 기능을 파괴하고 근육을 이완시키도록 돕는 독성 물질이다. 10년 뒤에 안과 의사인 진 캐러더스는 환자들 눈의 경련을 치료하기 위해 동일한 독을 사용하였다. 그녀는 이런 처

치를 받은 환자들이 젊어 보인다는 것에 주목하기 시작했고, 이는 보톡스가 얼굴의 주름살을 완화시켜 보다 젊어 보이는 외모를 만든다는 발견으로 이어졌다. 그러고 나서 의사들은 보톡스를 투여 받은 환자들이 두통이 멈추는 것을 목격하기 시작했다. 이제 연구자들은 비만에 대한 가능성 있는 치료법으로 보톡스를 실험하기 시작했다. 보톡스가 환자의 위장에 주입이 되면 환자들은 훨씬 빨리 포만감을 느끼게 한다.

hyperactive 지나치게 활동적인 **prescribe** 처방하다 **toxin** 독성 물질 **smooth** 매끄럽게 하다 **obesity** 비만

02 (A) have a hard time -ing '~하는 데 어려움을 겪다' (B) the ability가 주어이므로 is가 적절 (C) 고통스러운 일들이 과거에 일어난 것이므로 occurred가 적절

수년 동안 나는 다른 사람을 용서하는 데 어려움이 있는 사람들을 보아 왔고, 그들 중 대부분은 나에게 주요한 문제는 어떤 사람도 그들에게 용서하는 방법을 가르쳐 준 적이 없다는 것이라고 말했다. 상처 받고 용서하고자 했던 많은 사람들을 조사한 후에 나는 확실히 이 상처를 극복하는 능력은 감정적인 건강뿐만 아니라 신체적인 건강에 있어서 중요하다고 확신한다. 용서라는 것은 슬픔을 끝내는 것보다 더 많은 것을 의미한다. 용서는 내 인생의 임무가 되었다. 나는 용서 그 자체를 평화에 대한 경험과 내가 이 순간을 느낄 수 있다는 이해로 묘사한다. 당신은 다른 사람의 행동에 대해 가지고 있는 엄격한 규칙을 극복하고 당신의 삶 속에서 나쁜 것에는 반대하고 좋은 것에 집중함으로써 용서한다. 용서는 고통스러운 일이 발생했던 것을 잊거나 부인하는 것을 의미하지는 않는다. 용서는 비록 나쁜 것들이 당신의 과거는 망쳤을지라도 당신의 오늘을 파괴하지 않을 강인한 힘이다.

grievance 슬픔 **rigid** 엄격한 **opposed to** ~에 반대하다 **spoil** 망치다

03 ③ 세계의 다른 지역에 사람들이 온 것은 과거의 일이므로 come이 아니라 came이 돼야 함 ① '최초의 영국 정착민이 도착한 해인 1607년 이래로'라는 뜻으로 1607을 수식하는 절을 이끄는 관계부사 ② 역사상 이것이 가장 큰 이민으로 기록되고 있다는 뜻 ④ Every aspect이 주어, has been influenced가 동사 ⑤ 〈without+동명사〉 '~ 없이'

이민자에 대해 토론 없이 미국의 어떤 연구도 유효하지 않는데, 왜냐하면 미국은 이민자의 나라이기 때문이다. 최초의 영국 정착민들이 신세계에 도착했을 때인 1607년 이후, 4천 5백만 이상의 사람들이 미국으로 이민을 왔다. 이것은 역사상 가장 거대한 인류의 이동으로 기록되었다. 400여 년 동안 인구가 2억이 넘는 사람들의 나라는 전 세계 각지에 온 사람들로 만들어졌다. 비즈니스에서 일상생활에 이르는 미국인의 삶의 모든 양상은 이민자들에 의해서 어떤 식으로든 영향을 받았다. 미국의 선도적인 수입의 역사에 대한 어떤 것을 우선 알지 못하면 시인 월트 휘트먼의 "미국은 단순한 나라가 아니라 국가들의 풍부한 나라이다"라는 말을 어느 누구도 완전히 이해할 수 없을 것이다.

immigrant 이민자 **settler** 정착민 **migrate** 이주하다 **teeming** 풍부한

04 (A) 부자가 된 것이 과거, 가난했던 것은 그 이전이므로 had been이 적절 (B) 부사구 In that room이 앞으로 나와 도치된 문장으로 reproductions of ~가 주어이므로 were가 적절 (C) '질문을 받았을 때'라는 의미, 질문을 하는 것이 아니라 받는 것이므로 asked가 적절

젊었을 때 가난한 목동이었던 어떤 사람이 매우 부유하고 존경 받는 외교관이 되었고, 아프리카에 있는 어떤 나라의 대사로 임명되었다. 대사관 근처에 있는 그의 자택에는 "목동의 방"이라고 알려진 방이 하나 있었다. 그 방에는 언덕과 계곡, 흐르는 시냇물, 바위, 헛간, 양떼를 위한 담장 등이 재현되어 있었다. 그곳에는 그가 갖고 다니던 지팡이와 양떼를 돌보는 목동이었을 때 입었던 옷이 있었다. 어느 날 그것에 대한 이유를 질문 받았을 때, 그는 "만약 저의 마음이 오만과 자만의 유혹에 빠지면, 저는 이 방에 가서 과거에 제가 어떤 사람이었는지를 다시 한 번 생각해 봅니다."라고 대답했다.

shepherd 목동 **diplomat** 외교관 **residence** 거주 **embassy** 대사관

look after 돌보다 **arrogance** 오만

05 ② 학생들이 가르치는 것이 아니라 가르침을 받는 것이므로 teach가 아니라 are taught가 돼야 함 ① '어떤 특정 대상에 대한 그들의 견해'라는 뜻으로 사람들을 선행사로 받는 소유격 관계대명사 〈명사+소유격 관계대명사〉 ③ 학생들이 듣는다는 뜻 ④ Mark Twain이 Theodore Roosevelt를 비판한 것이 과거, Roosevelt가 미국 장군을 축하한 것은 그 이전 ⑤ '많은 사람을 죽이고'라는 의미의 분사구문으로 a victory 수식

사람은 유명하지만 특정 대상에 대한 그들의 견해는 잘 알려지지 않은 사람들이 있다. 예를 들어 헬렌 켈러는 아주 유명한데, 학생들은 그녀가 장님으로 태어나 말도 못하고 듣지도 못했지만 크게 성공했다고 배운다. 그러나 학생들은 그녀가 제1차 세계 대전에 반대하는 조직의 지도자였다는 사실은 듣지 못한다. 이와 유사한 예로 마크 트웨인은 소설가로 유명하지만 학생들은 그가 필리핀 전쟁을 반대하는 항의를 했다는 사실은 배우지 않는다. 그들은 마크 트웨인이 1906년에 필리핀 섬에서 많은 사람들을 죽이고 승리한 미국 장군을 축하했다는 것 때문에 테오도어 루즈벨트를 비판했다는 사실을 모른다.

organization 조직 **similarly** 유사하게도 **novelist** 소설가 **protest** 대항하다 **criticize** 비판하다 **general** 장군

06 (A) 문장의 동사가 필요하므로 mapped가 적절 (B) 뒤에 불완전한 문장이 오므로 what이 적절 (C) 해부를 한 것이 과거, 뇌졸중을 앓은 것은 그 이전이므로 had lost가 적절

19세기는 우리의 산업 세계에 대한 이해뿐만 아니라, 우리의 신체적, 생물학적 세계의 이해에 있어서 놀라운 발전의 시기였다. 프랑스의 생리학자인 피에르 플루랑스의 1820년대와 1830년대의 토끼나 비둘기 같은 동물의 뇌에 대한 놀라운 업적은 기본적인 움직임과 기억, 감정을 책임지는 두뇌의 부분들을 세밀하게 나타냈다. 기본적으로 그는 두뇌의 각 부분을 제거했고, 동물이 더 이상 하지 않는 행동에 대해 기록했다. 수십 년이 흐른 후, 프랑스인 의사인 피에르 폴 브로카는 인간의 두뇌에서 언어를 담당하는 부분을 떼어냈다. 그는 단어를 구성하는 능력을 잃어버렸던 뇌졸중 환자의 부검을 실시했다.

advancement 발전 **biological** 생물학적인 **region** 부분 **physician** 의사 **autopsy** 부검, 검시 **stroke** 뇌졸중

chapter

07 조동사

UNIT 063~064

Check-up
P. 168-169

063 1. be 2. be 064 1. passed 2. depends

063

1. suggested 뒤 that절의 내용이 당위성을 지님

   정부는 CFC 같은 환경에 악영향을 주는 물질의 재활용을 권장하기 위해서 더 비싸게 제조되어야 한다고 제안 받았다.

2. insisted 뒤 that절의 내용이 당위성을 지님

   러시아 작가는 50개의 목록 카드에 쓰인 책의 단편들은 그의 사망 이후에 소실되어야 한다고 요구했다.

064

1. insisted 뒤 that절의 내용이 당위성을 지니지 않음

제이미는 그녀가 운전면허 시험을 아주 쉽게 합격했다고 주장했다.

2. suggested 뒤 that절의 내용이 당위성을 지니지 않음

상대성 이론에서, 아인슈타인은 두 사건 사이의 측정 간격은 관찰자가 어떻게 이동하고 있느냐에 달려 있다고 제안했다.

EXERCISE   P. 170

01 not **02** was **03** took place **04** receive **05** are **06** be
07 not **08** have **09** take **10** be

---

01 asked 뒤 that절의 내용이 당위성을 지니므로 should를 생략하고 not이 사용

그는 내가 기사에 그의 이름을 사용해서는 안 된다고 요구했다.

02 insisted 뒤 that절의 내용이 당위성을 지니지 않음

사무엘은 회사로 가는 중에 교통 체증이 있었다고 주장했다.

03 insisted 뒤 that절의 내용이 당위성을 지니지 않음

목격자는 톰과 돈 사이의 싸움은 해가 뜨고 있을 때 발생했다고 주장했다.

04 recommended 뒤 that절의 내용이 당위성을 지님

검사는 용의자가 살인에 대해 무기징역을 받아야 한다고 강력히 권고했다.

05 insist 뒤 that절의 내용이 당위성을 지니지 않음

연구원들은 생물질 연료가 깨끗하고, 쉽게 이용 가능하며, 쉽게 가스나 액체의 형태로 변형될 수 있다고 주장한다.

06 made a suggestion이 suggested와 같은 의미, suggestion 뒤 that절의 내용이 당위성을 지님

많은 학생들이 학교에 스스로 머리 길이를 선택하도록 허용해야 한다고 제안했다.

07 insist 뒤 that절의 내용이 당위성을 지니므로 should를 생략하고 not 사용

여성 단체는 여성들은 남성에 의해 부당한 차별을 받아서는 안 된다고 주장했다.

08 required 뒤 that절의 내용이 당위성을 지님

환자의 의사는 그녀가 여름휴가 동안 등 수술을 받아야 한다고 강력히 요구했다.

09 insisted 뒤 that절의 내용이 당위성을 지님

나는 그가 자신의 건강과 가족을 위해 약간의 휴식을 취해야 한다고 주장했고, 결국 그는 나의 조언을 따랐다.

10 proposal이 나오며, that절의 내용이 당위성을 지님

위원회는 직원들의 복지에 대한 더 많은 투자가 이루어져야 한다는 노동조합의 제안을 거절했다.

ACTUAL TEST   P. 171

01 ②   **02** ③

---

01 ② demand 뒤 that절의 내용이 당위성을 지니므로 dealt가 아니라 deal이 돼야 함 ① '유전자 예외 법안이라고 이름 붙은 것'이라는 뜻, have의 목적어절을 이끄는 선행사를 포함한 관계대명사 ③ The logic이 주어, depends가 동사 ④ and the like '기타 같은 종류의 것', etc.와 동일한 표현 ⑤ require의 목적격 보어

과학과 그것의 부수적인 기술은 종래의 가치를 극복함으로써 사회의 문화를 변화시킨다. 하지만 법적 시스템이 조치에 대한 요구에 응답하듯이, 공공 토론과 윤리적 논란은 사회의 구조적인 변화를 촉발했다. 예를 들어, 일부 국가들은 지금 유전자 예외 법안이라고 명명한 것을 가지고 있다. 그 법 조항은 환자 그림자 파일이라고 불리는 것을 야기하면서 모든 기관들이 유전적 정보를 다른 의학 정보와 구별해서 처리해야 한다고 요구한다. 그런 법의 논리는 보험 회사나 다른 가족, 고용주와 같은 존재에게 노출되고 있는 유전적 정보의 잠재적인 황폐화 효과에 달려 있다. 현재까지 17개국이 제3자가 유전자 검사를 수행하거나 요구하거나, 또는 유전자 정보를 얻으려 할 때 알려진 고지에 입각한 동의를 요구하고 있고 27개국은 유전자 정보를 드러내기 위해 고지에 입각한 동의를 요구한다.

conventional 종래의 **trigger** 촉발하다 **transformation** 변형 **genetic** 유전자의 **devastate** 황폐시키다 **reveal** 드러내다 **consent** 동의 **uncover** 폭로하다

02 (A) suggests 뒤 that절의 내용이 당위성을 지니지 않으므로 is가 적절 (B) '굶주림에 직면한'이라는 의미, be faced with '~에 직면하다' (C) '통나무처럼'이라는 뜻, 〈전치사+명사〉

새로운 동물 연구는 일출과 일몰에 따라 수면 시간을 통제하는 body clock 이외에도 food clock이라는 것이 있다고 주장한다. 연구자들은 동물들이 배고픔에 직면했을 때 food clock이 활성화되며 그 동물들이 수면 일정을 무시하면서 음식을 찾기 위해 깨어 있다는 것을 발견했다. 과학자들은 그들의 발견이 비행 시 발생하는 시차로 인해 야기되는 수면 장애를 극복하는 방법으로 이어질 수 있다고 추측했다. 식사를 거르고 당신의 몸이 굶고 있다고 생각하도록 속임으로써 당신은 food clock의 효과를 활성화할 수 있을 것이다. 목적지에 도착해서 시계를 다시 맞춘 후, 당신은 통나무처럼 꼼짝하지 않고 잠을 잘 수 있을지도 모른다.

activate 활성화하다 **starvation** 굶주림 **awake** 깨어 있는 **speculate** 추측하다 **sleep disorder** 수면 장애 **skip** 지나치다

UNIT 065~066

✓ Check-up   P. 172-173

065 1. be **2.** be   **066 1.** did **2.** did

065

1. important+that+S(+should)+동사원형

우리가 서류에 사인할 때, 제인이 참석하는 게 중요하다.

2. critical+that+S(+should)+동사원형

슬픔에 빠진 여성이 그 감정을 느끼도록 허용되는 것은 중요하다.

066

1. 앞의 did not use를 받음

그들은 총을 많이 사용하지는 않으며 총을 사용할 때는 보통 코요테나 방울뱀을 쐈다.

2. 앞의 feel(원래는 felt)을 받음, did she feel로 도치된 구조

제니는 목적지에 도착하고 나서야 비로소 집을 떠나기 전보다 더 안도감을 느꼈다.

EXERCISE   P. 174

01 are **02** were **03** have **04** leave **05** be **06** remain
07 does **08** be **09** be **10** is

---

01 are struggling을 받음

보험이 있는 사람들은 그들의 고용주만큼이나 더 높은 보험료를 지불하려고 애쓴다.

02 were based를 받음

일부는 그가 어렸을 때 들었던 옛날이야기에 기반을 두고 있는 반면 다른 것은 그의 창작물이다.

03 haven't touched를 받음

너는 그것을 아직 만지지 않았어, 그렇지?

04 necessary+that+S(+should)+동사원형

그녀가 즉시 그 장소를 떠나야 할 필요가 있다.

05 importance+that+S(+should)+동사원형, 명사 앞에 of를 사용하여 형용사처럼 사용 가능

긍정적인 방향에서 시작해야 하는 것은 가장 중요하다.

06 essential+that+S(+should)+동사원형

나는 그가 케네디와 말다툼하는 걸 들었어. 케네디와 이야기할 때는 침착함을 유지하는 게 중요해.

07 앞의 동사 absorb를 받고 있으므로 does가 적절

온도계를 직사광선에 두면, 붉은색의 알코올은 맑은 공기가 그러는 것보다 더 많은 햇빛을 흡수한다.

08 vital+that+S(+should)+동사원형

도시의 모든 학생들에게 최고의 예술 작품들이 무료로 공개되는 것이 중요하다.

09 necessary+that+S(+should)+동사원형

봉급은 나이와 경험에 상응해야 할 필요가 있다.

10 was를 받음, '평소에 흥분하는 것보다'라는 의미이므로 현재가 쓰임

제퍼슨은 평소보다 더 경기에 흥분했다.

ACTUAL TEST
P. 175

01 ③   **02** ②

01 ③ the older adults와 the younger group의 preference를 비교해야 하므로 the younger group이 아니라 that of the younger group가 돼야 함 ① 대상이 질문을 받는다는 의미 ② 'alone, with ~, or with ~'로 병렬 구조 ④ vital+that+S(+should)+동사원형 '~은 중요하다' ⑤ 전치사+동명사

코네티컷 대학교의 심리학자인 메리 크로퍼드는 30세에서 90세 사이의 성인 천 명을 연구했다. 실험 대상자들은 그들의 운동 스타일이 혼자 하는 것인지, 같은 나이대의 사람과 하는 것인지, 아니면 다른 나이대의 사람과 하는 것인지 질문을 받았다. 연구에 따르면, 나이가 든 사람과 젊은 사람 모두 그들의 나이 또래의 사람과 함께 운동하는 경향을 보인다. 반면 혼자 운동하기를 원하는 집단은 없었다. 특히 나이가 든 성인일수록 단체 운동에 대한 선호도는 젊은 그룹의 사람의 선호도보다 더 높았다. 결론적으로 사회는 그룹 운동을 위한 기회를 확대함으로써 건강하고 신체적으로 활동적인 생활 방식을 격려하는 기회를 더욱 촉진시키기 위한 조치를 취하는 것은 중요하다.

preference 선호도 **promote** 촉진하다 **physically** 신체적으로
expand 확장하다

02 (A) '비록 동의하지만'이라는 내용이므로 Though가 적절 (B) spend를 받으므로 do가 적절 (C) 지나치게 많은 화면 보는 시간이 창조성을 망치게 한다는 뜻으로 목적어와 목적격 보어 능동 관계. let+목적어+동사원형

친구 중 한 명은 최근에 한 살짜리 딸에게 노트북을 사주었다. 그는 아이들을 미디어에 유창하도록 키워야 한다고 말한다. 비록 나는 우리가 미디어를 잘 다루는 아이로 키워야 한다는 점에 있어서 동의하지만, 그는 근본적으로 우리가 처한 문화적 환경을 오판하고 있다고 생각한다. 일반적인 아이가 초등학교를 졸업할 때까지 그 아이는 1만 1천 시간을 학교에서 보내고, 1만 5천 시간을 TV를 보는 데 쓴다. 6세 미만의 아이들은 독서를 하는 것 보다 더 많은 시간을 TV를 보거나 비디오 게임을 하는 데 쓰고 있다. 나는 우리 집에서 기술을 금지하지는 않지만 항상 제한이라는 것을 둔다. 아이들은 무한한 창조성을 가지고 태어나며, 우리는 지나친 화면을 보면서 지내는 시간이 그것을 망치지 않도록 해야 한다.

fundamentally 근본적으로 **misjudge** 오판하다 **ban** 금지하다
infinite 무한한 **excessive** 초과하는 **spoil** 망치다

UNIT 067~068

🔍 Check-up
P. 176-177

067 1. should have paid   2. may have used
068 1. must have been   2. need not

067

1. 예전에 그에게 관심을 기울이지 않았던 것을 후회

나는 그에게 관심을 기울이지 않았던 것을 후회한다. 다시 말해서, 그에게 좀 더 신경을 썼어야만 했다.

2. 과거의 내용 〈조동사+have p.p.〉

우리 초기 조상들은 손가락을 사용하거나, 나뭇가지에 /// 같은 표시를 새겨 놓았을 것이다.

068

1. 과거 사실에 대한 확신

줄리엣은 나만큼이나 놀랐음에 틀림없다. 왜냐하면 나는 그녀가 도망가는 것을 봤기 때문이다.

2. 할 필요 없었다는 의미

네가 그랬구나. 나는 네가 존에게 회사에서 해고당했다는 사실을 알릴 필요가 없었다고 생각해.

EXERCISE
P. 178

01 should   **02** should   **03** must   **04** have had
05 have discovered   **06** must   **07** must   **08** cannot
09 need not   **10** must have succeeded

01 과거 사실에 대한 후회

그는 수학 시험에 떨어졌다. 그는 수학 시간에 공부에 집중해야 했다.

02 과거 사실에 대한 후회

내 잃어버린 책을 샅샅이 찾았는데 찾을 수가 없어. 책에 내 이름을 적어 놨어야 했는데.

03 과거 사실에 대한 확신

땅에 있는 물을 봐. 지난 밤 엄청난 폭우가 왔음에 틀림없어.

04 과거의 내용 〈조동사+have p.p.〉

테레사는 그녀가 아버지가 심장병에 걸렸을 때 병원에 가도록 설득하는데 힘이 들었을 것이다.

05 과거의 내용 〈조동사+have p.p.〉

컴퓨터는 과학자들이 자신의 힘으로 발견했을 리가 없는 몇 가지 결과를 찾을 수 있도록 해주었다.

06 과거 사실에 대한 확신

토미는 일본어를 매우 잘하기 때문에 일본에 살았음에 틀림없어.

07 과거 사실에 대한 확신, 만났음에 틀림없다는 의미

그녀와 함께 있는 사진으로 봐서 제롬은 카페에서 줄리를 만난 게 틀림없어.

08 과거 사실에 대한 확신, 갔었을 리가 없다는 뜻

네가 파티에 갔었을 리가 없어. 난 너를 거기서 보지 못했거든.

09 과거 사실에 대한 불필요, 사건이 종료되었으므로 만날 필요가 없었다는 의미

우리가 이미 사건을 종결했으므로 피터는 용의자를 만날 필요가 없었다.

10 과거 사실에 대한 확신, 탈출에 성공했음이 틀림없다는 의미

경찰이 여전히 케빈을 찾고 있으므로 그는 탈출에 성공했음이 틀림없다.

ACTUAL TEST   P. 179

01 ②   **02** ③

01 ② '시작했음이 틀림없다'라는 의미. must start가 아니라 must have started가 돼야 함 ① '발견된 동물'이라는 뜻 ③ '살 수 있었다'라는 뜻 ④ '큰 바다였을 수도 있다'라는 의미의 과거 사실의 추측 ⑤ the main ocean을 수식하는 관계부사절

이 행성에서의 생물의 형태는 바다에서 처음 진화되었다고 생각된다. 아직까지 육지에서 발견된 생명이 없었을 때, 바다는 이미 생물로 가득 차 있었다. 그때 일정 시점에서 바다 생물체 중 하나가 마른 육지 위로 과감히 올라오기 시작했음이 틀림없다. 처음에는 아마도 몇 인치 정도만 올라 왔겠지만 곧 행성을 누르는 엄청난 중력의 힘에 지쳐 버렸을 것이다. 그래서 중력이 거의 존재하지 않고 훨씬 더 편안히 살 수 있는 물로 되돌아간다. 그리고 그때 그 생물은 반복해서 시도하고 훨씬 더 나중에 육지의 생활에 적응할 수 있었을 것이고, 지느러미 대신 발이 자라고, 아가미 대신 폐가 발달했을 것이다. 물고기가 그들의 서식지를 떠나게 하고 진화하도록 만든 것은 물이 수천 년 동안 점차적으로 밀려 나갔던 대양으로부터 떨어져 나간 커다란 바다였을 수도 있다.

venture 모험을 하다 **exhausted** 기진맥진한 **enormous** 거대한 **gravitational** 중력의 **nonexistent** 존재하지 않는 **adapt** 순응시키다 **fin** 지느러미 **habitat** 서식지 **recede** 물러나다

02 (A) 뒤에 found라는 본동사가 나오므로 Researchers를 수식하는 분사 working이 적절. 조사자들이 일을 하는 것이므로 능동 (B) 뒤에 오는 문장이 완전하므로 after which가 적절 (C) 진통제를 주었음에 틀림없다는 과거 사실에 대한 확신

우리 석기 시대의 조상들은 당신이 생각하는 것 보다 더 좋은 의사였다. 사실 새롭게 발굴된 증거들은 그들이 상대적으로 정교한 수술을 했음을 알려 준다. 파리 남부에서 40마일 정도 떨어진 신석기 시대의 무덤을 연구하는 연구원들은 손상되지 않은 대부분의 유골과 함께 노인의 골격을 발견했지만 왼팔이나 팔뚝은 없었다. 생물학적 방사선 분석을 한 이후에, 고고학자들은 아마 그의 팔이 전쟁에서 손상되었고 그 후에 의도적이고 성공적인 절단을 받았다고 결론지었다. 아마도 날카로운 부싯돌로 인해 생겼을 그 절단면은 깨끗했다. 감염의 흔적은 없었는데, 이는 수술이 상대적으로 무균 상태에서 이루어졌음을 알려 준다. 그리고 의사는 틀림없이 환자에게 안정 상태를 유지할 수 있는 아마도 진통 성분이 있는 식물 같은 무언가를 주었음에 틀림없다.

unearthed 발굴된 **sophisticated** 정교한 **Neolithic** 신석기의 **intact** 손대지 않은 **forearm** 팔뚝 **radiological** 방사선물질의 **intentional** 고의적으로 **aseptic** 무균의 **infection** 감염 **flint** 부싯돌

REVIEW TEST   P. 180

01 attends → (should) attend   **02** did → was   **03** not → didn't   **04** did → were   **05** could have emerged   **06** must have forgotten   **07** should have given   **08** could not have done   **09** need not have worried   **10** should have called

01 required 뒤 that절의 내용이 당위성을 지님

법원은 배심원 각자에게 회의에 참여해야 한다고 요구했지만, 어느 누구도 오지 않았다.

02 was ~ prepared를 받음

분명히 그녀는 상대방보다 대통령이 될 준비가 훨씬 더 잘 되어 있었고, 실제로 해냈다.

03 insisted 뒤 that절의 내용이 당위성을 지니지 않음

제이미는 한 걸음 물러날 표시도 보여 주지 않았고 자신은 어떤 잘못된 말을 하지 않았으므로 사과할 필요도 없다고 주장했다.

04 앞의 were를 받는 대동사이므로 were가 적절

아이들은 지나치게 자극을 받고 짜증이 났으며 부모들도 마찬가지였다.

05 과거 사실에 대한 추측

언어의 기원은 오랫동안 미스터리였다. 하지만 최근의 증거는 우리의 독점적인 언어 능력은 우리 조상의 몸짓에 의한 의사소통에서 나왔을 수도 있다고 알려 준다.

06 과거 사실에 대한 확신

닐은 나를 정오에 태우러 오기로 했던 것을 잊었음에 틀림없다. 그렇지 않으면 그는 여기 왔어야 했다.

07 과거 사실에 대한 유감, 일어나지 않은 일

준은 아들과 딸에게 유언을 했어야 했다. 그들은 그녀에게서 유언을 듣지 못한 것을 애석하게 생각한다.

08 과거 사실에 대한 추측

컴퓨터는 수학자들이 자신의 힘으로 할 수 없었던 다양한 결과를 알게 해 줄 수 있다.

09 '걱정할 필요 없었다'라는 뜻, 과거에 일어난 일에 대한 불필요를 표현

켄은 그녀가 집에 돌아온 것에 대해서 걱정할 필요가 없었는데, 왜냐하면 그녀는 그때 자기 방 침대에서 자고 있었기 때문이다.

10 '전화했었어야 했다'라는 의미, 과거 사실에 대한 유감

메건은 친구네 집에서 자고 갈 거라고 부모께 알리기 위해 전화했었어야 했다. 그녀의 부모가 경찰에 전화해서 실종 신고를 했다.

FINAL CHECK   P. 181-183

01 ⑤   **02** ⑤   **03** ⑤   **04** ①   **05** ③   **06** ③

01 ⑤ suggest 뒤 that절의 내용이 당위성이 아니므로 stimulate가 아니라 stimulates가 돼야 함 ① 뇌가 성장하는 것이므로 능동. 〈사역동사(makes)+목적어+동사원형〉 구조 ② 완전한 문장을 이끄는 관계부사 ③ access가 명사로 사용되므로 to가 붙음 ④ '~은 알려지지 않았다'라는 의미로 it은 가주어, why절은 진주어

달리기는 심장과 허리둘레에만 좋은 것은 아니다. 그것은 두뇌를 성장하게 만든다. 이는 최근 과학자들이 쳇바퀴에 접근했던 쥐들이 그렇지 않았던 쥐보다 기억력 테스트에서 더 좋은 성과를 보여준다는 것을 발견한 케임브리지 대학교의 한 연구 결과다. 과학자들이 두뇌 조직 샘플을 추출했을 때, 그들은 달리기를 한 쥐가 기억력의 형성과 재수집에 관련된 부분인 뇌의 해마의 톱니 모양의 뇌주름이 있는 부위에서 수천 개의 새로운 세포가 자랐음을 발견했다. 뛰지 않은 쥐들의 두뇌는 어떠한 성장도 보여주지 못했다. 왜 유산소 운동이 이런 이점을 가지는지 알려져 있지는 않다. 일부는 두뇌로의 증가된 혈액 흐름이 세포가 성장하도록 자극한다고 주장한다. 덧붙여, 그렇지 않으면 달리는 것이 뇌세포의 성장을 방해하는 스트레스 호르몬인 코티졸의 활동을 억제하기 때문이라고도 한다.

implication 결과, 암시 tissue 조직 associated with ~과 연관된 re-collection 재수집 stimulate 자극하다 alternatively 그렇지 않으면 inhibit 억제하다 restrict 제한하다

02 (A) a rich and old English man이 선행사이므로 who가 적절 (B) 5문형 동사의 목적격 보어인데, the door가 잠기는 것이므로 locked가 적절 (C) 그녀의 말에 의하면 재산을 물려준 게 틀림없으므로 must가 적절

나는 마담 윌리스의 재판을 보고 있다. 그녀는 옆 칸에서 심장마비가 온 부유하고 나이가 많은 영국인을 기차에서 구했다는 거짓말을 하고 있다. 그녀에 따르면, 그의 신음 소리를 들은 후에 그곳으로 뛰어갔고 문이 잠겨 있는 걸 알았다. 그때 그녀는 기차 지붕 위로 올라가서 객실 칸의 창문을 부수고 결국 그를 구했다고 말했다. 그녀는 남자에게서 온 편지를 꺼냈는데, 물론 이것 또한 그녀의 주장일 뿐이다. 그녀는 그의 재산을 그녀에게 주기로 약속했음에 틀림없다고 재판관에게 장담했다. 물론 모두 위조한 것이었다. 영국인이나, 부자, 다른 것은 없었다. 이 편지를 근거로 그녀는 재판장에 설 때까지 마담 윌리스의 삶을 살아왔던 것이다.

carriage 객실 moan 신음 assure ~임을 장담하다

03 ⑤ sink를 받으므로 were가 아니라 did가 적절 ① '적당한 가격의 도시'라는 뜻으로 〈부사+형용사〉 구조 ② 전치사 to의 목적어가 없는 불완전한 문장이 오므로 what이 적절 ③ squeeze의 주체와 대상이 these people로 동일 ④ '더 비싼 도시에서 이사 오는 사람들'이라는 의미로 people을 수식하는 분사, 사람들이 이사 오는 것이므로 능동

고정하기는 특정한 가격대에 마음을 붙이는 것을 말하는데 모든 종류의 구매에 영향을 미친다. 예를 들어서 우리 시몬슨과 조지 뢰벤슈타인은 비싸지 않은 지역에서 적당한 가격의 도시로 이사 오는 사람들이 새로운 지역에 맞추기 위해 그들의 지출을 증가시키지 않는다는 것을 발견했다. 비록 이것이 그들과 가족들을 더 작고 덜 편한 집으로 밀어 넣는 것을 의미할지라도 오히려 이 사람들은 그들이 이전의 지역에서 사용했던 것과 유사한 금액을 지출한다. 마찬가지로 더 비싼 도시에서 이주하는 사람들은 그들이 과거에 그랬던 것처럼 동일한 양의 돈을 그들의 새로운 주거 상황에 투자한다. 비싼 지역으로부터 이사 온 사람들은 그들이 적당한 가격의 도시로 이주해올 때 일반적으로 그들의 지출을 많이 줄이지 않는다.

anchoring 고정하기 influence 영향을 주다 moderately 적절히 likewise 마찬가지로 downsize (규모를) 줄이다

04 (A) 북극곰이 멸종에 직면해 있다는 사실이 북극곰을 기후 변화의 아이콘으로 만든 것이므로 앞이 원인, 뒤가 결과가 됨. '그것이 ~ 한 이유이다'라는 뜻의 why가 적절 (B) seals가 주어이므로 spend가 적절 (C) shrinks를 받으므로 does가 적절

북극곰은 지구 온난화로 인해 멸종에 직면한 최초의 거대 포유류이다. 이것은 왜 북극곰이 기후 변화의 상징적 이미지가 되었느냐에 대한 이유이다. 한 연구는 북극곰의 개체 수는 엄청나게 감소했으며, 지금은 단지 1만 5천 마리만 생존해 있을 뿐이라는 것을 발견했다. 북극곰 개체 수의 감소 속도는 얼음의 감소 속도와 비슷하다. 또한 북극곰의 주된 먹이인 물개는 얼음 위에서 대부분의 시간을 소비한다. 물개들은 먹이를 먹고, 잠을 자고, 출산을 하기 위해 얼음에 의존한다. 얼음이 줄어들 때 번식이 가능한 장소도 줄어든다. 다시 말해서 얼음이 줄어들수록, 북극곰이 사냥할 기회도 적어진다는 것이다.

iconic 상징적인 shrink 감소하다 coverage 범위

05 ③ 이벤트는 기억되는 것이므로 remember가 아니라 be remembered가 돼야 함 ① suggests 뒤 that절의 내용이 당위성을 지니지 않음. '당황과 부끄러움은 다른 경험이다'라는 뜻 ② 〈cause+목적어+목적격 보어(to부정사)〉 구조 ④ 수정될 필요가 있다는 뜻으로 need 다음에 동명사가 올 경우 수동의 의미를 지님 ⑤ 완전한 문장을 이끄는 how

우리는 종종 부끄러움을 당황의 강력한 형태로 본다. 하지만 최근의 연구는 당황과 부끄러움은 상당히 다른 경험임을 나타낸다. 일반적으로 전자는 다른 사람이 주변에 있을 때 발생한 상대적으로 사소한 사건의 결과이다. 그것은 사람이 얼굴이 붉어지게 한다. 또한 당황은 놀람뿐만 아니라 미소나 농담과 함께 기억된다. 당황은 사람이 상황을 수정해야만 한다는 느낌을 가져오지는 않는다. 반면에 후자는 사람이 그들의 결점을 남에게 뿐만 아니라 자기 자신에게 드러냈을 때 나타난다. 게다가 사람들은 그 상황이 수정될 필요가 있음을 느끼도록 한다. 게다가 당황은 다른 사람들이 우리를 어떻게 보느냐와 강한 관련이 있는 반면, 부끄러움은 흔히 당사자 혼자 있을 때 느끼는 것이다.

considerably 상당히 blush 붉어지다 drawback 결점

06 (A) 뒤에 완전한 문장이 오므로 〈전치사+관계사〉 구문인 of which가 적절 (B) 과거에 하지 않은 일에 대한 유감의 표현이므로 should가 적절, 신이 시도했어야 한다는 뜻 (C) '같은 태도로 대하면서'라는 의미의 분사구문을 이끄는 분사이므로 treating이 적절, 앞에 본동사가 나오므로 동사인 treat은 될 수 없음

한 철학자가 해안가에서 배 한 척이 난파되어 승무원과 승객들이 모두 익사한 것을 목격하였다. 그는 신이 그렇게 수많은 무고한 사람들을 죽게 놔 두지 말았어야 했다고 생각하며, 신의 정의롭지 못함을 비난했다. 그가 이런 생각에 빠져있을 때, 그가 서있던 곳 근처에 살던 개미 떼가 자신을 둘러싸고 있다는 사실을 깨달았다. 개미 떼 중 몇 마리는 그를 타고 올라와 물었고, 그는 즉시 그 개미들을 발로 짓밟아 죽여 버렸다. 그 순간, 전령의 신인 머큐리가 나타나 말했다. "당신은 이 가엾은 개미들을 그런 태도로 대하면서, 정말 신의 처사에 대해 심판자 노릇을 하는 건가요?"

witness 목격하다 shipwreck 난파 injustice 정의롭지 못함 perish 죽다 reflection 심사숙고 trample 짓밟다

chapter

08 수동태

UNIT 069~070

✓ Check-up   P. 186-187

069 1. be built   2. is made
070 1. be held   2. was asked

069

1. a new building이 짓는 것이 아니라 지어지는 것

건설 비용이 높아진다는 사실에도 불구하고, 다음 달에 캠퍼스에 새로운 건물이 건설될 것이다.

2. be made up of '~으로 구성되다'

지구의 세 번째 층, 즉 핵은 니켈과 코발트로 구성되며, 매우 높은 온도에 도달한다.

070

1. 시상식이 개최하는 것이 아니라 개최되는 것

자치구의 연말 시상식은 4월 10일에 후버 고등학교 강당에서 열릴 것이다.

2. 교수가 질문을 한 것이 아니라 질문을 받은 것

유명한 교수는 성공의 비결에 대한 질문을 받았을 때 "일찍 일어나는 새"라고 대답했다.

EXERCISE   P. 188

01 being held   02 be held   03 held   04 known
05 be stored   06 counted   07 being watched
08 was made   09 been offered   10 carried

---

01 축제가 개최하는 것이 아니라 개최되는 것

축구의 가장 다채로운 축제가 남아프리카에서 열리고 있다.

02 특별한 회의가 개최하는 것이 아니라 개최되는 것

언론인 사이에 활발한 토론과 벤치마킹 기회를 촉진시키기 위한 특별 회의가 열릴 것이다.

03 픽업트럭이 소다 캔을 담고 있는 것

어떤 때, 그들은 픽업트럭이 얼마나 많은 소다캔을 싣고 있는지 맞추는 대회에 참여했다.

04 be known as '~으로 알려지다'

그 차용된 합성 재료는 하이브리드 금속으로 알려져 있고, 세계적으로 우리의 삶의 질을 향상시키고 있다.

05 음악이 저장을 하는 것이 아니라 저장되는 것

음악은 우리가 들을 수 있는 원래의 소리로 전환된 MP3나 WAV 파일로 디지털화되어 저장될 수 있다.

06 투표수가 집계하는 것이 아니라 집계되는 것

투표수가 집계되고, 가장 많은 표를 얻은 사람이 새 반장이 된다.

07 카메라가 비추는 것이므로 그들은 카메라에 의해 비춰지는 것

만약 카메라가 충분히 오랫동안 그들을 비춘다면, 그들은 자신들이 여전히 비춰지고 있는지 알기 위해 교묘하게 확인할 것이다.

08 be made up of '~으로 구성되다'

한 글자는 세 개의 수직선으로 이루어졌고, 중국어로 '강'을 나타낸다.

09 극장에 자주 가는 사람들에게 좋은 연극이 제공되는 것

극장을 자주 찾는 많은 사람들에게 수십 년 동안 〈웨스트사이드 스토리〉, 〈왕과 나〉, 〈드라큘라〉를 포함한 많은 좋은 연극이 제공된다.

10 내 발이 운반된 것이 아니고, 발이 나를 운반한 것으로 볼 수 있음

나는 여전히 5월의 어느 날 내 작은 발이 나를 자동차 경주장의 특별 관중석으로 나를 데려갔을 때 느꼈던 최고의 기분을 기억한다.

ACTUAL TEST   P. 189

01 ①   02 ④

---

01 ① it은 something을 지칭하고 그것이 하는 것이 아니라 되어지는 것이므로 do가 아니라 be done이 돼야 함 ② Making up excuses가 주어, takes가 동사 ③ enjoy의 목적어가 되는 making ④ 〈형용

사+enough〉 '충분히 ~한' ⑤ all the ways를 선행사로 받는 관계부사

우리 모두는 왜 어떤 일을 할 수 없는지에 대한 변명을 한다. 어느 누구에게 물어보더라도 그가 왜 그 일을 할 수 없고, 왜 자신의 목표를 향해 나아가지 않았는지 등에 대한 수많은 변명을 할 수 있을 것이다. 변명을 만들어 내는 데에는 많은 에너지와 시간이 소요된다. 우리가 변명을 만들어 내는 것을 즐기는 것 같으니, 나에게 아주 좋은 생각이 있다. 긍정적인 변명을 만들자. 그 일이 안 될 것이라는 온갖 종류의 변명을 떠올리는 대신에 왜 그 일이 될 수 있는지에 대해 집중하자. 이런 변명이다. "지금이 더할 나위 없이 좋은 때다. 내 나이 정도면 충분하다. 내가 그 일을 할 수 있는 적임자이다. 나는 그 일을 할 수 있는 모든 방법을 알고 있다." 사실상 당신이 왜 할 수 있는지에 대한 변명은 무수히 많다.

forward 앞으로 **come up with** (생각이) 떠오르다

02 (A) 뒤에 완전한 문장이 오므로 in which가 적절 (B) 연극이 읽기 수업을 주는 것이 아니라 연극이 읽기 수업으로 주어지는 것이므로 are given이 적절 (C) allow+목적어+to부정사 '~에게 …을 허락하다'

교사들은 바터 학교의 전문가들이 그들에게 제공하는 극작 교수법을 제공하는 워크숍에 적어도 한 번은 참가해야만 한다. 극작에 대한 교실 수업을 받은 이후 학생들은 극을 개발하고, 그것들을 바터 교수진에게 피드백과 비평을 받기 위해서 제출해야 한다. 그 연극은 10분을 넘어서는 안 된다. 3편의 우수작은 바터 극장에서 전문 배우에 의해 짧게 무대에 오르며, 선외 가작 다섯 편은 낭독되어진다. 학교는 학생들이 동료들의 작품을 볼 기회를 가지게 되는 아침 연극 공연에 초대된다. 밤 공연, 시상식, 리셉션은 대중에게 공개된다. 상위 3개 작품의 작가들은 상금과 바터의 전문가로부터 지도 수업을 받게 되는데, 이는 학생들이 연극과 극작 분야의 전문가와 소중한 일대일 시간을 가지는 것을 허락한다. 일등 학생의 교사는 바터 극장에서 하는 어떤 작품이든 원하는 작품의 티켓 2장을 받게 된다.

instruction 교수 **submit** 제출하다 **critique** 비판. 평론 **honorable** 명예로운 **performance** 공연 **valuable** 가치 있는

UNIT 071~072

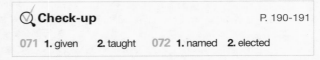

Check-up   P. 190-191

071 **1.** given   **2.** taught   072 **1.** named   **2.** elected

---

071

1. 경찰이 정보를 주는 것이 아니라, 경찰에게 정보가 주어지는 것

경찰은 실종된 소년에 대한 정보를 받았으나, 그것에 관심을 가지지 않았고 활용하지도 않았다.

2. 학생들이 가르치는 게 아니라 가르침을 받는 것

학생들은 필수 과목으로 생물학을 배웠고, 졸업 시험을 볼 예정이었다.

072

1. '수현이라고 불리는(이름 지어진) 한국인'이란 뜻

그들은 수현이라는 이름을 가진 어떤 한국인이 파리에서 실종되었다는 것을 알고 있다.

2. 그가 대통령으로 선출된 것

그는 지난 12월에 미국의 대통령으로 선출되었다.

01 were forbidden   02 allowed   03 required
04 is allowed to   05 was taught   06 be given   07 ordering
08 be given   09 is not considered   10 be sent

01 인디언이 금지한 것이 아니라 미국 원주민에게 금지된 것

19세기 중반에, 미국 원주민들은 허가 없이 이 지역을 떠나는 것이 금지되었다.

02 여성들이 허락하지 않은 것이 아니라 여성들에게 허락되지 않은 것

그리스의 여성들은 올림픽 게임에 참여하는 것이 허락되지 않았다.

03 자전거 타는 사람들이 요구한 것이 아니라 자전거 타는 사람들에게 요구되는 것

자전거 운전자들은 턱 스트랩이 있는 단단한 헬멧, 얼굴 보호 장치, 고글, 레이싱 복장, 장갑, 단단한 신발 같은 안전장치를 착용하는 것이 요구된다.

04 휴가 중인 부모가 허락하는 것이 아니라 그들에게 허락되는 것

휴가 중인 부모는 별도의 6개월 동안 직업 보장과 무급 휴가를 지속하도록 허용된다.

05 Ellen이 그림을 배운 것

엘런은 옥스퍼드에서 그림을 배웠는데, 그녀의 선생님들은 그녀의 뛰어난 그림 기술을 칭찬했다.

06 회사가 기회를 주는 것이 아니라 기회가 주어지는 것

다리를 재건하는 프로젝트에 입찰하는 모든 회사는 경쟁에 있어 동등한 기회를 받게 될 것이다.

07 주장이 팀원들에게 명령을 하는 것

다른 차와 충돌 후, 주장이 팀원들에게 당황하지 말라고 명령하고 있다.

08 대출이 회사에 주는 것이 아니라 주어지는 것

KEC 투자 은행의 대출은 일단 책임 있는 은행원이 승인하기만 하면 회사에게 주어지게 된다.

09 개가 좋게 생각하는 것이 아니라 좋은 개로 여겨지지 않는 것

개는 짖는다고 해서 좋은 개로 여겨지지 않고, 사람은 말을 할 줄 안다고 해서 똑똑한 것이 아니다.

10 You는 학생이므로 성적표를 보내는 것이 아니라 받는 것

시험이 끝났습니다. 당신은 다음 주 화요일에 성적표를 받게 될 것입니다.

01 ②   02 ②

01 ② they는 customers로 비싼 물건을 사도록 설득을 하는 것이 아니라, 설득 당하게 되는 것이므로 persuade가 아니라 be persuaded 가 적절 ① '~하기를 바라면서'라는 뜻의 분사구문 ③ to부정사의 의미상의 주어 ④ choices를 받는 대명사 ⑤ items가 주어, account가 동사

일부 패스트푸드 회사들은 고객들에게 더 나은 가치를 주기 위해서 그들 자신의 이익을 훼손한다. 불경기 동안, 회사들은 일단 고객들을 문 안으로 들어오기만 하면 더 비싼 상품을 주문하도록 설득될 것이라고 희망하면서 가격을 낮춘다. 하지만 많은 경우에 그러한 전략은 역효과를 낳는다. 작년에 버거킹 프랜차이즈는 회사의 더블 치즈버거 홍보에 대해 그들이 버거를 제조하는 데에 1.1달러를 사용할 때 그것을 1달러에 판매하도록 요구받는 것은 불공정하다고 주장하며 그 회사를 고소했다. 3월에 판사는 그 소송을 기각했다. 그럼에도 불구하고 그 회사는 비싼 상품에 대해 저렴한 선택을

홍보한 것을 아마도 후회하고 있을지도 모르는데, 그 회사의 세트 메뉴에 대한 상품들이 지난 12월에 10%까지 올라 이제 전체 판매의 30%가량을 차지하고 있기 때문이다.

recession 불경기 **persuade** 설득하다 **backfire** 역효과를 낳다
promotion 홍보, 촉진 **dismiss the suit** 소송을 기각하다

02 (A) 그가 요구한 것이 아니라 부탁 받은 것이므로 was asked가 적절 (B) 그의 반응이 마을 주민을 당황하게 만든 것이므로 puzzling이 적절 (C) 앞의 문장이 결과, 뒤에 나오는 문장이 원인이므로 because가 적절

짐은 아프리카의 작은 나라인 레소토에서 야외 작업을 했다. 현지인들과 공부하고 상호작용하면서, 그는 그들의 노래 중 하나에 참여하자고 요구받은 어느 날까지 참을성 있게 그들의 신뢰를 얻어냈다. 짐은 부드러운 목소리로 "나는 노래를 부르지 않아요."라고 대답했고, 이것은 사실이었다. 그는 뛰어난 오보에 연주자였음에도 불구하고, 간단한 멜로디의 노래도 부르지 못했다. 주민들은 그의 반응에 당혹스러워 했다. 그들은 짐을 응시하며 "말은 하면서 노래를 부르지 않는 이유가 뭡니까?"라고 말했다. "그것은 그들에게 있어서 마치 내가 두 다리가 있으면서 걷지 못하거나 춤을 추지 못한다고 말한 것만큼이나 상당히 이상한 것이었다"라고 짐은 나중에 회상했다. 이것은 노래하는 것과 춤추는 것이 그들의 삶에 있어서 모두와 관련된 자연스러운 활동이기 때문이다. '노래하기'에 대한 그들의 단어인 ho bina는 또한 '춤추는 것'이라는 의미도 가진다. 즉, 아무 차이점이 없는데, 노래가 신체의 움직임을 포함한다고 생각하기 때문이다.

interact 상호작용하다 **distinction** 차이점 **assume** 생각하다

UNIT 073~074

✅ Check-up   P. 194-195

073 1. resulting   2. consist of
074 1. based   2. called

073

1. result in '~을 야기하다', 가벼운 운동이 인식을 증가시키는 것

가벼운 운동은 뇌에 혈액의 흐름을 증가시켜 증가된 인식을 야기한다.

2. consist of '~으로 구성되다', 수동태 불가 동사

이 프로그램은 두 번째 해에 해외에서 개인화 된 집중 몰입 교육이 이어지는 미국 대학교에서의 1년 집중 프로그램으로 구성되어 있다.

074

1. based on '~에 기반을 둔'

돈에 기반을 둔 사랑보다 더 비열한 것은 없다.

2. 'white blood cells라고 불리는'이라는 뜻으로 수동

흔히 하얀색 피세포라고 불리는 백혈구는 신체가 혈액 내 감염된 부분을 직접 공격함으로써 감염으로부터 신체를 보호한다.

01 called   02 belong   03 consist   04 occurred   05 result
06 resemble   07 called   08 is placed   09 consist   10 looked

01 '여행의 기술이라고 불리는'이라는 뜻으로 수동

그것은 〈여행의 기술〉이라고 불리는 책에 나온 프랜시스 골턴의 조언이다.

02 belong to '~에 속하다', 수동태 불가 동사

당신은 후보자를 지명하고 관리를 선발하는 클럽이나 조직에 속하게 될 수도 있다.

03 consist of '~으로 구성되다', 수동태 불가 동사

우리의 경험은 우리가 느끼고 생각하는 것으로 구성될지도 모른다.

04 occur '~이 발생하다, 일어나다', 수동태 불가 동사

친구는 그녀의 생활에서 발생하는 모든 상황을 보고 "좋아!"라고 말하는 습관이 있다.

05 result from '~에서 기인하다, ~의 결과로서 생기다'

우리는 선거에서 기인할지도 모르는 다양한 시나리오를 준비하고 있다.

06 resemble은 수동태 불가 동사

약간의 차이점에도 불구하고, 당신과 그녀의 제안 중 몇 가지 중요한 부분이 서로 비슷하다.

07 '죽음의 먼지로 불리는'이라는 뜻의 수동

흔히 '죽음의 먼지'로 불리는 석면은 신축성있고 내화성이 있으며 전기가 통하지 않는 자연적으로 발생하는 광물질이다.

08 남한이 놓는 것이 아니라 놓여 있는 것

연구자들은 한국이 20개국 사이에서 경제 활성도가 중간 순위에 놓여 있다고 말했다.

09 consist of '~으로 구성되다', 수동태 불가 동사

모든 과학적 방법은 가설을 세우고, 자료를 수집하며, 결과를 검증하는 것으로 구성된다.

10. look은 자동사, 수동태 불가 동사

상황은 매우 이상해 보였는데 그것이 나를 이해하지 못하게 했다.

ACTUAL TEST   P. 197

01 ④   02 ⑤

01 ④ belong은 수동태로 쓸 수 없는 동사이므로 are belonged가 아니라 belong이 돼야 함 ① all you need to do가 주어, is가 동사, cf.) all you need to do나 유사 구문이 주어가 되는 경우 to부정사 보어의 to는 생략될 수 있음 ② '앉고자 하는 장소'라는 뜻, 선행사 the place를 생략 ③ something을 수식하는 형용사 ⑤ sitting in the middle on a bus라는 주격 보어가 앞으로 나간 도치 구문, independent thinkers가 주어, are가 동사

당신이 회사에 적합한 사람을 채용하고 있다는 것을 확신하고 싶은가? 그렇다면 당신이 할 필요가 있는 일은 대중교통을 타보는 것이다. 유명한 심리학자인 척 포셋 박사는 사람들이 버스에 앉는 장소에 따라 사람의 행실에 따른 명확한 패턴이 있다고 말했다. 그에 따르면 그들의 일상생활에서 버스에 타는 것만큼 습관적인 무언가가 상황에 어떻게 반응하는가를 드러냄으로써 그들이 어떤 종류의 사람인지를 드러낼 수 있다. 그는 앞자리에 앉는 사람은 앞서가는 사상가이며, 뒷자리에 있는 사람은 자신의 개인적인 공간을 침해 받는 것을 싫어하는 반항적인 기질의 사람이라고 결론내렸다. 버스의 중간에 앉는 사람은 독립적인 사상가인데, 보통 중년보다 젊고, 신문을 읽거나 개인 음악 플레이어로 음악을 들을 것이다.

ensure 확신하다 recruit 채용하다 public transport 대중교통 definite 명확한 habitual 습관적인 expose 드러내다 rebellious 반항적인 invade 침입하다

02 (A) readers가 주어이므로 want가 적절 (B) 이런 요구사항이 문학에 놓는 것이 아니라 놓여지는 것, 즉 '적용된다면'이라는 뜻, place는 타동사인데 뒤에 목적어가 오지 않았으므로 were placed가 적절 (C) 독자들이 믿는 것이므로 능동이고, 사역동사 make의 목적격 보어이

므로 trust가 적절

사람들은 비평을 읽을 때 주로 "증거"를 찾는다. 자신의 실험실에서 다시 실행해 볼 수 있는 종류의 증거를 요구하는 과학자들처럼, 비평을 읽는 독자들은 자신을 결론으로 이끌 모든 추리, 분석, 추론에 접근하기를 원한다. 하지만, 만약 이 요구 사항이 문학적 분석을 기반으로 한다면, 비평은 지루하게 길어질 것이다. 왜냐하면 항상 더 많은 것이 어떤 해석 관점에 대해 이야기될 수 있기 때문이다. 그래서 평론에서는 모든 요점을 증명하려는 것보다 주요 요점에 대한 설득력 있는 증거를 제시하는 것이 보다 효과가 있다. 주요 요점에 대한 저자의 적절하고 구체적인 처리는 덜 중요한 사안에 대한 자신의 판단을 신뢰하도록 한다.

critical 비판적인, 평론의 proof 증거 require 요구하다 duplicate 복사하다 laboratory 실험실 inference 추론 deduction 추론 interminable 끝없는 interpretive 해석의 persuasive 설득력이 있는 concrete 구체적인

REVIEW TEST   P. 198

01 is consisted → consists   02 found → been found   03 allow → are allowed   04 treat → are treated   05 considers → is considered   06 were taught   07 been found   08 were given   09 are based   10 was made up

01 consist of '~을 구성되다', 수동태 불가 동사

그 결과 쾨베클리 테페는 하나일 뿐만 아니라 많은 그런 석기시대의 신전으로 구성되어 있다는 것이 명확해 졌다.

02 '지금까지 발굴된 것'이라는 뜻

지금까지 발굴된 것에 근거하면, 그 양식 원리는 각 시설의 중앙에 세 개의 거대한 기념비적인 기둥이 있다는 것 같다.

03 학생들이 허락하는 것이 아니라 학생들에게 허락되는 것

늦게 자는 것을 허락 받은 학생들은 아마도 그들이 충분한 수면을 취하지 않았다는 단순한 이유 때문에 우울증으로 고생할 확률이 더 높다.

04 흑인 배역이 다루는 것이 아니라, 다뤄지는 것

흑인 배역이 대중 매체에서 어떻게 대우받는지 보는 것은 의식적, 비의식적으로 인종에 대한 생각에 영향을 줄 수 있다.

05 교육가가 유치원의 아버지를 생각하는 것이 아니라, 유치원의 아버지로 여겨지는 것

유치원의 아버지라고 여겨지는 교육가는 교육적인 환경에서의 통합 놀이는 아이들을 사로잡으며 배움에 대한 장기적인 관심을 장려한다고 주장했다.

06 학생들이 가르치는 것이 아니라 배우는 것

부유한 부모들은 사립학교를 보내는 반면, 가난한 부모들은 그들의 아이들이 공립학교에서 얼마나 엉망으로 배우는지 이해하지 못한다는 사실을 거의 알지 못한다.

07 다른 유전자들이 발견하는 게 아니라 발견되는 것

다른 유전자들이 유방암에 영향을 준다고 알려진 방식으로 유전자 그 자체가 신용 카드 부채에 영향을 준다.

08 환자들이 위약을 주는 것이 아니라 받는 것

위약을 받았던 심각한 우울증을 겪는 환자들은 그들의 증상이 호전되는 것을 알았다.

09 be based on '~에 근거를 두다'

많은 학교의 교육 과정은 지식은 전문적인 교육가로부터 수동적인 학생에게로 흐른다는 오래된 패러다임에 근거를 두고 있다.

10 be made up of '~으로 구성되다'

아이들의 관계에 대한 지식이 성장함에 따라, 세상은 사물뿐만 아니라 시스템으로 이루어져 있음을 알게 된다.

FINAL CHECK
P. 199-201

01 ②　02 ②　03 ④　04 ④　05 ①　06 ③

01 ② 소주가 소에게 먹여지는 것이므로 feed가 아니라 were fed가 돼야 함 ① 부정어인 nor가 앞에 나와서 주어, 동사가 도치 ③ 불완전한 문장을 이끄는 what ④ The feel-good aspect가 주어, is가 동사 ⑤ without+-ing '~없이'

한국의 소는 스페인에서 하는 것처럼 투우사와 싸우지 않으며 죽을 때까지 싸우지도 않는다. 대신에 다른 소와 전국적인 경기에서 싸우는데, 이는 고대로 거슬러 올라간다. 싸우는 날, 일부 소는 그들에게 투쟁심을 주기 위해 한국 고유의 정제된 음료이자 전통적으로 쌀로 만들어진 소주를 먹는다. 비록 도박이 건전한 관중을 위한 유일한 이유는 아니지만, 소싸움은 당신이 법적으로 돈을 걸 수 있는 몇 안 되는 스포츠 중 하나이다. 많은 한국 사람들은 한때 구식이고 죽어가는 것처럼 보였던 마을 스포츠였던 유산의 가치를 재발견하고 있다. 소싸움의 기분 좋은 면은 확실히 매력 중 하나이다. 물리적인 힘의 싸움은 이 놀랍도록 강한 생물이 죽을 필요 없이 즐길 수 있다.

grapple 맞붙어 싸우다 **date back** 거슬러 올라가다 **distill** 정제하다 **beverage** 음료수 **combative** 전투적인 **heritage** 유산 **outdated** 오래된 **aspect** 면

02 (A) A ticket이므로 is가 적절 (B) '~이 발생하다'라는 뜻, happen은 자동사로 수동태 불가 동사이므로 happening이 적절 (C) '잡힌'이라는 뜻이므로 caught가 적절, 앞에 who is가 생략됐다고 볼 수 있음

이미 백오십만 장 이상의 표가 올 여름 런던의 올림픽 경기를 위해 판매되었다. 많은 입장권은 진정한 스포츠 팬들이 구입했다. 그러나 그렇지 않은 것도 있다. 어떤 입장권 소지자들은 벌써 암시장에서 폭등한 가격으로 자신의 입장권을 팔고 있다. 원래 400달러가 안 되는 개막식 입장권이 현재 4천 달러 이상에 판매되고 있다. 이런 일은 일어나서는 안 되는 일이다. 올림픽 규칙은 다른 사람에게 입장권을 양도할 수는 있지만, 경제적인 이득을 위해 그렇게 하는 것은 안 된다고 정해져 있다. 누구라도 잡히는 사람은 엄청난 벌금형에 처해지지만, 이것이 인터넷에서 공개적으로 입장권을 파는 사람들을 막지 못하고 있다.

genuine 진짜의 **inflated** 폭등한 **be supposed to** ~하기로 되어 있다 **transfer** 넘겨주다 **face** 직면하다 **fine** 벌금

03 ④ 고양이가 잡는 것이 아니라 잡히는 것이므로 hold가 아니라 be held가 돼야 함 ① to부정사의 부정, 〈not+to부정사〉 ② 전치사+동명사 ③ 고양이들이 들려 다니는 것을 싫어하는 것, 〈사역동사+목적어+동사원형〉 구조 ⑤ sure의 목적어절을 이끄는 접속사 that

일부 고양이와 새끼 고양이가 아이들과 함께 있을 수 있는 게 얼마나 관대한가는 놀랍지만 지금 여러분이 시험대에 올라야 할 것은 이것이 아니다. 당신은 아이들에게 특히 고양이가 침대에서 쉬고 있을 때, 그 고양이를 잡음으로써 고양이를 방해하지 말라고 가르쳐야 한다. 어린 아이들이 새끼 고양이나 고양이를 잡지 못하게 하라. 왜냐하면 아이들은 고양이를 복부 부근을 너무 세게 쥐어짤 수 있고, 고양이들이 옮겨지는 걸 싫어하게 만들기 때문이다. 대신에 고양이들이 아이들의 무릎에 올라가서 쓰다듬어지도록 해라. 아이들에게 고양이를 쓰다듬는 법과 고양이를 집어 올려서 옮기는 법을 보여 주어라. 고양이는 이런 접촉을 하는 동안에 절대로 눌러져서는 안 된다. 그리고 아이들이 고양이가 원하는 어디든지 걸어갈 수 있도록 해야 한다는 점을 이해하는 것을 확인해야 한다.

tolerant 관대한 **disturb** 방해하다 **grab** 움켜잡다 **encounter** 접촉, 만남

04 (A) 뒤에 명사구가 오므로 because of가 적절 (B) 주절의 시제보다 먼저 일어난 일이므로 having migrated가 적절 (C) 뒤에 주어가 없는 불완전한 문장이 오므로 what이 적절

리주는 30세의 LCD 공장에서 일하는 근로자이며 중국 진링성의 작은 마을 출신이다. 가족과 마을의 모든 사람과 함께 리주는 Three Georges댐으로 알려진 양쯔강에 있는 세계에서 가장 큰 수력 발전소의 건설 때문에 알고 지냈던 유일한 집을 떠나야만 했다. 그가 지난 10년 동안 집을 떠나 도시로 이주한 유일한 사람은 아니다. 그와 같은 수백만 명의 사람들이 존재한다. 안락은 더 돈을 벌고 개선된 삶의 질을 이룰 더 나은 기회일 뿐 아니라 그의 꿈이었다. 물론 이주자들이 더 나은 수입을 가지게 될 것이라는 것은 사실이다. 하지만 증가한 수입과 함께 새롭게 그들의 삶에 주입된 것이 오랜 노동 시간과 늘어난 안전 위험이기 때문에 그가 살아왔던 삶보다 더 나은 삶이라고 말하기는 어렵다.

be forced to ~해야 한다 **construction** 건설 **hydroelectric** 수력 발전의 **migrant** 이주자 **inject** 주입하다 **hazard** 위험

05 ① 말을 하는 것이 아니라 말을 듣는다는 의미이므로 telling이 아니라 told가 적절 ② 앞 문장이 결과, 뒤 문장이 원인, 뒤 문장 때문에 앞 문장이 일어났다는 의미 ③ The toughness가 주어, is가 동사 ④ water를 선행사로 받는 관계부사 ⑤ them은 scales of fish를 의미

수영하러 갈 때, 당신은 바위에 부딪쳐 멍들지 않도록 조심하라는 말을 항상 듣게 된다. 하지만 물속에서 헤엄치는 물고기들은 바위의 틈과 가시 달린 수초의 줄기 사이를 헤엄치면서도 멍이 드는 일이 좀처럼 없다. 물고기의 몸에 보호층 역할을 하는 비늘이 있기 때문이다. 이런 비늘의 강도는 환경이 얼마나 가혹하냐에 의해 결정된다. 예를 들어, 거친 표면으로부터 자신의 몸을 보호해야 하는 곳에 사는 물고기의 비늘은 강하다. 심지어 어떤 사람들은 그것을 사포 대용으로 사용하기도 한다. 반면에 울퉁불퉁한 표면을 자주 접하지 않는 물고기는 부드러운 비늘을 가진다.

bruise 멍들게 하다 **rarely** 좀처럼 ~하지 않다 **scale** 비늘 **protective** 보호하는 **layer** 층 **determine** 결정하다 **harsh** 가혹한 **ragged** 거친 **surface** 표면 **substitute** 대용품

06 (A) a special prize가 주어이므로 was가 적절 (B) 뒤에 진목적어인 to recall이 나오므로 가목적어가 있는 it hard가 적절 (C) 많은 여성들이 질문을 하는 것이 아니라 질문을 받는 것이므로 asked가 적절

1995년에 소설 분야의 Orange Prize라고 불리는 여성 소설가를 위한 특별상이 영국에서 설립되었다. 이 상을 주는 것의 요점은 여성 작가들을 격려하고 그들의 작품에 대해 좀 더 많은 관심을 끌고자 하는 것이다. 최근에 사람들의 독서 습관이 Orange Prize가 시작된 이후 변했는지를 알기 위해서 연구원들은 100명의 영국 교수와 작가에게 그들이 읽은 소설들에 대해서 물어보았다. 이 집단은 남성과 여성 모두를 포함한다. 100명 모두는 Orange Prize를 지지한다고 했고, 작가의 성 때문에 책을 고르거나 피하지는 않는다고 했다. 그럼에도 불구하고 남자들은 주로 남자가 쓴 책을 읽는다는 것이 밝혀졌다. 연구원들이 "최근에 여성이 쓴 어떤 책을 읽었습니까?"라고 물었을 때, 대다수의 남자들은 떠올리기 어려워하거나 대답하지 못했다. 하지만 동일한 질문을 했을 때 여성들은 몇 개의 책 제목을 말할 수 있었다. 연구원들은 비록 남자들이 Orange Prize를 지지하는 것 같지만 남자에 의해 쓰여진 책을 읽기를 선택한다고 결론지었다.

fiction 소설 **establish** 설립하다 **attract** (관심을) 끌다 **gender** 성

UNIT 075~076

🔍 Check-up
P. 204-205

075 **1.** A little **2.** a few   **076** **1.** Much **2.** much

075

1. knowledge는 불가산 명사

약간의 지식(변변찮은 지식)이 우리가 실제보다 더 많이 안다고 생각하게 할 수 있다.

2. articles는 복수 명사

나는 이 전쟁이 시작되기 전에 〈이코노미스트〉에 기사를 몇 개 썼다.

076

1. comes가 동사, 단수 동사를 받을 수 있는 Much가 적절

학자들이 고대 로마에 대해서 습득한 것의 대부분은 과거 역사가들의 글에서 비롯된다.

2. 고통을 감소시킨 정도를 의미하므로 much가 적절

모르는 사람의 손을 잡는 것이 고통을 약간 감소시켰지만, 남편의 손을 잡는 것만큼은 아니었다.

EXERCISE
P. 206

01 Much **02** much **03** Little **04** Much **05** Few
06 a little **07** little **08** many **09** much **10** Much

01 was가 동사, 단수 동사로 받는 much가 적절

우리가 유전학에 대해서 알고 있는 많은 사실은 오스트리아의 생물학자이자 수도승인 그레고어 멘델에 의해서 발견되었다.

02 당신 스스로를 다른 사람과 지나치게 많이 비교한다는 뜻으로 많은 정도를 의미하므로 much가 적절

특히 당신이 자신에게 관대하지 않은 사람이라면, 자신을 다른 사람과 지나치게 많이 비교하는 것은 질투를 유발한다.

03 is가 동사, 단수 동사로 받는 Little이 적절

그럼에도 불구하고 수세기 전 그들이 그린 그림에 대해서 알려진 것이 거의 없다.

04 evidence를 수식하므로 Much가 적절

많은 증거가 수명과 관련하여 성호르몬과 정신 질환 사이의 관계를 보여 주고 있다.

05 newspapers or magazines를 수식하므로 Few가 적절

우리의 대단한 신문이나 잡지 중 어떠한 것도 구독료만으로 스스로를 지탱할 수 없다.

06 약간 더 많다는 뜻으로 비교급을 수식하므로 a little이 적절

표면상으로 효과적인 듣기는 예민한 듣기 감각보다 약간 더 많은 것을 요구하는 것 같다.

07 book이 단수형이라 few를 쓸 수 없으므로 '작은'이라는 뜻의 little이 적절

페이지 우측

앤더슨이 집필한 최초의 동화는 작고 저렴한 책으로 출간되었고, 그 책은 큰 성공을 거뒀다.

08 other students를 수식

소개의 마지막 순서에 학생들은 그들이 기억하는 만큼 다른 학생의 이름을 쓰라고 요청 받았다.

09 time을 수식

너희 대부분은 워드 프로세서로 작업을 하니까 철자에 너무 많은 시간은 쓰는 것은 어리석은 일처럼 보인다.

10 is가 동사, 단수 동사로 받는 Much가 적절

그가 우리에게 하는 말 중 상당수는 이해할 수 없다. 그래서 우리는 항상 그에게 그것을 설명하라고 요구한다.

ACTUAL TEST
P. 207

01 ①   **02** ③

01 ① formal education이 불가산 명사이므로 few가 아니라 little이 돼야 함 ② '거의, 대부분', self-taught를 수식하는 부사 ③ socialize with '~와 사귀다', 〈전치사+관계대명사〉 ④ 주어와 목적어가 Patience로 동일 ⑤ 스스로를 위로한 것이 과거, 미국 혁명에서 역할을 해 낸 것은 그 전

페이션스 러벌 라이트는 유명한 사람들의 밀랍인형을 만드는 것을 전문적으로 하는 성공한 예술가이다. 비록 페이션스는 정규 교육은 거의 받지 않았고, 그녀가 예술에 대해 아는 것은 대부분 스스로 학습한 것이었지만, 그녀는 솜씨가 매우 좋았고, 그녀의 작품은 재빨리 유명하게 되었다. 그녀는 헌신적인 애국단원이었다. 전쟁이 발발하자, 그녀는 즉시 (독립전쟁 당시의) 미국 군인을 위해 일하기 시작했다. 그녀는 자신의 손님뿐만 아니라 자신이 친분을 맺고 있는 사람들로부터 쉽게 정보를 얻을 수 있었다. 페이션스는 위험을 사는 보람으로 삼았다. 미국 혁명의 말기쯤, 그녀는 정부를 전복하려는 음모에 깊이 연관되었다. 재정이 뒷받침 되지 않아서, 공모자들은 계획을 포기하게 되었다. 페이션스는 가장 다채로운 애국단원의 스파이 중 한 명으로서 미국 혁명에서 자신이 해냈던 일을 생각하면서 스스로를 달랬다.

specialize in ~을 전문적으로 하다 **devoted** 헌신적인 **Continental Army** (독립전쟁 당시의) 미국 군인 **thrive on** ~을 사는 보람으로 삼다 **overthrow** (정부를) 전복하다

02 (A) the best-performing clubs가 짓는 것이 아니라 지어진 것이므로 built가 적절 (B) debate를 수식하므로 little이 적절 (C) to build와 병렬 구조로, to가 생략된 produce가 적절

단체의 구성원들 간의 사회적인 유대와 애정의 역할과 관련하여 다음이 함축하고 있는 것을 곰곰이 생각해 보라. 만약 강한 결속력이 심지어 단 하나의 이견도 생기지 않게 만들 것 같다면, 단체와 조직의 성과는 해를 입게 될 것이다. 투자 조직에 대한 한 연구는 최고의 성과를 내는 조직은 사교적인 친교를 제한했고, 돈을 버는 데 집중한 반면, 최악의 성과를 낸 조직은 감정적인 결속력 위에 설립되었고, 주로 사교적이었다. 의견의 불일치는 성과가 높은 조직에서 훨씬 자주 나타난다. 성과가 낮은 사람들은 주로 만장일치로 투표를 했고, 공개적인 토론은 거의 하지 않았다. 주된 문제는 낮은 성과 조직의 투표자들이 가장 높은 수익을 만들기보다는 사회적인 결속력을 다지려고 노력했다는 것이다

implication 함축, 내포 **bond** 유대 **affection** 애정, 영향 **dissent** 이의, 불일치 **institution** 기관 **impair** 손상시키다 **primarily** 우선 **unanimously** 만장일치로 **cohesion** 결속, 단결

UNIT 077~078

Check-up
P. 208-209

077 1. The most 2. Most **078** 1. almost 2. Most

077

1. '가장 일반적인 전달 경로'라는 뜻, 형용사 수식

가장 일반적인 전달 경로가 명확해졌다.

2. '대부분의 계획'이라는 뜻

대부분의 계획은 이전에 비효율적이라고 증명된 다른 것과 동일하다.

078

1. '거의 완전히'라는 뜻

1년 내로 전쟁은 끝났고, 일본 군대는 중국 군대를 거의 완전히 파괴했다.

2. '대부분의 음악가'라는 뜻, 명사 수식

대부분의 음악가들은 라이브 연주를 통해서 음악을 홍보한다.

EXERCISE
P. 210

01 the most **02** almost **03** almost **04** the most **05** Almost
06 most **07** most **08** almost **09** Almost **10** almost

01 '가장 빈곤한 집단'이라는 의미, 최상급

미국 원주민들은 미국에서 가장 빈곤한 집단 중 하나이다.

02 '거의 즉각적으로'라는 의미

조사자들은 개별적 물고기가 무리에서 주변 물고기의 움직임에 거의 즉각적으로 반응한다는 사실을 발견했다.

03 '거의 공짜로'라는 의미

인터넷 전화 서비스는 거의 공짜로 전 세계에 전화하는 것을 가능하게 했다.

04 '가장 특별한 것'이라는 의미, 최상급

나는 대학에 있어서 가장 특별한 점은 단지 네가 수업 중에 무엇을 하느냐가 아니라 수업 외에 무엇을 하느냐라고 생각한다.

05 '거의 모든 언어'라는 의미

거의 모든 언어, 특히 한국어는 어휘나 관용어가 풍부한 특정한 영역이 있다.

06 '대부분의 종(種)'이라는 의미

각각의 서식지는 수많은 종(種)의 집이고 그 종의 대부분은 서식지에 의존한다.

07 '대부분의 화학자'라는 의미

그들은 완전히 처음부터 일하고 있으며, 대부분의 화학자들은 관계 분자 구조를 만들려고 시도하고 있다.

08 '거의 아무도 ~할 수 없다'는 의미

한 아이 이상은 말할 것도 없고, 수년 동안 사교육비를 지불할 만큼 충분히 돈을 저축 할 수 있는 사람이 거의 없다는 사실을 스스로에게 상기시키는 것으로 시작하라.

09 '거의 시작부터'라는 의미

거의 시작부터 10대들은 이웃의 관습이나 성년이 되는 의식 같은 자신들의 삶과 밀접하게 연관된 것을 곰곰이 생각해보라고 요구 받는다.

10 '거의 항상'이라는 의미

심지어 당신의 스타일이 변하고 그런 부엌 탁자가 당신의 스타일이 더 이상 아니더라도, 부서지고 고칠 수 없는 식탁은 매력적이지 않은 반면 강하고 좋은 탁자는 거의 항상 다른 누군가에게 매력적일 것이다.

ACTUAL TEST
P. 211

01 ① **02** ⑤

01 ① '대부분의 가출은'이라는 뜻이므로 Almost가 아니라 Most가 적절 ② cases를 선행사로 받는 관계부사 ③ to부정사의 의미상의 주어 ④ 친구로부터 고립된다는 의미 ⑤ begin은 to부정사와 동명사를 모두 목적어로 취함

가정에서 명백한 문제가 없는 경우에도 가출이 일어나기는 하지만 거의 모든 가출은 분명한 문제가 있는 가정에서 일어난다. 그래도 부모가 아이들의 가출 가능성을 인식하고 가출에 선행하는 변화를 알아차리는 것은 중요하다. 한 가지 주요한 징후는 행동에 있어서의 갑작스러운 변화 중 하나이다. 이러한 변화는 습관과 수면습관의 변화 중 하나이다. 사회적인 습관에 있어서의 변화도 문제가 있다는 것을 보여주는데, 특히 십대가 친구나 외부와의 접촉으로부터 고립되었을 경우가 그렇다. 만약 청소년이 갑작스러운 기분의 변화를 보이기 시작한다면, 해결하기 어려운 스트레스를 받고 있을 가능성이 크다.

runaway 가출, 도망 **precede** 앞서다 **swing** 변동, 진행 **undergo** 경험하다 **resolve** 결심하다

02 (A) '출간된 연구 논문'이라는 뜻이므로 published가 적절 (B) '근거가 거의 없다'는 의미이므로 almost가 적절 (C) The difference가 주어이므로 is가 적절

모든 아이들이 자신만의 특정한 학습 스타일을 가진다고 생각해보라. 일부는 청각적 학습자이고, 다른 이들은 시각적 학습자이다. 일부는 우뇌형 학습자이고, 다른 이들은 좌뇌형 학습자이다. 〈심리 과학〉지에 게재된 최근의 연구에서 한 심리학자 그룹은 이러한 생각에 대한 근거를 거의 찾지 못했다. 연구원들에 따르면 "교육이라는 측면에서 학습 스타일 접근법에 거대한 대중성과 그 활용에 대한 믿을 만한 증거의 부족 간의 차이점은 충격적이고 혼란스럽다."라고 한다.

auditory 청각의 **immense** 거대한 **popularity** 유명도, 대중성 **reliable** 믿을 만한 **utility** 활용

UNIT 079~080

Check-up
P. 212-213

079 1. neatly 2. constant
080 1. freely 2. serious

079

1. '단정하게 놓다'라는 의미로 place 수식, 부사 필요

일단 저녁 식사가 끝나면, 냅킨을 접시 오른편 식탁에 깔끔하게 놓아야 한다.

2. '지속적인 위험'이라는 의미로 danger를 수식, 형용사 필요

신체는 탐욕스런 두뇌에 의해 항상 고갈된 위험한 상태에 놓인다.

080

1. 자유롭게 썼다는 뜻으로 wrote 수식, 부사 필요

가장 생산적인 작곡가 중 한 명으로서 슈베르트는 다정한 편지를 쓰는 사람처럼 자유롭게 작곡을 했다.

2. 꽤 심각하게 보였다는 뜻, 주어의 상태를 보충 설명하므로 형용사 필요, look '~처럼 보이다' 2문형 동사

그녀의 상처는 꽤 심각하게 보였고, 그녀는 종합병원으로 이송되었다.

EXERCISE

P. 214

01 nutritionally　**02** alphabetically　**03** wonderfully
04 possibly　**05** rapid　**06** blank　**07** quickly　**08** classically
09 well　**10** clearly

01 '영양적으로 균형 잡힌'이라는 뜻, balanced를 수식, 부사 필요

이 피트니트 센터는 질 좋은 음식과 영양적으로 균형 잡힌 식단 플랜을 기반으로 한 다이어트 프로그램을 제공할 것이다.

02 '알파벳순으로 배열된다'라는 뜻, arranged 수식, 부사 필요

학생이 원하는 수업을 선택할 수 있도록 이 과정은 각 부서에 의해서 알파벳순으로 배열된다.

03 '놀랄 만큼 잘'이라는 뜻, well(부사) 수식, 부사 필요

세계 경제가 작년 불황에 빠지기 전에 그것은 매우 훌륭하게 작동했다.

04 '가능성이 있는 위험한 문제'라는 뜻, dangerous를 수식, 부사 필요

(일어날) 가능성이 있는 위험한 문제를 간과하고 있지 않다고 우리 스스로에게 확신을 주기 위해 우리 모두는 때때로 다시 한 번 확인할 필요가 있다.

05 '빠르게 들릴지도 모른다'라는 뜻, 주어를 보충 설명하므로 형용사 필요, sound '~하게 들리다' 2문형 동사

구어체 영어는 매우 빠르게 들릴지도 모르며, 당신은 미국인이 말하는 것을 이해할 수 없다.

06 종이처럼 하얗게 될 수도 있다는 뜻, 주어를 보충 설명하므로 형용사 필요, seem '~인 것 같다, 처럼 보이다' 2문형 동사

깨끗한 종이 한 장이 당신 앞에 놓여 있고, 당신은 그것을 채워야만 한다. 당신의 마음은 갑자기 백지장처럼 하얗게 느껴질 수도 있다.

07 '매우 빠르게 움직여야 한다'는 의미, move를 수식, 부사 필요

당신의 눈은 매우 빠르게 페이지를 넘겨 이동해야 하며, 오직 텍스트의 부분만을 읽어야만 한다.

08 '고전적으로 구성된'이라는 뜻, constructed를 수식, 부사 필요

이 책은 결코 학생에게 고전적으로 구성된 논쟁과 단순한 사실, 그림만을 제시하지 않는다.

09 '남성만큼 잘 생각하고, 일도 잘한다'라는 뜻, think and work를 수식, 부사 필요

그의 뛰어난 의학 연구로 제임스는 여성이 정말로 남성만큼이나 생각도 잘하고, 일도 잘한다는 것을 증명했다.

10 '선명하게 표시된'이라는 뜻, marked를 수식, 부사 필요

텍사스 대학 주변의 도로는 선명하게 표시된 자전거 도로를 갖춘 것으로 디자인되었다.

ACTUAL TEST

P. 215

01 ⑤　　　　　　　**02** ③

01 ⑤ 석탄만큼 쉽게 탄다는 의미로 be burned를 수식하므로 easy가 아니라 easily가 돼야 함 ① '화석 연료를 태우는 것'이라는 의미, 〈전치사+동명사〉 ② a renewable energy source를 수식하는 관계대명사 which ③ '거의 없다'라는 의미 ④ 〈one of the+최상급+복수명사〉 '~ 중 하나'

화석 연료를 연소시킴으로써 발생하는 환경적 영향에 대한 우려 때문에 대체 연료에 대한 관심에 박차가 가해졌다. 이 문제에 대해 말하자면, 나는 우리가 대체 에너지로 생물자원을 선택해야만 한다고 강력하게 믿는다. 생물자원은 현존하는 자원들을 고갈시키지 않는 재생 에너지원으로 사용할 수

있는 식물에서 얻을 수 있는 자원이다. 생물자원에는 황산과 재가 거의 없고 공해 물질을 거의 배출하지 않아서 매우 깨끗하다. 또 다른 장점은 아마도 식물이 세상에서 가장 풍부한 자원 중의 하나이기 때문에 쉽게 이용할 수 있으며 대규모로 공급된다는 점이다. 무엇보다도, 생물자원 기술은 간단해서 생물자원은 석탄만큼 쉽게 태울 수 있다. 나는 언젠가 그것이 화석 연료를 대체할 것이라고 믿는다.

alternative 대안 **plant-derived** 식물에서 추출한 **deplete** 고갈되다 **sulfur** 유황 **give off** 발산하다 **replace** 대체하다

02 (A) '급속하게 변하는 통신 세계'라는 뜻으로 changing을 수식하는 부사 rapidly가 적절 (B) 〈allow+목적어+to부정사〉 '~에게 ~을 허락하다' (C) New forms가 주어이므로 arise가 적절

우리는 빠르게 변해가는 통신 세계에서 살아가고 일하며 배우고 놀고 있다. 휴대 전화는 목소리뿐만 아니라 문자와 사진을 전달한다. 디지털 카메라와 캠코더와 같은 디지털 기기는 사진뿐만 아니라 동영상도 찍는다. 그것들은 우리가 어디에서든 무선 네트워크 시스템으로 인터넷에 접속하도록 한다. 이런 환경 하에서 우리 모두는 웹 기반 통신 속에서 언어로 상호 작용할 수 있다. 새로운 담화의 형태는 이메일이나 블로그, 문자, 채팅 룸에서 발생한다. 그것들은 우리가 국가 경계를 넘어갈 수 있도록 한다.

deliver 전달하다 **device** 기계 **access** 접속하다 **wireless** 무선의 **interact** 상호작용하다 **discourse** 담화하다 **arise** 발생하다 **enable** 가능케 하다 **boundary** 국경, 경계

UNIT 081~082

🔍 Check-up

P. 216-217

081 **1.** short　**2.** different　**082** **1.** strange　**2.** free

081

1. run short '부족하다, 바닥이 나다', run (어떤 상태로) 되다, 2문형 동사
중소기업을 위한 장기 대출이 고갈되고 있다.

2. 다르게 되었다는 의미, 주어의 상태를 보충 설명하는 형용사 필요, become '~가 되다' 2문형 동사
톰과 딘은 쌍둥이로 태어났지만, 그들은 완전히 다르게 성장했다.

082

1. 그 둘 모두를 이상하게 생각한다는 뜻, both of them을 보충 설명하는 목적격 보어 자리이므로 형용사 필요, 〈consider+목적어+목적격 보어〉
사람들이 그 둘 모두를 이상하게 생각한다는 사실에 기반을 둔 관계를 생각하지 마라.

2. 우리 집을 먼지 없는 집으로 만든다는 뜻, our house를 보충 설명하는 목적격 보어 자리이므로 형용사 필요, 〈make+목적어+목적격 보어〉
우리 집을 먼지가 없는 집으로 만들기에 호스 2개면 충분할 것이다.

EXERCISE

P. 218

01 stable　**02** useful　**03** wasteful　**04** efficient
05 seriously　**06** pure and innocent　**07** seriously
08 simple　**09** massive　**10** unhappy

01 〈keep+목적어+목적격 보어〉, your body temperature를 보충 설명
차례로 이것은 당신의 체온을 일정하게 유지시키려는 노력으로 더 많은 열

을 발생시킨다.

02 〈make+목적어+목적격 보어〉, this warning system을 보충 설명

우주 과학자들은 이 경고 시스템을 유용하게 하는 방법을 찾으려고 건설 분야의 연구원들과 협력한다.

03 '낭비라고 생각하는 시간'이라는 뜻, 〈consider+목적어(time)+목적격 보어〉에서 목적어 time이 앞으로 나간 구조

24세의 주디 씨가 낭비라고 생각했던 시간을 언급하면서 "저는 수업이 없을 때 커피숍에서 이야기를 하면서 일주일에 5시간 이상을 보내는 친구가 있습니다."라고 말했다.

04 〈make+목적어+목적격 보어〉, distribution for inventory를 보충 설명

주문 시스템이 더욱 빨라졌고, 재고품의 유통을 더욱 효과적으로 만들었다.

05 심각하게 고려했다는 뜻, considered를 수식하는 부사가 적절

정부는 전 가구의 주택 담보 대출을 제한하는 것을 심각하게 고려하고 있다.

06 소녀가 청순하고 순진하게 보이는 것, look '~처럼 보이다' 2문형 동사

긴 머리 스타일은 일반적으로 여자아이들을 남자아이들에게 청순하게 보이도록 한다.

07 take A seriously 'A를 진지하게 생각하다'

아무리 사소한 것일지라도, 이사회는 그것들을 진지하게 생각해야 할 것이다.

08 간단하게 들릴 수도 있다는 의미, sound '~하게 들리다' 2문형 동사

그것은 간단히 들릴 수도 있다. 하지만 어떤 사람들에게는 시간 안에 모든 답을 채우는 것은 쉽지 않다.

09 거대해진다는 뜻, become '~가 되다' 2문형 동사

천체가 너무 거대해져서 심지어 빛도 블랙홀이라고 불리는 강력한 중력에서 벗어날 수가 없다.

10 불만스럽게 느낀다는 뜻, feel '~하게 느끼다' 2문형 동사

주디는 2시간 넘게 표를 사려고 줄을 서 있어서 그때 불만스러웠다.

ACTUAL TEST   P. 219

01 ④   **02** ③

01 ④ 〈consider+목적어+목적격 보어〉 구조의 수동태 구문, 목적어가 주어 자리로 와서 considered 뒤에 목적격 보어가 남아야 하므로 politely가 아니라 polite가 돼야 함 ① '차례를 얻는 방법' ② One difficulty가 주어, is가 동사 ③ 그 사람이 허락하는 것이 아니라 허락을 받는 것 ⑤ '말하는 것을 멈추다'

토론에 있어서 매우 중요한 기술은 효과적인 턴 테이킹(순서 바꾸기)이다. 이것은 당신이 말할 차례를 얻는 방법과 다른 사람에게 말할 기회를 주는 방법을 알아야 한다는 것을 의미한다. 턴 테이킹을 할 때 한 가지 어려운 점은 언제 끼어드는 게 적당한지를 아는 것이다. 일반적으로 일단 사람이 말하기 시작하면, 그 사람은 자신이 차례를 끝내도록 허락 받은 것이다. 적당하지 않은 순간에 끼어드는 것은 매우 무례하게 들릴 수 있다. 하지만 토론 중에는 끼어들기가 받아들여 질 수 있는 경우가 있다. 예를 들어 화자가 말한 것을 듣지 못하거나 이해하지 못할 수도 있고, 또는 짧은 의견을 덧붙이기를 원할 수도 있다. 일반적으로 영어로 토론하는 동안 두 사람이 동시에 말하는 것은 공손하다고 여겨지지 않는다. 그런 이유로 누군가가 끼어들면 바로 즉시 말하기를 멈춰야 한다.

efficient 효율적인 **turn taking** 순서 바꾸기 **cut in** 끼어들기 **interruption** 중단, 방해 **interrupt** 방해하다

02 (A) The purpose가 주어이므로 is가 적절 (B) 〈make+목적어+목적격 보어〉, 목적격 보어 자리에는 형용사가 오므로 visible이 적절 (C) 끈적

한 실로 덮여 있는 깃털이라는 뜻이므로 covered가 적절, 깃털이 덮는 것이 아니라 덮여 있는 것

어떤 종류의 거미는 거미줄 중심부를 가로질러 굵고 하얀 줄을 친다. 추가로 만든 거미줄의 목적은 새와 큰 곤충들이 거미줄을 손상시키는 것을 막는 것이다. 이 줄 덕분에 거미줄은 몇 배로 더 눈에 잘 띄게 된다. 과학자들은 플로리다에서 거미를 관찰하면서 이 여분의 줄의 목적을 발견하였다. 명금이라는 새가 눈에 확 띄는 거미줄 속으로 날아들기 직전에 갑자기 비행 방향을 바꾸는 것이 관찰되었다. 거미줄을 끊어 버릴 수도 있는 새에게 경고를 해서 피해갈 수 있도록 하는 지표로서의 역할을 이 하얀 줄이 하는 것 같았다. 그 새 또한 거미줄을 발견함으로써 이익을 얻는다. 거미줄로 날아들게 되면 자신의 날개가 온통 끈적끈적한 실로 뒤덮여 버리고 만다. 이와 같은 현상은 나비와 다른 커다란 곤충들의 경우에도 관찰되었다.

prevent 막다 **notice** 알아채다 **serve** 제공하다, 역할을 하다 **warn off** 경고하다 **feather** 깃털 **sticky** 끈적거리는 **thread** 실 **phenomenon** 현상

UNIT 083~084

✅ Check-up   P. 220-221

083 **1.** alike   **2.** alive   **084** **1.** much   **2.** very

083

1. '마찬가지로'라는 뜻, like는 한정적 형용사로만 쓰임

헬렌은 모든 사람을 웃게 만들고, 기분 좋게 만드는데, 고객과 동료에게도 마찬가지이다.

2. keep의 목적 보어로 사용되어야 하므로 alive가 적절. live는 형용사일 경우 명사 앞에서 꾸미거나 동사로 사용되어야 함

우리를 살아있게 하고 활동적이게 유지하는 산소 연소는 활성 산소라고 불리는 부산물을 내보낸다.

084

1. 비교급 sharper를 수식

사람의 기억이 오랜 시간이 지난 후에 훨씬 더 선명해 지는 일이 일어날 수 있다.

2. 현재분사 수식

그의 준비된 연설은 비록 매우 위협적으로 들렸지만, 국민의 기분을 상하게 해서는 안 되고 심지어 소란을 일으켜서도 안 되는 것이었다.

EXERCISE   P. 222

01 much   **02** alike   **03** lonely   **04** like   **05** like   **06** a lively
07 much   **08** much   **09** alike   **10** alike

01 비교급을 수식

기후는 우리가 의식하는 것보다 우리의 행동에 더 많은 영향을 끼친다.

02 똑같이 매력적이라는 의미, 동사 수식하는 부사 alike가 적절

제이슨은 친구들과 처음 보는 사람들에게 마찬가지로 매력적이어서 그에게 음식과 쉴 곳을 제공하게 한다.

03 '외로운 장소'라는 뜻, place 수식

컴퓨터가 우리의 자리를 차지한 탓에 지구는 살기에 외로운 장소가 될 것이다.

04 '개성이나 지식처럼'이라는 뜻, 〈전치사(like)+명사〉 구조

만약 그러한 불일치가 개성이나 지식처럼 민감하다면, 진짜 문제가 발생할

05 '점원, 판매, 교육, 서비스와 같은'이라는 뜻, 〈전치사(like)+명사〉 구조

대부분의 사람들은 점원, 판매, 교육, 서비스와 같은 전통적으로 여성을 위한 분야에 고용된다.

06 '활기 넘치는 펍'이라는 뜻, alive는 명사 수식 불가

돼지고기 소시지와 좋은 포도주로 저녁 식사를 할 수 있는 작은 나무 부스가 있는 Three Hogs라고 불리는 1826년에 생긴 생기 넘치는 펍이 코너에 위치하고 있다.

07 '매우 칭송 받는다'라는 뜻, 과거 분사 수식

평화의 섬이라고 불리는 제주도는 오늘날 아름다운 경관으로 매우 칭송 받는다.

08 '훨씬 더 잘'이라는 뜻, 비교급 수식

로봇은 볼 수 있다. 사실 로봇은 인간보다 훨씬 더 잘 볼 수 있지만 자신이 보고 있는 것을 이해하지 못한다.

09 '학생과 교사가 똑같이 대면한다'는 뜻, 동사 수식

그 교수는 교사와 학생이 똑같이 매일 서로 맞서는 지속적 갈등을 자세히 설명한다.

10 '똑같이'라는 뜻

룰라 씨는 진보파와 보수파로부터 똑같이 지지를 받고 선거에서 승리했다.

ACTUAL TEST　　　　　　　　　　　P. 223

01 ③　　　　　　　　**02** ④

01 ③ 보상이 시작하는 것이 아니라, 시작되는 것이므로 setting이 아니라 set이 돼야 함 ① 보어절을 이끄는 접속사 that ② 〈avoid+동명사〉 ④ behavior를 선행사로 받는 계속적 용법의 관계대명사 ⑤ '똑같이'

어떤 성향에 심리적인 반대 성향이 숨어 있다고 의심할 수 있다는 사실에 주목하라. 반동 형성(겉으로 드러나는 언행이 마음속의 욕구와 반대로 형성되는 것)에 대한 것은 항상 과잉 보상(약점이나 죄의식을 메우기 위한 보상), 즉 과장된 반응이라는 것이다. 보상적인 태도는 앞으로 기우는 것을 피하려고 뒤로 기대게 된다. 이러한 종류의 보상 행동이 시작되면 항상 과장이나 극단을 야기한다. 그것은 결과적으로 오직 어떤 종류의 과장된 행동이며, 그것은 보상적인 '반동 형성'의 용의자(의심하게 하는 것)가 된다. 예를 들어, 독선주의자는 자신이 결코 틀리지 않다고 생각하는 것처럼 보인다. 하지만, 사실, 그는 스스로를 전혀 확신하지 못한다. 사실상 그는 자신의 우유부단한 성격과 자신의 약함을 똑같이 싫어한다. 결론적으로, 과장된 행동은 대개 그것이 함축하고 있는 것의 반대를 의미한다.

suspect 의심하다 **tendency** 경향 **formation** 구조, 형성
compensation 보상 **exaggeration** 과장 **dogmatist** 독단주의자

02 (A) 두 문장이 접속사 없이 연결되고 있으므로 관계사 which가 적절 (B) 비교급 taller를 수식하므로 much가 적절 (C) 간접의문문이므로 〈의문사+주어+동사〉의 어순인 this happens가 적절

고대 그리스인들은 아프리카에 있는 한 부족민은 농작물을 수확할 때 도끼를 사용해야 하고 새들이 종종 그 부족민을 낚아채 날아간다고 기록하였는데, 이 모든 것은 진실이 아니었다. 사실은 이 사람들이 정상적인 크기로 태어난 아이를 두며, 그 아이들은 세상의 다른 곳의 아이들처럼 성장하는데, 우리가 청소년일 때 갑자기 키가 훌쩍 크는 반면에 이 사람들은 그렇지 않다는 것이다. 그들은 절대로 150센티미터 이상으로 키가 자라지 않는다. 과학자들은 왜 이런 일이 발생하는지 모르지만, 작은 키는 부족이 살고 있는 열대 우림 사이를 신속하면서도 조용하게 움직이는 데 이상적인 체구를 갖추게 한다. 부족은 그들의 환경에 성공적으로 적응한 것처럼 보인다.

---

axe 도끼 **crop** 곡물 **tribesmen** 부족민 **adjustment** 적응

UNIT 085~086

✅ Check-up　　　　　　　　　　P. 224-225

085　**1.** many　**2.** fast　　**086**　**1.** larger　**2.** many

085

1. 〈as+원급+as〉

일부 경기들은 참가자를 35,000명만큼 끌어모았다.

2. 〈as+원급+as〉

남편처럼 빨리 걷기는커녕, 나는 내 아들보다도 빠르게 걷을 수 없었다.

086

1. 〈비교급+than〉

2012년에 소개된 국제 재정 보고 기준이 적용되면 남한의 중소기업들은 대기업들보다 더 큰 자금 부족에 직면할 것이다.

2. 〈as+원급+as〉

연구 센터는 100명 정도의 애완동물을 키우는 피실험자를 얻으려고 했다.

EXERCISE　　　　　　　　　　　P. 226

01 much　**02** old　**03** many　**04** many　**05** as　**06** than
07 better　**08** less　**09** than　**10** large

01 〈as+원급+as〉

아기 음식물 단지는 커다란 튜브만큼 많이 보관하며 공짜이다.

02 〈as+원급+as〉

즉시 그 사건은 월터 씨만큼 나이 든 운전자가 여전히 운전을 해야 하는가에 대한 논쟁에 불을 붙였다.

03 〈as+원급+as〉

동전 쇼에 참가하고 다른 딜러들이 동전을 어떻게 평가하는지에 대한 도움을 얻기 위해서 가능한 한 많은 부스를 방문하라.

04 〈as+원급+as〉

2008년에서 2010년 동안 A회사는 F회사의 6배 만큼 특허를 받았지만 2011년에 이 두 회사는 같은 수의 특허를 받았다.

05 〈as+원급+as〉

나는 지난 게임에서 느꼈던 것만큼 이번 게임에서는 신이 나지 않았다.

06 〈비교급+than〉

노인 운전자들은 십대 남자아이들을 제외하고 다른 어떤 연령대보다 1마일 당 더 많은 수의 치명적인 사고를 당한다.

07 〈비교급+than〉

그것은 잉글랜드 행 티켓을 사기 위해 친구에게 돈을 빌리는 것보다 100달러를 절약하는 더 좋은 생각이다.

08 〈비교급+than〉

요즈음의 유행성 감기가 그 전염병보다 훨씬 덜 심각할 것이다.

09 〈비교급+than〉

그가 가난한 사람들을 위한 프로젝트를 끝마치는 데 지난번보다 3배 많은 시간이 소요될 것이다.

10 〈as+원급+as〉

연애소설을 좋아하는 소녀들의 비율은 소년들보다 4배가량 많았다.

ACTUAL TEST P. 228

01 ④ 02 ①

01 ④ 〈not A but B〉 구문으로 A와 B는 병렬 구조이므로 criticizes가 아니라 criticizing이 돼야 함 ① '실제 말에 의해 전달되는 것'이라는 뜻, transmitted ~ sentences의 수식을 받는 대명사 ② 포크를 내려놓는다는 의미, lay '~을 놓다' ③ Vegetables가 주어, have가 동사 ⑤ 〈as+원급+as〉

사람들이 말하고 싶은 것은 실제 단어, 문구, 문장에 의해서 전달되는 것과 다를 수 있다. 예를 들어, 만약 미국 식당에서 한 프랑스 여성이 포크를 내려놓으며 "완전히 익지 않은 채소는 약간 신맛이 나는군요."라고 말할 때, 그녀는 채소 요리에 대한 일반적인 언급을 하는 것이 아니라, 미국 음식을 비판하고 있는 것이다. 물론 우리는 결코 화자의 의도를 확신할 수는 없지만 사람들이 말하고 있는 것이 항상 그들이 말하고자 하는 의미와 정확하게 일치하지 않는다는 사실에 항상 대비해야 한다.

transmit 전달하다 **lay down** 내려놓다 **acidity** 신맛 **cookery** 요리법 **criticize** 비판하다

02 (A) '그들의 깨달음에서 기인한'이라는 뜻, result는 자동사이므로 resulting이 적절 (B) 동사가 has이므로 much가 적절 (C) 〈as+원급 +as〉이므로 strong이 적절

왜 쿠키를 먹을까? 몇 가지 이유는 배고픔을 만족시키기 위해서, 혈당을 증가시키기 위해서, 혹은 단지 씹어 먹을 거리일 것이다. 하지만 최근의 포장 쿠키 시장에서의 성공은 이것들이 유일한, 혹은 아마도 심지어 가장 중요한 이유는 아닐지도 모른다는 것을 시사한다. 쿠키 제조 회사들은 어떤 다른 영향을 깨닫고 있으며, 그 결과, 그 깨달음에서 기인한 시장 상품을 선보이는 것 같다. 이런 상대적으로 새로운 상품 제공은 대개 '부드러운' 또는 '씹는 맛이 있는' 쿠키로 언급되는데, 이는 더욱 전형적인 바삭한 종류와 그것들을 구별하기 위한 것이다. 왜 그 상품의 도입이 떠들썩한 일일까? 분명히 매력의 상당 부분은 뒤 계단에 앉아서 오븐에서 엄마가 바로 가져다 준 아직 부드러운, 입에서 녹는 쿠키를 게걸스럽게 먹던 어린 시절의 기억과 관련이 있다. 부드러운 쿠키에 대한 이런 감정적이고 감각적인 매력은 분명 적어도 그 상품이 만족시키는 신체적인 갈망만큼이나 강하다.

chew 씹다 **aware of** ~을 아는 **influence** 영향 **deliver** 전달하다 **awareness** 의식 **distinguish** 구별하다 **crunchy** 우두둑 깨무는 **fuss** 법석, 소란 **devour** 게걸스럽게 먹다 **sensory** 감각의 **apparently** 명백히 **craving** 갈망

UNIT 087~088

✎ Check-up P. 228-229

087 **1.** than **2.** as 088 **1.** to **2.** to

087

1. 〈비교급+than〉
연구에 따르면 직업 만족도는 일의 의욕을 고취시키는 가와 일을 통제할 수 있는 가보다 얼마나 버느냐에 덜 좌우된다.

2. 〈as+원급+as〉
십대는 자신이 가지는 관심만큼 다른 사람이 자기에게 관심이 있을 거라고 생각한다.

088

1. junior to '~보다 어린'
나의 의무는 나보다 어린 직원을 관리하는 것이다.

2. inferior to '~보다 열등한'
나는 왜 당신의 권리가 다른 사람보다 열등하다고 생각하는지 이해할 수 없다.

EXERCISE P. 230

01 than 02 to 03 to 04 than 05 to 06 than 07 to
08 than 09 as 10 than

01 〈비교급+than〉
살을 빼려고 식사를 거르는 것보다 자전거를 타는 것이 낫다.

02 superior to '~보다 우월한'
구름을 통해서 터지는 태양은 조용한 상태의 비슷한 천체들보다도 더 우월하다고 평가된다.

03 prefer A to B 'B보다 A를 선호하다'
컴퓨터로 작업하는 것이 편리하지만, 나는 타이핑을 하는 것보다 펜으로 초안을 쓰는 것을 선호한다.

04 〈비교급+than〉
만약 당신이 이 지시 사항을 따르면, 당신의 단락은 이것만큼 좋아지든가, 아니면 더 좋아질 것이다.

05 prior to '~보다 이전의, 앞선'
그보다 앞서 이 용어가 개인적인 행동을 긍정적으로 묘사하기 위해 전형적으로 사용되었던 사실을 주목하는 것이 중요하다.

06 〈비교급+than〉
많은 나라에서 축구가 야구나 배구 등을 포함해서 그 어떤 스포츠보다 인기를 얻고 있다.

07 senior to '~보다 위인, 나이 든'
그는 경감보다는 높은 직급인 청장으로 승진했다.

08 〈비교급+than〉
그 이전의 인간의 역사에서보다 1950년 이후로 신체의 화학적 변화에 대한 더 많은 것들을 배우게 되었다.

09 〈as+원급+as〉
상담사는 토미에게 면접을 보기 전에 회사에 대해서 조사를 가능한 한 많이 하라고 조언했다.

10 〈비교급+than〉
첫 번째 아웃렛이 작년 초에 문을 열었고, 매년 5개 이상의 상점을 열 계획을 가지고 있다.

ACTUAL TEST P. 231

01 ⑤ 02 ③

01 ⑤ superior to '~보다 우월한'이라는 뜻이므로 than이 아니라 to가 돼야 함 ① 〈because of+명사구〉 ② 〈not only A but (also) B〉 구조로 to protect와 to communicate 병렬 구조 ③ 〈전치사+동명사〉 ④ 계속적 용법의 관계대명사

우리는 보통 다른 사람의 기분을 고려하거나, 사회적, 문화적 금기에 대한 염려 때문에 완곡어법을 사용한다. 당신은 애통해하는 사람에게 "어머니가 죽어서 유감입니다."라는 말을 하고 싶지 않아서 "돌아가시다"라는 말을 쓴

다. 완곡어법은 다른 사람의 감정을 보호할 뿐 아니라 애도하는 동안 그들의 감정에 대한 당신의 염려를 전달한다. 마찬가지로 당신이 "toilet"이라는 말 대신 "restroom"을 사용할 때, 당신은 신체적 기능을 직접적인 용어를 사용하여 언급하는 것에 대한 사회적 금기를 존중하고 있다. 당신은 또한 당신의 말을 듣는 사람의 감정에 대해 민감함을 보여주는데, 그것은 보통 예절이라고 여겨진다. 즉, 완곡어법은 당신이 다른 사람의 감정을 고려한다는 점에서 직설화법보다 우월하다.

consideration 고려 taboo 금기 pass away 죽다 grieve 슬퍼하다 mourning 애도 function 기능 sensitivity 민감도 courtesy 예의 that is 즉 in that ∼라는 점에서

02 (A) would eat를 받으므로 would가 적절 (B) a fluctuation이 주어이므로 appears가 적절 (C) more가 나왔으므로 than이 적절

한 연구에 따르면 긴장하고 초조한 상황에서 비만인 사람들은 덜 불안한 상황일 때보다 더 많이 먹는다. 반면에 보통인 사람들은 긴장이 덜 할 때 더 많이 먹는다. 또 다른 실험에 따르면 살찐 사람들의 감정의 변화가 무언가를 먹도록 그들을 자극한다. 예를 들어, 비만인 사람들과 보통인 사람들이 각각 4개의 방에서 다른 영화를 보았다. 3개의 영화는 몇몇 감정을 불러 일으켰다. 하나는 즐거움을, 다른 하나는 스트레스를, 나머지 하나는 성적 흥분을 일으켰다. 4번째 영화는 지루한 다큐멘터리였다. 과체중인 실험자들은 다큐멘터리를 볼 때 보다 감정을 자극하는 영화를 볼 때, 특히 팝콘을 더 많이 먹었다. 보통인 사람들은 영화에 상관없이 먹은 팝콘의 양은 차이가 없었다.

obese 비만인 tense 긴장한 fluctuation 변동 stir 촉발하다 subject 피실험자 regardless of ∼에 상관없이

UNIT 089∼090

✅ Check-up   P. 232-233

| 089 | 1. four times as tall | 2. as |
| 090 | 1. better | 2. the less |

089

1. 〈배수+as+형용사/부사 원급+as〉

이 탑은 광장에 서 있는 건물보다 4배 정도 높다.

2. 〈배수+as+형용사/부사 원급+as〉

2005년 말까지 브라운은 해켓이 가진 것보다 10배 많은 현금인 230만 달러를 수중에 보유하고 있었다.

090

1. 〈the 비교급, the 비교급〉 '∼할수록 더욱 ∼하다'

당신이 더 많은 사람을 알고, 더욱 호감형이 되면 될수록, 당신의 운은 더 좋아진다.

2. 〈the 비교급, the 비교급〉 '∼할수록 더욱 ∼하다'

그들이 떨어져 있는 시간이 많으면 많을수록, 그들은 서로에게 친근감을 덜 느끼게 된다.

EXERCISE   P. 234

01 the less   02 the more   03 ten times more power
04 the slower   05 easier   06 more   07 the greater
08 fewer   09 further   10 more

---

01 〈the 비교급, the 비교급〉 '∼할수록 더욱 …하다'

우리가 더 옛날로 거슬러 올라갈수록, 우리 조상의 말이 덜 익숙해진다(낯설어진다).

02 〈the 비교급, the 비교급〉 '∼할수록 더욱 …하다'

글쓰기는 구어에 엄청난 영향을 끼치고, 문화에서 글이 발달할수록 이러한 영향이 커진다.

03 〈배수+as+형용사/부사 원급+as〉

연구에 따르면 염색된 패널이 현재 세계적으로 이용 중인 태양열 패널보다 10배 이상의 전력을 생산한다.

04 〈the 비교급, the 비교급〉 '∼할수록 더욱 …하다'

아이가 TV를 많이 보면 볼수록, 계속 TV를 보는 한, 아이의 반응은 더 느려진다.

05 〈the 비교급, the 비교급〉 '∼할수록 더욱 …하다'

결과적으로 일이 전문화될수록, 기존의 직원이 그만두거나, 일의 공백이 생길 때, 새로운 직원을 훈련시키기 더욱 쉬워진다.

06 〈the 비교급, the 비교급〉 '∼할수록 더욱…하다'

업무를 많이 맡을수록 더 적은 자유 시간을 갖게 된다.

07 〈the 비교급, the 비교급〉 '∼할수록 더욱 …하다'

우리와 같고, 같은 관점을 가지고, 같은 가치를 공유하는 사람에 더 많이 둘러싸일수록 인간으로서 우리는 성장하기보다 위축될 가능성이 훨씬 커진다.

08 〈the 비교급, the 비교급〉 '∼할수록 더욱 …하다'

당연히 논리적 이유로, 노력이 적으면 적을수록 얻는 결과물도 더 적어진다.

09 〈the 비교급, the 비교급〉 '∼할수록 더욱 …하다'

일부 고고학자들은 두개골이 아프리카에서 멀리 발견될수록 두개골의 크기와 모양의 변화가 더 커진다는 사실을 발견했다.

10 〈the 비교급, the 비교급〉 '∼할수록 더욱 …하다'

피터슨은 약혼녀를 기쁘게 하려고 하면 할수록, 그녀를 더욱 짜증나게 만들었다.

ACTUAL TEST   P. 235

01 ④   02 ③

01 ④ 〈배수+as+형용사/부사 원급+as〉이므로 as high as four times가 아니라 four times as high as가 돼야 함 ① '우울증에 걸린 남성을 포함함'이라는 뜻 ② 비교급 수식 ③ kill oneself '자살하다', kill의 주체와 대상이 모두 depressed men을 의미 ⑤ whether 구문이 주어, is가 동사

최근 연구원들은 남성과 여성이 자신의 우울함을 표현하는 데 있어 얼마나 다른지에 대한 엄청난 차이를 발견했다. 여성은 보통 우울할 때 슬픔을 드러내고 반면에 남성은 분노나 무절제한 짜증을 낸다. 그래서 우울증에 걸린 남자를 포함한 많은 사람들은 남성의 우울증을 중재가 필요한 심각한 질병이라기보다는 일반적인 좌절이나 침착하지 못한 것으로 착각을 한다. 우울증에 걸린 남성은 또한 우울증에 걸린 여성보다 도움을 훨씬 덜 요청하고 자살하는 경향이 훨씬 크다. 남성의 자살 비율은 여성보다 4배 만큼 높았다. 차이가 생물학적인지 문화적인지는 중요한 문제이다.

disparity 불일치 reckless 무모한 restlessness 침착하지 못함 disorder 질병 intervention 끼어 듦, 중재 variation 변화

02 (A) 〈the 비교급, the 비교급〉 구문이므로 the fewer가 적절 (B) to confuse and impress와 병렬 구조를 이루므로 clarify가 적절 (C) 뒤에 불완전한 문장이 나오므로 what이 적절

거의 이해되지 않은 의사소통에 관한 역설 중 하나는 단어가 어려우면 어려울수록 설명은 더 짧고, 이해되기 위해서 필요한 단어는 더 적다는 것이다. 과장된 단어는 단어를 이해하지 못하는 사람들을 화나게 한다. 물론 매우 종종 그것들은 명확하게 하기보다는 혼란스럽고 인상을 주는 데에만 사용된다. 하지만 이것은 언어의 잘못이 아니다. 그것은 소통의 도구를 잘못 사용한 개개인의 오만함이다. 풍부한 어휘를 배우는 가장 좋은 이유는 당신이 장황하게 말하지 않도록 한다는 점이다. 진짜 교육 받은 사람은 자신을 간결하게 표현할 수 있다. 예를 들어, 만약 여러분이 'imbricate(겹쳐진)'이라는 단어를 사용하지 않거나 모른다면, 여러분은 누군가에게 지붕의 타일이나 물고기의 비늘처럼 규칙적인 배열 상에서 겹쳐진 부분을 가리키는 것'이라고 말해야 할 것이다. 단어 하나로 말할 수 있는 것을 말하기 위해서 20단어 이상이 필요하다.

resent 화나게 하다 impress 인상을 주다 clarify 뚜렷하게 하다 arrogance 오만함 acquire 획득하다 tersely 간결한 trimly 단정한 arrangement 배열

UNIT 091~092

🔍 Check-up   P. 236-237

091 **1.** that of Canada   **2.** those in football
092 **1.** widely   **2.** near

091
1. 한국의 기후와 캐나다의 기후를 비교
한국의 기후는 캐나다의 기후보다 더 따뜻하다.
2. 야구의 관객과 축구의 관객을 비교
야구의 관객은 축구의 관객 보다 많지 않다.

092
1. 많은 사람들 사이에서 '널리'를 의미
그가 2014년에 임기가 끝나는 제리 브라운을 대신하여 캘리포니아 주지사로의 출마를 선언할 것이라고 널리 기대되고 있다.
2. 거의 충돌에 가까운 사고를 의미, 명사 crash를 수식하는 형용사 near가 적절
몇몇 비행기 충돌 사고와 거의 충돌에 가까운 사고들은 윈드시어(풍속과 풍향이 갑자기 바뀌는 돌풍)라고 불리는 위험하게 갑작스럽게 하향하는 돌풍 때문에 발생했다.

EXERCISE   P. 238

01 highly   02 near   03 roughly   04 that of San Francisco
05 approximately   06 short   07 Hardly   08 Badly   09 widely
10 extinguishing

01 '매우'
창문 유닛에 대한 수요는 매우 계절적이고, 날씨의 변화에도 영향을 받는다.
02 '가까이'
그 지역은 큰 강 가까이 위치해 있어서 주민들이 마실 물을 얻을 수 있었기 때문에 왜 그들이 우물을 필요로 했는지가 불가사의하다.
03 '대략'
가난한 사람에는 모든 미국 어린이의 17%와 흑인과 라틴 아메리카계의 23%가 포함된다.

04 뉴욕의 항구, 세계의 항구, 샌프란시스코의 항구를 비교
비록 뉴욕의 항구는 아름답지만, 세계의 항구 중 샌프란시스코의 항구만한 항구는 없다.
05 '대략'
1800년대 후반에, 그들 중 약 70%가 북유럽과 서유럽에서 미국으로 이민 왔다.
06 '부족한'
그런 벌칙은 패널티 박스라고 불리는 고립된 장소로 선수를 보내서 그때 이후로 위반한 팀은 선수가 한 명 부족한 채로 경기를 해야 한다.
07 거의 발견할 수 없었다는 의미이므로 Hardly가 적절, 부정을 의미하는 부사 hardly가 앞으로 나와서 주어와 동사가 도치된 구조
그가 소리 지르기 전에 그들은 거의 그를 발견할 수 없었다.
08 '몹시'
나는 관을 몹시 만지고 싶었고, 그를 위해, 나를 위해 눈물을 흘리기를 바랐지만, 그러지 않았다.
09 사람들 사이에서 널리를 의미
프랑스는 자국에서 널리 사용 중인 3,000개의 영어 단어를 새롭게 만든 프랑스어로 대체했다.
10 spreading과 병렬 구조
실시간으로 그 상황을 모니터하는 방법이 없어서 소방관들은 불이 퍼져나가기 전에 불을 끄기보다는 오히려 결국 퍼져가는 불에 대처하게 된다.

ACTUAL TEST   P. 239

01 ④   02 ⑤

01 ④ 삶이 놀라움을 느끼는 것이 아니라 삶을 놀랍게 만드는 것이므로 amazed가 아니라 amazing이 적절 ① '~과 같은' ② a series of는 단수 취급 ③ '정상적이고, 받아들일 만한 행동이 무엇인지' ⑤ 〈the 비교급, the 비교급〉 구문

당신은 친구가 당신이 어떻게 옷을 입는지와 당신의 외출 습관 같은 것에 영향을 끼친다는 것을 알고 있다. 하지만 뉴욕 대학의 제임스 파울러 교수의 혁신적인 일련의 연구에 따르면 사회적인 친분 관계가 결정적으로 훨씬 더 중요한 역할을 한다. 건강이나 행복과 같은 요소는 전염성이 있다고 밝혀졌다. 만약 친구가 살이 빠지면 당신도 마찬가지로 살이 빠질 것이다. 우리 주변의 세 가지 범주(친구, 친구의 친구, 친구의 친구의 친구를 포함한)의 사람들이 우리가 느끼고 행동하는 데 주된 영향을 준다. 파울러는 "우리는 잠재적으로 평범하고 받아들여지는 행동이 무엇인지 우리 주변에 있는 사람들로부터 힌트를 얻습니다."라고 설명한다. 그래서 여러분이 인생을 놀랍게 만들기 위해서는 이러한 정보를 어떻게 사용할 것인가? 우선 긍정적인 사람들로 인간관계를 넓혀라. "우리의 연구에서 여러분이 더 많은 관계를 맺고 그러한 관계가 강하면 강할수록 여러분은 더 행복해질 것입니다."라고 그가 말했다.

groundbreaking 혁신적인 determining 결정적인 contagious 전염성이 있는 slim down 살을 빼다 subconsciously 잠재적으로 beef up 증강하다

02 (A) 동명사구인 setting goals가 주어이므로 serves가 적절 (B) needed의 수식을 받으며 비교 대상이 되는 대명사 필요, what은 분사의 수식을 받지 못함 (C) 추상적인 의미의 '널리'를 의미

조직이 어떤 목표를 이루고자 노력할 때, 개인도 역시 목표를 위해 노력하고 이루고자 하는 동기를 가지게 된다. 사실 목표 설정은 조직의 경우에 근로자들의 성취도 측면에서 강력한 동기화 도구로 작용한다. 연구자들이 성취도 측면에서 성과를 내기 위해서 개개인의 목표를 설정하는 정교한 모델

을 개발하려고 노력했다. 이 모델은 지시, 노력, 끈기, 작업 전략과 같은 핵심 변수가 개인이 높은 성과를 얻게 할 수 있음을 보여준다. 이 모델에서 목표 그 자체가 동기 유발체로서의 역할을 하게 된다. 이를 통해서 근로자들은 자신의 현재의 성취도 수준과 목표를 이루기 위해 필요한 수준을 비교할 수 있다. 만약 자신의 성과에 만족을 느끼지 못한다면, 그들은 목표를 이루고자 최선을 다할 것이다. 이것이 가장 널리 인정받는 목표 설정 모델 중 하나이다.

struggle to 노력하다, 투쟁하다 **accomplish** 성취하다 **motivate** 동기화하다 **performance** 성취도 **elaborate** 정교한 **variable** 변수 **persistence** 끈기 **trigger** 유발하다

UNIT 093~094

🔍 Check-up   P. 240-241

093 1. so　　**2.** such　　**094** 1. so　　**2.** that

093

1. such는 형용사, 부사 단독 수식 불가

그녀가 영어를 아주 잘해서 모든 사람들은 영어가 그녀의 모국어라고 생각한다.

2. 〈such+형용사+복수 명사〉

그것들은 매우 유명한 행사라서 많은 이들이 그 행사에 참여하려고 했다.

094

1. 〈so ~ that〉 구조

직원들이 사용하는 컴퓨터 프로그램이 너무 구식이어서 일을 하는 데 상당한 어려움을 겪고 있다.

2. 〈so ~ that〉 구조

나는 책이 너무 많아서, 그 책들을 가지고 무엇을 해야 할지 모르겠다.

EXERCISE   P. 242

01 much sunlight　**02** that　**03** Such an experience　**04** too large a　**05** such　**06** big a　**07** such　**08** such　**09** that
10 so

01 〈as+형용사+명사+as〉

사람들은 가능한 한 많은 햇빛을 받기를 바란다.

02 〈so ~ that〉 구문

그는 경험이 아주 많아서 자신의 회사를 경영할 수 있다.

03 〈such a(n)+형용사+명사〉

그런 경험이 우리에게 시각 장애인의 세계에 대한 통찰력을 준다.

04 〈too+형용사+a(n)+명사〉

심지어 당신의 거실도 한 단락으로 논의하기에 너무 큰 주제일 수 있다.

05 〈such a(n)+형용사+명사〉

어제는 너무나도 아름다운 날이어서 나는 나의 일을 끝마칠 수가 없었다.

06 〈as+형용사+a+명사+as〉

우리는 고대 사람들만큼 목욕에 대해서 큰 소란을 피우지는 않는다.

07 뒤에 〈a+형용사+명사〉의 어순이 오므로 such가 온다.

은퇴한 경찰인 제임스 카터와 그의 아들은 1945년 형편없는 밀 수확을 하

는 바람에 사업을 접어야만 했다.

08 〈such a(n)+형용사+명사〉

엠마는 그렇게나 바쁜 일정을 효과적으로 관리하는 데 성공해서 한 학기 동안 그녀의 학업 성적이 올랐다.

09 〈so ~ that〉 구문

나를 포함한 대부분의 사람들은 박쥐를 싫어해서 많은 야생 동물 단체들은 박쥐를 살리기 위한 캠페인을 벌이기를 꺼린다.

10 뒤에 형용사만 왔으므로 so가 적절

너무 중독성이 강해서 때때로 CrackPhone라고 불리는 스마트폰과 무선 이메일 장치와 같은 다른 기술의 확산은 진보한 사회의 주된 요인 중 하나이다.

ACTUAL TEST   P. 243

01 ①　　　　　　　　　**02** ③

01 ① 뒤에 완전한 문장이 오므로 what이 아니라 that이 돼야 함 ② 〈so ~ that〉 구문 ③ 〈expect+목적어+to부정사〉 ④ 말한 것이 과거, 전화를 베게 밑에 놓은 것은 그 이전으로 〈to+완료형〉 사용 ⑤ began은 동명사와 to부정사를 모두를 목적어로 취할 수 있음

나는 믹과 22년 동안 결혼 생활을 했다. 문제는 그와 연락하는 데에 가끔씩 어려움을 겪고 있다는 것이다. 그는 건망증이 너무 심해서 그는 종종 자신의 휴대 전화를 어디에 두었는지 잊어버린다. 최근에 우리 가족은 저녁 식사를 하기로 했다. 믹이 나타나지 않았을 때, 우리는 한 시간 동안 그에게 연락하려고 했다. 우리는 몹시 걱정이 되어서 그의 친구 중 한 명인 빌에게 전화했다. 우리는 그가 남편의 행방을 알고 있기를 기대했지만 그는 우리에게 도움이 되지 않았다. 한 시간 후, 믹은 집으로 돌아 왔고 그는 자신의 휴대 전화를 침대 위 베개 밑에 둔 것 같다고 사과하듯이 말했다. 바로 그 순간, 그가 입은 코트 주머니에서 휴대 전화가 진동하기 시작했다!

forgetful 잘 잊는 **whereabouts** 어디쯤에 **apologetically** 사죄하는 **pillow** 베개 **vibrate** 진동하다

02 (A) Every language가 주어이므로 offers가 적절 (B) 뒤에 mean의 목적어가 없는 불완전한 문장이 오므로 what이 적절 (C) 〈so ~ that〉 구문, 뒤에 형용사만 오므로 so가 적절

비록 특정한 언어가 표면적으로 서로 다를지라도, 우리는 우리 언어가 놀랍게도 유사하다는 것을 알 수 있다. 예를 들어, 모든 알려진 언어는 유사한 복잡성과 상세함을 가진다. 모든 언어는 질문, 요청 등을 하는 수단을 제공한다. 그리고 다른 언어가 할 수 없는 것을 한 언어가 표현할 수 있는 것은 없다. 명백히 한 언어에는 다른 언어에서 발견되지 않는 용어가 있을 것이다. 하지만 우리가 의미하는 바를 표현하기 위해 새로운 단어를 만드는 것은 항상 가능하다. 더 추상적인 면을 고려할 때, 심지어 언어의 틀에 잡힌 구조 역시도 유사하다. 더 작은 어구 단위는 모든 언어에서 문장을 구성한다. 그리고 이 단위는 단어로 구성되어 있는데, 단어는 소리의 연쇄로 구성된다. 인간 언어의 이런 특징은 우리에게 너무 분명해서 언어가 그것들을 공유한다는 것이 얼마나 놀라운지 아는 것은 어렵다.

analogous 유사한 **complexity** 복잡함 **detail** 상세 **definitely** 명백히 **term** 용어 **abstract** 추상적인 **structure** 구조 **comprise** 포함하다 **consist of** ~로 구성되다 **be made up of** ~로 구성되다 **sequence** 결과, 순서

UNIT 095~096

✓ Check-up   P. 244-245

095   **1.** So   **2.** too
096   **1.** long enough   **2.** far enough

095

1. 〈so ~ that〉 구문, So vast가 문장 앞으로 나오고 주어, 동사가 도치된 구조

용인에 있는 놀이공원은 너무 넓어서, 그것을 돌아보는 데 몇 시간이 걸린다.

2. 〈too ~ to〉 구문

이 사건은 우리가 다루기에는 너무 중요해서 우리는 사건을 특별 검사 팀에게 넘길 것이다.

096

1. 〈형용사+enough〉

프로젝트를 끝낼 만큼 시간이 충분치 않아서 그것을 하려면 더 많은 시간이 필요하다.

2. 〈형용사+enough〉

영어 실력이 충분하니 영어로 말할 수 있지 않나요?

EXERCISE   P. 246

01 long enough   02 light enough   03 too   04 so
05 enough   06 so   07 so   08 powerful enough
09 large enough   10 too

01 〈형용사+enough〉

만약 카메라가 충분히 오랫동안 그들에게 머문다면, 그들은 그들이 여전히 비춰지고 있는지 확인할 것이다.

02 〈형용사+enough〉

초경량 정찰기인 CIV는 만약 땅이 너무 울퉁불퉁하면 팀원들이 눈 위를 가로질러 그것을 끌 수 있을 정도로 충분히 가볍다.

03 〈too ~ to〉 구문

하지만 그것은 신생 시스템이 받아들이기에는 너무 많아서 결국 연결이 끊기고 컴퓨터가 멈추게 된다.

04 〈so+형용사+that〉 구문

세금이 결국 너무 올라서 많은 땅 소유주들이 농장을 방치했고 식량 생산량의 감소의 원인이 되었다.

05 〈형용사+enough〉

하모니카는 모든 사람들이 사서 주머니에 넣을 정도로 충분히 싸지는 않다.

06 〈so+형용사+that〉 구문

그 뮤지컬은 아주 간단하고 쉬워서 대부분의 아이들이 이해하고 즐길 수가 있다.

07 〈so+형용사+that〉 구문

그는 매우 똑똑해서 이 질병을 치료할 새로운 방법을 개발하는 그 문제를 해결할 수 있다.

08 〈형용사+enough〉

테러의 발생을 막고 증오를 희망으로 바꾸기에 충분한 유일한 방법은 인간의 의지이다.

09 〈형용사+enough〉

국내 경영 전문가들에 따르면, 미국 상영관에서 이 영화의 실적이 우리 회사에 영향을 미칠 만큼 충분히 높지 않았다고 한다.

10 〈too ~ to〉 구문

우리 부서는 신입 직원 교육으로 너무 바빠서 그것에 대해 불평할 수가 없다.

ACTUAL TEST   P. 247

01 ③   02 ②

01 ③ 〈make+목적어+목적격 보어〉의 구조이므로 miserably가 아니라 miserable이 돼야 함, 목적격 보어 자리에는 목적어를 보충 설명하는 형용사가 적절, 전치사구의 부정은 부정어가 앞에 위치 ① '농사에 의해서가 아니라' ② '~라고 전해지다' ④ diseases를 선행사로 받는 주격 관계대명사 ⑤ 〈enough+형용사+명사〉

아마존 강의 열대 우림 지역에 처음으로 정착한 사람들은 농사가 아닌 수렵과 채집 생활을 했다. 열대성 질병과 식량 공급의 한계는 이 지역의 인구를 적게 유지시켰다. 사람들의 삶을 비참하게 만드는 것은 큰 동물이 아니라 바로 열대 우림 지역에 사는 작은 동물이라고 전해진다. 모기와 몇몇 곤충들은 인간을 매우 약화시킬 수 있는 말라리아와 황열병과 같은 질병을 옮기기 때문에 단지 해충 이상이었다. 열대 숲에는 이런 곤충들을 박멸해 줄 서리가 결코 생기지 않기 때문에 이런 곤충들은 항상 존재한다. 반면에 산악 지대 중에서 인구 밀도가 가장 높은 지역은 이런 곤충들의 수를 억제할 정도로 충분히 날씨가 춥다. 산악 지대는 또한 일 년에 두 번 수확할 수 있는 길고 충분한 경작지도 있다.

mosquito 모기 **pest** 해충 **terminate** 끝내다 **by contrast** 대조적으로 **keep down** 진압하다

02 (A) '고려할 때'라는 의미이므로 Given이 적절 (B) 〈형용사+enough〉이므로 bad enough가 적절 (C) The thing이 주어이므로 is가 적절

10세에서 15세 사이의 열 명의 아이 중 한 명의 아이는 불행하다. 최소한 그것은 Children's Society라는 기관에서 실시한 최근 연구의 결론이다. 선임 연구원은 주요 관심사로 그 결과를 설명했다. 불행의 원인이 학교 과제나, 못 생겼다고 느끼는 것, 또는 어떤 일을 하도록 그냥 놔두지 않는 부모와 같은 걱정거리인 것을 고려한다면 수치가 겨우 열 명 중 하나라고 하는 것은 놀라운 일이다. 우리가 벌써 8살 아이에게 (우울증 치료제인) 프로작을 주는 것은 충분히 나쁘다. 의심할 여지없이 가족 중재와 상담을 통해 혜택을 받을 수 있는 몇몇의 젊은이들이 있지만 정상적인 감정이 중점을 둔 이 관점은 만약 여러분이 가장 친한 친구를 떠나거나 시험에 낙제하거나 또는 가족 같은 애완견이 죽었다면, 여러분은 슬프다고 느낄 것이다. 여러분은 치료가 필요하지 않다. 아이들을 스스로 학습하게 놀아두면, 아이들이 스스로 습득하듯이 젊은 날의 우울함도 지나가는 것이다.

mediation 중재, 화해 **blues** 우울함

UNIT 097~098

✓ Check-up   P. 248-249

097   **1.** important thing   **2.** nothing impossible
098   **1.** their   **2.** they

097

1. thing은 주로 형용사가 앞에서 수식

중요한 것은 네가 가지고 있는 게 무엇이냐가 아니라 네가 누구냐는 것이다.

2. -thing으로 끝나는 단어는 형용사가 뒤에서 수식

권력과 돈을 포함해 모든 것을 가지고 있는 이곳에서 그에게 불가능한 것은 없다.

098

1. the rich(rich people)을 지칭하므로 복수 취급

부자들은 가난한 사람들의 상황을 이해하지 못하는 경향이 있다. 하지만 그들의 상황은 항상 변할 수 있다.

2. the young(young people)을 지칭하므로 복수 취급

"너는 젊은이들이 노인들을 존경해야 한다고 생각하니?" "당연하지, 왜냐하면 그들도 언젠가 나이를 먹잖아."

EXERCISE   P. 250

01 something new   02 something wrong   03 are   04 are
05 nothing new   06 anything terrible   07 are
08 everything right   09 is   10 are

---

01 something은 형용사가 뒤에서 수식

그들은 이기지 못할 거라는 걸 알기 때문에 좀처럼 새로운 것을 시도하지 않는다.

02 something은 형용사가 뒤에서 수식

만약 당신의 아들이나 딸이 잘못을 한다면, 당신은 그들의 잘못을 확실하고 친절하게 설명해야만 한다.

03 〈the+형용사〉가 사람을 의미할 경우 복수 명사

장애인들은 다른 할인도 받는데, 이것은 어린이와 노인들에게도 적용될 수도 있다.

04 〈the+형용사〉가 사람을 의미할 경우 복수 명사

게으른 사람들은 인생의 질을 향상시킬 수 있는 좋은 기회를 놓치는 경향이 있다.

05 -thing으로 끝나는 형용사는 뒤에서 수식

김 씨에 따르면 좋은 소식은 높은 원자재의 가격을 제외하고는 새로운 것은 없다는 것이다.

06 -thing으로 끝나는 형용사는 뒤에서 수식

셜록 홈즈를 제외하고 아무도 끔찍한 일이 있을 거라고 예상하지 못했다.

07 〈the+형용사〉가 사람을 의미할 경우 복수 명사

톰슨은 가난한 사람이 부유한 사람보다도 서로에게 더 관대하다고 말했다.

08 -thing으로 끝나는 형용사는 뒤에서 수식

부모는 모든 일을 제대로 할 수 있지만, 아이들은 성장하면서 스스로 결정해야 한다.

09 '보이지 않는 것'이라는 의미의 추상 명사, 단수 취급

보이지 않는 것은 믿기 어렵지만 당신에게 매우 중요한 것이 될 수도 있다.

10 〈the+형용사〉가 사람을 의미할 경우 복수 명사

비행기 사고에서 생존한 사람들이 청문회에서 증언을 하고 있고, 이것은 TV로 생중계되고 있다.

ACTUAL TEST   P. 251

01 ③   02 ⑤

---

01 ③ the software가 주어이므로 translate가 아니라 translates 가 돼야 함 ① -thing로 끝나는 단어는 형용사가 뒤에서 수식 ② 〈enable+목적어+to부정사〉 구문 ④ '번역을 시도하기 전에'라는 뜻,

The software가 번역을 시도하는 것이므로 능동 ⑤ to부정사의 의미상의 주어

구글은 번역을 해주는 전화기와 유사한 것을 생각하고 있다고 한다. 구글은 이미 컴퓨터상에서 텍스트를 외국어로 번역하는 서비스를 제공하고 있다. 마찬가지로 고객들이 전화기에 말로 명령할 수 있는 음성인식 시스템을 사용한다. 이제 과제는 소프트웨어가 전화 건 사람의 목소리를 인식할 뿐 아니라 동일한 의미의 외국어로 번역을 할 수 있도록 두 가지 기술을 결합하는 것이다. 그 소프트웨어는 번역을 시도하기 전에 전체 구절을 들을 것이다. 구글은 말대말 번역은 가능할 것이고, 몇 년 내에 상당히 효과를 볼 것이라고 생각한다. 이러한 과정이 부드럽게 진행되기 위해서, 고도의 정확성을 갖춘 기계 번역과 높은 정확성을 갖춘 목소리 인식 기술의 조합이 필요하며, 그것은 구글이 현재 진행하고 있는 일이다.

command 명령 **combine** 결합하다 **reasonably** 이성적으로 **combination** 조화 **accuracy** 정확성

02 (A) people을 받으므로 those가 적절 (B) 〈despite+명사구〉 (C) 〈the+형용사〉 구문, '노인들'이라는 뜻이므로 suffer가 적절

우리는 항상 과체중의 위험에 대한 경고를 받고 있다. 하지만 당신이 나이를 먹으면서, 여분의 살은 사실 당신에게 좋은 것일 수도 있다. 장기간의 연구는 다소 과체중인 사람은 정상적인 체중의 사람보다 더 오래 산다는 사실을 발견했다. 18.5 BMI는 저체중을 의미하며, 25 이상은 과체중이다. 반면 30 이상은 비만이다. 10년의 연구 끝에 2,300명의 실험 대상자는 사망했다. 하지만 그 결과, 비록 마른 것이 건강과 동일시됨에도 불구하고 비만인 사람들이 최적의 무게를 가진 사람들보다 더 위험하지는 않다. 반면, 저체중은 가장 높은 사망률과 연관이 있다. 이 연구는 만약 노인들이 수술과 같은 외상으로 고생을 할 경우, 지방의 많은 비축 분이 그들이 회복할 더 많은 기회를 제공한다는 점을 보여 준다.

speculate 고찰하다 **trauma** 정신적 외상 **reserve** 비축

REVIEW TEST   P. 252

01 high → highly   02 highest → higher   03 most → almost
04 like → alike   05 impatiently → impatient   06 quickly
07 beautiful   08 hotly   09 roughly   10 profitable

---

01 '매우'

만약 유머가 창의력과 지식의 신호이고, 우월한 유전자의 표식이라면, 재미 있는 남자는 여성에게 매우 바람직할 것이다.

02 〈the 비교급~, the 비교급~〉 구문

뇌의 세포가 다양할수록, 두뇌가 도전을 극복할 수 있는 세포를 포함할 가능성도 높아진다.

03 all을 수식하므로 부사인 almost가 적절, '거의 모든 기술들'

필적감정은 결국 거짓말 탐지기 같은 다른 방법을 보완할 수 있으며, 새로운 차원을 더할 수 있다. 왜냐하면 거의 모든 다른 기술과는 달리 그것은 말로 하는 의사소통에 의존하지 않기 때문이다.

04 '똑같이', have tried를 수식

이것은 수년 동안 많은 학자들과 과학자들, 그리고 대학원생들이 똑같이 그 원인을 찾기 위해서 노력해왔다는 것을 의미한다.

05 〈make+목적어+목적격 보어〉, 목적격 보어 자리이므로 형용사가 적절

최근의 한 연구에 따르면 패스트푸드를 생각하는 것이 다른 사물에 대해서도 우리를 참을성 없게 만든다고 한다.

06 brought를 수식하므로 부사인 quickly가 적절

비록 물가 쪽으로 가능한 한 빨리 끌고 나왔지만, 의식이 없는 두 사람은 죽었다.

07 주격 보어 자리에는 형용사가 적절

제럴드의 딸은 자신이 매력적이지 않다고 확신하는 것 같았지만 사실 그녀는 아름답다.

08 debated를 수식하므로 부사인 hotly가 적절

체벌은 많은 학자들 사이에서 대립되는 논쟁으로 오랫동안 뜨거운 토론의 주제였다.

09 '대략'을 의미하므로 roughly가 적절

쾨베클리 테페를 독특하게 만드는 것은 그것이 건설된 시기인데, 그것은 거의 1만 2천 년 전이다.

10 〈the 비교급 ~, the 비교급〉 구문

그 여자의 첨단 기술 회사에 투자가 꽤 이익을 냈다는 것이 입증되었다.

FINAL CHECK P. 253-255

01 ③ 02 ② 03 ① 04 ④ 05 ④ 06 ⑤

01 ③ 〈make+목적어+목적격 보어〉 구문, 목적격 보어 자리이므로 conveniently가 아니라 convenient가 돼야 함 ① 유사관계대명사 as가 주어를 대신하는 구문 ② '그것들을 휴대용 컴퓨터로 만들면서'라는 뜻 ④ 〈grow+비교급〉 구문 ⑤ Domestic companies를 받음

스마트폰은 다른 나라에서와 마찬가지로 한국에서 인기를 얻고 있다. 오직 얼리 어답터만이 그 기계를 즐기는 것은 아니다. 그들의 인기는 올인원 장치를 바라는 사람들의 욕구와 관련 많다. 이러한 휴대폰은 PDA, MP3, 비디오플레이어는 물론 전화 기능 등의 다양한 기능을 가지고 있다. 스마트폰은 또한 쉽게 인터넷에 접속할 수 있는데, 특히 실용적으로 스마트폰을 휴대용 컴퓨터로 만들기도 한다. 또한 만약 주위에 와이파이망이 있다면, 인터넷을 무료로 이용할 수 있다. 스마트폰은 보통 터치스크린인데, 이는 사용을 보다 편리하게 해준다. 그래서 그 기능은 휴대폰에 약했던 나이가 든 사람들도 스마트폰을 쉽게 사용할 수 있게 해준다. 스마트폰 시장에서의 경쟁은 매일 점점 심해지고 있다. 애플사의 아이폰은 작년 많은 팡파르와 함께 한국 시장에서 데뷔 무대를 가졌다. 국내 기업들은 아이폰을 따라잡기 위해 최선을 다하고 있다.

gadget 장치 **desire** 욕구 **all-in-one** 하나에 다 있는 **practically** 실용적으로 **capability** 능력 **conveniently** 편리하게 **fierce** 사나운 **domestic** 국내의 **catch up with** 따라잡다

02 (A) 〈think+가목적어+목적격 보어+진목적어〉 구문으로 pointless가 적절 (B) '이런 생각을 적용하면'이란 뜻의 분사구문이므로 Applying이 적절 (C) 〈spend+시간+-ing〉 '~하는 데 시간을 보내다'라는 뜻이므로 working이 적절

현대 교육은 존 듀이의 영향을 받았다. 그는 유일한 가치 있는 지식이란 실용적이고 이용될 수 있는 정보라고 믿었다. 그는 학생들이 쉽고 빠르게 잊어버리는 쓸모없는 사실을 암기하도록 하는 것은 무의미하다고 생각했다. 오히려 그는 나중에 학교들은 기술과 생각하는 법을 가르쳐야 한다고 느꼈다. 그의 생각은 몇몇 교수기법에도 영향을 주었다. 그는 아이들은 보는 게 아니라 직접 함으로써 배울 수 있다고 생각했다. 이런 생각을 오늘날 적용하자면, 민주주의 원리는 학생회에서 이뤄지며, 과학 수업은 실험을 해야 하며, 음악 수업은 음악을 만들어야 한다. 학교의 여러 프로젝트는 창조성과 팀워크를 고취 시킨다. 아이들은 시간을 조용히 혼자서 보내지 않는다. 그 대신에 아이들은 그룹으로 활동을 하고, 생각을 공유하며, 함께 프로젝트를 끝마치게 된다.

practical 실용적인 **pointless** 무의미한 **useless** 쓸모없는 **apply** 적용하다 **democratic** 민주주의의 **principle** 원리 **student union** 학생회 **experimentation** 실험

03 ① 19세기의 도로와 오늘날의 도로를 비교하므로 today가 아닌 those of today가 돼야 함 ② '이 기간 동안' ③ round logs가 선행사 ④ result는 자동사 ⑤ 부사구가 앞으로 나오고 주어와 동사가 도치된 구문

19세기의 도로는 오늘날의 길과는 매우 달랐다. 가을과 봄에 이런 길은 자주 진흙탕이 되었고 웅덩이가 생겼다. 여름에는 마르고 먼지 나는 길이 거대한 먼지 구름을 만들어 냈다. 당시에 좀 더 좋은 길은 둥그런 통나무로 만들어졌는데 이것들은 나란히 땅 위에 놓여 있었다. 통나무로 만들어진 길은 먼지가 없고 먼지 구덩이가 별로 없었지만 다른 문제가 있었다. 통나무들이 마차의 무게를 견디지 못해 미끄러졌기 때문에 말들이 자주 넘어졌고, 말의 발목이 통나무 사이에 끼여 부러지곤 했다. 심지어 나무판으로 만들어진, 그 당시에 가장 좋았던 도로들까지도 빨리 썩곤 했다. 불과 한 세기 후에 인부들은 도로를 건설하기 위해 깨진 돌과 찰흙, 자갈을 사용했다.

muddy 진흙의 **log** 통나무 **slip** 미끄러지다 **result in** ~을 야기하다 **gravel** 자갈

04 (A) never-ending을 수식하는 seemingly가 적절 (B) '거의 항상'이라는 뜻이므로 almost가 적절 (C) '땅에 닿게 함으로써'라는 의미이므로 By landing이 적절

스포츠 용품점은 겉보기에 끝나지 않을 것 같은 비싼 런닝화를 쌓아놓고 있다. 하지만 달리기 선수들은 맨발로 뛰는 게 더 낫다. 최근의 연구에 따르면, 달리기 선수들은 현대적인 완충 장치가 있는 스포츠화를 신을 때 거의 항상 발의 뒤축을 처음으로 내딛는다. 이는 관습에 심각한 충격과 신발이 막으려고 디자인 된 그런 종류의 해를 유발한다. 하지만 선수들이 맨발로 뛰거나, 최소한의 완충 기능이 있는 신발을 신을 때 선수들은 발볼을 땅에 내딛게 된다. 하버드 대학교의 다니엘 교수에 따르면 "뛸 때 신발을 신지 않는 사람들은 놀랍게도 다른 충격을 받는다."라고 한다. 발의 중간이나 앞쪽이 닿게 함으로써 맨발로 달리는 사람들은 충돌로 인한 충격을 받지 않는다.

stock 쌓아 놓다 **array** 배치, 정렬 **better off** ~하는 게 더 낫다 **barefoot** 맨발 **significant** 특정한 **jolt** 충격 **joint** 관절 **prevent** 막다 **cushion** 충격을 완충하다 **astonishingly** 놀랍게도 **collision** 충돌

05 ④ '거의'를 의미하므로 most가 아니라 almost가 돼야 함 ① any other writing assignment를 선행사로 받는 목적격 관계대명사 ② 주어와 목적어가 모두 high school students를 의미 ③ '~하는 한' ⑤ 〈see+목적어+목적격 보어〉 구조

대학교 에세이를 쓰는 것은 어려운데 고등학교 학생들이 해왔던 다른 쓰기 숙제와 다르기 때문이다. 재치 있고, 설명적이며, 매력적이라는 소리를 들으며, 동시에 그들은 자기 자신과 그들의 개성을 모르는 사람들에게 팔려고 한다. 우리는 학생들이 하나의 일화를 고르고, 그것을 과거의 성취와 미래의 열망에 관련시켜 거의 모든 주제는 엄청난 에세이를 만들 수 있다. 여전히 많은 학생들이 그들의 이력서를 단락으로 다시 쓰지 말라고 하거나 자기 자신에 대해 많은 것을 알려주지 않으면서 그들의 인생의 롤모델에 대한 것만 쓰는 것을 하지 말라고 설득시키기 어렵다. 대학 에세이는 겸손과 자기 홍보 사이에 미래의 전문적인 균형을 위한 엄청난 일이다. 우리가 학생들이 잘 선택한 주제를 가지는 것을 볼 때, 그것은 굉장한 일이 된다.

descriptive 서술적인, 설명적인 **engaging** 매력 있는 **anecdote** 일화 **aspiration** 동경, 열망 **convince** 확신시키다 **divulge** 누설하다 **humility** 겸손, 비하 **self-promotion** 자기 홍보 **embrace** 포용하다

06 (A) '매우'라는 뜻이므로 highly가 적절 (B) 동사(use)를 수식하므로 부사(inappropriately)가 적절 (C) 동사(be interpreted)를 수식하므로 부사(wrongly)가 적절

요즘 이메일은 가장 효과적인 의사소통의 방식이라고 생각이 된다. 하지만 그것은 일터에서는 매우 결점이 있는 의사소통 도구가 될 수 있다. 일부 사람들은 사람과의 대면을 회피하거나 친구들 사이에 비밀을 전달하는 데 있어서 부적절하게 그것을 사용한다. 일부 직원은 이메일로 그들이 사람들 앞

에서는 하지 못할 말을 하게 된다. 더 나쁜 것은 이메일은 오해되기 쉽다는 것이다. 이메일은 메시지와 컴퓨터 파일을 전자기기를 이용해서 전달하는 시스템이다. 이메일에는 전달하는 사람의 톤, 억양, 제스처가 부족해서 메시지는 받는 사람에게 잘못 해석될 수도 있다.

flawed 결점 있는 vehicle 도구 confrontation 대면 transmit 전달하다 inflection 억양 interpret 해석하다

해석

01-1 누군가가 가난한 마을 사람들을 도와줄 만큼 충분히 관심이 있다는 사실은 궁금증을 자아낸다.

01-2 거미들이 거미줄을 치기 위해 뽑아내는 실크는 인간이 만든 가장 탄성력이 있는 제품보다 우월한 신축성을 가진다.

01-3 미국, 스웨덴, 잉글랜드, 브라질을 포함한 세계 많은 나라들은 지금 이러한 형태의 가솔린을 사용 중이다.

01-4 그런 날씨 조건을 가진 도시에 있는 매우 높은 건물의 조합은 바람에 많이 흔들리게 된다.

01-5 감세와 관련하여 알려지지 않은 요인 중 하나는 소비자들이 갑자기 이용할 수 있게 된 추가 수입으로 무엇을 할 것인가이다.

02-1 영어 철자법은 단어를 읽는 것을 어렵게 만드는 상당한 차이가 있다.

03-1 이러한 길로 가는 것은 결국 그들의 신체에 심각한 해를 끼친다.

03-2 어떤 직업이 노동으로 분류될지 아니면 일로 분류될지는 그 직업 자체에 달려 있는 것이 아니라, 그 직업을 맡은 개인의 마음가짐에 달려 있다.

04-1 우리는 대기 중에 많은 양의 이산화탄소를 배출하고 있는데, 그중 거의 1/3은 자동차에서 나온다.

05-1 예를 들어, 여러분의 언어 사용은 선생님들이 여러분을 대하는 태도에 영향을 미친다. 또한 그것(여러분의 언어 사용)은 여러분에 대한 친구들의 이해와 여러분에 대한 그들의 감정에 영향을 미칠 수 있습니다.

05-2 한 세기 안에 명석한 마음과 좋은 취미를 가진 깨달음을 얻은 사람은 극소수에 불과하다. 그들의 작품들이 보존된 것은 인류의 가장 귀중한 소유물들 중 하나이다.

05-3 말레이시아, 인도네시아, 그리고 태국은 많은 아프리카 국가들과 같은 열대 기후를 가지고 있지만, 아프리카 국가들과 달리 그들의 경제는 빠르게 성장하고 있다.

06-1 당신 삼촌이 연락을 받아야 할 필요가 있다.

06-2 우리에게 옳고 그름에 대한 감각, 사랑에 대한 이해, 그리고 우리가 누구인지에 대한 지식을 준 것은 바로 우리 부모님이다.

06-3 과학이 너무 발전해서 우리는 매일 우리의 혈압, 온도, 그리고 심장박동을 관찰할 수 있는 마이크로칩을 우리 몸에 갖게 될 것이다.

06-4 투수의 건강은 매우 중요해서 그에게 문제가 있다면 그는 "게임을 쉴 수" 있다.

07-1 비버는 지금까지 전국적으로 인상적인 복귀를 해 왔다.

07-2 전쟁이 발발했을 때 나는 그곳에서 10년을 살았다.

08-1 그때 이후 장기를 받기 위해 대기자 명단에 올라 있는 사람들의 수가 꾸준히 증가했고, 지금은 장기의 필요성이 기증된 수를 크게 초과하기 때문에 매년 약 6,000명이 사망하고 있다.

08-2 7시에는 눈이 땅에 내려앉았지만, 어떤 곳에서는 바람 때문에 상당히 더 깊었다.

09-1 손님이 도착했을 때, 와인이 식어있었다. 다시 한번, 내가 그걸 냉장고에 넣는 걸 깜빡했다.

10-1 상처 입은 동물들은 확실히 그들의 상처가 치유되는 동안 평소보다 더 많은 시간을 자면서 보낸다.

10-2 많은 질문을 하면서, 기자는 그 남자를 인터뷰했다.

10-3 그 뉴스 보도는 그의 나라에서 열릴 중요한 회의에 관한 것이었다.

10-4 언덕 아래로 굴러 내려오는 공을 막으려면 외부의 힘을 가해 막아야 한다.

10-5 1963년 12월 11일, 35세의 Elsie Waring은 런던에 있는 그녀의 집에서 쓰러졌고 세 명의 의사가 도착하자마자 그녀가 사망한 것으로 증명한 Willesden 병원으로 옮겨졌다.

10-6 그는 하마터면 차에 치일 뻔했다.

10-7 개가 그 뒤를 따르며 그는 산책을 했다.

10-8 그는 그의 학생들이 그 프로젝트를 계속하게 했다.

10-9 플라스틱 섬유로 만든 재료는 싸고 만들기 쉽다.

11-1 놀란 승객들이 버스에서 갑자기 뛰어나왔다.

11-2 외국에서 산다는 것은 상상 이상으로 흥미진진할 수 있다.

12-1 이러한 믿음은 사람들이 옷을 입는 방식, 그들이 속한 그룹, 남성인지 여성인지 여부와 같은 것들에 기반을 두고 있다.

13-1 Bill이 Carter 부인의 집에 도착했을 때, 그는 그녀가 마당에서 일하고 있는 것을 발견하지 못해 놀랐다.

14-1 결국 토마토를 심으면 오이나 데이지가 아니라 토마토가 자라기를 기대해야 한다.

14-2 간에서 증식한 뒤, 기생충은 적혈구를 터뜨려 혈액에 독소를 방출해 심한 통증을 느끼게 한다.

15-1 요즘 나는 알람이 울리는 순간 침대에서 일어나야 한다.

16-1 나는 항상 어떤 일이 일어나는 것을 막는 것이 그 이후에 그것을 고치거나 수리하는 것보다 훨씬 쉽다는 것을 알아왔다.

17-1 히말라야는 이곳에서 사는 것을 즐겁게 만드는 일 년 내내 따뜻한 기후를 가지고 있다.

18-1 무료 교육은 일반인들이 권력의 위치에 오를 수 있게 했다.

18-2 행인은 농부가 이렇게 하는 것을 한동안 지켜보다가 "아저씨, 저 노새의 이름이 몇 개나 됩니까?"라고 물었다.

18-3 나는 쇼핑몰에서 두 남자가 한 주차장을 놓고 다투는 것을 보았다.

18-4 그녀는 당신에게 도움이 될 만한 어떤 구두 내용도 제공하지 않습니다.

18-5 그곳은 또한 유럽 본토에서 멀리 떨어져 있어 자동적으로 정치적, 사회적 갈등에 휘말리는 것을 피할 수 있지만, 문화적, 경제적 삶에는 참여할 수 있을 만큼 가깝다.

19-1 그는 돈을 몽땅 도둑맞아서 어찌할 바를 몰랐다.

19-2 대부분의 곤충 의사소통은 페로몬이라고 알려진 화학 물질에 기반하며, 응급 상황이라는 신호를 보내거나 먹이까지의 길을 알려 주는 화합물을 방출하는 특수한 분비샘을 이용한다.

20-1 당신은 사람들의 감정을 상하게 하지 않도록 노력해야 한다.

20-2 그들은 교칙을 따르기를 거부했다.

21-1 아이들이 사회 문제를 다루는 것은 불가능하다.

21-2 그 노부부를 돕다니 그는 친절하다.

22-1 스파이더맨이 의대를 다녔다면 정형외과에서 큰돈을 벌 수 있었을 것이다.

22-2 나는 내가 시도하지 않았더라면 내가 했어야 했던 것보다 더 낫고 행복한 남자였다.

22-3 만약 아주 다르게 생겼고, 이상한 언어를 구사하고, 특이한 옷을 입은 누군가가 여러분의 문 앞에 나타난다면 여러분은 기분이 어떨 것 같나요?

22-4 이 여행이 일주일만 더 일찍 일어났더라면, 이 모든 것이 지금 내 눈을 즐겁게 했을 것이다.

23-1 나는 당신이 그렇게 열심히 일하지 않았기를 바란다.

23-2 나는 그가 어제 그 프로젝트를 끝마쳤기를 바란다.

24-1 잠자러 갈 시간이다.

25-1 나는 그에게 거의 관심을 기울이지 않은 것을 후회한다. 다시 말해, 나는 그에게 더 많은 관심을 기울였어야 했다.

25-2 마침내 나는 그때 그가 아이디어만을 위해 그것을 사용하는 대신 단어마다 복사본을 제출했을 것임에 틀림없다고 결론지었다.

26-1 땅이 젖은 것 같다. 어젯밤에 비가 많이 왔음에 틀림없다.

26-2 내 차가 고장 났다. 진작에 고쳤어야 했다.

27-1 톰은 파티를 좋아한다. 나는 그가 초청을 받았더라면 파티에 왔을 것이라고 확신한다. 그는 초대받지 못했을 것이다.

28-1 그 당시에, 풍부한 정보를 얻는 것은 매우 비용이 많이 들었고, 그것을 분석하는 도구는 1990년대 초까지 이용할 수 없었다.

28-2 이것은 그들의 크기나 모양에 대한 조롱을 피하는 그들의 방법이다.

29-1 우리가 친구나 가족이 다른 사람들과 완벽한 관계를 즐기고 있는 것을 볼 때, 우리는 우리 자신의 것에 의문을 갖기 시작할지도 모른다.

29-2 미래는 컴퓨터 때문에 살기에 외로운 곳이 될 것이다.

30-1 Barrington Jones를 아는 모든 사람들은 그를 그들이 만난 가장 진실한 사람 중 한 명으로 묘사하면서 그를 높이 평가했다.

30-2 만약 그것이 치료되지 않는다면, 거식증은 꽤 심각해지고 심지어 치명적이 될 수 있다.

31-1 자세히 살펴보면, 아인슈타인의 뇌세포와 다른 사람들의 뇌세포 사이에는 사실 거의 차이가 없었다.

32-1 나는 살아있는 물고기를 잡았고, 그것은 살아있었다.

33-1 많은 자전거 도로가 새로 만들어졌고, 오늘날 그 도시에는 자동차보다 두 배나 많은 자전거가 있다.

33-2 보고서는 중소기업이 대기업보다 더 큰 혁신과 발전의 원천임을 보여준다.

34-1 아는 사람이 많고 호감이 가는 사람일수록 운이 좋을 확률이 높다.

35-1 영국은 식민지 강국으로서 프랑스의 라이벌이었고, 프랑스는 영국을 괴롭히거나 해치는 거의 모든 것에 찬성했다.

36-1 간혹 교통체증을 일으키더라도 고속도로 가장자리에 소들이 자유롭게 모이는 지역도 있다.

37-1 우리는 과거에 사람들이 어떻게 생겼고 행동했는지, 그리고 그들이 가장 중요하게 생각했던 것에 대해 배울 수 있다.

38-1 그는 수컷 기린이 6피트 이상의 길이에 200파운드 이상의 무게가 나가는 강력한 목을 휘둘러 짝을 찾는 것을 보았다.

39-1 상품과 서비스의 소비자로서, 당신은 때때로 당신이 구매한 것의 품질에 대해 제조업자와 소통해야 할 필요가 있을 것이다.

39-2 그들은 "우주의 목적은 무엇인가?"라는 대답이 없는 종류의 질문을 추구하는 데 많은 노력을 하고 싶어 하지 않는다.

40-1 여러분이 소통하는 사람들은 그들이 남들이 자신의 말을 듣고 있다고 느낄 때 여러분 주위에서 훨씬 더 편안함을 느낄 것이다.

41-1 그녀는 내가 찾던 남편을 소개해 주었다.

42-1 그것은 레이건 대통령이 대법원으로 지명한 상원에서 경력에 큰 타격을 입은 로버트 보크를 기리기 위한 것이다.

42-2 플로리다에 사는 72세의 Florence Lustig는 남편이 6년 전에 세상을 떠났고 다른 독신자들을 만나고 싶어 했다.

42-3 속도가 변하지 않는 물체는 평형 상태에 있다고 한다.

43-1 그녀는 다시 마음을 바꿔서 우리 모두를 화나게 했다.

43-2 내가 불편한 개가 있다.

43-3 컴퓨터가 진정한 인간관계를 위해 만날 수 있는 기회를 빼앗는다는 점에서 이 모든 것이 우리를 덜 인간적으로 만들 것이다.

43-4 Jim은 부산으로 이사 간 Jack과 Susan이라는 두 친구가 있었다.

44-1 네가 어떤 문제가 있든지 간에, 나는 항상 너를 도울 것이다.

45-1 이곳에 오는 사람은 누구나 환영받을 것이다.

45-2 누구든지 성공하려면 열심히 일해야 한다.

46-1 그들의 발전을 이끈 연구는 동시에 인체에 해를 끼치지 않고 특정 미생물을 파괴할 수 있는 화학물질이 발견될 수 있다는 믿음에 기초했다.

47-1 이 자세는 분노, 원망, 짜증, 그리고 따라서 더 큰 불행으로 이어질 것이다.

47-2 미국에서 더 많은 사람들이 인터넷 서핑, 이메일 보내기, 또는 온라인 게임을 하면서 여가 시간을 보내고 있다.

47-3 이 기술은 아이들이 그들의 학습 어려움을 이해하도록 돕고, 다른 모든 사람들처럼, 그들에게는 약점뿐만 아니라 장점도 있다는 것을 인식하도록 도와준다.

47-4 이것은 브라질에서 했던 것처럼 설탕을 발효시키거나 미국에서 했던 것처럼 옥수수를 사용해서 만들어지는 알코올이다.

48-1 그는 번호를 매기는 기계를 발명했고, 그들은 나중에 그것을 레터링 기계로 바꾸기로 결정했다. Sholes는 약 30개의 다른 기계를 만들었고 오늘날 사용되는 것과 유사한 키보드 레이아웃을 디자인했다.

48-2 그들의 부모를 경멸하는 아이들은 모든 사람들에게 비슷하게 느낄 것이다.

48-3 하지만, 사람들이 인류의 구성원을 편리하게 분류하기 위해 사용하는, 현재 과학적인 가치가 거의 없는 것으로 여겨지는 다른 방법들이 있다.

48-4 그러나 의사들은 슬프게도 다른 모든 질병을 합친 것보다 더 자주 발생하는 이 병에 대한 실질적인 치료법이 아직 발견되지 않았다는 데 동의한다.

49-1 만약 여러분이 '안 된다'는 것을 대답으로 수용할 수 있다면, 여러분이 필요한 것은 무엇이든지 겁 없이 요구할 수 있다.

49-2 화석으로부터, 과학자들은 동물이 어디에서 살았는지, 언제 살았는지, 그리고 어땠는지 알 수 있다.

50-1 그는 아들이 수학에 대한 재능을 키울 수 있는 영재 특수학교에 가야 한다고 주장했다.

51-1 최근에 발견된 증거는 면직물이 중동과 유럽으로 퍼지기 전에 인도에서 시작되었다는 것을 시사한다.

52-1 하지만 나는 400마일을 달려서 매우 소중한 내 친구가 대학을 졸업하는 것을 볼 수 있는 그런 사람이다.

53-1 그 남자가 방에 들어가는 것이 보였다.

54-1 부동산 중개인들은 잠재 고객들에게 그들이 정말로 팔고 싶은 멋진 집을 보여주기 전에 가격이 너무 비싼 더 안 좋은 집을 보게 할 것이다.

54-2 새로운 카메라 휴대폰은 당신의 이름, 번호, 그리고 당신의 신용카드의 유효기간을 찍는 데 사용된다.

55-1 그리스인들은 로마인들처럼 감초에 대해 모든 것을 알고 있었다.

56-1 그날 저녁이 되어서야 그녀는 자제력을 되찾을 수 있었다.

57-1 수천 개의 일자리와 숲에 의존하는 유기체의 존재와 함께 오래된 침엽수림의 큰 구역의 미래가 위태로웠다.

58-1 정부가 약속한 것에도 불구하고, 단지 소수만이 포함되었다.

58-2 화자가 포함하고 있는 관련 없는 세부 사항 때문에 만들어지는 요점을 파악하기 어려운 경우가 많다.

59-1 고양이의 눈동자는 하늘에 있는 태양의 위치에 따라 점차 모양이 변한다고 믿어진다.

60-1 시험에서 95%의 정답을 맞힌다면, 첫 번째 질문은 종종 "나머지 5%는 어떻게 된 거야?"이다.

61-1 하지만, 이러한 보호소에 있는 것은 노숙자의 가장 큰 원인이 집세를 낼 돈이 부족하기 때문이 아니라 이러한 보호소에 있는 많은 결손 가정들 때문이라는 것을 알게 해주었다.

62-1 과학자들은 폭풍이 카메라의 움직임과 관련이 없다고 생각한다. 왜냐하면 그것은 해수면보다 1,800피트 아래에 있었기 때문이다.

63-1 그것은 의사들이 더 잘 보기 위해 그것의 층을 잘라낸 것처럼 몸을 들여다

볼 수 있게 해주었다.

64-1 의사는 관련된 위험이 적절하게 평가되고 만족스럽게 관리될 수 있다고 확신하지 않는 한, 인간 주제와 관련된 연구 프로젝트에 관여해서는 안 된다.

64-2 만약 여러분이 그들의 억양을 주의 깊게 듣지 않는다면, 그들의 말은 모호할 수 있다.

64-3 비록 그들이 실제로 전보다 더 많이 먹지 않더라도, 많은 흡연자들이 담배를 끊고 나서 살이 찌는 것은 사실이다.

65-1 사랑에 빠지는 것은 마법의 구름에 사로잡히는 것과 같다.

65-2 어떤 두 개의 지문도 정확히 같지 않다는 것은 상식이다.

66-1 두 명의 잠재적인 도우미 중 하나를 선택할 수 있다면, 그들은 보통 더 나은 밧줄을 끄는 사람을 선택했다.

66-2 당신은 정치, 문화, 그리고 사업에 관한 중요한 사건에 대한 많은 보도를 보거나 들을 것 같지 않다.

67-1 네덜란드에 있는 동안, 그는 철학자로서 더 독립적인 삶을 포기해야 하는지에 대한 문제와 씨름하고 있었다.

68-1 그것은 너무 위험해서 여성들은 더 이상 택시를 거의 운전하지 않는다.

69-1 그 경기 이후로, 그는 달리기에 더 진지한 흥미를 느끼게 되어 그것에 전념했다.

70-1 그는 그것을 내려놓았다.

71-1 그 선생님은 자신의 학생들이 교실에서 떠드는 것을 막았다.

72-1 당신은 '조용히 하시오'라고 읽으면서 표지판에 접근해야 한다.

73-1 나는 그가 휴가 동안 그의 방에서 무엇을 했는지 물었다.

74-1 만약 여러분이 충분히 기다린다면, 여러분의 꿈은 이루어질 수 있다.

75-1 아기들이 태어날 때, 그들은 항상 파란 눈을 가지고 있다. 눈을 빛나게 하는 색소인 멜라닌이 홍채 표면에 없기 때문이다.

75-2 나는 감기에 걸렸다. 그게 오늘 학교에 못 가는 이유다.

76-1 범행 현장에서 장갑 한 켤레가 발견됐다.

76-2 윤리학은 우리가 어떻게 행동해야 하는가를 선택한다는 것을 인식하면서부터 시작된다.

MEMO

구문 독해 BOOK ① 204

204개의 핵심 구문을 통한 직독직해 완전정복!

▶ 혼돈하기 쉬운 구문의 비교 학습

▶ 2000여 개에 달하는 풍부한 문제를 통한 반복 학습

▶ 어법부터 독해까지 한 권으로 끝내는 학습 구조

▶ 문법까지 한눈에 정리하는 필수 어법 공식 신규 추가

초1	초2	초3	초4	초5	초6	중1	중2	중3	고1	고2	고3

Writing

공감 영문법+쓰기
1~2

도전만점
중등내신 서술형 1~4

영어일기 영작패턴
1-A, B · 2-A, B

Smart Writing 1~2

Reading

Reading 101 1~3

Reading 공감 1~3

This Is Reading Starter 1~3

This Is Reading
전면 개정판 1~4

원서 술술 읽는
Smart Reading Basic 1~2

원서 술술 읽는
Smart Reading 1~2

[특급 단기 특강]
구문독해 · 독해유형

[앱솔루트 수능대비
영어독해 기출분석]
2019~2021학년도

Listening

Listening 공감 1~3

The Listening 1~4

After School Listening
1~3

도전! 만점
중학 영어듣기 모의고사
1~3

만점 적중
수능 듣기 모의고사
20회 · 35회

TEPS

NEW TEPS 입문편 실전 250⁺
청해 · 문법 · 독해

NEW TEPS 기본편 실전 300⁺
청해 · 문법 · 독해

NEW TEPS 실력편 실전 400⁺
청해 · 문법 · 독해

NEW TEPS 마스터편 실전 500⁺
청해 · 문법 · 독해

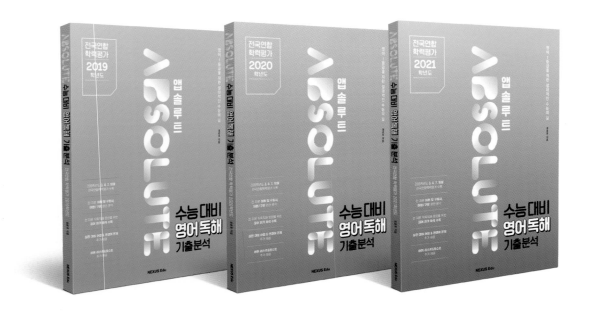